MOURIR POUR JÉRUSALEM

Originaire d'un petit village de Lozère, Jean Lartéguy a appris l'alphabet chez les frères des Écoles chrétiennes. Un peu plus tard, il apprit le grec et le latin dans un collège de jésuites, et la guerre, telle qu'elle ne devait pas être faite, dans une école d'officiers.

Engagé volontaire en 1939, il rejoindra en 1942 la France libre en passant par l'Espagne et ses prisons. Aspirant, puis sous-lieutenant dans les commandos d'Extrême-Orient et d'Afrique, il récoltera quelques médailles et autant de mauvais coups.

Correspondant d'une agence de presse fantôme au Moyen-Orient et en Iran, il reprend du service comme lieutenant dans le bataillon de Corée. Blessé, il quitte l'armée sans avoir jamais pu dépasser le grade de capitaine. Devenu correspondant de guerre pour différents quotidiens et hebdomadaires (*Paris-Presse, Paris-Match...*), on le voit sur tous les théâtres d'opérations : au Cambodge, dans les guérillas d'Amérique latine, en Afrique noire, au Liban, chez les Kurdes, en Algérie...

Il est l'auteur d'une cinquantaine d'ouvrages dont *Les Centurions*, qui le feront connaître du grand public, *Les Prétoriens*, *Les Mercenaires*, *Le Mal jaune*, *Les Tambours de bronze*, *Le Roi noir*, et *Mourir pour Jérusalem*, qui a obtenu le Prix des Maisons de la Presse 1996.

D0034303

JEAN LARTÉGUY

Mourir pour Jérusalem

Jérusalem, cinq mille ans de gloire et de malheur,
de sièges, de destructions, d'incendies
et de résurrections

ÉDITIONS DE FALLOIS

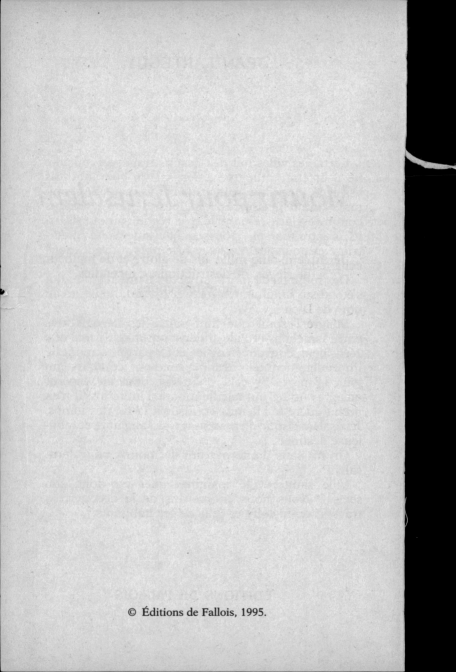

CHAPITRE I

MELCHISÉDECH, LE ROI MYTHIQUE

« Et Melchisédech, roi de Salem [Jérusalem], apporta du pain et du vin ; il était prêtre du Dieu Très Haut. Il bénit Abraham et lui dit : "Béni soit Abraham et le Dieu Très Haut qui a livré ses adversaires entre tes mains." Et Abraham lui donna la dîme de tout [son butin]. »

Genèse 14 :18-20

Certaines villes ont des destins tragiques, aucune ne peut être comparée à Jérusalem, quarante fois assiégée, incendiée, ruinée, deux fois rasée. Ses habitants furent massacrés, crucifiés, déportés, vendus comme esclaves. Quand la paix régnait autour d'eux, ils s'entre-tuaient, poussés par une folie meurtrière et pour des motifs qui, le plus souvent, nous échappent.

Des millions de morts au cours d'une histoire qui s'étend sur cinquante siècles et presque toujours au nom de Dieu !

Malgré l'espoir que font naître les négociations entre Israéliens et Palestiniens, on imagine mal que Jérusalem, convoitée par les deux parties qui ont lié imprudemment leur destin à son nom, connaisse un jour la paix. Si cela était, on pourrait espérer qu'après un tel miracle, le monde l'imiterait. Il n'en prend guère le chemin et, jusqu'à la fin des temps, Jérusalem risque de poursuivre sa sanglante et fabuleuse destinée.

On n'a sans doute pas fini de mourir pour Jérusalem.

Ville sainte, ville maudite, quel est donc son secret ? Nous nous efforcerons de le découvrir à travers son histoire et celle de ses habitants.

J.L.

« Ainsi parla le Seigneur Yahvé à Jérusalem : Par tes origines et ta naissance, tu es du pays de Canaan. Ton père était Amorrhéen et ta mère était Hittite. A ta naissance, le jour où tu fus enfantée, ton cordon ne fut pas coupé, tu ne fus pas baignée dans l'eau, ni frottée de sel, ni enveloppée de langes... Tu fus jetée en plein champ par dégoût de ta personne...

« Je passai près de toi et je te vis, qui te débattais dans ton sang. Je te dis : "Vis et croîs comme une pousse des champs." Tu te mis à croître, tu grandis, tu devins jeune fille, tes seins s'affermirent et ta chevelure poussa. Mais tu étais nue, complètement nue. Je passai près de toi et je te vis : c'était ton temps, le temps de l'amour. Je tendis sur toi le pan de mon manteau, je couvris ta nudité, je fis alliance avec toi et tu fus à moi. Je te baignai dans l'eau, j'essuyai ton sang et je t'oignis d'huile. Je te vêtis de tissus diaprés, je te mis des chaussures en peau de dauphin, je te ceignis de lin fin et te couvris de soie. Je te parai d'une parure, je mis des bracelets à tes mains et un collier à ton cou. Je mis un anneau à ton nez, des boucles à tes oreilles et une couronne de gloire sur ta tête... Tu te nourris de fleur de farine, de miel et d'huile. Tu devins extrêmement belle et tu parvins à la royauté. Ton nom se répandit parmi les nations à cause de ta beauté, car elle était parfaite à cause de ma splendeur que j'avais mise sur toi.

« Mais tu t'es fiée à ta beauté et tu as profité de ton renom pour te prostituer. Tu as prodigué tes faveurs à tout passant, tu as été à lui... Tu as pris tes bijoux, faits de mon or et de mon argent que je t'avais donnés, et tu t'es fait des images de mâles, avec lesquelles tu t'es prostituée...

« Tu as pris tes fils et tes filles que tu m'avais enfantés et tu les as sacrifiés pour elles en pâture. Etait-ce trop peu que ta prostitution ? Et au milieu de toutes tes abominations et tes prostitutions, tu ne t'es pas souvenue des jours de ta jeunesse, quand tu étais nue, complètement nue, quand tu te débattais dans ton sang. »

Ezéchiel, 16-9, VIe siècle avant J.-C.

Près des fleuves de Babylone,
nous étions assis et nous pleurions
en nous souvenant de Sion...
Si jamais je t'oublie, Jérusalem,
Que ma droite se dessèche !
Que la langue colle à mon palais
Si de toi je n'ai souvenance,
Si je n'élève Jérusalem
au faîte de ma joie !

Psaume 137, 1, 5-6

« Jérusalem est un bassin d'or rempli de scorpions. »

Muqadassi,
géographe arabe du Xe siècle et citoyen de Jérusalem

« Une absence complète du sentiment de la nature, aboutissant à quelque chose de sec, d'étroit, de farouche, a frappé toutes les œuvres purement hiérosolymites d'un caractère grandiose mais triste, aride et repoussant. Avec ses docteurs solennels, ses insipides canonistes, ses dévots hypocrites et atrabilaires, Jérusalem n'eût pas conquis l'humanité... Le Nord seul a fait le christianisme ; Jérusalem au contraire est la vraie patrie du judaïsme obstiné qui, fondé par les pharisiens, fixé par le Talmud, a traversé le Moyen Age pour venir jusqu'à nous... Le plus triste pays du monde est peut-être la région voisine de Jérusalem. »

Ernest Renan, Vie de Jésus

« Jérusalem ne peut faire l'objet d'aucune négociation internationale. Elle symbolise aujourd'hui la souveraineté retrouvée du peuple d'Israël en Eretz-Israël [Le Grand Israël, du Jourdain à la Méditerranée]. »

Itzhak Shamir, 1er août 1991

« Le statut de Jérusalem, en aucun cas, n'est négociable. »

Itzhak Rabin, juin 1993

« Notre bataille principale, c'est Jérusalem. Venez prier à Jérusalem ! Venez nous aider à déclencher le *Djihad*, pour la libération de notre capitale historique. »

Yasser Arafat, 17 mai 1994,
discours prononcé au Cap, en Afrique du Sud,
alors que viennent d'être signés au Caire
les accords d'autonomie de Gaza et de Jéricho

INTRODUCTION — LE TEMPS ABOLI

« Le temps, à Jérusalem, ne peut se mesurer comme dans les autres villes, car sans cesse le passé resurgit dans le présent, brouillant tous les repères, un passé vieux de cinq mille ans, lié à la présence des dieux qui l'habitèrent, chacun laissant son empreinte. Les dieux ont toujours régné sur Jérusalem, égarant l'esprit de ses habitants, de ses prêtres, de ses rois, de ses conquérants, leur interdisant d'oublier leur présence si insupportable soit-elle.

« Glorieux et inutiles, nous les consuls de Jérusalem, nous entretenons le mirage, nous prêtant à des rites diplomatiques vains dans un théâtre d'ombres. Nous croupissons derrière ses murailles, gagnés par la fascination mauvaise de Jérusalem, mais incapables de nous en détacher » (Propos d'un vieux consul général de France à Jérusalem).

Je ne connais pas au monde de ville où, comme à Jérusalem, le passé imprègne à ce point le présent. Il resurgit à tout propos, il colle à la réalité du moment. On se prend à dévaler les siècles et à les remonter comme les escaliers de la Vieille Ville qui vous conduisent, en quelques marches, du Mur des Lamentations des juifs au Saint Sépulcre des chrétiens ou à la mosquée d'Omar des musulmans.

Aux cris rauques des muezzins, amplifiés par les haut-parleurs qui, du haut des minarets, appellent les fidèles de l'Islam à la prière, se mêlent les chants psalmodiés des communautés hassidiques qui montent des synagogues de Mea She'arim, ou le mugissement sourd du shofar, la corne de bélier dont sonnent les rabbins. Le dimanche, ce sont les cloches des couvents et des églises qui se répondent, du Saint Sépulcre au mont des Oliviers, de la vallée du Cédron au mont Sion.

L'airain des cloches, les sourates du Coran hurlées à pleine gorge, les sourdes lamentations hébraïques, proclament tous la même vérité : qu'il n'est qu'un seul Dieu, source de toute vie. Avant 1967 et la réunification de la ville, s'y ajoutaient les coups de feu isolés, les rafales de mitrailleuses des légionnaires arabes qui du haut des murailles tiraient sur les juifs et celles des soldats israéliens qui leur répondaient.

Guide insistant dont nous aurions parfois aimé nous défaire, partout le passé accompagnait nos pas. Il s'accrochait à nos basques comme ces mendiants d'Orient qui sollicitent des aumônes en mêlant sans cesse le nom de Dieu au récit de leurs malheurs.

Enfants, Jérusalem était pour nous la cité magique qu'illustraient les enluminures grossières de nos Histoires saintes. Sous ses murs, le berger David avait affronté le géant Goliath, puis, devenu roi, avait dansé à demi nu devant l'Arche quand il la conduisit dans la Ville sainte. C'étaient les fastes de Salomon séduisant la reine de Saba, l'entrée triomphale de Jésus monté sur un âne, les derniers zélotes succombant sous les coups des légionnaires romains de Titus tandis que brûlait le Temple et que pleurait Bérénice. Et dans le flamboiement des armures, le claquement des oriflammes, le son des trompettes, les croisés donnant l'assaut aux murailles que tenaient les Barbaresques.

Plus tard, toujours dans les livres, nous avons découvert une autre image de la Ville sainte à travers les récits très littéraires de nos grands touristes romantiques ou postromantiques : Chateaubriand, Lamartine, Flaubert, Loti. Jérusalem n'était plus qu'une cité endormie au milieu de ses ruines qu'envahissaient les myrtes et les roses. A l'abri d'un palmier, un noble effendi fumait le narguilé devant le seuil de son palais tandis que ses jeunes épouses pépiaient derrière un moucharabieh en bois d'ébène. De vieux juifs, aux barbes de patriarches, le chef entourloupé de fourrures, se rendaient à la synagogue en marmonnant des versets de la Torah.

La cité de David, d'Hérode, des rois croisés et de Saladin vivait alors sous l'autorité paresseuse, tatillonne, d'un gros pacha qui s'empiffrait de sucreries et se remplissait les poches avec les aumônes des pèlerins.

Soudain, la guerre vint réveiller l'Orient de ses longues siestes parfumées au haschich, l'arracher à sa crasse. Il y eut Lawrence et les Anglais, les premiers colons juifs et Ben Gourion qui, déjà en Pologne, rêvait d'un Etat juif. Des incendies, des massacres, des trahisons, des traités truqués allait naître, à côté de l'ancienne cité, une nouvelle Jérusalem, plus riche, plus peuplée, avec des théâtres, des cinémas, des musées, des supermarchés, des feux rouges, des encombrements, tout ce qui fut inventé par l'homme pour s'empoisonner la vie sous le vain prétexte de la faciliter. Une vraie ville de notre temps, mais juive, qui avait conservé une mémoire d'écorchée vive dont une allusion, un mot maladroit, un regard ravivaient les blessures. De leur côté, les Palestiniens hiérosolymites remâchaient leur défaite que leur rappelait à tout instant leur statut de « protégés », de *dhimmis* *, dans une ville où ils avaient tenu, pendant des siècles, le haut du pavé.

A la différence des autres villes que j'ai pu connaître, l'histoire de Jérusalem ne se limite pas à une suite d'événements heureux ou tragiques, que l'on relègue dans les manuels. Jamais elle ne se laisse

---

* *Dhimmis* : statut inférieur auquel étaient soumis les gens du Livre, chrétiens et juifs, en terre d'Islam, statut assorti de taxes et d'interdictions diverses ; quant aux païens, ils devaient être massacrés.

longtemps oublier. On pense à ces volcans que l'on croit éteints et qui, sans raison, entrent en éruption, obscurcissant soudain le ciel de leurs cendres brûlantes, puis qui s'apaisent sans plus de raison, laissant planer sur ceux qui habitent leurs pentes une sourde inquiétude.

A qui appartient Jérusalem, à quel dieu la ville a-t-elle été vouée, quel est le peuple qui peut se prévaloir de plus de droits sur elle ? Existe-t-il une réponse à cette question ? Ou quantité de réponses qui se contredisent ?

La Palestine fut l'un des grands lieux de passage qu'empruntèrent tous les conquérants, bouleversant la vie, les coutumes de ses habitants, amenant avec eux leurs divinités, leurs civilisations, s'imprégnant de celles qui existaient.

Si l'on s'en tient aux seuls critères religieux, Jérusalem fut païenne deux mille ans sous les Cananéens et les Egyptiens, deux cent cinquante ans sous les Romains, juive onze cent cinquante ans, musulmane treize cents ans et chrétienne quatre cent quatorze ans. Ces chiffres n'ont de sens que celui qu'on veut bien leur donner et n'autorisent pas à décider, dans l'absolu, à quel dieu, encore moins à quel peuple elle appartient.

Pour l'historien anglais Arnold Toynbee, Jérusalem, capitale de la Palestine, ne pouvait être que palestinienne, c'est-à-dire musulmane et arabe. Il écrit : « Le temps qui s'est écoulé entre la guerre romaine et la création de l'actuel Etat d'Israël est si large que nous devons pencher sans hésiter en faveur des autochtones, les Palestiniens, vivant dans ce pays depuis mille trois cents ans. »

Les juifs rejettent violemment sa thèse, qu'ils soient survivants de l'Holocauste, sabras nés en Israël, religieux se réclamant d'une promesse divine ou sionistes qui justifient leur présence par la déclaration d'un lord anglais, plus tard sanctionnée par un vote à l'ONU, rappelant à ceux qui avaient tendance à l'oublier le travail accompli, les sommes investies, les victoires militaires remportées. Pour eux, Jérusalem ne peut être que la capitale indivisible et éternelle de l'Etat d'Israël.

Ce que contestent avec autant de violence les Palestiniens, qu'ils vivent dans des camps au Liban, en Syrie, en Jordanie, dans les territoires occupés ou à Jérusalem même, quand ils ne rejettent pas toute coexistence, refusant un droit de conquête dont, longtemps, ils se sont prévalus. Ils réclament un Etat indépendant, taillé sur mesure, comprenant Gaza et la Cisjordanie, avec pour capitale Jérusalem. Une même capitale pour deux Etats s'imbriquant l'un dans l'autre aboutirait à un assemblage surréaliste promis inévitablement à de nouveaux affrontements sanglants. Ni les juifs ni les Palestiniens ne l'ignorent, du moins ceux qui refusent de se laisser prendre aux miroirs aux alouettes de la diplomatie onusienne et savent que, hélas, la seule solution durable passe par l'exclusion d'un peuple ou de l'autre et non par leur assimilation religieusement, économiquement, politiquement irréalisable. Notre fin de siècle ne cesse de nous en fournir des exemples.

Moins concernés que les juifs ou les musulmans, les chrétiens * n'émettent sur Jérusalem aucune revendication politique ou territoriale. Leur Jérusalem, d'ordre céleste, n'est plus qu'un haut lieu de leur mémoire, un but de pèlerinage et de tourisme. Ils souhaiteraient cependant que le drapeau israélien soit moins présent sur leurs Lieux saints.

Faute de mieux, depuis 1948, l'ONU s'en tient obstinément à son projet d'internationalisation du Grand Jérusalem sous son contrôle, ce dont ne veulent ni les juifs ni les Arabes.

La sagesse, la raison serait d'admettre que, par son

---

* A l'exception de quelques milliers d'Arabes chrétiens dont le nombre ne cesse de s'amenuiser, qui furent parmi les premiers disciples du Christ, ce qui expliquerait en partie les réticences du Vatican vis-à-vis d'Israël.

passé, Jérusalem appartient au souvenir de tous les hommes qui y vinrent, s'y installèrent, en furent chassés, y revinrent ou souhaitent y revenir... Mais la sagesse et l'histoire ont toujours fait mauvais ménage.

On peut encore se demander ce que fait une telle ville dans un tel environnement, manquant d'eau, obligée de s'étendre au hasard d'un relief tourmenté de collines escarpées, de gorges profondes, à l'écart des grands Empires du Croissant fertile et de ses voies de commerce. Par quel miracle, malgré une situation aussi défavorable, deux fois rasée, ayant subi plus de quarante sièges, a-t-elle pu survivre, rester la Cité unique, la Ville sainte entre toutes, et devenir le berceau des trois grandes religions mono-théistes qui se partagent le monde ? Renaissant sans cesse de ses ruines, elle n'a cessé de braver insolemment toutes les données de l'histoire, de la géographie et de la politique.

Une seule explication nous paraît plausible : parce qu'elle était, depuis le début des temps, la Cité de Dieu où seul l'absurde devient raisonnable, l'irrationnel logique, le mythe plus vrai, plus éclatant que la vérité. Aussi ne pouvait-elle être soumise aux lois communes qui règlent le destin des autres villes. Si certaines furent habitées des dieux, ils n'y restèrent pas ou bien ils moururent ensevelis dans les ruines de leurs temples. A Jérusalem, Dieu est toujours présent, se mêlant sans cesse aux querelles des hommes et les envenimant à plaisir. C'est bien le seul point sur lequel s'accordent aujourd'hui ses cinq cent vingt-six mille habitants : ses trois cent soixante-dix-huit mille juifs ashkénazes ou séfarades, ses cent trente-sept mille Arabes chiites, sunnites ou chrétiens. Et tous ces autres chrétiens : prêtres, moines et religieuses d'obédience de Rome, pasteurs de toutes les Eglises réformées, de toutes les sectes : évangélistes, popes, protopopes et archimandrites, éthiopiens, coptes, chaldéens, nestoriens, plus d'un millier venus des quatre coins de l'univers, appartenant à une vingtaine de confessions et représentant des millions de fidèles.

Ville de mémoire où chacun trouvera la preuve de ce qu'il vient chercher et son contraire. Ville de papier où, pour mieux se déchirer, on se jette à la tête la Bible, les Evangiles, le Coran qui se veulent la parole d'un seul et même Dieu. Ville unique qui rassemble en elle tous les déchirements, toutes les contradictions. Ville dangereuse que l'on approche en touriste, que l'on visite en pèlerin, où l'on se réveille un beau matin en se découvrant des passions, des fanatismes dont on se croyait à jamais préservé.

Son secret, la magie qu'elle continue d'exercer sur ceux qui l'approchent, nous les rechercherons dans son histoire qui s'étend sur cinquante siècles. Redoutant de nous égarer, nous avons privilégié les époques qui nous sont le mieux connues, quand Jérusalem fut capitale d'un royaume sous David et Salomon, sous Hérode le Grand, sous les rois croisés et, de nos jours, quand elle est devenue la capitale de l'Etat d'Israël. Avec les drames, les destructions, les déportations qui suivirent, comme si le destin ou Yahvé, son Dieu jaloux et intraitable, condamnait Jérusalem à payer d'un tribut de sang ses plus belles heures de gloire.

Journaliste, notre souci fut de comprendre Jérusalem en homme d'aujourd'hui, d'écrire son histoire dans la langue d'aujourd'hui sans nous perdre dans les détails qui font le bonheur des spécialistes dont nous ne sommes pas. Mais en faisant appel aux plus récentes découvertes archéologiques dont nous avons pu bénéficier, en évitant de verser dans les passions politiques, religieuses, idéologiques qu'elles ont parfois suscitées. Ne dit-on pas qu'à Jérusalem les sages deviennent fous et les fous plus fous encore ? Nous nous sommes gardés de notre mieux de ce côté-là.

Entre une source et un haut lieu
où l'on sacrifie aux idoles
vint se nicher, 3 000 ans avant le Christ,
ce qui deviendra Jérusalem

A l'origine, environ trois mille ans avant notre ère, la première Jérusalem n'aurait été qu'une petite agglomération sans remparts, groupant quelques familles d'agriculteurs autour de la source Gihon. Elle occupait l'étroit éperon, moins de cent mètres dans sa plus grande largeur, bordé à l'est par la vallée du Cédron, à l'ouest par celle du Tyropéon et au sud par celle de la Géhenne ; dominée ainsi sur trois côtés par le mont des Oliviers, le mont Sion et le mont Moriah qui deviendra la Colline du Temple. Le site n'a guère de valeur stratégique ; il est difficilement défendable et tient son intérêt de la présence d'une source jamais tarie, mais dont le débit limité interdira longtemps tout peuplement important.

L'eau est rare et, à l'époque, on ignore l'art de la construction des citernes, lacs artificiels, piscines et autres moyens pour la conserver, si bien que toutes les agglomérations sont construites auprès d'une source ou d'une nappe d'eau facilement accessible par des puits. Nous retrouverons dans la montagne qui va de Jérusalem à Samarie ce type d'agglomération. Elles feront place à de petites cités fortifiées, les maisons se groupant derrière une muraille que domine une acropole rocheuse.

Seuls vestiges, des éléments d'un mur ont été mis au jour par les archéologues K. Kenyon et Y. Shiloh.

Ce mur a trois mètres de large, avec deux ouvertures défendues par des tours dont l'une donne sur la source Gihon en dehors de la muraille. Jérusalem servirait alors de citadelle et de refuge en cas de troubles à une agglomération rurale plus importante située au nord de la ville. Les habitants de la cité, dès cette époque (Bronze ancien), connaissent la poterie, le travail du cuivre qu'ils se procurent sous la forme de lingots en échange de leurs productions : huile d'olive, amandes, orge et blé. Ils viennent de découvrir la vigne. Ainsi que le prouvent des fouilles récentes, leurs habitations se limitent à de simples constructions rectangulaires, aux toits en terrasse, avec une ouverture au milieu de l'un des murs donnant sur la rue ou sur une courette, et une banquette qui court tout du long à l'intérieur de l'habitation. Un bâtiment plus grand pourrait avoir servi de temple, mais en général le culte se célèbre sur les hauts lieux, où ont été édifiés de simples autels de pierre. Les morts sont déposés hors des remparts, dans des grottes ou des chambres creusées dans le roc.

Le pays aurait connu une certaine forme de prospérité, ce qui expliquerait le développement urbain et l'établissement de relations commerciales entre les cités. On n'en sait guère plus, sinon que ces cités, constituées en petits Etats, ne cesseront de s'affronter dans des luttes fratricides, pour le plus grand profit des nomades affamés qui rôdent, toujours prêts à se jeter sur les villes blessées.

Avant la fin du troisième millénaire et pour des raisons qui nous restent inconnues — une invasion, un changement de climat, de mode de vie — les sédentaires vont retourner à la vie pastorale ; toutes les cités fortifiées, dont Jérusalem, sont désertées par leurs habitants. Elles le resteront dix siècles. Dix siècles pendant lesquels Jérusalem n'existera que comme lieu de passage de peuplades errantes de pasteurs guerriers, mélange de Sémites et d'Indo-Européens en provenance des confins du désert de

Syrie, qui laissent comme seules traces des tombes sur le mont des Oliviers. Elles contiennent des poteries, des armes.

Elle entrera dans l'histoire, maudite par le pharaon

Jérusalem est mentionnée pour la première fois sous le nom de Salem, deux mille cinq cents ans avant J.-C., par un scribe du nord de la Syrie sur une tablette d'argile, écrite en caractères cunéiformes, à côté d'autres villes comme Megiddo, Jaffa, Ashdod...

Cinq siècles plus tard, nous la retrouvons sous le nom de Rushalayim ou encore Ourousalim, dans les textes d'exécration égyptiens datant de la XIe Dynastie, et ce sera pour être maudite. Selon la coutume, le nouveau pharaon, le jour de son couronnement, maudissait solennellement les villes ennemies, ou qui lui causaient des inquiétudes. On inscrivait leur nom sur des poteries ou des figurines que l'on brisait ensuite en les vouant à la destruction par cette pratique magique.

Dans la liste qui nous est parvenue, on trouve, à côté de Jérusalem, Ashkalon, Sichem, Byblos et Yarmout.

« Ces textes d'exécration étaient liés à un rite qui s'accomplissait à intervalles réguliers, comme mesure de précaution, et sans lien nécessaire avec une situation politique menaçante... En tout cas, ces textes indiquent que la Chancellerie égyptienne avait une connaissance précise de la Palestine, de ses villes et de leurs chefs, et la comparaison entre deux groupes de textes montre qu'elle se tenait au courant des changements de gouvernement. Ce souci d'une information à jour révèle des préoccupations d'ordre politique... Cela peut se trahir aussi par l'inquiétude de l'Egypte devant une menace qu'elle sent grandir dans un pays sur lequel, à défaut d'un contrôle effectif, elle exerçait une influence » (R. de Vaux, *Histoire ancienne d'Israël*).

Cette menace porte un nom : les Hyksos qui vont envahir la vallée du Nil. Pendant plus d'un siècle, on n'entendra plus parler de Jérusalem. Au début du XVIe siècle avant notre ère, la terre de Canaan passe sous le contrôle des Egyptiens et de leur puissante bureaucratie. Jérusalem sort des limbes de la protohistoire pour entrer dans l'histoire.

A peu près à la même époque, des groupes de nomades conduits par leurs cheikhs, leurs patriarches, errent aux confins du désert et des terres cultivées dans ce que les Romains baptiseront plus tard la Syrie. Ce sont de petits nomades qui ne se livrent pas à de grandes migrations. Ils ignorent le cheval, le chameau, ne connaissent que l'âne et leurs troupeaux se limitent à des moutons et des chèvres. Ils vivent éparpillés par clans et familles dans des campements sommaires.

S'ils ont la liberté de pouvoir changer de lieu au gré des saisons, ils restent tributaires du soleil et de la pluie, menant une existence encombrée de tabous, d'interdictions, où le patriarche a droit de vie et de mort sur les siens. Toutes les ruses, toutes les trahisons sont permises pour venir à bout de l'ennemi qui est le frère de race, mais aussi le gêneur qui ne rêve que de voler les femmes, de s'emparer des troupeaux et des pâturages. Pressés par la famine, la sécheresse, ils descendent parfois jusqu'à la vallée du Nil, terre de toutes les fertilités où ils sont mal accueillis : ils s'y installeraient volontiers, même au prix de la servitude. Ce que nous apprend la Bible, quand les Hébreux, après l'Exode, lassés de tourner en rond dans le Sinaï, rêvent des mets savoureux dont ils étaient nourris. Pendant que Moïse poursuit son tête-à-tête avec Yahvé, las de l'attendre, ils dressent le veau d'or, le dieu Apis d'Egypte.

Le mythe du bon nomade, vivant au désert sous le seul regard de Dieu, sera soigneusement entretenu par la caste sacerdotale et les prophètes d'Israël, que gêne le pouvoir royal, et qui refusent Jérusalem, son symbole, que l'on chargera de tous les péchés. Il suffit de lire les anathèmes d'Ézéchiel. Salomon et ses successeurs ne cacheront pas combien les exaspère ce mythe, sans cesse mis en avant par les tenants d'un régime théocratique.

Yahvé ne vient pas du désert, nous le savons aujourd'hui, mais d'Egypte d'où ses prêtres l'ont ramené dans l'Arche sur laquelle veillaient deux sphinx en bois doré relevant de la statuaire religieuse nilotique. Les Egyptiens utilisaient des coffres de ce genre pour promener d'une ville à l'autre leurs nombreuses divinités.

Le cheikh Abraham
et Melchisédech, roi-prêtre de Jérusalem

Les premiers Hébreux, à l'image des autres nomades, vénèrent les arbres, en particulier les tamaris, les rivières, les montagnes, les cavernes qu'ils peuplent de démons. Ils adorent le soleil, la lune, les étoiles. Ils pratiquent la magie, la divination ; ils croient aux oracles, aux envoûtements que dispensent sorciers et devins ; ils pratiquent l'ordalie, le jugement de Dieu. Ils ne croient pas à une existence après la mort sinon sous une forme vague : les doubles, les fantômes qui viennent inquiéter les humains et qu'il faut se concilier par des sacrifices humains, souvent le premier-né de la famille.

L'un de leurs cheikhs est Abraham dont on peut vraisemblablement situer l'existence vers 1750 avant notre ère. Ce sera à son propos que, pour la première fois, apparaîtra dans la Bible le nom de Jérusalem.

Abraham, apprenant que son neveu Loth a été fait prisonnier au cours d'une sombre bataille entre chefs de clans, le délivre et s'empare d'un important butin. Alors qu'il se trouve dans le Champ du roi, proche de Jérusalem, il voit venir vers lui un important et mystérieux personnage.

« Melchisédech, roi de Salem [Jérusalem], apporta du pain et du vin ; il était prêtre du Dieu Très Haut, créateur du ciel et de la terre. Il bénit Abraham et dit : "Béni soit Abraham par le Dieu Très Haut... qui a livré ses adversaires entre tes mains." Abraham lui donna la dîme de tout [son butin] » (Genèse 14 : 18-20).

L'intention du scribe qui a rédigé ce passage de la Genèse est évidente : faire remonter le plus haut possible les liens entre le peuple d'Israël et Jérusalem. Quant à Melchisédech, Malki-Sedek en hébreu, le Roi de Justice, il ne serait que poétique invention, souverain-prêtre mythique d'une cité déjà sainte, le représentant d'une divinité à laquelle même Abraham devait rendre hommage.

Autre tentative qui relève des mêmes intentions, quand Abraham, sur l'ordre du Seigneur, reçoit l'ordre de lui sacrifier son fils unique, Isaac, au pays de Moriya que la tradition identifie avec la colline de Moriah qui domine l'antique Jérusalem, là où sera édifié le Temple de Salomon.

Les Hébreux, assemblage hétéroclite de clans, auraient pu se perdre comme tant d'autres dans les sables de l'histoire si, nous assure la Bible, ils n'avaient rencontré Yahvé.

« Yahvé dit à Abraham : "Va-t'en de ton pays, de ta parenté et de la maison de ton père vers le pays que je te montrerai. Je te ferai devenir une grande nation ; je te bénirai, je rendrai grand ton nom"... » (Genèse, 12-1).

Sur la situation de la Palestine au Moyen Empire sous le règne de Sésostris Ier, nous disposons d'un récit d'époque, le journal de voyage de Sinouhé, haut fonctionnaire du pharaon, tombé en disgrâce et banni « chez les Asiatiques ». Peu après sa mort, on tirera de ses aventures un « roman » qui nous est parvenu et dont un *remake* finlandais connaîtra, de nos jours, le même succès.

Faisant sonner haut et fort sa qualité d'Egyptien et de fonctionnaire royal, Sinouhé est bien accueilli par les cheikhs nomades qu'il a pu rencontrer sur les bords du Nil, preuve des étroites relations commerciales existant déjà entre l'Egypte, la Palestine et la Syrie. L'un de ces cheikhs ou rois n'hésitera pas à lui donner sa fille en mariage et le commandement de ses bandes dont Sinouhé s'efforcera de faire une armée. Partout, dans son récit, éclate l'orgueil d'appartenir à une grande civilisation, à la race élue, car, à ses yeux, les « Asiatiques » ne sont que « les chiens du pharaon ». Ce qui est très exagéré. L'influence égyptienne, pour l'instant, se limite à des échanges commerciaux. Il n'y a pas d'occupation militaire après conquête et seuls des comptoirs ont été créés comme à Megiddo, à Sichem, où se tiennent des intendants et des comptables égyptiens.

Sinouhé passe-t-il par Jérusalem ? Il n'en fait pas mention. Elle présentait, il est vrai, peu d'intérêt sur le plan politique et commercial.

Dans les grandes cités cananéennes, dont les plus célèbres, les plus cosmopolites, sont Ougarit (Ras Shamra) et Byblos, importants centres commerciaux de l'époque, se rencontrent Mycéniens, Egyptiens, Crétois, mêlés à des artisans hourrites, ces grands Indo-Européens spécialistes du travail du bronze et habiles fabricants de chars de guerre. Perdue sur sa montagne, Jérusalem est tenue à l'écart de ces brassages de populations.

Dès que Sinouhé peut rentrer en grâce, il s'empresse de retourner en Egypte et, proche de Sésostris, l'ayant peut-être renseigné sur la situation des pays qu'il se prépare à conquérir, il termine ses jours riche et puissant. Il se fait construire un tombeau magnifique. Ainsi, il évitera à son enveloppe mortelle de pourrir dans un désert et à son ombre d'errer, lamentable, affamée, parmi ces nomades puants pour qui l'eau est plus précieuse que l'or et ne peut être gâchée en d'inutiles ablutions.

Vers 1785 avant J.-C., les Hyksos déferlent sur l'Egypte, ce nom grécisé servant à désigner les chefs bédouins de Syrie et de Palestine. Les Egyptiens les appellent « les gens du sable », ce qui laisse penser qu'ils étaient aussi installés dans le Sinaï. Il s'agit, croit-on aujourd'hui, d'un mélange de Sémites, d'Amorrites renforcés par des nomades d'origine indo-européenne. Ils ont pour dieu Seth, la divinité du désert et de l'orage.

Profitant des désordres dynastiques, les Hyksos, arrivant par vagues successives, s'installent dans le delta, se rendent maîtres de l'Egypte, sans grands combats, croit-on. Ils vont régner cent trente-cinq ans, créant une dynastie de six « rois pasteurs ». Très vite, ils s'égyptianisent, mais, gardant le contact avec leur pays d'origine, ils favorisent l'installation sur les bords du Nil des « frères de race » comme les Hébreux qui, après eux, en seront chassés. Les Hébreux retrouveront alors leur mode de vie nomade et leurs terrains habituels d'errance où certains d'entre eux étaient restés près des oasis du sud, vers Beer Shéba et Quadesh.

Jérusalem sous l'administration égyptienne

Les Egyptiens ont-ils tenté de sédentariser ces nomades impénitents en les obligeant à des tâches serviles, humiliantes pour eux, comme de fabriquer des briques avec de la paille et de l'argile ? Ceux-ci se seraient-ils libérés à la suite d'une révolte, d'une révolution, d'un cataclysme (les sept plaies d'Egypte) ? Mythes, littérature, invention des prêtres et des poètes, nous dit-on aujourd'hui. Mais c'est bien ce qui nous charme dans le merveilleux et parfois inquiétant et cruel folklore de la Bible.

Après le bannissement des Hyksos, les Egyptiens connaissent une période faste. Sous l'impulsion de souverains énergiques comme Touthmôsis III, ils vont étendre leur Empire du Soudan jusqu'à l'Euphrate. En 1457 avant J.-C., Touthmôsis III est maître de la Palestine et ses successeurs le resteront. Grâce à leurs scribes et à leurs administrateurs, nous allons mieux connaître comment vivent Jérusalem et les autres cités cananéennes.

En Palestine, les Egyptiens, comme plus tard les Anglais, éviteront toute administration directe. Ils maintiennent en place les rois locaux qui prêtent serment d'allégeance aux pharaons, serment renouvelable à chaque début de règne. Ces roitelets gouvernent comme ils l'entendent, lèvent de petites armées de mercenaires et se battent entre eux pour agrandir leur domaine sous l'œil intéressé des gouverneurs égyptiens qui peuvent ainsi mieux les contrôler. Ils ne doivent jamais oublier qu'ils restent « la poussière que le pharaon foule aux pieds ». Ils sont tenus de lui payer un tribut annuel, d'entretenir les garnisons égyptiennes et les troupes de passage. En cas de danger grave, ils peuvent faire appel au pharaon ou à son représentant, le gouverneur militaire, le *hazanu*, qui se tient dans une cité royale comme Gaza dont dépend Jérusalem.

Les rois de Jérusalem sont amorrites. Venus des déserts syriens, les Amorrites se sont répandus dans tout le Croissant fertile. Hammourabi, auteur d'un code de lois célèbre qui aurait inspiré le Décalogue, serait l'un d'eux. Ces nomades se fondent assez vite dans la population locale et se sédentarisent. Ils créeront un Empire, celui de Mari qui, administré par quatre rois, connaîtra une grande prospérité. Leur langue est l'akkadien qu'ils écrivent en utilisant les caractères cunéiformes. Jérusalem, à l'époque des Textes d'exécration (Bronze moyen), est déjà une ville amorrite.

Les mystérieux Habirou ancêtres des Hébreux

Entre les cités cananéennes errent des bandes de nomades ou de semi-nomades, les fameux Habirou, toujours prêts à les piller, à s'en emparer quand elles sont mal défendues ou en proie à la guerre civile. Alerté, le pharaon ou ses gouverneurs se trouvant sur place lancent des colonnes de pacification équipées de chars de guerre. Et tout rentre dans l'ordre pour quelque temps.

Les Egyptiens qui, à tort ou à raison, confondent les Hébreux avec les Habirou (d'où serait venu leur nom) ne les aiment guère. Un pharaon met en garde son fils contre eux : « Le Habirou, dit-il, n'habite pas dans une place, ses jambes sont toujours en mouvement. Il ne conquiert pas, il n'est pas conquis... il est comme un voleur qui peut dépouiller une personne isolée, mais n'attaque pas une ville peuplée... »

Qui sont ces Habirou ? Des nomades errant aux limites du désert, toujours prêts à un mauvais coup, fugitifs réunis en bandes armées vendant leurs services aux plus offrants, disposant ou non d'une organisation, englobant les Hébreux dans leur nébuleuse ou au contraire étrangers à eux ? Ce problème n'a jamais été résolu.

Si l'on s'en tient aux chroniques pharaoniques (textes de Ta'an-nak au XVe siècle et lettres d'Amarna au XIVe siècle), les troupes d'occupation se composent de soldats égyptiens dont les conducteurs de chars et les archers nubiens constituent l'élite. Elles sont peu nombreuses puisque le roi de Tyr, un jour, demande en renfort dix fantassins, vingt une autre fois, et que le roi de Jérusalem implore qu'on lui envoie cinquante hommes car, du fait des Habirou ou d'un roi rival, sa position est devenue dramatique.

Au sommet de la hiérarchie militaire égyptienne, le maître de la charrerie, grand seigneur qui tient garnison dans l'une des villes de la côte, où il vit à l'égyptienne, dans le plus grand confort, et où ses dieux ont leurs temples. Ce ne peut être le cas à Jérusalem, qui ne compte guère plus de deux mille habitants et qui a conservé les mœurs cananéennes.

Le roi de Jérusalem est juge et grand prêtre. Il ne doit de comptes qu'au pharaon et à son représentant, mais seulement pour ce qui a trait aux grandes affaires : la guerre, le paiement du tribut. Il est assisté d'une sorte de sénat composé des Anciens et qui a seulement pouvoir consultatif.

Comme toutes les cités cananéennes, Jérusalem, malgré sa position géographique peu favorable, vit de commerce et d'échanges. Le roi agit plus en marchand qu'en souverain, lançant des caravanes, ayant des associés et des agents qui négocient pour son compte marchés et transactions diverses.

Hors du système, ne devant rien au roi qui leur doit tout, les soldats de la garnison, égyptiens ou nubiens, dépensent joyeusement leur solde dans les tavernes et les temples où vivent les « hiérodules », les prostituées sacrées. Elles se vendent en échange d'une offrande au dieu Salem, protecteur de la cité, et indirectement au roi puisqu'il est en même temps grand prêtre. Ainsi récupère-t-il une partie des soldes qu'il est tenu de verser. Ce sont vraiment d'étranges soldats qui se vantent de pouvoir boire autant de vin qu'il leur fait envie, de s'enduire le corps d'huiles parfumées, de vivre comme de grands seigneurs égyptiens. Ils ne retrouvent leur humeur batailleuse que lorsque, le roi de Jérusalem ayant oublié de les payer, ils pénètrent dans son palais, passant par le toit, et lui font rendre gorge, puis prennent le large.

Les derniers dieux de Jérusalem, débauchés et turbulents

Les dieux tiennent une grande place dans l'existence quotidienne, car ils sont mêlés à tous les actes de la vie. Au sommet du panthéon, El, qui habite « à la Source des Rivières, au Creux des Abîmes ». Personnage respectable et barbu, il est indifférent et paresseux, abandonnant la gestion du monde à la remuante progéniture que lui a donnée son épouse, « La Dame Ashérat de la Mer ».

Parmi les plus turbulents, éclipsant les autres dieux, Baal et sa sœur et amante, Anat, que l'on connaît aussi sous le nom d'Astarté. Baal déclenche les orages et la pluie. Il est le dieu de la fertilité et de la guerre ; sa lance, quand il la pointe vers la terre, déclenche la foudre. Anat-Astarté se plaît dans les jeux de la guerre et de l'amour. Elle est violente, sanguinaire, mais aussi jeune, désirable et c'est elle qui donne la vie.

Baal s'attaquera à Môt, la Mort. Il sera vaincu par elle et entraîné dans les enfers où il sera mis en pièces. Baal est mort, les dieux sont en deuil et les hommes désespérés. Mais Anat, guidée par la déesse Soleil, retrouvera son cadavre et lui rendra la vie. La Mort est vaincue et Baal reprend place sur son trône ; il fait pleuvoir sur la terre desséchée par les rigueurs de l'été. Nous retrouvons ici les rites agraires communs à bien des peuples.

Le culte que dirige le roi en personne consiste en des sacrifices, des processions à date fixe, comme le quatorzième jour du mois qui est celui de la pleine lune, ou celui qui marque les changements de saison, le début des semailles et des récoltes. Rites qu'adopteront les Hébreux en se sédentarisant. Le roi est assisté de prêtres, de danseurs, de musiciens et de prêtresses aux mœurs accueillantes. Ces fêtes tournent souvent à la bacchanale. Des sacrifices d'enfants, pour conjurer certains périls comme la sécheresse, sont offerts en holocauste à Baal et à sa sœur démoniaque et fascinante. A Jérusalem n'a été découvert aucun vestige de temple cananéen, les sacrifices devant se dérouler sur ce qui deviendra le Rocher du Temple.

Nous savons peu de chose de la religion cananéenne à l'exception de quelques textes cultuels. La Bible ne nous renseigne pas mieux, étant plus préoccupée de dénoncer les rites païens que de les décrire. Nous connaissons surtout les poèmes mythologiques qui décrivent en termes fort crus des scènes de combat, de violence, de sexe, où dieux et héros s'accouplent et s'égorgent. Le peuple voyait dans leurs prouesses sanglantes et sexuelles une promesse de fertilité pour leurs champs, de fécondité pour leurs troupeaux, et les imitait au cours de fêtes qui se terminaient en orgies rituelles.

On comprend l'horreur et l'attirance qu'une telle religion exerça sur les Hébreux, petits nomades puritains, groupés par familles autour de patriarches tout-puissants. L'horreur, parce que, selon la légende biblique, les Cananéens enfermés dans les villes-citadelles sont les descendants de Caïn, premier fondateur des cités et assassin de son frère Abel, le pasteur. L'attirance, à cause de cette profusion de femmes libres, fardées, attachantes et offertes, de cette liberté de vie et de mœurs, de ce luxe, de cette abondance et du symbolisme proche de la terre dont s'entourait le culte des dieux.

Jusqu'alors les Hébreux vivaient dans le désert, sous l'œil impitoyable de Yahvé à qui rien n'échappait ; ils risquaient la mort pour le moindre adultère et leur sensualité ne trouvait pas facilement à se satisfaire.

Il faudra du temps pour que ces nomades s'éprennent de Jérusalem. Ce ne sera pas un coup de foudre. Ils hésiteront longtemps à s'installer derrière ses murailles. Autant les rois en seront amoureux, autant les prophètes se montreront sévères à son égard. Ils ne cesseront jamais de rappeler ses origines impures et de la soupçonner de toutes les dépravations :

« Par tes origines et ta naissance, tu es du pays de Canaan. Ton père était Amorrhéen et ta mère était Hittite... Mais tu t'es fiée à ta beauté et tu as profité de ton renom pour te prostituer » (Ezéchiel, 16-9).

Le conflit entre Yahvé et Baal éclate dès l'entrée des Israélites en Canaan. Ils découvrent Baal et Astarté en même temps que la culture du blé, de la vigne et de son produit, le vin, qui réjouit le cœur de l'homme mais lui fait perdre la tête. Après tant d'années passées sous la tente, ils connaissent la douceur de vivre sous un toit, en sécurité derrière de puissantes murailles, sans redouter la razzia d'un voisin.

A Jérusalem, Baal fut Salem et il régna longtemps aux côtés de Yahvé. A se demander si son goût du sang fut jamais exorcisé par les trompes des shofars, le tintement des cloches des couvents et des églises, les appels à la prière des muezzins !

Certaines nuits, il m'a semblé qu'il rôdait encore dans les ruelles désertes de la Vieille Ville où je m'étais égaré, qu'il ricanait devant les rideaux tirés des magasins barbouillés de slogans de l'Intifada appelant à la révolte et au meurtre, qu'il était cette ombre hantant l'esplanade du Temple où s'était déroulé, le 8 octobre 1990, un sanglant et absurde massacre : vingt-deux Palestiniens et un Israélien tués parce que les uns voulaient aller prier là où se tenaient les autres. N'était-ce pas encore lui qui faisait hurler les chiens et fuir les chats sur son passage, et non pas les patrouilles des policiers et des gardes-frontière druzes qu'il m'arrivait de croiser ?

Abdi Hépa, roi pitoyable
et dernier souverain de la Jérusalem cananéenne

On n'entendra plus parler de la Jérusalem pré-davidique jusqu'à une date récente, quand on retrouvera parmi les archives royales d'Aménophis III et de son fils Akhenaton, à Tell el-Amarna, en Haute Egypte, les dépêches d'un certain Abdi Hépa, un prince hourrite élevé en Egypte à la cour du pharaon qui l'avait nommé roi de Jérusalem. Elles sont rédigées en caractères cunéiformes, en langue akkadienne et remontent à 1375 avant notre ère.

Tout va au plus mal pour Abdi Hépa aux prises à la fois avec les souverains voisins et les Habirou. Il se plaint à Akhenaton en termes dramatiques :

« Sept et sept fois, je tombe aux pieds de mon roi, je suis la poussière, le sol qu'il foule... Le territoire est en ruine, infesté d'ennemis, il me faut de toute urgence des renforts... Les Habirou ont déjà pris Rushada. Ils avancent partout. Même les garnisons nubiennes se sont révoltées. Allez-vous, Seigneur, abandonner Jérusalem ? »

Abdi Hépa ne reçoit aucune réponse et, dans une autre lettre, il supplie et supplie encore : « Le pays du roi est perdu : il est arraché de nos mains... La guerre s'étend contre moi. Les grands vassaux du roi sont tombés ; les autres ont péri ou l'ont trahi. Même une ville du pays de Jérusalem, Bethléem, est passée du côté de l'ennemi. Que mon roi m'envoie des archers pour reconquérir le pays. »

Ils ne viendront jamais. La situation se complique encore quand la garnison égyptienne se soulève contre Abdi Hépa et quitte Jérusalem après avoir emporté la caisse. On ignore le sort d'Abdi Hépa.

Melchisédech, le roi de Justice, l'Intercesseur suprême auprès de El, le Très Haut des Cananéens, avait une autre allure que ce geignard. Les rédacteurs de la Bible, on les comprend, lui préférèrent un roi de légende dont le nom n'était porté sur aucune tablette d'argile. Au moins était-il digne d'être le glorieux prédécesseur de David.

L'Egypte ne contrôle plus la terre de Canaan ni la Syrie du Sud. Akhenaton n'en a cure. Perdu dans ses rêves, il souhaite la paix universelle et veut imposer à son peuple le culte du dieu solaire Aton, le dieu unique, un culte qui ne lui survivra pas. Moïse, qui aurait pu vivre en Egypte à la même époque, aura plus de chance. Il donnera aux juifs et, à travers eux, au monde une forme de monothéisme dont nous restons encore imprégnés.

Freud ira jusqu'à se poser la question : et si Moïse avait été un prêtre d'Aton, et Yahvé un avatar du dieu égyptien ? Les polémiques se sont envenimées depuis que certains spécialistes, à la suite de découvertes récentes, en sont arrivés à nier non seulement l'existence de Moïse, mais que les Hébreux se soient jamais trouvés en Egypte en tant que groupe important de tribus.

On n'a trouvé que peu de traces de la Jérusalem ville sujette des Egyptiens, sinon des terrasses bourrées de pierres sur lesquelles ont pu être construites des habitations. Seules les tombes nous ont livré des vases, des poteries importées de Chypre et de la Grèce mycénienne, preuve que des courants commerciaux existaient malgré le peu d'intérêt que la ville du dieu Salem présentait en ce domaine.

Au XIIe siècle, l'Egypte abandonne la plupart de ses colonies asiatiques. On n'entend plus parler de Jérusalem. Deux siècles plus tard, elle est récupérée par les Jébuséens, un clan cananéen qui s'y est installé comme un bernard-l'ermite dans une coquille vide. Dans ses murailles à demi écroulées, peuplée à peine d'un millier d'habitants, elle ne tente personne, sauf David, élu récemment roi des Israélites et qui est en quête d'une capitale.

CHAPITRE II

DAVID, PREMIER ROI JUIF
DE JÉRUSALEM

« David, avec tout Israël, marcha sur Jérusalem, c'est-à-dire Jébus ; là étaient les Jébuséens, habitants du pays. Les habitants de Jébus dirent à David : "Tu n'entreras pas ici." Mais David s'installa dans la forteresse ; voilà pourquoi on l'appela Cité de David. Puis, il bâtit une ville autour ; depuis le Millo jusqu'aux alentours... »

Chroniques, I, 11

« David a réellement créé Jérusalem. D'une vieille acropole, restée debout comme le témoin d'un monde inférieur, il a fait un centre, faible d'abord, mais qui bientôt va prendre une place de premier ordre dans l'histoire morale de l'humanité. Durant des siècles, la possession de Jérusalem sera l'objet d'une bataille du monde. Une attraction irrésistible y fera confluer les peuples les plus divers. Cette pierreuse colline, sans horizon, sans arbres et presque sans eau, fera tressaillir de joie les cœurs à des milliers de lieues. »

Ernest Renan, *Histoire du peuple d'Israël*

L'invasion sanglante de Canaan n'aurait été qu'une invention des scribes de la Bible

Entre le XVe et le XIIe siècle avant notre ère, les Hébreux envahissent la terre de Canaan. La Bible nous donne un récit vivant, pittoresque, particulièrement brutal, de cette substitution d'un peuple à l'autre. Moïse envoie d'abord des espions reconnaître la « Terre promise ». Au bout de quarante jours, ils reviennent, portant à deux sur une perche une gigantesque grappe de raisin, ainsi que des figues, des grenades. Ils racontent : « Nous sommes entrés dans le pays où tu nous as envoyés. Il ruisselle vraiment de lait et de miel. Mais qu'il est puissant le peuple qui l'habite ! Les villes sont fortifiées, très grandes... »

Car la terre est déjà occupée comme elle le sera trois mille ans plus tard, quand des sionistes athées, fils de Marx plus que de Moïse, viendront s'y installer, au nom de l'antique promesse d'un Dieu auquel ils ne croient pas.

Moïse édicte les règles qui présideront à la conquête : ce sera le *herem*, l'extermination sacrée. Il ordonne à ses soldats : « Tuez tout enfant mâle, tuez aussi toute femme ayant partagé la couche d'un homme. Mais les petites filles qui n'ont pas connu la couche d'un homme, laissez-leur la vie pour qu'elles soient à vous. »

Sous la conduite de Josué, les Hébreux (quarante mille hommes armés) traversent le Jourdain. La conquête de Canaan commence par d'abominables massacres.

« Ils vouèrent à l'anathème tout ce qui se trouvait dans la ville [Jéricho], hommes, femmes, enfants et vieillards, jusqu'aux bœufs, au menu bétail et aux ânes, frappant du tranchant du glaive » (Josué, 6-20).

Ils n'accorderont la vie sauve qu'à une prostituée qui les avait renseignés.

Parmi les rois qui leur résistent se trouve Adoni Sedeq, roi d'Ourou-Salem, Jérusalem, citée pour la première fois dans la Bible comme la ville du dieu Salem. Il rassemble contre les Hébreux une coalition de cinq rois, ceux d'Hébron, de Yarmout, de Lakish et d'Eglon. Ils seront vaincus et, réfugiés dans une grotte, faits prisonniers. Josué les fera pendre à cinq arbres où ils resteront jusqu'au soir. Puis, il fera jeter leurs cadavres dans la grotte qu'il murera.

La terreur s'étend à toute la terre de Canaan : « Le cœur de ses habitants fondait, le souffle leur manquait devant les fils d'Israël » (Josué).

Les habitants de Aï subissent le même sort que ceux de Jéricho, Gabaon et Megiddo, tous voués à l'anathème, livrés au tranchant du glaive. Un véritable génocide si l'on devait en croire la Bible ! (Deutéronome et Livre de Josué).

La vérité historique serait différente. Déjà en voie de sédentarisation, les Hébreux ou Israélites s'infiltrent dans des territoires inhabités ou peu habités et dans des espaces laissés entre les cités cananéennes à un moment où l'Egypte a perdu le contrôle du pays. Ainsi, les murailles de Jéricho n'ont pu être renversées par les trompettes de Josué ; le site était à l'abandon depuis le début de l'âge du bronze. Il ne devait rester que quelques tas de briques quand les Hébreux y arrivèrent. Plus tard, les scribes s'emparèrent du nom d'une cité puissante, célèbre, dont le souvenir s'était perpétué, pour glorifier une victoire imaginaire ou qui s'était limitée à la prise d'un village cananéen voisin des ruines.

Josué semble n'avoir joué qu'un rôle secondaire dans cette conquête qui n'en fut pas une : « L'extermination sacrée des anciens habitants de la Palestine n'est pas une donnée de la plus ancienne tradition hébraïque. Cette effroyable boucherie ne s'est accomplie que dans les rêves des historiographes deutéronomistes. Ce n'est, si l'on ose employer cette expression, qu'un "pieux désir" de ces farouches adversaires du paganisme, qui donne la mesure de la phobie que leur inspiraient les influences païennes. C'est en effet l'expression d'un regret : voilà comment on aurait dû agir pour préserver Israël de la contamination » (R. de Vaux, *Histoire ancienne d'Israël*).

Ces massacres, en effet, relèvent plus de la conduite magique que de l'histoire. On se débarrasse de gêneurs, les Cananéens, en imaginant qu'ils ont été exterminés, qu'ils n'existent plus. Alors qu'il n'en est rien et qu'il faudra s'en accommoder longtemps encore.

« La tradition suggère qu'il y a eu à certaines périodes des relations pacifiques entre Israélites et Cananéens. La chose est surabondamment confirmée par les fouilles : elles montrent qu'il n'y a pas eu substitution d'une civilisation nouvelle à la civilisation cananéenne qui aurait été anéantie. Il n'y a pas eu deux civilisations, il n'y en a qu'une... Les Israélites ont donc adopté les procédés techniques des Cananéens, leurs arts, leurs industries : ce qui n'a pu se faire que par une longue coexistence pacifique. Mais il faut aller plus loin : il y a eu non seulement coexistence, mais fusion. Dans cet amalgame, l'élément cananéen avait de beaucoup la majorité numérique... Etant le plus civilisé, c'est lui naturellement qui a obligé les nouveaux venus à adopter sa culture : et dans ce sens, on peut dire que les Cananéens ont conquis leurs vainqueurs. Mais d'autre part, les

Hébreux avaient et conservèrent une conscience de conquérants : ils réussirent à imposer leurs cadres sociaux, leur nom, leur Dieu à la population entière de Palestine » (A. Lods, *Israël des origines au milieu du VIIIᵉ siècle*).

A Jérusalem, l'élément hébraïque ne deviendra prépondérant que bien après sa conquête.

Une jeune génération enthousiaste d'archéologues, d'ethnologues et d'historiens, en majorité israéliens, ira plus loin encore. Partant du principe que la Bible est la légende d'un peuple écrite par des scribes pour son édification, ils estimèrent que l'heure était venue de s'intéresser à sa véritable histoire en utilisant les progrès réalisés par la science dans un certain nombre de techniques.

Selon eux, Cananéens et Israélites appartiendraient au même peuple ; ils auraient toujours vécu ensemble, dans les mêmes endroits. Les douze premiers chapitres du Livre de Josué auraient été rédigés des siècles plus tard pour flatter la vanité des derniers rois d'Israël. Josué et la conquête de la Terre promise ? Pure invention de poètes et de prêtres courtisans !

Nous nous en tiendrons à cette brève incursion dans les champs minés de l'archéologie biblique dont Jérusalem est le centre le plus explosif. En effet, il n'existe pas de ville où l'on trouve autant d'archéologues amateurs ou professionnels qui ont tendance à considérer le moindre débris de poterie comme une arme contre l'adversaire.

Malgré le prophète Samuel, dernier des Juges,
les Hébreux veulent un roi

Au cours de leur avancée en terre de Canaan, les Hébreux se heurteront à d'autres envahisseurs, les

Philistins, qui, à l'époque romaine, vont donner leur nom à la Palestine. Non sémites, incirconcis, venus probablement de Crète et d'autres îles de la mer Egée, installés sur le pourtour de la Méditerranée, ils chercheront à s'assurer l'arrière-pays. A deux reprises, ils tenteront d'envahir l'Egypte, mais Ramsès les dispersera et c'est ainsi qu'ils échoueront en Palestine.

De grande taille, ils portent des armures, un bouclier rond, des casques de feutre et combattent montés sur des chars. Connaissant le fer quand les autres peuples sont à l'âge du bronze, ils sont en avance, dans l'art militaire, sur les petites milices des cités-Etats ou sur les bandes mal aguerries, mal commandées, d'anciens nomades comme les Hébreux qui viennent de faire leur apparition dans la région s'ils n'y ont pas toujours été.

Face à eux, les Hébreux connaissent de sanglantes défaites qu'ils attribuent, non sans raison, à leur manque de cohésion au combat. Ils veulent un roi, comme les Philistins.

Samuel, le dernier des Juges, les prévient : « "Voici quel sera le droit du roi qui régnera sur vous. Vos fils, il les prendra et les emploiera pour ses chars et pour ses chevaux, et ils courront devant son char... Il leur fera labourer ses labours, moissonner ses moissons, fabriquer ses armes de guerre et l'attirail de ses chars. Vos filles, il les prendra comme parfumeuses, cuisinières et boulangères. Les meilleurs de vos champs, de vos vignes et de vos olivaies, il les prendra pour les donner à ses serviteurs. Sur vos grains et sur vos vignes, il lèvera la dîme, pour la donner à ses eunuques et à ses serviteurs. Les meilleurs de vos esclaves — hommes et femmes — et de vos bœufs ainsi que de vos ânes, il les prendra pour les employer à ses travaux. Sur votre petit bétail, il lèvera la dîme et vous-mêmes vous deviendrez ses esclaves..."

« Le peuple refusera d'écouter l'appel de Samuel :

"Non, dirent-ils, il y aura un roi sur nous et nous serons ainsi comme les autres nations..." » (Samuel, 8-10-19).

Ils ont gardé le cuisant souvenir de Siloh où, commandés par leurs Juges, ils ont tout perdu, même l'Arche d'alliance qui, amenée sur le champ de bataille, ne leur a été d'aucun secours.

Et c'est ainsi que Saül fut choisi parce qu'il s'était révélé le plus vaillant de tous les guerriers.

Dès le début de son règne, Saül, en dehors des ennemis traditionnels d'Israël, se heurtera à la mauvaise volonté du clergé et à celle du dernier des Juges, Samuel, qui, pour satisfaire le peuple, avait dû l'accepter comme roi. Il lui opposera un rival en la personne de David qu'il sacrera secrètement, mais dont il semble n'avoir pas pressenti la forte personnalité. David, et non Saül, sera le véritable créateur de la monarchie israélite dont Samuel ne voulait pas.

Les prophètes, les scribes et les prêtres qui se succéderont s'opposeront toujours au principe de la royauté. Ils reprochent aux rois de vouloir entraîner leur peuple « dans le siècle » alors qu'ils souhaitent le tenir à l'écart des querelles humaines. Ils le veulent étranger à la politique des grands Empires comme au commerce qui pourrait les enrichir mais aussi les égarer hors des voies du Seigneur. Qu'il connaisse la paix, l'isolement et la pauvreté afin qu'il soit exclusivement tourné vers Yahvé et reste sous son contrôle et le leur ! Ce sont eux qui rédigeront la Bible, nous donnant de l'histoire d'Israël la version de « l'opposition », forcément hostile à un pouvoir qu'ils ne détiennent pas.

Le premier roi d'Israël ne sera qu'un chef de clan. Il ne dispose d'aucune armée régulière. Il ne peut s'appuyer que sur les hommes de sa tribu, Benjamin, la plus petite, auxquels viennent se joindre des soldats de fortune en quête de butin, israélites ou non.

Les Israélites sont si peu prêts à lui obéir que Saül,

pour les obliger à prendre les armes et à quitter leurs champs, devra couper les jarrets des bœufs employés aux labours.

Saül campe à quelques kilomètres de Jérusalem, mais jamais il ne lui viendra à l'idée de prendre la ville pour en faire sa capitale, pas plus qu'il ne cherchera à modifier son train de vie et à emprunter aux rois cananéens un peu de leur pompe.

Quand il prend le pouvoir, la situation est catastrophique. Les Philistins occupent toutes les places fortes et ils ont interdit aux Israélites l'usage du fer : « Or on ne trouvait pas de forgeron dans tout le pays d'Israël, car les Philistins s'étaient dit : "Il ne faut pas que les Hébreux fabriquent des glaives et des lances..." Il arriva donc qu'au jour de la bataille de Mikmas, il ne se trouvait ni glaive ni lance aux mains d'aucun des hommes qui étaient avec Saül et avec Jonathan » (Samuel, I, 13-19).

Quand il ne se bat pas contre les Philistins, les Araméens, les Ammonites, les Iduméens, les Amalécites, avec beaucoup de courage sinon toujours avec succès, Saül réunit son conseil à l'ombre d'un tamaris. Il n'y a place que pour lui, pour Jonathan, son fils, et pour Abner, son cousin, le chef de ses bandes. Et bientôt pour David, un jeune berger d'une grande beauté né à Bethléem et appartenant à Juda, la tribu voisine.

Saül, le roi morose, et David,
le joueur de harpe inspiré qui rêve d'être roi

Saül est sujet à des crises de dépression, car Yahvé s'est détourné de lui. Seule la musique le soulage de son mal. Il entend parler d'un jeune berger de la tribu de Juda, « roux, avec de beaux yeux et d'agréable mine », qui joue merveilleusement de la harpe —

45

ou du luth. Il se l'attache. Pour le roi triste, le berger rouquin chante et danse. Il le divertit si bien qu'il en fait son écuyer, son favori et le comble de cadeaux.

Alors que l'armée de Saül est en campagne contre les Philistins, se présente dans la vallée du Térébinthe un géant qui vient défier ses plus valeureux guerriers. Il se nomme Goliath, il mesure six coudées et une palme (trois mètres vingt-cinq) ; sa cuirasse pèse dix mille sicles (soixante kilos). Selon un procédé commun à tous les conteurs orientaux, les rédacteurs de la Bible, afin d'authentifier ce qui ne peut être tenu pour crédible, accumulent une somme impressionnante de détails et de chiffres.

Personne n'ose s'opposer au géant philistin sauf le jeune David. Saül lui offre sa cuirasse, mais elle est bien trop grande, bien trop lourde pour lui, car il est de petite taille au point que le roi le dépasse des épaules. Aussi affrontera-t-il Goliath armé de sa fronde de berger avec, en guise de projectiles, des galets qu'il a ramassés dans le torrent voisin. Il tue le géant et, après cet exploit, il se retrouve à la tête des armées israélites et remporte victoire sur victoire.

Selon une autre version, David, qui gardait le bétail de son père, est venu apporter de la nourriture à ses frères qui servaient dans l'armée de Saül. Mais Samuel, tenant du double jeu, l'avait déjà distingué en secret ; il l'avait oint de l'huile sainte, le désignant ainsi comme le nouveau roi. Au milieu de l'incrédulité générale et des rires, David offre de combattre Goliath. Armé de sa fronde, il le tue d'une pierre au front. Voyant leur héros mort, les Philistins décampent.

Plus question de harpe dans cette version. Placé à la tête des armées, notre berger court de succès en succès. Il devient même si populaire que Saül cherche à le faire assassiner malgré la tendre amitié que lui porte son fils Jonathan et bien qu'il lui ait accordé en mariage sa fille, Mikal. A-t-il pressenti en lui le rival que, déjà, Samuel cherche à lui opposer ? A-t-il eu vent du sacre secret ?

Poursuivi par la haine du roi, David mènera dès lors une existence errante, moitié Robin des Bois, moitié bandit de grand chemin. Sans cesse traqué, avec sa bande qu'ont ralliée les siens et des hors-la-loi de toutes origines, il razzie les riches, séduit leurs femmes, telle la belle Abigaïl. Il aide les pauvres, toujours soutenu par les prêtres qui, parfois, paient cher leur soutien : à Nob, ils seront massacrés pour avoir donné asile au proscrit. David finira par se mettre au service du roi philistin de Gath, Akieh, qui lui confie la garde de la ville de Siklag. Il profitera de l'occasion pour exterminer les ennemis de Juda, sa tribu, dont il se prépare à devenir le roi.

A plusieurs reprises, David aura l'occasion de tuer Saül, mais il s'en abstiendra malgré les conseils de ses compagnons qui ont l'épée facile et le raisonnement court. David, au contraire, a la tête politique ; toute sa vie il en donnera la preuve. Il se sait promis à la royauté et il refuse de compromettre la fonction par un geste inconsidéré. Saül n'est-il pas comme lui l'oint du Seigneur ? Il reste sacré même si Yahvé s'est détourné de lui.

Saül succombera avec ses trois fils, dont Jonathan, à la bataille de Gelboé qu'il livre aux Philistins, auxquels David s'était alors rallié. Suspect à leurs yeux, David ne participera pas au combat, ce qui lui laissera le loisir de composer en l'honneur de Saül et de Jonathan un très beau chant funèbre :

> *Ô monts de Gelboé,*
> *Que ni rosée ni pluie ne descendent sur vous,*
> *Sur vous, champs de la mort !*
> *Saül et Jonathan...*
> *Plus que des aigles, ils étaient rapides,*
> *Plus que des lions, ils étaient forts.*
> *Filles d'Israël, pleurez sur Saül...*
> *J'ai mal à cause de toi, mon frère Jonathan...*

Ton amour m'était merveilleux
Plus que l'amour des femmes.

A la tête de sa petite troupe d'hommes sans terres — les six cents *guibborim* — et avec la complicité de son protecteur philistin, le roi de Gath, David se taille un royaume à la population aussi composite que ses bandes : un mélange d'Israélites de sa tribu, de Hittites, de Philistins et de Cananéens. Il lui donne Hébron pour capitale où il se proclame roi de Juda. Le quatrième fils de Saül échappé au massacre de Gelboé, Ishbaal, secondé par le fidèle Abner, monte de son côté sur le trône d'Israël. Les deux royaumes s'affrontent en des combats incertains qu'encouragent les Philistins. Complots, tractations secrètes, trahisons et meurtres se succèdent. Dans des circonstances obscures, Abner, cousin d'Ishbaal et son meilleur général comme il l'avait été de Saül, est tué traîtreusement par Joab, neveu et fidèle lieutenant de David. David affirmera n'être pour rien dans ce meurtre qu'il a pour le moins suggéré. Abner eut droit, comme Saül, à un chant funèbre (Samuel, II) dont le texte ne nous est pas parvenu.

Ishbaal, faible, indécis, privé de l'appui de son mentor, est assassiné. Les deux auteurs du meurtre apportent sa tête à David. Il ordonne qu'on leur coupe les mains et les pieds (peut-être aussi la langue) et qu'on les laisse mourir dans un étang. En revanche, la tête d'Ishbaal, après des funérailles solennelles, est ensevelie dans le tombeau d'Abner, à Hébron. On ignore s'il eut droit, lui aussi, à un chant funèbre. C'est probable, David n'étant pas avare d'hommages.

Désormais, rien ne pouvait se mettre en travers de sa route.

Saisis par tant de piété et de grandeur d'âme, encouragés par les prêtres qui l'ont toujours soutenu, le ban et l'arrière-ban des tribus d'Israël, par acclamation, élisent David roi de tout le peuple hébreu.

Le personnage fascine, étonne autant qu'il déconcerte. Moitié aventurier, moitié baladin, la larme facile et le poignard prompt, cruel et tendre, musicien et poète, il est séduisant en diable. Excellent diplomate, sans beaucoup de scrupules, il sert le Philistin ennemi de son peuple, il ruse même avec son Dieu. Si sa piété est vive, elle est intéressée. En même temps, roi oriental avec ce que cela comporte : goût du pouvoir absolu et de ce qu'il procure, l'or, le luxe, mais surtout les femmes. Il en possédera de toutes sortes, de toutes origines, un vrai harem, et n'hésitera jamais à prendre celles des autres, quitte à envoyer le mari se faire tuer ailleurs.

Un soir, nous dit la Bible (2, Samuel, 11), alors que, ne pouvant dormir, David se promenait sur la terrasse de son palais, il aperçoit une jeune femme qui se baignait. Il apprend qu'elle se nomme Bethsabée, qu'elle est l'épouse d'un de ses plus vaillants *guibborim*, le capitaine hittite Urie. Il séduit la belle qui, semble-t-il, n'oppose pas grande résistance. La voilà enceinte. David convoque Urie à Jérusalem sous prétexte d'avoir des nouvelles des opérations en cours, conduites par Joab, le chef de son armée. Il espère que le Hittite profitera de l'occasion pour partager la couche de Bethsabée et endossera la paternité de l'enfant. Il n'en fait rien, arguant d'une coutume de son peuple qui interdit au soldat en campagne d'approcher une femme.

David le renvoie à Joab porteur d'une lettre où il demande à son fidèle général et vieux complice de le débarrasser du gêneur. Urie sera abandonné à l'ennemi au cours d'une embuscade. Bethsabée prend le deuil et, le temps des pleurs terminé, elle devient la femme de David et lui donne un enfant. Yahvé est furieux et, par la bouche de Nathan, son prophète, il reproche au roi son inconduite, et de s'être rendu coupable d'un crime pour la cacher. David se repent bruyamment, jeûne, dort à même le sol pour se punir. L'enfant meurt. S'estimant quitte avec son Dieu, David reprend sa vie joyeuse, couche avec Bethsabée et lui fait un autre fils qui sera Salomon. Yahvé, toujours par l'entremise de Nathan, lui promet de l'aimer et de veiller sur lui. Comment aurait-il pu résister au charme de ce roi qui pleure avec tant de sincérité, chante et danse si bien devant son Arche ?

A trente ans, David choisit Jérusalem pour capitale

David a trente ans. Installé à Hébron, il rêve d'une capitale plus centrale et jette son dévolu sur Jérusalem, sorte d'îlot cananéen qui s'est maintenu, vaille que vaille, au milieu des territoires conquis ou occupés par les Israélites.

Plusieurs raisons l'entraînent vers ce choix. La ville ne demande qu'à être prise ; elle est située en terrain neutre, entre les deux fédérations de tribus que David cherche à regrouper, la plus importante étant composée des dix tribus d'Israël, la moindre, de Benjamin et de Juda. Il veut donner à ses sujets un même sanctuaire, un même Dieu, une même capitale, ce qui le pousse à choisir un haut lieu déjà consacré et qui bénéficie d'un certain prestige. C'est le cas de la cité de Melchisédech.

On ne sait pas grand-chose de la situation politique et économique de la Jérusalem jébuséenne ; on ne peut que la comparer avec d'autres cités cananéennes sur lesquelles nous avons quelques lumières. L'Egypte, son administration, ses soldats, ses chars de guerre se sont retirés et chacun en fait à sa tête, se défend comme il peut, s'alliant avec les uns et les autres, engageant des mercenaires hébreux ou habirou qui trouvent ainsi un moyen de s'installer dans les cités-Etats et d'en prendre le contrôle. Les paysans se révoltent et abandonnent leurs champs pour rejoindre les bandes qui écument le pays. Enclavée au milieu des clans israélites, bâtie à l'écart des grandes voies de commerce, Jérusalem se meurt doucement.

Si misérable soit-elle aux yeux des envahisseurs, avec ses tours, ses murailles qui s'effondrent, elle représente une forme de civilisation citadine qui les effraie tant elle est opposée à la leur. La ville, pour eux, reste maudite, lieu d'impureté et de dépravation. Une ville se razzie ou se pille, on ne s'y installe pas. Habiter une ville, pour les Israélites, c'est se soumettre à des obligations pénibles : corvées d'entretien des murs, lois, règlements, impôts, constitution d'une armée régulière qu'il faudra payer pour qu'elle y tienne garnison. Ils ont encore en mémoire les prêches de Samuel.

Quand David s'empare de Jérusalem, il ne dispose, semble-t-il, que de ses fidèles compagnons, les « six cents », suivis d'un millier de représentants des différentes tribus qui l'ont élu et l'accompagnent plus en spectateurs qu'en combattants. Ils ne seraient pas mécontents de le voir échouer dans une entreprise qui ne leur dit rien de bon. Tous rêvent d'un roi aux pouvoirs limités.

La Ville basse n'offre aucune résistance. Après plusieurs assauts malheureux contre la citadelle, Joab, neveu de David et l'un de ses meilleurs lieutenants, découvre une canalisation d'eau que les Cananéens avaient aménagée pour la faire communiquer avec la source Gihon, située hors des murs et connue aujourd'hui sous le nom de Fontaine de la Vierge. Il s'agit d'une faille naturelle qui débouche dans un puits profond de treize mètres, le puits de Warren, du nom de celui qui le découvrit, trois mille ans plus tard, et qui s'ouvrait dans l'Acropole.

Joab s'introduit de nuit dans la canalisation et, par le puits, pénètre dans la citadelle, en ouvre les portes aux troupes de David. Tout laisse supposer que la

Ville basse ne possédait pas de défenses, que les Hébreux y entretenaient des complicités et que l'Acropole était très mal gardée.

Il n'y eut ni massacre, ni expulsion de la population cananéenne, contrairement à ce qu'affirme la Bible. Au contraire, David y maintint les artisans cananéens qui savaient si bien teindre les étoffes, confectionner les poteries, forger aussi des armes. Les deux populations, israélite et cananéenne, qui vivaient depuis longtemps en osmose se mêlèrent plus intimement encore.

La ville s'étend sur moins de trois hectares : « Une misérable petite ville puante, tortueuse et laide », écrit L. Sachar dans son *Histoire des juifs*. « Une des plus vieilles et des plus illustres cités royales du pays », affirme de son côté A. Lods. Qui croire ? Lorsque David s'y installe avec sa petite cour et ses compagnons, elle compte, pense-t-on aujourd'hui, moins de deux mille habitants. Les autres cités cananéennes, de même importance, ne valent pas mieux.

Il en coûtera à David la modique somme de cinquante sicles d'argent pour acquérir auprès d'un certain Arauna le rocher qui, au nord, domine la cité. Dans ce prix sont inclus l'attelage de bœufs et la grotte où Arauna rangeait ses outils quand il utilisait le rocher comme aire pour battre son blé. Il aurait été le dernier roi jébuséen. Quel petit roi c'était donc là ! On l'imagine mal livrant bataille à David qui vient de vaincre les redoutables Philistins.

Historiens et exégètes ont voulu voir dans cet achat symbolique un transfert de propriété d'un dieu à l'autre, de El à Yahvé. Dans un récit postérieur, les cinquante sicles d'argent deviendront six cents sicles d'or, une somme qui convient mieux à l'avenir prestigieux promis à ce lieu.

David, Mikal et l'Arche d'alliance

David attendra sept ans et que son pouvoir soit suffisamment raffermi avant d'occuper sa capitale et d'y installer solennellement l'Arche d'alliance. Elle fera son entrée à Jérusalem au milieu des acclamations de la population et au son des trompes. David danse devant elle, uniquement vêtu d'un pagne de lin, ce qui lui attire les remarques désobligeantes de sa première femme, Mikal, fille de Saül, qui l'accuse « de s'être découvert sous les yeux des servantes et des serviteurs comme un homme de rien ».

Il la répudiera, bien que, pour obtenir sa main, il se soit jadis illustré par un exploit digne des plus grands héros de la tradition mésopotamienne, surpassant même Gilgamesh, l'Héraklès sumérien. Puisqu'il ne pouvait, selon la coutume, payer la dot de la jeune fille, Saül avait exigé qu'il tue de sa main cent Philistins et qu'il lui rapporte comme preuve... les prépuces de ces incirconcis. Par ce moyen, il espérait se débarrasser de son jeune rival, mais David s'exécuta.

Dans d'autres circonstances, Mikal devait sauver la vie de son époux poursuivi par la colère de Saül en couchant à sa place, dans son lit, un *téraphim*, une idole domestique qu'elle habillera, égarant ainsi ses poursuivants. Puis elle l'aidera à s'enfuir. Quand David passera à l'ennemi, Saül son père l'obligera à épouser un certain Paltiel. Mais David, sitôt roi, s'empressera de l'épouser une nouvelle fois. Puis, parce qu'elle lui a reproché de se conduire comme un prêtre illuminé, il la chasse de sa vue à tout jamais.

Avec beaucoup d'habileté, David a toujours mêlé Yahvé à ses projets. Nous en avons là un exemple. La répudiation de la belle Mikal procède moins d'un mouvement d'humeur que d'une volonté politique, qu'elle avait contrariée par ses propos et son attitude. Elle éclaire le côté pragmatique du jeune roi et dévoile ses intentions lointaines : substituer le pouvoir du roi à celui du clergé et Jérusalem à l'Arche.

Les Philistins s'en étaient emparés à la bataille de Gelboé, puis débarrassés après que Yahvé, selon la tradition biblique, se fut conduit en hôte indésirable vis-à-vis de Dagon, le dieu philistin qui l'hébergeait dans son temple. Les Hébreux ne savent qu'en faire — elle ne leur a pas été d'un grand secours dans les combats — et ils l'abandonnent vingt ans à Qiryat-Yéarim, dans la maison d'un certain Abinadab, comme un objet sans valeur.

Quand David devient roi de tous les Israélites, quand il décide que Jérusalem sera sa capitale politique et religieuse, qu'il doit forcer la main à un peuple réticent et à un clergé méfiant, il se met en quête de l'Arche oubliée. Il la ramène en grande pompe afin de lui rendre sa place dans la liturgie mosaïque. Il la ressuscite en quelque sorte et l'installe à Jérusalem. Comme il n'existe pas de sanctuaire digne d'elle, elle restera sous la tente, « au milieu de la toile ». Par la voix du prophète Nathan dont David, très habilement, s'est attaché les services, Yahvé fait savoir qu'il souhaite qu'on lui construise un temple. Il précise même : en bois de cèdre. Ce ne peut être que pour y résider, car le bois de cèdre, coûteux et rare, doit être importé.

Le tour est joué. Yahvé habitera désormais Jérusalem. Il n'est plus un nomade, mais un sédentaire, et le peuple est invité à l'imiter dans sa conversion à un ordre nouveau. Opération réussie dont Mikal ne fut pas dupe. L'ayant compris, elle aurait dû se taire, mais elle était femme. Ou peut-être fut-elle scandalisée de voir son vaillant époux se trémousser comme un derviche devant un coffre vide ?

En s'installant à Jérusalem, David a rompu avec la tradition encore patriarcale de Saül, campant en compagnie de ses soldats aux goûts modestes. Il refuse de n'être, comme lui, qu'un simple chef de guerre qui rejoint les siens après le combat. Il veut être roi et il a appris, au contact d'autres souverains orientaux qu'il a été amené à servir ou à fréquenter, comment le pouvoir s'exerce, toujours à partir d'une capitale où le roi vit dans son palais fortifié, entouré de ses gardes.

A la différence de Saül, il a su se concilier le clergé par l'étalage d'une piété qui n'est pas feinte et en le mêlant à ses projets, ce qui le flatte. Mais il est toujours entouré de ses *guibborim* qui appartenaient à toutes les religions, à toutes les nationalités, et ne servaient que lui. De quoi inciter ce même clergé à la prudence et à ne pas susciter un autre roi pour le détrôner comme le fit Samuel.

Installée dans le Temple que Salomon fera construire, l'Arche perdra dès lors de son importance et la ville de Jérusalem la relaiera dans la fonction sacrée de demeure de Dieu.

Le Temple sera pillé à plusieurs reprises. Aucune allusion à l'Arche. Nabuchodonosor, s'il l'avait découverte quand il se livra au sac de Jérusalem, l'aurait, selon la coutume babylonienne, emmenée prisonnière comme toutes les autres idoles des peuples vaincus. Et il n'aurait pas manqué d'en faire état.

Durant tout son règne, David s'efforce de donner à son royaume un semblant d'unité et une ébauche d'administration que Salomon, après lui, perfectionnera. Elle se limite encore à une poignée de scribes commandés par une sorte de vizir, le *mazkir*, et à un ministre des Finances chargé de veiller sur la caisse royale. David la remplit non pas avec des impôts, trop proches du nomadisme égalitaire — les Israélites ne le toléreraient pas —, mais par les pillages et les razzias qu'il organise. Même roi, il n'a rien perdu de ses bonnes habitudes quand il taxait les grands propriétaires, s'emparait de leurs troupeaux et de leurs femmes.

A ces scribes il convient d'ajouter un certain nombre de prêtres parmi lesquels plusieurs fils de David. Ils rendent la justice en consultant Yahvé qui se prononce toujours au mieux de leurs intérêts et de ceux de Juda, mais au détriment des autres tribus. La garde du roi, les six cents mercenaires bien équipés et entraînés qui ont lié leur fortune à celle de David, constituent, avec les prêtres et les scribes cananéens formés en Egypte et connaissant l'écriture, l'armature du jeune Etat entièrement centré sur Jérusalem.

Quand la nécessité l'y oblige, David fait appel aux hommes des tribus. Il les convoque à la guerre en allumant de grands feux et ils accourent de leurs montagnes, dotés d'un armement hétéroclite et commandés par leurs chefs héréditaires. Ils se soucient plus de butin que de faits d'armes et, s'ils ne sont pas solidement encadrés, ils se débandent ou rentrent chez eux.

Les Philistins à l'origine de l'Etat d'Israël ?

Selon Renan, les Philistins auraient tenu un grand rôle dans la constitution de l'Etat d'Israël : « La lutte contre les Philistins avait fait la royauté d'Israël. David avait passé dix-huit mois de sa vie au service du roi de Gath et il avait appris à cette école quelques-unes des données qui firent sa force. Gath lui fournit toujours des hommes de confiance et des auxiliaires. L'intelligence singulièrement ouverte de David sortit, grâce à des relations suivies avec une race plus milicienne qu'Israël, du petit système stratégique dont les tribus sémitiques avaient la plus grande peine à se dégager... Les Philistins furent les seuls ennemis avec lesquels il observera les lois de la modération. Il avait conscience de ce qu'il leur devait et peut-être l'expérience qu'il avait faite de leur supériorité militaire lui inspirait-elle un certain mépris pour les bandes hébraïques et araméennes. Cette appréciation de soudard émérite lui suggéra une idée qui eut sur la constitution de la royauté israélienne une influence décisive... lever chez les Philistins un corps de mercenaires dont il fit ses gardes et qu'il chargeait des exécutions. C'est eux qu'il appelait les Kreti-Pléti. Le mot Kréti désignait les Philistins comme originaires de Crète. Ce furent eux qui firent échouer les tentatives d'Absalon, de Séba, fils de Bikri, d'Adonias ; ce furent eux qui assurèrent le trône de Salomon. »

A peine élu roi, David doit combattre une coalition d'Ammonites, d'Araméens et d'Edomites. Il massacre le roi Ammon et toute sa famille, puis il annexe la province. Après d'interminables affrontements avec les Philistins, il prendra Gath, leur capitale et les rejettera vers la côte. « Ainsi abaissés, les Philistins ne recommenceront plus à pénétrer sur le territoire d'Israël » (Samuel, 1, 7-13).

Les rédacteurs de la Bible, soucieux d'embellir son image, ne pouvaient admettre que David ait conclu des arrangements avec les Philistins, gardant pour lui la montagne mais leur abandonnant la plaine. L'aurait-il souhaité que jamais il ne se serait risqué à affronter en terrain plat leurs chars de guerre, ses meilleures troupes étant, de surcroît, composées de mercenaires recrutés parmi eux. Il faudra attendre Salomon pour que les Israélites disposent d'une charrerie et d'une cavalerie. Pour l'instant, ils en sont démunis.

David ne cessera pas de guerroyer car, hors la guerre, il ne dispose d'aucune ressource. L'âge venant, le jeune et fringant guerrier a pris du poids et, comme il est de petite taille, cela se remarque. Ses *guibborim* font l'impossible pour le tenir à l'écart des champs de bataille ; il manque de souffle, d'agilité, mais, comme il a gardé toute son impétuosité, ils redoutent, s'il est tué, les désordres qu'engendrerait une succession mal préparée. Ses fils sont innombrables ; leurs mères, de toutes origines, de toutes conditions, rêvent de les voir ceindre la couronne.

Les complots de la Maison des Cèdres

Jérusalem bourdonne de complots et la Maison des Cèdres, où David est désormais confiné, est devenue un nid de serpents.

On y mène joyeuse vie et le vin coule à flots. Ce ne sont que fêtes et festins, la plus grande liberté régnant dans les mœurs, et elles sont brutales. Amon, le fils aîné de David, que l'on donne pour son successeur, s'éprend de sa demi-sœur, Tamar. « Il la saisit, dit la Bible, lui fit violence et coucha avec elle alors qu'elle portait encore la tunique à longues manches des vierges filles de roi. » Qu'elle soit séduite par son frère, passe encore, mais qu'il la congédie ensuite comme une servante, c'est dépasser les bornes !

Absalon, jeune, beau, ambitieux, voit immédiatement le parti qu'il peut tirer de l'incident pour supplanter son frère aîné dans la faveur du roi. Il demande justice à David pour le mauvais traitement subi par sa sœur. Le roi ne semble pas avoir été particulièrement choqué de ce viol doublé d'inceste et compliqué d'abandon. Il réprimande mollement son fils favori et retourne à ses propres amours qui ne sont pas simples non plus.

L'affaire en serait restée là si Absalon n'en avait pris prétexte pour se débarrasser de son rival. Il enivre Amon et le fait tuer par ses gens. Puis il s'enfuit et revient, trois ans plus tard, quand David, ayant oublié le meurtre, lui accorde son pardon. Mais Absalon, pressé de monter sur le trône, se révolte. La situation du royaume se prête à son entreprise. Si la paix règne sur les frontières, il en va autrement à l'intérieur. La partialité de la justice du roi, favorisant toujours Juda au détriment des autres tribus, sera l'élément déterminant de cette sédition qui s'étendra à tout le pays.

Absalon, deuxième roi juif de Jérusalem ?

Absalon, sorte d'Alcibiade juif, s'est rendu célèbre par sa beauté, sa séduction et la manière très habile dont il savait flatter le peuple et compatir à ses malheurs.

Samuel (I, 14-21) nous dira : « Il n'y avait pas dans Israël d'homme aussi beau qu'Absalon, aussi grandement vanté ; de la plante des pieds au sommet de la tête, il n'y avait pas en lui de défauts. Lorsqu'il se rasait la tête et c'était chaque année — car cela pesait trop sur lui —, on pesait sa chevelure : deux cents sicles [plus d'un kilo d'aujourd'hui]. »

Révolte d'un fils ambitieux contre son père ? Pas seulement. Révolte des campagnes contre Jérusalem, des nostalgiques de la vie nomade et de sa simplicité face à un pouvoir royal aux structures déjà complexes qui se veut absolu et confond justice et bon plaisir.

Quand Absalon se soulève, Israël le suit et David, lâché par son peuple, ne conserve que ses fidèles de la première heure dont Joab et sa garde prétorienne. Il doit abandonner sa capitale pour se réfugier en Transjordanie, piteusement, sous les huées. Shimeï, un parent de Saül et l'un des chefs de la tribu de Benjamin, n'hésite pas à lui jeter des pierres alors qu'il traverse le Jourdain et à le traiter de vaurien, d'homme de stupre et de sang.

Trop faible pour engager le combat, David feint

d'ignorer l'insulte et pardonne « à la demande de Yahvé ». Les prêtres avaient suivi David en emportant l'Arche. Ils se croyaient déjà revenus au temps de Moïse. Il les renvoie à Jérusalem où ils lui seront plus utiles. Quant à l'Arche, qui a beaucoup perdu de son pouvoir, elle n'aurait fait que l'encombrer ou susciter des nostalgies qu'il préfère ignorer.

Pour montrer sa détermination et assurer ses partisans qu'il ne se réconciliera plus avec son père, Absalon commettra l'irréparable, le crime suprême de lèse-majesté. Il fait dresser une tente sur une terrasse du palais et là, devant le peuple convoqué pour l'occasion, possède les concubines que, dans sa précipitation à s'enfuir, David avait oubliées. Elles étaient au nombre de dix, précise la Bible. En prenant possession des femmes de son père, il accédait au pouvoir royal dont le harem était l'attribut (Samuel, II, 16-21).

Même s'il ne régna que quelques mois, Absalon devrait être considéré comme le deuxième roi juif de Jérusalem.

Mal conseillé par les prêtres acquis à David, entouré d'espions, Absalon, au lieu de se lancer à la poursuite de son père, perd son temps en fêtes et cavalcades. Quand, dans la forêt d'Ephraïm, il devra affronter la petite armée de métier de David, les partisans qui le suivent encore attaqueront dans le plus grand désordre et, au premier revers, selon leur habitude, ils le lâcheront.

David et les siens restent maîtres du terrain. Absalon, qui n'a pas eu le loisir de raser son imposante chevelure, s'enfuit, monté sur un âne ou un mulet. Il se prend les cheveux dans les branches emmêlées d'un térébinthe et reste ainsi suspendu pendant que ses poursuivants qui l'ont rejoint discutent de son sort.

Malgré les ordres de David, Joab, tenant d'une monarchie dure, qui supporte mal les faiblesses de son roi pour sa turbulente progéniture, encore moins les intrigues et les complots de palais, achève lui-même le bel Absalon à coups d'épieu. Ainsi mourut le deuxième roi juif de Jérusalem, branché dans un arbre et achevé à l'épieu comme un sanglier.

Dans les dernières années du règne de David, deux factions s'affrontent. D'un côté, les « légalistes » qui tiennent pour le fils aîné, Adonias ; ils sont partisans d'un grand Israël et veulent poursuivre la conquête des royaumes voisins, seul moyen, selon eux, de se procurer des esclaves et de l'argent. De l'autre, ceux qui, plutôt que de se lancer dans de nouvelles aventures militaires, souhaitent renforcer le pouvoir royal dont les derniers événements ont montré combien il était chancelant. A la tête des premiers, Joab, chef des armées, et le grand prêtre Eybatar ; pour les seconds, le prophète Nathan, Sadoq, le rival du grand prêtre, et Bennayahu, le chef des « six cents » qui ont porté leur choix sur le fils de Bethsabée, Salomon, qui n'arrive que dixième dans l'ordre de la succession. Mais, dans une société encore imprégnée de tribalisme, le droit d'aînesse n'est pas toujours reconnu.

David sent ses forces l'abandonner. On a beau mettre dans son lit une jeune vierge, Abishag, la jolie Sulamite, celle-ci ne peut réchauffer son sang et « il ne la connut même pas ». Adonias tente de s'emparer du trône avant qu'il ne lui échappe. Il échouera à cause de l'intervention des *guibborim*. David lui pardonne. Il comprend l'impatience de ses fils d'être rois, car lui-même l'a connue au temps de Saül, quand il devait ronger son frein et jouer de la harpe devant le vieux soldat hypocondriaque.

Bethsabée lui rappelle son serment : sacrer Salomon de son vivant. Est-ce parce qu'un crime les liait l'un à l'autre qu'à la fin de la vie de David elle a renforcé son emprise ? A la différence des autres épouses égarées dans des intrigues de harem, elle s'est ménagé des appuis solides parmi les officiers de la garde et les fidèles du vieux roi, juifs de raccroc, comme elle, ou même non juifs *.

Salomon est oint à la source Gihon par Sadoq et acclamé par les *guibborim*. David se reconnaissait dans ce fils qui avait hérité de sa beauté, qui savait comme lui chanter, danser, composer des poèmes, qui partageait son goût du faste, de la grandeur, des femmes, de la fête, en même temps que son réalisme et sa ruse.

Le Testament de David, séducteur, bandit de grand chemin et grand roi

Avant de mourir, il lui donnera de précieux conseils comme d'honorer Yahvé, bien sûr, mais aussi de se débarrasser au plus vite de tous ceux qui risquent de lui ravir le trône ou d'entraver son pouvoir, dont ce bon vieux Joab qui possède sur ses soldats un trop grand ascendant. « Tu feras descendre dans le sang ses cheveux blancs au chéol [en enfer] », murmure David à l'oreille de son fils. Joab lui a conquis Jérusalem, endossant certains crimes : assassinat du fils de Saül, Ishbaal, et de son oncle Abner ; exécution de Urie, le capitaine hittite, premier époux de Bethsabée. Mais le pouvoir royal était encore trop faible pour tolérer un serviteur aussi puissant qui, malgré les ordres, plongeait sans hésitation son épieu dans le corps d'un fils de roi, puis se permettait de choisir lui-même l'héritier du trône.

Eybatar, le grand prêtre, était encore plus dangereux par l'emprise qu'il exerçait sur un clergé hostile

* Bethsabée, femme d'un Hittite avant d'épouser David, était probablement hittite elle-même. Sadoq, selon certaines sources, aurait été un prêtre cananéen avant de passer au service de Yahvé. Quant à Bennayahu, ne serait-il pas Philistin, comme le gros des *guibborim* ?

au pouvoir royal. Lui aussi devra être éliminé. Que Salomon se méfie des derniers descendants de Saül, comme ce Shimeï qui l'avait outragé quand il était un fugitif. Il lui avait pardonné sur ordre de Yahvé et n'avait pas osé le faire disparaître de peur d'encourir Sa colère. Mais Salomon, qui n'avait rien promis, était libre d'agir à sa guise.

On imagine le dialogue entre l'ancien brigand devenu roi, malin, avisé, truculent, cynique, usé par ses guerres et ses débauches, capable de toutes les faiblesses et de toutes les grandeurs, et son jeune héritier qu'il initie aux dures règles de la politique. Ils échangent des clins d'œil complices, ils se comprennent à demi-mot.

La Maison des Cèdres, construite par les Phéniciens, domine la ville et, sous leurs yeux, s'étend Jérusalem que David n'a guère transformée depuis qu'il en a fait la conquête. Se contentant de la bourgade cananéenne, il a joint le Millo, l'acropole jébuséenne, à la Ville basse qu'il pourrait avoir ceinte de murailles. L'Arche réside toujours « sous la toile », une tente de dix mètres de long, cinq de large, cinq de haut, une simple barrière délimitant le parvis au milieu duquel se dresse l'autel des holocaustes. Les prêtres, qui appartiennent à la tribu de Lévi, campent autour, rêvant de rétablir le royaume de Dieu qui serait le leur. David conseille à son fils de les surveiller étroitement et d'utiliser à cet effet un homme intelligent, compréhensif, comme Nathan. Car parfois les prophètes ont du bon quand on sait s'en servir.

Salomon lui fait part de ses propres projets. Son père ne peut que les approuver, car ils vont dans son sens : renforcer le pouvoir royal, et que Jérusalem devienne à tout jamais la capitale politique et religieuse d'Israël. Yahvé, toujours sous la tente, est resté un dieu nomade, disposé à déguerpir à la première occasion. Il lui construira une demeure splendide ; il en fera un citadin si richement doté qu'il n'en bougera plus. Ses prêtres, sous haute surveillance, s'engraisseront des offrandes des fidèles et apprendront à aimer Jérusalem.

Fatigué, David s'est endormi et Salomon rêve tout haut. Le vieux roi se meurt. « La conscience en paix, il se coucha avec ses pères et il fut enseveli dans la Cité de David. » Il avait régné quarante ans sur Israël, sept ans à Hébron, trente-trois ans à Jérusalem.

De ce personnage si humain, avec ses qualités et ses travers, de ce premier roi juif de Jérusalem qui savait si bien combattre ses ennemis ou s'allier à eux pour mieux les berner, mais si mal résister à ses démons, de ce joueur de harpe inspiré, de ce séducteur amoureux des femmes jusqu'au crime, le judaïsme allait faire un intercesseur entre Dieu et les hommes. En effet, ce sera sous ses traits qu'à la fin des temps apparaîtra le Messie venu instaurer en Israël et dans le monde le nouvel Age d'or. Lorsqu'il entrera à Jérusalem, Jésus n'oubliera pas de rappeler qu'il appartient à la Maison de David. Ses disciples lui inventeront de fabuleuses généalogies (Evangile selon saint Matthieu).

David, Salomon et Hérode seront les trois grands rois de Jérusalem. Salomon lui donnera la renommée, Hérode l'éclat, mais ce sera David qui, d'une petite forteresse jébuséenne en ruine, fera la cité unique au monde où, au nom de Dieu et parfois sans y croire, viendront s'affronter les peuples, leurs prêtres et leurs soldats.

Selon un recensement que David ordonna à la fin de son règne, conseillé par Satan et bravant l'interdiction de Yahvé qui seul devait connaître le nombre de ses fidèles, « tout Israël comptait onze cent mille hommes tirant le glaive et Juda quatre cent soixante-dix mille hommes tirant le glaive » (Chroniques, 21-5). Ces chiffres doivent être divisés par dix.

Dans la période qui nous occupe, Israël, toutes tribus confondues, n'atteindrait pas le million d'habitants et sa capitale quelques milliers. Roi-soldat, David étendra son royaume jusqu'à l'Euphrate ; il conquerra Damas et les deux rives du Jourdain, mais n'ayant rien d'un bâtisseur, il gardera Jérusalem telle qu'il l'a conquise ou reçue d'Arauna.

« Rassasié de jours, de richesse et de gloire », il sera enseveli dans la Cité de David, l'Ophel probablement. Au cours des siècles, sa tombe connaîtra nombre d'avatars. Flavius Josèphe, dans les *Antiquités judaïques*, nous apprend qu'un descendant des Maccabées, le roi asmonéen Hyrcan, fit ouvrir son sépulcre et en tira trois mille talents d'argent grâce auxquels il recrutera une troupe de mercenaires. Comme son aïeul, il avait le goût de la guerre, mais ne comptait pas trop sur ses sujets pour le suivre dans ses aventures. Hérode l'imitera. Il ne trouvera pas d'argent, mais seulement beaucoup d'or sous la forme de vases et autres ouvrages bien travaillés.

Où se trouve la tombe de David ?

De passage à Jérusalem, je me mis en quête de la tombe de David. Avant 1948, on en connaissait un certain nombre dont l'une sur le mont Sion que les juifs, après avoir perdu la Vieille Ville, avaient conservée.

Afin de marquer la judaïté du lieu, et par là même de la Vieille Ville, de les relier à la tradition biblique et hébraïque, au cours d'une réunion qui rassemblait militaires, politiciens, archéologues et rabbins, on décida que la tombe du mont Sion serait désormais la bonne. Et les guides suivirent, qu'ils soient bleus (Hachette) ou rouges (Baedeker), émettant cependant de prudentes réserves.

David est censé reposer dans un sarcophage byzantin recouvert d'une étoffe brodée des vingt-deux couronnes symbolisant les vingt-deux rois de sa descendance. De fort belles lampes d'argent éclairent de leur lumière dorée une sorte de caveau voûté. Comme dans tous les lieux saints juifs, la kippa est de rigueur.

Au cours d'un de mes passages à Jérusalem, je me suis retrouvé dans ce caveau, une kippa de carton sur la tête, en compagnie d'une touchante « mamma » juive qui se confondait en prières. Pour elle aucun doute, David était bien là.

Puis je me suis perdu dans une *yeshiva,* une petite école rabbinique où l'on enseignait la Torah et le Talmud. Le Christ y était ignoré. Mais il suffisait d'emprunter un escalier, de gravir quelques marches, pour se retrouver au Cénacle, une salle gothique de belles proportions, aux voûtes élégantes, aménagée par les croisés, reconstruite en 1333 par les franciscains. Selon la tradition chrétienne et une coutume qui venait peut-être des Esséniens, Jésus y avait offert pour la Pâque un dernier repas à ses disciples et institué l'eucharistie. Maison de l'évangéliste saint Marc, elle fut une des premières églises chrétiennes. Transformée en mosquée par les Mamelouks, elle fut dotée d'un *mirhab,* une niche de prière orientée vers La Mecque. Ce furent encore les Mamelouks qui construisirent le cénotaphe actuel de David — El-Dabi-Daoud —, considéré par l'Islam comme un prophète.

La véritable nécropole royale, m'apprit-on, se trouvait à Siloé, en zone palestinienne, particulièrement exposée aux jets de pierres de l'Intifada, hors des remparts, mais proche du Mur des Lamentations qu'il est de bon ton aujourd'hui d'appeler le Mur occidental, car les juifs n'ont plus aucune raison de venir y pleurer. La nécropole avait été découverte au cours des fouilles effectuées dans l'ancienne cité jébuséenne et se limitait à une excavation où ne subsistaient que des murettes de pierres noircies et l'amorce de deux tunnels. Les travaux avaient été abandonnés.

Je croyais en avoir terminé avec les tribulations *post mortem* de David, étonné que la sépulture d'un si grand roi fût à ce point laissée à l'abandon quand on m'en donna la raison : des fouilles plus récentes avaient tout remis en question. Les tunnels taillés dans le roc de l'Ophel et reconnus comme nécropoles royales, ne l'étaient pas. Des tessons de poterie et des figurines de terre cuite retrouvés dans les tombes et les grottes voisines indiquaient qu'il s'agissait plutôt de lieux de culte israélites, mais dédiés à des divinités étrangères, des Baal, des Astarté, preuve du syncrétisme qui régnait alors. David et Mikal n'avaient-ils pas dans leur chambre un *téraphim*, une petite idole d'un dieu local cananéen auquel ils prêtaient des pouvoirs magiques ? Le rapport des archéologues concluait en ces termes : « Le problème des tombes royales reste entier. » David R. Weil qui croyait avoir découvert la tombe du roi était renvoyé dos à dos avec les militaires et leurs complices qui avaient « inventé » leur propre tombe en 1948. Après la réunification de la ville, en 1967, personne ne s'en était plus soucié.

Je m'égarai en cherchant la source Gihon qui ne pouvait se trouver très loin. Deux jeunes Palestiniens désœuvrés proposèrent de m'y conduire. Je trempai la main dans ses eaux claires et fraîches, comme le fit peut-être David qu'accompagnait son ami, le Cananéen Arauna, avec qui il avait été en affaires. Soudain, mes deux Palestiniens me lâchèrent.

En remontant la pente qui m'avait conduit jusqu'à la source, je découvris des soldats israéliens en tenue de combat, armes approvisionnées, juchés sur les toits plats des maisons. Un peu plus loin, un véhicule blindé barrait la route. Le drapeau d'Israël à l'emblème de David, étoile bleue sur fond blanc, y flottait. Des femmes palestiniennes, un voile blanc sur les cheveux et vêtues de la robe bleue que l'on prête sur les tableaux à la Vierge Marie, claquaient derrière elles les portes de leur maison et tiraient les verrous. Des graffiti les noircissaient où l'étoile de David était surchargée de la croix gammée des nazis. Jérusalem était à nouveau livrée à ses démons.

« Que vous importe que David soit enterré là ou ailleurs ! me dit cet Israélien à qui je faisais part de mes recherches infructueuses. A nos yeux, David garde l'immense mérite d'avoir fait de Jérusalem, à partir d'une bourgade cananéenne, une ville juive, unifiant autour d'elle et de son Temple le peuple juif, de nous l'avoir léguée en héritage, à nous ses descendants sinon selon le sang, au moins selon la culture et la religion. Les chrétiens eux-mêmes appellent Jérusalem la Cité de David et je n'ai jamais entendu de musulmans lui donner le nom de Cité d'Omar ou de Saladin.

« Pour nous juifs, le souvenir de David est partout présent, son emblème, l'étoile à six branches, figure sur notre drapeau. Notre armée se réclame de ses victoires et nous lui dédions les nôtres. Je ne désespère pas qu'un de nos généraux vienne un jour nous expliquer qu'au cours de nos trois guerres nous avons employé contre les Arabes les mêmes tactiques dont il usa contre les Philistins.

« Pendant la guerre du Kippour, sur le Golan où nous étions en fâcheuse posture, j'entendis un de mes chefs de char, levant le poing vers le ciel, s'écrier : "David, qu'est-ce que tu fous ? Tu ne vois pas que tes fils sont dans la merde ?" Je ne sais pas si ce fut lui qui nous en sortit ; j'aimerais le croire. A ce propos, j'avais oublié de me présenter. Je me prénomme David, bien sûr. »

CHAPITRE III

SALOMON LE MAGNIFIQUE

« Juda et Israël étaient nombreux, aussi nombreux que le sable qui est au bord de la mer ; on mangeait, on buvait, on était joyeux. Salomon dominait sur tous les royaumes depuis le Fleuve jusqu'au pays des Philistins et jusqu'à la frontière d'Egypte ; ils acquittèrent un tribut et ils servirent Salomon tous les jours de sa vie. »

Rois, I-5

Salomon, le roi magnifique, fut amoureux de Jérusalem plus que de toutes les femmes

Salomon, qui régna de 971 à 932 avant J.-C., tombera follement amoureux de Jérusalem. Comme une épouse bien-aimée, il la comblera de toutes les richesses qu'il pourra accumuler au cours de sa longue existence, aux dépens du reste du pays, créant une animosité, une jalousie à son égard qui provoqueront plus tard la scission d'Israël en deux royaumes. Salomon, « le roi de Jérusalem » comme l'ont surnommé ses ennemis, à la différence de David, « roi d'Israël », préférera le commerce à la guerre. Et le peuple s'en trouvera bien.

Flavius Josèphe dans les *Antiquités juives* écrira : « On ne dira jamais assez quel fut le bonheur dont tous les Israélites, et particulièrement ceux de la tribu de Juda, jouirent sous le règne de Salomon ; le pays se trouva dans une si profonde paix qu'elle n'était troublée ni par les guerres étrangères, ni par aucune division domestique, chacun ne pensant qu'à cultiver ses héritages et à augmenter son bien. »

Salomon se révélera un bâtisseur audacieux, un négociant avisé, un souverain cosmopolite, désireux d'ouvrir son peuple au monde extérieur, au grand dam des prêtres, car ce monde était païen. Il aime les filles étrangères et s'intéresse aux dieux qu'elles adorent, des divinités venues des riches plaines de la côte qui partagent les joies et les égarements des humains, au contraire de Yahvé, froide et austère entité, Dieu de colère, apparu selon la tradition dans le Sinaï au milieu des nuées d'orage.

Au début de son règne, Salomon agit comme tous les rois et princes de son temps soucieux de conserver leur trône et de rester en vie. Il s'empresse de suivre les conseils de David, il en rajoute même. Il fait assassiner Joab, le chef des armées à qui la monarchie devait tant, dans la tente même de l'Arche, le lieu d'asile par excellence où, poursuivi par des tueurs lancés à ses trousses, il s'était réfugié. La Bible nous en donne un récit brutal :

« Bennayahu entra dans la tente de Yahvé et dit à Joab : "Sors. — Non, dit-il, c'est ici que je mourrai." Bennayahu rapporta la chose au roi en disant : "Ainsi a parlé Joab." Le roi lui dit : "Fais selon ce qu'il a dit, frappe-le et tu l'enseveliras." »

Et Bennayahu, le chef des *guibborim*, s'exécuta et lui succéda à la tête des armées.

Telle fut la mort du premier conquérant de Jérusalem qui donna la ville à Yahvé et dont le sang vint gicler sur les cornes de son autel, preuve que l'Arche, pour Salomon, ne représentait plus grand-chose. Yahvé n'avait même plus le droit d'asile.

Puis Salomon bannit le grand prêtre Eybatar qu'il remplaça par Sadoq. Il fit exécuter Shimeï, de la parenté de Saül, qui avait insulté David fugitif. Sa faute ? Etre sorti de Jérusalem sans autorisation. Il réglait un vieux compte de son père avec la dynastie précédente. Enfin, et cela David ne l'avait pas voulu, il donna l'ordre de mettre à mort son frère aîné, Adonias, à qui serait revenu le trône sans sa précipitation à s'en emparer et sans les intrigues de Bethsabée et de son clan. Bethsabée se prêtera à cet assassinat quand le naïf Adonias viendra lui demander d'intervenir pour qu'il puisse épouser Abishag, la Sulamite, que le vieux roi avait été incapable d'honorer et dont il était tombé follement amoureux. Appartenant au harem de David, elle était la propriété de son héritier. La réclamer, c'était faire valoir des droits sur le trône. Adonias sera exécuté pour crime de lèse-majesté.

Ayant fait place nette, Salomon est bien décidé à jouir de tous les plaisirs que peut procurer le pouvoir absolu à un homme jeune, beau, sensuel, fastueux, aimant les fêtes plus que la guerre et les femmes plus que l'amour. Seules deux d'entre elles compteront dans sa vie, sa mère Bethsabée qui régnera à ses côtés tant qu'elle vivra, et la fille du pharaon qu'il épousera et voudra éblouir en faisant de Jérusalem une cité digne d'elle.

Salomon, s'il a hérité du charme de son père, élevé parmi les intrigues et les complots du harem, loin des camps, n'ignore rien de la duplicité des gens qui l'entourent. Mais il s'en accommode et en joue, ce qui lui vaudra une réputation de sagesse, de tolérance, qui n'est souvent qu'un masque et lui permet de conduire sans heurts ses grands projets. Ils sont bien différents de ceux de David et ne peuvent que heurter un peuple pour lequel le roi était d'abord un chef militaire avant d'être un législateur.

Salomon n'est pas un homme de sang. Trop tolérant pour devenir un tyran, il serait plutôt un despote éclairé. Très vite, il renonce aux aventures militaires. Il perdra même Damas, que son père avait conquise sur les Araméens, et les petits royaumes sur les marches d'Israël dont il s'était assuré le contrôle.

Avec lui, Jérusalem connaîtra ses heures les plus glorieuses dans la paix et l'abondance. Il en fera la capitale éphémère d'un grand empire commercial, alors que rien ne l'y destinait, qu'elle avait été choisie par David pour des raisons religieuses et politiques et non comme un relais de caravanes et un entrepôt de marchandises.

Pour tout l'Orient, Salomon deviendra un personnage de légende, détenteur du Grand Secret. Il passe pour commander aux démons, connaître les formules secrètes qui les enchaînent. Il compose des remèdes dont on se transmettra le secret jusque dans la Rome des Césars. Au Moyen Age, alchimistes et nécromants, en quête de la pierre philosophale, l'évoqueront au risque de brûler sur les bûchers de l'Inquisition. Le Turc Soliman, qui construira les murailles actuelles de Jérusalem, portera son nom.

Pour la Bible, Salomon sera le Maître de Sagesse, l'auteur des Proverbes — on lui en prête jusqu'à trois mille —, le poète inspiré du *Cantique des Cantiques* dédié non pas à l'amour de Dieu, comme on voulut nous le laisser croire, mais à une belle mortelle, la plus belle des filles de Jérusalem, qui cherche en vain son bien-aimé dans les rues et les places de la ville, et ne le trouve pas. Mais n'est-elle pas elle-même cette Jérusalem que Salomon aimera ? Il sera aussi l'*Ecclésiaste* qui sait que tout n'est que vent et poursuite du vent.

Le *Cantique des Cantiques* comme l'*Ecclésiaste*, comme le *Livre de la Sagesse,* lui sont largement postérieurs, mais qu'on les lui attribue montre à quel point fut grande sa renommée.

Sa sagesse sera illustrée par le jugement fameux départageant deux prostituées qui se disputent un enfant. Tous les récits de la Bible proclameront la richesse et la gloire de Salomon. « Juda et Israël étaient aussi nombreux que le sable qui est au bord de la mer ; on mangeait, on buvait et on était joyeux. »

Roi marchand, esprit curieux et tolérant,
il prendra Yahvé en otage, lui construisant
un temple qui ne sera que l'annexe de son palais

Associé à l'ami de son père, le Phénicien Hiram, à moins qu'il ne s'agisse de son fils, les Hiram étant une dynastie, il s'initiera aux subtilités du grand commerce, lançant des càravanes vers l'Egypte, la Syrie, l'Arabie. Il construira une flotte marchande sur la mer Rouge et ses marins, encadrés par les Phéniciens, s'aventureront jusqu'à Ophir, cité magique que Christophe Colomb crut avoir découverte alors que c'était l'Amérique. Ils en rapportent des esclaves, de l'or, de l'argent, de l'ivoire, de l'encens, des parfums dont on fait grand usage, mais aussi des informations sur les coutumes, les mœurs, les dieux des peuples qu'ils ont été amenés à rencontrer, informations dont Salomon fait son miel. Esprit curieux, il acquerra ainsi une connaissance des pays, des hommes, des bêtes et des plantes qui lui vaudra d'être considéré comme un magicien qui devine le langage des animaux et commande aux éléments.

Son esprit tolérant s'élargit encore de l'apport de ces sciences nouvelles. Il souhaite que Yahvé sorte de son intransigeante solitude et descende dans la grande arène où, à travers leurs divinités, s'affrontent et se mêlent les civilisations. Ce cosmopolite souhaite un Dieu à son image, un Dieu de tolérance, un Dieu universel. Il le proclame au cours de la dédicace du Temple, dans un discours fameux qu'il tient devant son peuple rassemblé et qui, s'il avait été écouté, aurait évité à Israël bien des malheurs.

« Et même l'étranger qui n'est pas de ton peuple, Israël, et qui viendra d'un pays lointain, à cause de ton Nom, de ta main forte, de ton bras étendu, s'il vient à prier vers cette Maison, toi, écoute-le aux Cieux, le lieu de ta demeure, et fais tout ce pour quoi t'aura invoqué l'étranger, afin que tous les peuples de la terre connaissent ton Nom, pour qu'ils te craignent comme fait ton peuple d'Israël et qu'ils sachent que cette Maison que j'ai bâtie est appelée de ton Nom » (Rois, 8-41).

Les prêtres de Yahvé ignoreront ce discours œcuménique comme s'ils redoutaient les grands vents du large, les nobles aventures de l'esprit. Pour mieux exercer leur pouvoir, ils souhaitent s'enfermer derrière les murailles de leur Temple, quitte à y moisir.

On a souvent comparé Hérode et Salomon. Tous deux ont voulu un Etat laïque qui échapperait au contrôle d'un clergé et d'une religion qui le condamneraient à l'isolement. L'un comme l'autre furent de grands bâtisseurs, cherchant à donner le plus de lustre possible à leur capitale, autant par goût du faste que pour l'arracher à son statut d'Etat-Eglise en y attirant un plus grand nombre d'habitants venant de tous les pays et appartenant à toutes les confessions. L'un et l'autre échoueront malgré les moyens mis en œuvre.

Il faudra attendre la destruction de Jérusalem par Titus pour que le message de fraternité universelle du Christ se répande dans le monde et ne reste plus prisonnier de ses murailles.

Salomon s'est considérablement enrichi. Il n'existe pas de monnaie. Il conserve l'or, comme il est d'usage à l'époque, sous forme de grands boucliers et de vases qu'il entasse dans la Maison des Cèdres, léguée par David, en attendant que son palais soit construit. Les pierres précieuses parent ses épouses. La Bible lui en prête sept cents de sang princier, sans compter trois cents concubines. La division par dix s'impose une fois de plus.

Son train de vie est somptueux : « Tous les vases à boire et tout le mobilier de sa maison sont d'or fin. Pas d'argent, on n'en faisait aucun cas en son temps, car l'argent y était aussi commun que la pierre » (Rois, 10-27).

Un flot incessant de marchandises transite par ses entrepôts. Grand amateur de chevaux, il en fait commerce. Il leur construit de magnifiques écuries, quatre mille stalles que l'on situe sous l'esplanade du Temple où il entretient mille quatre cents attelages de chars et douze mille chevaux de selle. Il les achète en Cilicie, il les revend aux Egyptiens, aux Hittites, aux Syriens, auxquels il fournit des chars de guerre.

Premier marchand d'armes de l'histoire, il en est aussi le premier maître de forges. Il crée des hauts fourneaux dans la région d'Eilat, à Etsion Gueber, un port qu'il a obtenu du roi d'Edom, où d'habiles forgerons importés d'Egypte et de Phénicie fondent le cuivre et le fer arrachés aux montagnes voisines : un véritable complexe qui s'étend sur sept cents hectares. Bien que située à l'écart des routes des caravanes, uniquement grâce à son prestige et à son habileté, Salomon fera de la petite capitale de l'Etat hébreu un centre commercial florissant. On évalue les échanges commerciaux auxquels il se livre à plus de dix milliards de nos francs, ce qui est considérable pour l'époque.

Malgré les résistances de son peuple, il impose les structures d'un Etat dont le centre administratif, politique, religieux, sera désormais Jérusalem.

« Sur le modèle égyptien, l'administration fut divisée en neuf bureaux et, alors que Saül n'était encore que l'élu de Yahvé, Salomon devint le type même du potentat oriental traditionnel : la toute-puissance du souverain, le développement d'une bureaucratie très centralisée, l'influence politique de l'armée, la prépondérance économique du palais, le luxe de la cour, le goût des constructions prestigieuses où devait éclater la gloire du roi autant que celle de Yahvé rappellent les monarchies voisines » (Jean Deshayes, *Les Civilisations de l'Orient ancien*).

Fini pour les Hébreux le temps du nomadisme et de ses assemblées bruyantes. Le commerçant et l'artisan priment sur l'éleveur et l'agriculteur, Jérusalem sur les campagnes. La bureaucratie de l'Etat devient toute-puissante. Pour financer ses constructions et entretenir ses fonctionnaires, Salomon multiplie les taxes, les impôts et établit un système de corvées qui rappelle fâcheusement aux Hébreux leur séjour en Egypte sur les chantiers du pharaon.

Il partage le pays en douze districts qui, à dessein, ne coïncident pas avec les limites initiales des tribus.

Il remplace le cheikh héréditaire par un préfet qu'il nomme. Chacun de ces districts doit subvenir aux besoins de la cour et de l'administration pendant un mois, tandis que Jérusalem est exonérée de taxes, ainsi que Juda, la tribu du roi.

Salomon crée un corps de cavalerie et de chars de guerre capable d'intervenir rapidement en n'importe quelle partie du pays — douze mille cavaliers selon Flavius Josèphe — dont la moitié tient garnison à Jérusalem. Il fortifie toutes les villes qui se trouvent sur le passage des caravanes et dans lesquelles, en cas de danger, elles peuvent se réfugier, comme Hatsor, Megiddo, Gaza. On lui attribue l'édification de forteresses sur la mer Rouge qui auraient joué le rôle de comptoirs.

Enrichi par ses expéditions lointaines, en paix avec ses voisins, Salomon peut enfin se consacrer à son grand projet : construire un palais à l'image des rois de Sidon et de Tyr, qui assurera sa renommée, et un temple qui fera de Jérusalem, plus qu'une place commerciale et une capitale politique, un haut lieu de culte, la Cité de Dieu. Autour d'elle se réalisera, espère-t-il, l'unité des Israélites.

Il commence par étendre les murailles de la cité jusqu'au mont Moriah qu'elles englobent, doublant sa superficie qui passera de cinq à dix, puis à quatorze hectares. Par de grands travaux de terrassement, il consolide et agrandit ce qui sera la colline du Temple. Il annexe toute la partie ouest qui deviendra la Ville haute et la reliera à l'esplanade.

Combien Jérusalem compte-t-elle alors d'habitants ? On avance le chiffre de cent mille. Un chiffre inconcevable si l'on considère sa superficie et ses faibles réserves d'eau, malgré les nombreuses citernes construites par ses habitants. Il n'existe en Syrie-Palestine aucune ville dont la population approche de ce chiffre.

La population de Jérusalem, pendant deux siècles,

ne dépassera jamais trente mille habitants, même en ses heures fastes.

Les Hébreux n'ont jamais édifié de villes. Ils se sont installés dans celles qu'ils ont conquises ou qu'ils ont trouvées abandonnées. Yahvé ne leur avait-il pas promis : « Ecoute, Israël. Tu posséderas de bonnes et grandes villes que tu n'as point bâties, des maisons pleines de toutes sortes de biens que tu n'as pas remplies, des citernes creusées que tu n'as point creusées, des vignes et des oliviers que tu n'as point plantés. » Promesse qui, une nouvelle fois, sera tenue en 1948, quand six cent mille Arabes palestiniens abandonneront terres, biens et maisons, trompés par la propagande des pays frères qui leur promettent un prompt retour et terrorisés par les Israéliens auxquels on prête les pires abominations *.

En échange d'huile et de blé, dont manque Tyr, un port sans arrière-pays, Hiram loue à Salomon ses carriers, ses contremaîtres, ses bronziers, ses architectes dont l'habileté est réputée jusqu'en Egypte. Parmi eux le fameux Houram Abi qui serait le maître d'œuvre de tous les grands travaux.

Les chantiers du roi Salomon

Les architectes cananéens ont créé un art composite où se mêlent les influences assyriennes et égyptiennes, un art que reflétera fidèlement le Temple de Salomon comme son palais. « Le gros œuvre est monté en pierre de taille, seul matériau abondant à Jérusalem ; la fondation de même avec chaînage en

---

* Seuls 170 000 Arabes resteront en Israël. Ils deviendront 800 000 qui prendront la nationalité israélienne, mais ne seront pas soumis au service militaire.

bois selon un procédé attesté en Phénicie sur plusieurs chantiers de fouilles. »

Chaque jour, Salomon visite ses chantiers, monté sur un char incrusté d'ivoire attelé de magnifiques chevaux blancs, suivi des jeunes cavaliers de sa garde, en manteau rouge, au casque orné de plumes d'autruche. On montre encore, sur l'esplanade, l'emplacement du trône où il se serait assis pour surveiller ses architectes et exciter le zèle de ses ouvriers.

Selon la Bible, il aurait mobilisé pour ses travaux trente mille bûcherons qui se relaient dans les forêts du mont Liban, quatre-vingt mille carriers pour extraire la noble pierre de Bethléem, soixante-dix mille porteurs pour les acheminer, le tout sous la conduite de trois mille trois cents contremaîtres.

Le peuple hébreu, à la nuque raide, aux habitudes d'indépendance, se plie mal à ce genre de corvées bien qu'on nous assure qu'il en aurait été exempté et que seuls aient été utilisés les prisonniers, les esclaves et les Cananéens non circoncis. Pieux mensonge de la Bible ! Des Israélites originaires des tribus du nord furent employés sur les chantiers du roi, recrutés de force et si mal traités qu'ils se révolteront sous la conduite d'un certain Jéroboam, de la tribu d'Ephraïm. Il fallut employer contre eux la cavalerie et les chars. Jéroboam s'enfuit en Egypte, sous la protection du pharaon. A la mort de Salomon, de retour, il deviendra roi des dix tribus rebelles, roi d'Israël.

Sur les chantiers se côtoient tous les peuples de la Méditerranée, mais c'est le phénicien que l'on parle, Baal et Astarté que l'on adore et leurs prêtresses, les prostituées sacrées, que l'on honore d'agréable façon. Ainsi entretenaient-elles le zèle des artisans et des ouvriers qui construisaient le Temple de Yahvé.

L'esplanade où seront édifiés le palais et le Temple mesure à peu de chose près la même superficie que le Haram-el-Sherif d'aujourd'hui. La plus grande partie est occupée par le palais qui domine le sanctuaire de sa masse impressionnante. Au Temple est jointe une annexe où sont logés les prêtres, qui seront plus faciles à surveiller.

La résidence permanente de l'Arche, le Saint des Saints, le *Débir* qu'habite Yahvé, le Temple qui l'enferme, la ville de Jérusalem où il est bâti, deviennent pour tous les juifs le centre du monde. En cela ils se comportent comme les fidèles des autres religions citadines de l'Orient.

Yahvé, l'antique dieu du désert, l'errant qui était le volcan et la foudre, s'installe bourgeoisement dans ses meubles. Son sanctuaire est semblable à celui de Baal, d'Astarté ou d'Amon et ses prêtres copient les cérémonies compliquées des divinités égyptiennes et cananéennes.

Le Temple se compose d'un grand parvis, le véritable lieu du culte. Ce parvis est divisé en trois parties : celui des « gentils », des goys, des païens, où chacun peut se rendre ; celui des femmes et des fils d'Israël ; enfin celui des prêtres. Puis vient un porche à double porte précédé de colonnes de bronze à la manière phénicienne et qui ont déjà un sens magique dans la religion de Baal.

La demeure de Dieu se limite à un édifice rectangulaire long de trente mètres, large de dix, dont le toit en terrasse est de cèdre et la porte orientée vers le soleil levant.

Une première salle, le Hékhal ou le Saint, de vingt mètres sur dix, éclairée par le haut, abrite l'autel des parfums, les candélabres au nombre de dix — deux groupes de cinq —, les lampes, les bassins d'eau lustrale, les brasiers, les couteaux, tout ce qui sert aux sacrifices. Seuls les prêtres y ont accès. Vient ensuite le *Débir* ou le Saint des Saints, la chambre sombre qui abrite l'Arche et où seul le grand prêtre peut pénétrer une fois l'an. Cette pièce en forme de tombeau rappelle les temples égyptiens.

Sur l'Arche elle-même veillent deux sphinx en bois

doré inspirés de ceux de Louksor ou de Thèbes, dont les ailes dépliées entourent le coffre.

Selon le mode phénicien, le Temple est en pierres de taille, ancré par de solides fondations en prévision des tremblements de terre. A ce sujet, il existe une légende que nous rapporte le Talmud de Babylone. La Maison de l'Eternel devait être bâtie de blocs non taillés au fer et Salomon ne savait comment s'y prendre. Il consulta les docteurs de la Loi.

« Tu dois, lui dirent-ils, te procurer l'éphod, le vêtement de prière de Moïse. Alors tout te sera facile. Mais nous ignorons qui le détient. Tu devrais plutôt t'en enquérir auprès de tes génies habituels. »

Démons et démones convoqués lui conseillèrent de s'adresser à Asmodée, leur maître à tous. Mais comment l'amener à collaborer à l'édification d'un temple à la gloire de celui qui l'avait chassé du ciel ? Par ruse, Salomon enivra Asmodée qui supportait mal le vin, l'entrava avec des chaînes d'or, lui ravit son secret. Mais, par prudence, il le garda enchaîné jusqu'à ce que le Temple soit terminé. Puis il le relâcha. Ne peut-on voir là une parabole ? La construction du Temple n'avait-elle pas été l'œuvre de païens phéniciens et cananéens adorant Baal qui était le diable ?

Le Temple ressemblait étrangement aux sanctuaires égyptiens, babyloniens et phéniciens où se retrouvaient des influences qui n'avaient que peu de rapports avec la religion de Moïse, telles ces colonnes en forme d'obélisque, isolées du reste du bâtiment, que l'on voyait en Phénicie, ou les sculptures représentant des animaux ailés.

Pourquoi cette grande cuve de bronze, « la mer d'airain », qui, trop lourde, trop haute, ne pouvait servir ni aux ablutions ni au transport de l'eau ? Encore une résurgence païenne puisqu'on retrouvait à Babylone de ces ustensiles symbolisant la mer infinie. Incapables de construire eux-mêmes leur temple, le peuple israélite, ses prêtres et ses prophètes avaient dû s'accommoder de nombreux emprunts aux autres religions. Et Salomon de s'en réjouir, lui qui souhaitait que Yahvé, habitant un temple phénicien de style égyptien, devienne plus accommodant avec les dieux de son voisinage.

A propos du Temple, Flavius Josèphe, qui en rajoute sur la Bible, écrit :

« Toute la structure de ce superbe édifice était de pierres si polies et tellement jointes qu'on ne pouvait en apercevoir les liaisons ; mais il semblait que la nature les eût formées de la sorte d'une seule pièce, sans que l'art ni les instruments dont les excellents maîtres se servent pour embellir leurs ouvrages eussent contribué en rien...

« Le roi Salomon fit faire aussi grand nombre de tables, et entre autres une fort grande d'or massif, sur laquelle on mettait les pains que l'on consacrait à Dieu. Les autres tables, qui ne le cédaient guère en beauté à celle-là, étaient faites de diverses manières, et servaient à mettre vingt mille vases ou coupes d'or et quarante mille autres d'argent.

« Il fit faire aussi, comme Moïse l'avait ordonné, dix mille chandeliers, dont un seul brûlait jour et nuit dans le Temple. Salomon fit faire aussi quatre-vingt mille coupes à boire du vin, dix mille autres coupes d'or, vingt mille d'argent ; quatre-vingt mille plats d'or pour mettre la fleur de farine que l'on détrempait sur l'autel, cent soixante mille plats d'argent ; soixante mille tasses d'or où détrempait la farine avec l'huile... vingt mille encensoirs d'or pour offrir et brûler les parfums et cinquante mille autres pour porter le feu depuis le grand autel jusqu'au petit qui était dans le Temple. Ce grand roi fit faire aussi pour les sacrificateurs mille habits pontificaux avec leurs tuniques qui allaient jusqu'aux talons, accompagnés de leurs éphods avec des pierres précieuses. » Les Mille et une Nuits, version hébraïque !

Yahvé fut bien logé parce qu'il était utile, moins luxueusement cependant que le roi. Salomon ne lui témoigna jamais une ferveur particulière. Yahvé faisait partie de l'appareil de l'Etat, il en était l'un des piliers. Il ne sera pas seul dans le Temple. Il y retrouvera une idole cananéenne, le serpent de bronze, faussement attribuée à Moïse et qui était un des dieux protecteurs de l'antique Jérusalem. Il cohabitera avec elle jusqu'au VIIᵉ siècle, jusqu'au jour où Ezéchias « mit en pièces le serpent de bronze qu'avait fait Moïse. Car, jusqu'à ces jours-là, les fils d'Israël faisaient l'encens pour lui ; on l'appelait Nehushtan » (Rois, II-18).

Aux yeux des Hébreux orthodoxes, nostalgiques du nomadisme, de la vie austère et simple des tribus du désert, le Temple et ses richesses apparurent comme une monstruosité.

Yahvé mettra longtemps à s'installer à Jérusalem. Il lui faudra annexer les Baal, les cérémonies liées au rythme des saisons et qui président à leurs fêtes, les lieux de son culte, et se plier même à certaines habitudes scandaleuses peut-être, mais réjouissantes. « Le culte du dieu d'Israël prend le caractère de joie bruyante, souvent désordonnée, qui marquait celui des Baal. La prostitution sacrée se célèbre en son honneur. Il est volontiers représenté comme Hadad sous la figure d'un taureau » (*Histoire des religions*, La Pléiade).

Salomon, bien qu'il n'ait pas lésiné sur les moyens, échouera dans sa tentative pour transformer son Dieu lugubre, intolérant, en une divinité plus joyeuse, plus accueillante, acceptant de vivre en bonne intelligence avec les peuples voisins, leurs dieux et leurs coutumes.

En 960 avant J.-C., au cours d'une fête splendide où il a convié tout son peuple, il installera Yahvé solennellement dans son Temple.

Se jugeant quitte avec Lui, ayant rempli les promesses de David, Salomon peut enfin se consacrer à l'édification de son palais qu'il veut digne de la fille du pharaon qu'il vient d'épouser. Par cette union prestigieuse, il est enfin devenu un roi parmi les autres rois et non plus seulement un chef de tribu dont le pouvoir fragile est sans cesse remis en question.

Salomon, nous apprend la Bible, mettra treize ans à construire son palais, sept ans pour le Temple qui n'est qu'une de ses dépendances. Le palais se compose d'une série de cours et de galeries ornées de portiques. Il semble que la Maison de la Forêt du Liban dont on nous fournit complaisamment les mesures : cent coudées de long, cinquante de large, trente de haut — la coudée égyptienne mesurant un peu plus de cinquante centimètres —, comme la Maison de la Fille du pharaon, soit une construction séparée du palais et qu'elle aurait pu servir d'arsenal, car on y entreposait armes et boucliers dorés dont était équipée la garde d'honneur.

Le palais, qui jouxte le Temple, communique avec lui au moyen d'une petite porte qui permet à Salomon, à partir d'une galerie, d'assister aux sacrifices, de surveiller les prêtres et d'entendre les discours qu'ils tiennent aux fidèles,

Les splendeurs d'un monarque oriental

Salomon a voulu son palais si somptueux et si magnifique qu'il écrase le Temple lui-même de sa splendeur.

« Le roi fit un grand trône d'ivoire qu'il recouvrit d'or pur. Et ce trône avait six degrés ; il y avait un marchepied en or derrière le trône et des bras de part et d'autre du siège ; deux lions se tenaient à côté des bras et douze lions se tenaient de part et d'autre sur les six degrés. On n'a rien fait de tel dans aucun royaume... Le roi Salomon surpassa tous les rois de la terre en richesse et en sagesse. Il dominait sur tous les rois depuis le Fleuve jusqu'au pays des Philistins et jusqu'à la frontière d'Egypte » (Chroniques, 9-23).

« Ce prince si magnifique fit bâtir aussi, seulement pour la beauté, plusieurs autres logements avec de grandes galeries et de grandes salles destinées aux festins, et toutes les choses nécessaires pour y servir étaient d'or. Il serait difficile de rapporter la diversité, l'étendue et la majesté de ces bâtiments, dont les uns étaient plus grands et les autres moindres ; les uns cachés sous terre et les autres fort haut dans l'air ; comme aussi quelle était la beauté des bois et des jardins qu'il fit planter pour le plaisir de la vue et pour trouver de la fraîcheur sous leur ombrage durant l'ardeur du soleil. Le marbre blanc, le bois de cèdre, l'or et l'argent étaient la matière dont ce palais était bâti et enrichi, et on y voyait quantité de pierres précieuses enchâssées avec de l'or dans les lambris, de même que dans le Temple » (Flavius Josèphe).

Roi tout-puissant, il doit cependant composer avec les lévites, et les *koheni*, sacrificateurs du Temple, qu'il souhaitait traiter comme de simples fonctionnaires royaux. C'est ainsi qu'ils refusent à la reine égyptienne la permission d'installer ses prêtres à côté du sanctuaire de Yahvé, pour éviter que le son des trompes et des tambourins dont ils usent ne vienne troubler les prières dans le Temple. Salomon construira pour Amon, la divinité bienfaisante des bords du Nil, un sanctuaire sur une colline proche du mont des Oliviers, où la reine pourra se livrer à ses pratiques. On la baptisera le mont du Scandale.

Il aima trop les femmes étrangères,
jusqu'à sacrifier à leurs dieux

Il ne tiendra aucun compte des avertissements de plus en plus menaçants que lui prodigue Yahvé par la bouche de ses prêtres et de ses prophètes. Seule excuse, selon la Bible, sa vieillesse et l'emprise que ses épouses exercent sur lui :

« Le roi Salomon aima beaucoup de femmes étrangères, outre la fille du pharaon : des Moabites, des Ammonites, des Edomites, des Sidoniennes, des Hittites, de ces nations dont Yahvé avait dit aux fils d'Israël : "Vous n'irez pas chez elles et elles ne viendront pas chez vous ; sûrement elles feraient dévier votre cœur à la suite de leurs dieux."

« Et son cœur ne fut plus sans partage avec Yahvé... Salomon alla à la suite d'Astarté, la déesse des Sidoniens, et à la suite de Milkom, l'Ordure des Ammonites... »(Rois, I-11).

Les ressources d'Israël s'épuisent. Pour nourrir la cour du roi, ses femmes, ses eunuques, ses fonctionnaires, ses serviteurs, ses gardes, il faut chaque jour « trente kors de farine [un kor valant trois cent cinquante litres], soixante kors de farine ordinaire, dix bœufs gros, vingt bœufs de pâture et cent pièces de petit bétail, sans compter cerfs, gazelles, daims et volailles engraissées » (Rois).

La prospérité économique de Jérusalem, au temps de Salomon, repose sur le contrôle des voies commerciales, l'activité des caravanes, les accords de partenariat avec les grandes cités phéniciennes voisines. Elle profite à ses marchands et au roi, qui est le premier d'entre eux, mais creuse l'écart entre les différentes classes de la société. C'est ainsi que les riches deviennent plus riches, les pauvres plus pauvres et que la prodigieuse fortune de Salomon marque le commencement d'une lutte des classes à coloration religieuse. Pour l'instant, ce ne sont que fêtes, défilés, processions, où se pressent différentes populations d'Orient, apportant leurs coutumes et leur joie de vivre.

Jérusalem, la misérable cité du dieu Salem, l'austère citadelle de David, est devenue une ville colorée, où se mêlent les dieux et les races. Ses marchés multicolores croulent sous les tissus précieux, les baumes et les encens.

Il séduit la reine de Saba

Ville de plaisir, de tolérance, elle connaît une fête perpétuelle dont l'apogée semble avoir été la visite de Balkis, la reine de Saba, à Salomon. « Elle arriva à Jérusalem avec d'immenses richesses, des chameaux chargés de baume, d'or en très grande quantité et de pierres précieuses. Quand la reine de Saba vit toute la sagesse de Salomon, le palais qu'il avait bâti, les mets de sa table, le logement de ses serviteurs, le service de ses gens, leur livrée, les échansons, les holocaustes qu'il offrait dans la Maison de Yahvé, le souffle lui manqua... »

Elle lui dit : « Tu surpasses en sagesse et en biens ce que m'avait appris la renommée... Heureuses tes femmes ! »(Rois, 10). Elle repartit, semble-t-il, comblée de toutes les manières.

De son côté le Coran (Sourate 27) nous raconte que Salomon ayant fait construire par ses djinns un palais de verre au plancher de cristal, la reine, croyant traverser une pièce d'eau, releva sa robe et découvrit ses jambes. Frappée d'admiration, elle se soumit à Dieu, Seigneur des mondes...

Toujours selon la légende, Balkis et ceux qui l'accompagnèrent dans son voyage à Jérusalem donnèrent naissance au peuple éthiopien.

L'enfant qu'elle aurait conçu de Salomon serait le premier souverain de la dynastie des « Salomonides » dont le dernier représentant, le négus Hailé Sélassié, quand les Italiens envahirent son royaume, vint se réfugier à Jérusalem en souvenir, peut-être, de sa très lointaine ancêtre.

Les Falachas, convertis au judaïsme, se réclament

aussi de l'illustre souveraine bien que leur conversion, semble-t-il, ne date que d'un millénaire et se soit produite dans des circonstances mal connues. Ce sont ces juifs au teint sombre que les avions d'El Al rapatrièrent en Israël au nom de la loi du retour alors que le régime de Mengistu s'effondrait dans le sang et la confusion.

La reine Balkis des Arabes, la reine Mokédo des Egyptiens, la fameuse reine de Saba, ne pouvait venir que d'Arabie ou du Yémen, terre de l'or, des pierres précieuses, de l'encens et des épices. Des fouilles récentes ont permis de retrouver au Yémen la trace d'une lignée de reines au temps où le matriarcat se pratiquait.

Selon les archéologues, ces empêcheurs de rêver en rond, l'existence de la première reine sabéenne serait postérieure au VIIe siècle avant notre ère. Dans ce cas, comment aurait-elle pu rencontrer Salomon vivant deux siècles plus tôt ?

Qui fut alors cette mystérieuse visiteuse, qui fit don au roi de la somme fabuleuse de cent vingt talents d'or (le talent pèse trente-quatre kilos) ? Est-ce pour le remercier de ses tendres services par les douces nuits de Jérusalem et, l'amour se mêlant aux affaires, d'avoir passé avec lui certains accords de commerce ? Il est certain que Balkis prit grand plaisir à sa compagnie, que ce fut réciproque et que Salomon la couvrit à son tour de présents.

Les prêtres de Yahvé, porte-parole du mécontentement général, fulminent contre les mauvaises mœurs de Salomon, ses folles dépenses, l'attirance qu'il manifeste vis-à-vis des dieux étrangers. Par leur bouche, le Dieu jaloux du Sinaï n'hésite pas à le menacer de déchirer son royaume. Il suscite contre lui les révoltes d'Hadad, l'Edomite, de Rezon qui règne sur Damas. Les tribus d'Israël, toujours disposées à secouer le joug de Juda et de son roi, renâclent devant le poids des impôts en nature et la multiplication des corvées. Elles sont d'autant moins sensibles aux fastes de Jérusalem qu'elles la considèrent comme la capitale de Juda et non la leur.

Heureusement, grâce à son armée mercenaire et à ses généraux fidèles, Salomon vient à bout de toutes les révoltes.

Après avoir régné quarante ans — c'est le terme que la Bible impose en général à tous les règnes —, il se couchera auprès de ses pères. Nulle part, il ne sera question d'une tombe de Salomon, alors qu'on s'occupera tellement de celle de David.

Il ne restera rien de son œuvre, pas même des ruines

Il ne nous reste aucun vestige ni de son palais ni du Temple, aucune indication du plan de la ville. On n'a retrouvé que deux cents mètres de murailles sur les trois mille qu'elles devaient compter. Sont-elles les bonnes ? Plus quelques tombes à l'extérieur de la ville qui ne livrèrent que des amulettes d'argent et, dans les ruines plus tardives d'une maison brûlée, des bulles et des sceaux d'argile.

Aucune inscription ne nous est parvenue. Occupée, détruite, reconstruite pendant des millénaires, Jérusalem est l'un des sites du monde les plus difficiles à fouiller, car les maisons s'étageaient à flanc de colline sur une série de terrassements qui s'écroulaient. Les fondations des nouveaux bâtiments recouvrent les anciens ; les mêmes matériaux sont sans cesse réemployés. Ainsi, la construction du Temple d'Hérode fera disparaître les vestiges du Temple de Salomon et de ses palais déjà détruits par les Assyriens.

On a reproché à Salomon ses trop grandes ambitions, alors qu'il n'était que le souverain mal élu d'un peuple qui n'avait pas encore trouvé son unité. Il a mis en place des institutions qui, pour être compri- ses ou acceptées, auraient nécessité un sens national qui n'existait pas. Même ses grandes entreprises commerciales restèrent étrangères à ses sujets. Ce fut grâce aux Phéniciens, habitués depuis longtemps au commerce et à la navigation, qu'il put les réaliser et non pas avec les Hébreux, gardiens de chèvres et de moutons, le nez obstinément collé sur leur hori- zon de collines, qui avaient oublié le désert mais ne voulaient pas connaître la mer.

Dans les gravures anciennes, on représente Salo- mon en longue robe damassée, portant turban avec aigrette, tel un pacha turc, légèrement bedonnant et, une longue canne à la main, surveillant personnelle- ment ses chantiers. Ou encore dans son palais, comptant et recomptant ses trésors, y prenant le même plaisir qu'un riche commerçant. Jamais on ne le montre comme David ou Saül, en armure, le glaive à la main, à la tête de ses armées.

Salomon, brûlant les étapes, voulut passer trop rapidement d'une confédération de tribus mal sédentarisées à une nation de commerçants, d'arti- sans, de citadins. Quand les grands travaux furent terminés — ils durèrent à peu près vingt ans —, les artisans phéniciens rentrèrent chez eux et il ne resta sur le pavé de Jérusalem qu'un prolétariat misérable, sans qualification particulière, mais qui refusait le retour à une terre dont on l'avait arraché. Il vivait entassé dans des taudis, prêt pour survivre à accep- ter n'importe quelle besogne. L'usure était devenue pratique courante et l'on vit quantité d'hommes libres transformés en esclaves : l'envers du fastueux décor installé par Salomon.

Jéroboam, le révolté, sera le premier roi d'Israël, le royaume du Nord ; il se dressera contre Jérusalem réduite, après la mort de Salomon, à n'être plus que la capitale démesurée du petit royaume de Juda. Elle redeviendra une cité-Etat, comme au temps des Cananéens, sans arrière-pays ou si peu. Toute la vie sera centrée sur le Temple et Yahvé qui l'habite, le roi Roboam, fils de Salomon, perdant de son importance au profit du grand prêtre et des familles sacerdotales.

Roi sensuel, Salomon aima les femmes ; non comme David pour les séduire, mais afin d'en jouir, même si elles avaient la peau noire. Il aima les beaux objets, les vases d'or, les statues aux nobles proportions même si elles représentaient des dieux ou des déesses, ce que Moïse avait interdit. Il aima les chants, les danses, les banquets somptueux et le vin qui réjouit le cœur de l'homme. Il aima à la folie Jérusalem, une ville encore imprégnée de paganisme.

Aux yeux des Ecritures, Salomon fait figure de roi païen même si les nécessités de la politique l'amenèrent à construire à Yahvé un temple magnifique. Le clergé vivait tourné vers le passé, invoquant le prétendu âge d'or du nomadisme, ce qui l'irritait au plus haut point. Les prêtres et les scribes qui rédigèrent le Livre des Rois ne s'y sont pas trompés. Par toute sorte d'acrobaties, ils se sont efforcés de faire endosser la paternité du Temple à David pour lequel ils n'ont que faiblesses. Ce serait lui qui aurait conçu le Temple, qui en aurait dressé les plans et rassemblé les matériaux. Salomon n'aurait été que son exécuteur testamentaire. Ils ne cessent d'exagérer ses prodigalités qui s'exercent aux dépens du peuple.

Du mont des Oliviers, Salomon vieillissant peut contempler son œuvre : le palais, le Temple édifiés dans la très belle pierre du pays, étincelants dans la lumière dorée de cette fin de journée. L'ensemble domine et écrase ce qui reste de la petite cité jébuséenne qu'il a héritée de son père et dont il ne s'est guère occupé. Dans ses rues étroites, malodorantes, ses entassements de gourbis, vit une population misérable de Cananéens traités en esclaves, soumis aux corvées, de paysans arrachés à leurs champs pour servir aux grands travaux du roi.

Désespéré, lucide, il sait que rien ne lui survivra. Il aurait pu écrire les paroles qu'on lui prête dans l'*Ecclésiaste* :

« J'ai été roi sur Israël, à Jérusalem, et j'ai appliqué mon cœur à rechercher et explorer par la Sagesse tout ce qui se fait sous le ciel, tâche mauvaise que Dieu a donnée aux fils de l'homme pour s'y employer... Je fis de grandes œuvres, je bâtis des maisons... J'amassai pour moi de l'argent et de l'or, je me procurai des chanteurs et des chanteuses et les délices des fils de l'homme, des femmes, des femmes... Je devins grand et je surpassai tous ceux qui m'ont précédé à Jérusalem. De tout ce que demandaient mes yeux, je ne leur refusai rien... Et voici que tout est vanité et poursuite du vent, et il n'y a pas de profit sous le soleil... »

CHAPITRE IV

LA CITÉ DES RUINES

« Nabursadan, capitaine des gardes, serviteur du roi de Babel, entra dans Jérusalem. Il brûla la Maison de Yahvé, la Maison du roi et toutes les maisons de Jérusalem... et abattit les remparts qui entouraient Jérusalem. Le reste de la population laissé dans la ville, il la déporta. Mais des petites gens du pays, le capitaine des gardes en laissa une partie comme vignerons et cultivateurs. »

Rois, 25

Jérusalem contre Samarie,
le royaume du Nord contre Juda

Dans les trois siècles qui vont suivre, vingt-trois rois se succéderont à Jérusalem après David et Salomon, les uns héritant de leurs pères, les autres se frayant un chemin jusqu'au trône par le poignard ou le poison. Nommés par les Egyptiens ou les Assyriens, ils sont devenus de simples rois-vassaux. La Ville sainte perd toute importance politique ou économique, mais conserve et renforce son rôle religieux. Elle reste la cité de Yahvé pour tous les Israélites malgré les efforts de Jéroboam, le roi d'Israël et des dix tribus du nord, qui a édifié à Sichem, en Samarie, une cité rivale et deux temples dont l'un à Baal.

Le schisme a conduit les deux royaumes à un affaiblissement général dont vont profiter leurs voisins. La richesse de Jérusalem, trop hautement proclamée sous le règne de Salomon, a suscité bien des convoitises. En 920, la onzième année du règne de Roboam, le pharaon Sheshonq envahit la Palestine. Il s'empare de nombreuses villes et dévaste les mines de cuivre d'Eilat. Sur les murs de Karnak, il grave la liste impressionnante de ses victoires et de ses pillages : soixante cités capturées en Israël, quatre-vingt-dix en Juda. Sa plus belle conquête : Jérusalem qui n'a guère opposé de résistance.

« Il prit les trésors de la Maison de Yahvé et les trésors de la Maison du roi, il prit tout. Comme il avait pris tous les boucliers d'or, le roi Roboam fit à leur place des boucliers de bronze qu'il confia à ceux qui gardaient la Maison du roi » (Rois, 14-25).

Ce sera le premier de vingt autres sièges que subira Jérusalem, sans compter deux destructions complètes, dix-huit reconstructions de ses murailles et onze changements de religion.

En Israël, les successeurs de Jéroboam, bien qu'honnis des prêtres, font de Samarie, leur capitale, une cité prospère qui accueille les marchands et devient un vaste caravansérail. Ils renouent avec le grand commerce et tolèrent tous les dieux, tandis que Jérusalem, retombée au pouvoir de la caste sacerdotale, s'étiole et devient une cité provinciale serrée autour de son Temple et vivant de l'aumône des pèlerins.

Les rois de Samarie convolent avec des princesses phéniciennes. Achab, roi courageux et entreprenant, rendu célèbre par ses démêlés avec le prophète Elie, épouse Jézabel, l'orgueilleuse fille du roi de Tyr. Pour lui complaire, il élève un temple à Baal, le dote d'un clergé, de revenus et renforce ses liens avec les villes païennes de la côte. Il se réconcilie avec Joram de Juda, le petit roi de Jérusalem, à qui il donne pour épouse Athalie, la fille qu'il a eue de Jézabel, à la grande fureur des prêtres du Temple. Joram d'Israël succède à Achab et Elisée au prophète Elie qui, remonté au ciel sur un char de feu, attend de revenir sur terre pour y remettre de l'ordre au moment du Jugement dernier. Son disciple, Elisée, s'emploie surtout à créer désordre et confusion. Il pousse Jéhu, un jeune général ambitieux, à se révolter contre son roi. Jéhu massacre Joram d'Israël et sa mère Jézabel, livre leur cadavre aux chiens et ordonne l'extermination de toute la descendance d'Achab, soixante-dix princes dont il se fait apporter la tête. Pour faire bonne mesure, il assassine le jeune Ochozias, successeur de son père Joram de Juda sur le trône de la cité de David et qui se trouvait aux côtés de Joram d'Israël qu'il avait accompagné dans une expédition militaire.

Yahvé contre Baal

A Jérusalem, Athalie, dont le fils et la mère viennent d'être exécutés dans des conditions atroces, s'empare du pouvoir, massacre les prêtres de Yahvé qui se disposaient à lui faire subir le même sort et consacre le Temple à Baal. Partout, le sang ruisselle au nom des dieux, du dieu hébreu ou des dieux phéniciens. Après sept ans de règne, Athalie à son tour est assassinée. Les prêtres hissent sur le trône Joas, un enfant de la descendance de David. Ils exercent le pouvoir en son nom et exterminent tous ceux qui se sont laissé séduire par le culte des idoles et les largesses d'Athalie.

On s'égorge dans les rues étroites, sur le parvis du Temple. Ce ne sont qu'émeutes, processions expiatoires, lieux saints souillés, statues renversées, prêtres lapidés dans le mugissement des shofars des fidèles de Yahvé et les roulements de tambours des sectateurs de Baal. Sous couvert de religion, s'affrontent des appétits de pouvoir, se déroule un long cortège de crimes, de trahisons, avec ses généraux qui rêvent d'être rois, ses reines autoritaires et courageuses aux mains teintées de sang. Et un peuple que tout ce sang répandu et les appels au meurtre de ses prophètes ont rendu fou.

Partout Yahvé l'a emporté, mais à quel prix ! Les relations politiques, économiques, militaires sont rompues entre Juda, Israël et les grandes cités phéniciennes de la côte. Les Israélites sont rejetés de la communauté des peuples de Palestine et de Phénicie au moment où vient de naître, en Assyrie, un nouvel Empire doté d'une armée formidable.

Les Assyriens soumettent Sidon et Tyr, assiègent Jérusalem qui capitule.

Le royaume d'Israël, en Samarie, ne s'étend plus qu'à quatre milles autour de sa capitale. La situation n'est guère meilleure en Juda qui ne contrôle que des territoires incultes. Mais tous les autels de Baal ont été renversés et Yahvé règne en maître sur son peuple, même si ce n'est plus qu'un peuple d'esclaves courbés sous le joug assyrien.

Les difficultés que connaissent les Assyriens et l'affaiblissement momentané du royaume de Damas vont permettre à Juda de redresser la tête, à Jérusalem de retrouver une nouvelle prospérité et de s'agrandir.

Vers 781 avant J.-C., Azarias monte sur le trône. Il profite du climat de détente et de l'effacement des grands Empires pour développer sa capitale. Il restaure les remparts, réorganise l'armée, la dote de machines de guerre et d'unités de cavalerie, malgré le clergé hostile à toute armée de métier, dont le cavalier est le symbole. Il creuse des citernes, aménage des greniers que rend nécessaires l'accroissement de la population. Le Néguev et la plaine philistine sont reconquis, les mines de Salomon rouvertes, les routes des caravanes protégées. Jérusalem redevient un centre artisanal réputé pour son travail du cuivre et le tissage de la laine et du lin.

A peu de distance de la capitale, Azarias édifie la puissante forteresse de Ramat Rachel. Le roi y réside et gouverne Jérusalem de loin, car il est atteint de la lèpre, comme le sera plus tard le roi croisé Baudouin IV. Selon la Bible, Azarias aurait été frappé de la maladie pour avoir tenté d'usurper le pouvoir sacerdotal en encensant lui-même l'autel des parfums. Malgré sa piété, la prospérité rendue à sa capitale, il n'a pas échappé à l'ire de Yahvé, soucieux de conserver à ses prêtres le monopole du culte, source de leur pouvoir.

Jérusalem, quatorze ou soixante hectares de superficie ?

Trois millénaires plus tard, archéologues, exégètes et historiens ne pourront se mettre d'accord sur la superficie exacte de la ville. Se limitait-elle à la Cité de David et au mont Moriah, soit à quatorze hectares ? Ou, comme l'affirment certains passages de la Bible pour accroître son prestige, embrassait-elle la colline de l'ouest, soit soixante hectares ?

Les fouilles conduites depuis 1967 par N. Avigad, après la réunification de la ville, ont mis fin à la querelle en mettant au jour d'importantes fortifications, dont un gros mur datant de 700 avant J.-C. et qui englobe la colline de l'ouest. Cette extension de la ville avait été rendue nécessaire par l'afflux des réfugiés venus du royaume d'Israël, conquis par les Assyriens en 721, ou fuyant les territoires arrachés au royaume de Juda et donnés aux Philistins par Sennachérib en 701. Ils vont doubler la population de Jérusalem qui devient une importante cité de la Phénicie et de la Palestine, l'une des plus peuplées, abritant sur ses soixante hectares plus d'habitants que sous le règne de Salomon.

A cinquante-deux ans, Azarias doit abandonner le pouvoir à son fils, Yotam, qui régnera seize ans. Achaz lui succède. Roi prudent, il se tient à l'écart des intrigues égyptiennes et, vassal fidèle de l'Assyrie, n'hésite pas, pour assurer son trône, à ériger dans le Temple une statue d'un dieu d'Assur.

Après lui, Ezéchias purifie le Temple, renverse les idoles et fait de son mieux pour satisfaire Yahvé sans mécontenter ses maîtres assyriens. Il doit s'accommoder d'un membre particulièrement remuant de sa noble famille, le prophète Isaïe, qui appartient, comme lui, à la lignée de David (selon le Talmud de Babylone).

Amoureux de Jérusalem, Isaïe fera l'impossible pour empêcher sa destruction. Il n'hésitera pas à jouer les mendiants, à se promener nu et « déchaux » dans ses ruelles pendant trois ans, pour attirer l'attention de ses concitoyens sur les dangers qui menacent la cité s'ils prêtent l'oreille aux sirènes égyptiennes qui cherchent à entraîner la Palestine dans une ligue contre l'Assyrie.

Isaïe appartient à la lignée des prophètes soucieux de tenir Jérusalem à l'écart des querelles de son temps, car elle risque d'en périr. Elle doit rester la Cité de Dieu, quitte à se soumettre aux différents conquérants s'ils ne s'en prennent pas à la religion. Deux mille cinq cents ans plus tard, en 1948, les juifs de la Vieille Ville auront un comportement identique.

L'Egypte a les faveurs de l'aristocratie qui espère, avec son aide, se libérer du joug assyrien. Isaïe les avertit : « L'Egypte est vaine et vide est son aide... L'Egypte est un roseau cassé qui pénètre dans la paume de quiconque s'appuie sur lui. »

Tenant partout des discours pacifistes, il promet à Jérusalem une glorieuse destinée le jour où ses habitants avec leurs glaives forgeront des socs et avec leurs lances des serpes... « On ne lèvera plus le glaive nation contre nation et on n'apprendra plus la guerre... Maison de Jacob, venez et marchons à la lumière de Yahvé. »

Au début de son règne, Ezéchias suit les conseils d'Isaïe. Il courbe l'échine devant Assur et consacre ses efforts à l'embellissement et à l'agrandissement de sa capitale. Il multiplie citernes et aqueducs, creuse le tunnel qui relie la ville à la source Gihon ; il édifie de nouveaux quartiers pour accueillir les réfugiés de Samarie. Jérusalem connaît une prospérité due aux malheurs d'Israël. Mais Ezéchias doit composer avec le parti de la guerre. Pour lui complaire, il construit des tours, il surélève les remparts, entasse les armes.

Malgré les supplications d'Isaïe, il se laisse tenter par les promesses des Egyptiens et il se rebelle contre les Assyriens. Après avoir écrasé les villes philistines, alors qu'il se dirige avec toutes ses forces contre Jérusalem, Sargon l'Assyrien est assassiné et, à Jérusalem, le parti de la guerre triomphe. Yahvé a montré la voie. En 701, Sennachérib, qui a succédé à Sargon, remet de l'ordre dans l'Empire et assiège Jérusalem qui résiste vaillamment grâce aux fortifications, aux réserves d'eau et de vivres accumulées par Ezéchias. Lâché par une partie de son armée, Ezéchias doit cependant capituler. Dépouillé de tous ses biens — ses propres filles vont enrichir le gynécée de l'Assyrien —, il doit abandonner aux Philistins la partie la plus riche de son territoire, la plaine qui s'étend jusqu'à la mer. L'armée victorieuse de Sennachérib, qui marchait déjà sur l'Egypte, fait soudain demi-tour, décimée par la peste. Le mérite, encore une fois, en est attribué à Yahvé, « Seigneur des armées ».

Mais l'Assyrie, malgré ses revers, accentue son contrôle sur le pays.

Manassé qui succède à son père, Ezéchias, se comporte en fidèle roi-sujet. Il en rajoute même et la Bible nous en dit pis que pendre ; il fit ce qui est mal aux yeux de Yahvé : « Il sacrifia son fils à Baal, il pratiqua l'astrologie, la magie. Il s'entoura de nécromanciens et de magiciens... installa dans le sanctuaire des autels pour les divinités païennes... Enfin, il répandit le sang innocent en si grande quantité qu'il en remplit Jérusalem. »

Il aurait même fait scier entre deux planches le prophète Isaïe qui lui reprochait ses turpitudes.

Pendant un demi-siècle — Manassé régna cinquante-cinq ans —, Jérusalem connaîtra une paix honteuse. Mais la population avait trop souffert des guerres, des sièges, des pillages, de la famine pour ne pas s'en accommoder.

Josias, après Manassé, régnera de 640 à 609, en roi pieux qui s'est donné David pour modèle. Durant le règne de son père, il a connu la Ville sainte livrée au culte des dieux étrangers : à Assur, père des divinités babyloniennes, à l'Armée du Ciel, aux divinités astrales avec leur cohorte de devins et d'astrologues. Il a dû supporter, sur le parvis du Temple, la présence des prostituées et s'accommoder des sacrifices de garçons, de filles et même de l'un de ses frères, dans la vallée du Massacre, l'Hinnon.

L'Assyrie connaît un nouveau déclin. Après la mort d'Assurba-nipal, les Chaldéens occupent Babylone et les Mèdes la Syrie, ce qui autorise Josias à faire preuve d'une certaine indépendance, au moins dans le domaine religieux. Il décide de débarrasser Jérusalem des idoles. Sa décision est confortée par une découverte miraculeuse que l'on doit au grand sacrificateur. Dans le trésor du Temple, au cours de travaux, il met au jour, nous dit-on, un exemplaire du Deutéronome, le livre de la Loi, cinquième livre du Pentateuque attribué à Moïse. Ce livre, pense-t-on aujourd'hui, aurait été rédigé peu avant par des prêtres réfugiés du nord. Selon une autre hypothèse, il serait l'œuvre de scribes royaux de Jérusalem qui venaient de terminer sa rédaction.

Le Deutéronome, par les lois et règlements qu'il promulgue, vise à renforcer l'unité de la nation autour de son Dieu, de son Temple et de Jérusalem où, désormais, sont concentrées toutes les cérémonies religieuses, célébrés tous les sacrifices. Il exige de chaque fidèle mâle, où qu'il vive, de venir se présenter au moins une fois devant Yahvé, à Jérusalem. Enfin, l'idolâtrie est punie de mort et la fête de la Pâque, oubliée depuis les Juges, est rétablie.

Réformateur religieux, mais vassal fidèle, Josias sera tué à la bataille de Megiddo livrée contre les Egyptiens accourus à la curée de l'Assyrie. Le pharaon vainqueur installera sur le trône de Jérusalem Joachim « qui fut un méchant prince, car il n'avait aucune crainte de Dieu ni aucune bonté pour les hommes ».

Les idoles réapparaissent, venues cette fois du bord du Nil. Les rois de Jérusalem valsent au gré des allées et venues des armées d'Egypte et de Syrie.

Nabuchodonosor, nouveau maître du monde

Grâce à sa victoire de Karkemish, Nabuchodonosor réussit une entrée fracassante sur la scène de l'histoire. Juda, pourtant réduit à sa capitale, refuse de se soumettre au nouveau maître du monde.

Malgré les avertissements de Jérémie qui relaie Isaïe dans la tradition des prophètes « pacifistes », ceux qui mettent Dieu et Jérusalem au-dessus des querelles des hommes, Sédécias écoute « les figures mauvaises ». Il se ligue avec l'Egypte et refuse de payer tribut à l'Assyrien qui décide d'en finir avec ce peuple indocile et ce roi séditieux.

A la tête d'une puissante armée, Nabuchodonosor met le siège devant Jérusalem. Jérémie ne cesse d'exhorter le peuple à ouvrir les portes au roi de Babylone afin d'éviter à la ville des malheurs plus grands encore. Pour qu'il se taise et n'incite plus les défenseurs de la ville au défaitisme, on le précipite dans un puits. Sédécias l'en fait retirer secrètement.

Jérusalem résistera dix-huit mois aux assauts des Babyloniens. La famine et la peste, plus efficaces que les machines de siège, en viendront à bout. La ville fut prise vers minuit, après qu'une brèche eut été pratiquée dans les remparts qui n'étaient plus gardés.

Par des passages secrets, Sédécias, sa femme, ses enfants, ses proches et une partie de la garnison réussirent à gagner le désert. Mais le roi, bientôt abandonné de ses soldats, fut rejoint, capturé et conduit devant Nabuchodonosor. Pour le punir de sa trahison, on égorgea devant lui ses fils, ses parents, ses amis ; on lui creva les yeux, on le lia par une double chaîne de bronze et il fut traîné, aveugle et enchaîné, jusqu'à Babylone où il finit dans un cachot. Avec Sédécias s'éteignait tragiquement la race de David.

Restait maintenant à punir Jérusalem. Nabuchodonosor chargea de cette besogne Nabursadan, l'un de ses généraux.

Nabursadan commença par piller le Temple et le palais royal : vases d'or et d'argent, chandeliers, boucliers d'or, colonnes d'airain et jusqu'au grand vaisseau de cuivre nommé « la Mer » fondu par le bronzier-magicien de Salomon. Aucune mention de l'Arche ne figure dans la Bible. Puis il incendia le Temple, le palais, et ruina complètement la ville. « Ce qui arriva, nous dit la Bible, quatre cent soixante-dix ans six mois et dix jours depuis la construction du Temple ; mille soixante-deux ans et six mois depuis la sortie d'Egypte ; dix-neuf cent cinquante ans six mois et dix jours depuis le déluge ; et trois mille cinq cents ans treize mois et dix jours depuis la création du monde. »

Le prophète Jérémie ne peut s'arracher à sa ville et gémit : « Nous sommes orphelins, sans père, nous sommes comme des veuves. Notre eau, nous la buvons à prix d'argent, notre bois ne vient qu'en payant... Nous sommes pourchassés, nous nous fatiguons, plus de repos pour nous... Des esclaves nous dominent, personne ne nous arrache de leurs mains, nous mendions notre pain. Notre peau brûle comme un four sous les ardeurs de la faim. Ils ont violé des femmes dans Sion, des vierges dans les villes de Juda. Par leurs mains, nos chefs ont été pendus... L'allégresse de nos cœurs a cessé, notre danse s'est changée en deuil. Elle est tombée la couronne de notre tête... »

Un récit qui ne relève ni de l'affabulation ni du délire poétique, mais que Jérémie a vécu en témoin privilégié. Car Nabuchodonosor a veillé sur le sort du prophète qui n'a cessé de prêcher la paix et la soumission : il a donné l'ordre au capitaine de ses gardes de le remettre aux bons soins de Godolias, son ami, gouverneur juif nommé par l'Assyrien. Jérémie demeurera à Jérusalem jusqu'à ce que Godolias soit assassiné par des partisans de l'ancien roi. Il ne lui reste plus qu'à s'enfuir en Egypte où il se lamente encore :

> Jérusalem est assise à l'écart...
> Elle est comme une veuve,
> La grande parmi les nations...
> Elle ne cesse de pleurer la nuit
> et ses larmes coulent sur ses joues...
> Elle n'a personne qui la console
> et tous ceux qui l'aimaient,
> tous ses amis l'ont trahie et sont devenus ses
> ennemis.

Il meurt désespéré, loin de la ville qu'il a follement aimée et dont il a vécu le martyre.

Déportation ou transfert de population ?

Les juifs déportés à Babylone ne seront pas traités en esclaves, enchaînés les uns aux autres, menés à coups de fouet, tels que se plaisent à nous les montrer les images pieuses de nos livres d'Histoire sainte. Dans les grands Empires, les transferts de populations étaient monnaie courante : on ménageait une main-d'œuvre que l'on comptait utiliser selon ses capacités. Au contact des Phéniciens venus construire le Temple et le palais du roi, beaucoup de juifs étaient devenus d'excellents artisans et les Babyloniens ne l'ignoraient pas. On leur permit de rester groupés par familles, gardant leurs chefs traditionnels et leurs prêtres qui s'ingénièrent à maintenir leurs coutumes et leur foi.

Après la destruction du Temple et les massacres qui l'ont précédée ou suivie, le peuple de Juda ne compterait plus selon la Bible que cent vingt-cinq mille survivants. Un tiers aurait été déporté à Babylone : les élites, les prêtres, les artisans. Un tiers se serait enfui en Egypte, par crainte des représailles, après l'assassinat de Godolias, le gouverneur juif ami de Jérémie. Un tiers, enfin, serait demeuré dans les campagnes, menant une vie misérable ou se terrant dans ce qui demeure de Jérusalem.

Des recherches récentes, la découverte de nécropoles, ont prouvé que ces chiffres étaient inexacts, que la majorité des juifs n'avaient pas quitté la Palestine. Beaucoup d'entre eux, libérés des contraintes que faisait peser sur eux la Loi, épousèrent des filles de Canaan, adoptèrent leurs dieux et leurs coutumes. Car Yahvé avait fui, accompagnant à Babylone le groupe de déportés qui lui était resté fidèle et qui comprenait la majorité de ses desservants.

Les déportés attendront quarante-huit ans, de 586 à 538, pour retrouver leur patrie. Ils s'estimeront le vrai peuple d'Israël, au contraire de celui, resté sur place, livré à toutes les tentations, tous les débordements, mais aussi à toutes les misères. Ils reviendront plus nombreux, plus prospères, plus assurés dans leur foi, enrichis de connaissances nouvelles. De leurs maîtres babyloniens ils ont appris le mouvement des astres qui règle le passage du temps, le maniement des chiffres sans lesquels il ne peut exister de commerce et l'utilisation d'une monnaie. Aux Perses, ils doivent la notion d'immortalité de l'âme qui rassure, l'espoir de la résurrection et du Jugement dernier qui séparera le bon grain de l'ivraie et fortifiera le Juste dans sa conduite.

La moitié des déportés se trouvera si bien sur les bords du Tigre et de l'Euphrate qu'elle refusera d'abandonner ses biens, de renoncer aux fonctions qu'elle a briguées et obtenues. Elle implantera une puissante colonie qui survivra jusqu'à nos jours, avant qu'elle ne soit réduite à l'exil ou exterminée par les *raïs* irakiens. Mais jamais elle n'oubliera Jérusalem même si elle reporte indéfiniment son retour à « l'an prochain ». Elle l'aidera également à survivre dans les périodes difficiles de son histoire.

Pèlerinage dans les ruines

Néhémie, échanson du roi achéménide Artaxerxès, obtient l'autorisation de visiter Jérusalem dont il a appris « que ceux qui sont restés là-bas, dans la province, sont dans une grande misère et dans l'opprobre ; les remparts de Jérusalem ne sont que brèches et ses portes ont été incendiées » (Néhémie I-3).

Il découvre une cité en ruine où, dans les rues, pousse l'herbe que broutent les chèvres. Désertée, Jérusalem ne compte que deux mille habitants qui, le ventre creux, ne sont point chauds pour reconstruire la ville.

Néhémie se risque à une inspection discrète des lieux : « Je me levai de nuit, moi et quelques hommes avec moi, mais je n'avais révélé à personne ce que mon Dieu m'avait mis au cœur de faire pour Jérusalem et je n'avais avec moi d'autres bêtes de somme que celles que je montais. Je sortis de nuit par la Porte de la Vallée, en direction de la Source du Dragon et j'inspectai le rempart de Jérusalem, où il y avait des brèches et dont les portes étaient consumées par le feu. Je poursuivis vers la Porte de la Source et vers l'Etang du Roi, mais il n'y avait pas de place pour que la bête qui était sous moi puisse passer. Je me mis alors à monter de nuit par le ravin, inspectant toujours le rempart, puis je rebroussai chemin et, passant par la Porte de la Vallée, je revins. »

Cet itinéraire nocturne et discret dans les ruines de Jérusalem, facile à retracer, nous donne une idée assez juste de ce qu'il restait après le passage des Babyloniens. Les murailles n'étaient pas entièrement rasées, mais entrecoupées de brèches ; seules les portes et les parties des remparts les mieux défendables avaient été détruites.

Néhémie, qu'anime une foi profonde, estime que rien n'est perdu et, puisque « le peuple des ruines » est réticent, il obtient du Grand roi, son protecteur, de revenir avec une colonne de déportés où les prêtres se transformeront en chefs d'équipe, animant les ouvriers qui restaureront en premier les remparts et les portes.

Auparavant ont dû être réglés les nombreux conflits opposant les juifs de Babylone, qui ont gardé intacte la loi de Moïse, et ceux qui, restés sur place, sont retournés à des pratiques imprégnées de paganisme, dont l'union avec des Cananéennes, interdite par la Loi. La propriété des terres, même si elles étaient restées en friche, celle des maisons, même si elles s'étaient effondrées, posaient un problème tout aussi délicat, les nouveaux occupants s'en jugeant désormais les véritables propriétaires.

Nous ignorons comment Néhémie et Esdras, revenus chacun avec une colonne de déportés « prêtres, lévites et chantres », réglèrent la question ; ce fut, semble-t-il, au détriment des juifs restés sur place. Esdras se livra à une véritable épuration, les obligeant à renvoyer leurs épouses étrangères et les enfants qu'elles avaient engendrés. Furent cloués au pilori les membres des familles sacerdotales qui avaient transgressé la Loi. La Bible publie une véritable liste d'infamie où figurent les noms de Maasaya, Eliezer, Yaraib et, parmi les fils d'Immer, Honani et Zebayda, etc. Tous se soumirent et répudièrent leurs épouses, à l'exception de Yonathan, fils d'Asaël, et de Chobalotaï, le lévite.

Dix-huit ans après le décret de Cyrus autorisant sa reconstruction, sera posée la première pierre du nouveau Temple. Jérusalem a perdu la plus grande partie du territoire qui, jadis, l'entourait et assurait sa survie. Ne lui restent que quelques arpents de rochers et de désert. Perdus, Hébron et le Néguev ; les Edomites sont aux portes de la ville et les Philistins, maîtres de la côte et de ses ressources, se font à nouveau menaçants. Voisins difficiles qui ont toujours envié et haï Jérusalem, ils feront l'impossible pour empêcher la reconstruction du Temple sans lequel la petite capitale de Juda, si Dieu ne l'habite plus, si la fumée des sacrifices ne monte pas de ses autels, n'est qu'une ville comme les autres, vouée à l'oubli.

« *Tu sauras, Artaxerxès,*
que cette ville a toujours été belle ! »

Les satrapes perses, si bien disposés cependant à l'égard des juifs, s'inquiètent, à tort, des tendances nationalistes que cette reconstruction pourrait susciter. Mais les plus acharnés sont les Samaritains qui ont érigé leur propre sanctuaire sur le mont Garizim.

Les intérêts économiques s'en mêlent. La Samarie, après la destruction de Jérusalem, est devenue une province prospère qui monopolise le commerce. S'y trouve la résidence du gouverneur achéménide. Si la Ville sainte renaissait de ses ruines, si on reconstruisait son Temple, elle éclipserait à nouveau la Samarie et drainerait à son profit les pèlerins, leurs offrandes et l'impôt dû au Temple.

Les Samaritains et leurs alliés n'hésitent pas à se plaindre auprès d'Artaxerxès : « "Qu'il soit fait connaître au roi que les juifs montés de chez toi vers nous sont venus à Jérusalem ; ils sont en train de rebâtir la ville rebelle et mauvaise, ils restaurent les remparts et réparent les fondations. Qu'il soit donc fait connaître au roi que, si cette ville est rebâtie et ses remparts restaurés, on ne paiera ni tribut, ni impôt, ni droit de passage, et qu'en fin de compte cette ville causera du préjudice au roi. Or, parce que nous mangeons le sel du palais, il ne nous convient pas de voir un affront fait aux rois ; aussi envoyons-nous ces informations, pour qu'on fasse des recherches dans le Mémorial de tes pères. Tu trouveras dans ce Mémorial et tu sauras que cette ville est une ville rebelle qui cause du préjudice aux rois et aux provinces, et que chez elle on a fomenté la sédition dès les temps anciens. Voilà pourquoi cette ville a été détruite. Nous informons le roi que, si cette ville est rebâtie et les remparts restaurés, à la suite de cela, tu n'auras plus de possession en Transeuphratène." »

« Le roi fit cette réponse : "Sur mon ordre, on a fait des recherches et on a trouvé que, dans les temps anciens, cette ville s'est soulevée contre les rois et que révolte et sédition ont été fomentées. En conséquence, donnez l'ordre à ces gens d'arrêter le travail et que cette ville ne soit pas rebâtie, jusqu'à ce que par moi l'ordre en soit donné..." Alors, s'arrêta le travail de la Maison de Dieu à Jérusalem et il demeura arrêté jusqu'à la deuxième année du règne de Darius, roi de Perse »(Esdras, 4, 12-24).

Pour que les travaux reprennent, il faudra toute l'insistance, tout l'acharnement de Néhémie, les puissantes protections dont il dispose auprès du pouvoir royal, l'appui et les fonds des colonies restées sur place. Les malheurs de la ville ne s'arrêtèrent pas là.

« Lorsque les Ammonites, les Moabites, les Samaritains et les habitants de la Basse-Syrie, écrit Flavius Josèphe, apprirent que l'ouvrage avançait, ils en conçurent un si grand déplaisir qu'il n'y eut point de moyens qu'ils n'employassent pour l'empêcher. Ils dressaient des embûches aux nôtres, tuaient tous ceux qui tombaient entre leurs mains ; et comme Néhémie était le principal objet de leur haine, ils donnèrent de l'argent à des assassins pour le surprendre et le tuer. Tant d'efforts, tant d'artifices joints effrayèrent tellement ce peuple que peu s'en fallut qu'il n'abandonnât son dessein. Il [Néhémie] commanda aux ouvriers d'avoir toujours en travaillant l'épée au côté et leur bouclier près d'eux pour s'en servir en cas de besoin et disposa de cinq cents à cinq cents pas des trompettes pour sonner l'alarme et obliger le peuple à prendre les armes aussitôt que l'on verrait paraître les ennemis. »

Les « Babyloniens » contre le « peuple des ruines »

Tout ne va pas pour le mieux entre les « Babyloniens », les juifs revenus d'exil, et le peuple des ruines. Les « Babyloniens » s'inquiètent auprès de Néhémie que l'on distribue au peuple des glaives, des piques, des arcs pour défendre les ouvriers rebâtissant le Temple et les murailles. Ils redoutent sa colère, car il supporte en grande partie le poids de cette reconstruction ; il doit nourrir et entretenir les nouveaux arrivés, payer l'impôt au roi alors que les déportés en sont dispensés. Le peuple se plaint à Néhémie : « Pourtant notre chair est comme la chair de nos frères, nos fils sont comme leurs fils et voilà que vous les réduisez en esclavage et parmi nos filles il en est qui sont déjà asservies. Et nous ne pouvons rien car nos champs et nos vignes ne nous appartiennent plus. »

Néhémie entre dans une violente colère et oblige les riches à renoncer à leurs créances et à rendre la terre dont ils s'étaient emparés au nom de leurs droits anciens.

Quand on évoquera le second Temple, ce ne sera jamais celui construit par le pieux Néhémie avec tant d'efforts et de peine, mais le Temple d'Hérode, le païen, comme si on en avait honte, comme s'il n'était pas digne de Yahvé. Pourtant, le temple de Néhémie restera son seul sanctuaire pendant cinq cents ans, un siècle de plus que celui de Salomon. Jamais il n'atteignit la splendeur de celui rêvé par David et construit par son fils, même si on nous assure qu'il avait les mêmes dimensions, ce que contestera Hérode.

Tant de fois pillé, dépouillé de ses ornements, vidé de son trésor, ses Lieux saints souillés par la présence de divinités étrangères, son parvis servant de champ de bataille, il faudra toute la foi des juifs pour conserver au Temple sa valeur religieuse.

Le Saint des Saints est vide, l'Arche a brûlé ou disparu, remplacée par une dalle de pierre nue. Des dix chandeliers d'or, il n'en reste qu'un seul, cadeau d'Artaxerxès rapporté de Babylone.

Le nouveau Temple a été consacré en 515 ; malgré les vicissitudes que connaît Jérusalem, la mal aimée des Gentils, la trop aimée des juifs, les services du sanctuaire ont toujours été assurés. Noble dame fière de ses haillons, Jérusalem a pris l'habitude de se laisser entretenir par les riches colonies de la diaspora qui assument la plus grande partie des dépenses du culte. L'araméen, la langue la plus parlée, a remplacé l'hébreu sauf pour ce qui a trait à la religion. Demain, ce sera le grec et les textes saints seront traduits dans cette langue.

Désormais, la Torah sert de règle, compliquant à l'extrême la vie des fidèles, si bien que les exégètes, pour la rendre tolérable, doivent se livrer à de subtiles manipulations qui deviendront, cinq siècles plus tard, le Talmud et la Midrash. Jérusalem n'est plus qu'une petite cité-Etat, cité-Temple, cité de Yahvé, au sein d'un territoire de moins de deux mille kilomètres carrés. Elle ne compte que quelques milliers d'habitants et la vie s'y déroule entièrement tournée vers Dieu. Les prêtres ignorent le reste du monde et dissertent interminablement sur le pur et l'impur.

Ainsi, la préparation de l'eau lustrale pose nombre de problèmes si l'on veut s'en tenir strictement à la loi de Moïse, conçue pour des nomades.

« Dis aux fils d'Israël de se procurer une vache rousse sans défaut et sans tare et qui n'a pas porté le joug. Vous la remettrez au prêtre ; il la fera sortir en dehors du camp et on l'immolera devant lui. Le prêtre prendra de son sang avec son doigt et il fera jaillir sept fois de son sang en direction du devant de la tente de la Rencontre. On brûlera la vache sous ses yeux ; on brûlera la peau, la chair, le sang ainsi que la fiente. Le prêtre prendra du bois de cèdre, de l'hysope et du cramoisi qu'il jettera au milieu du feu où brûle la vache... Un homme pur recueillera la cendre de la vache et la déposera hors du camp, dans un lieu pur. On la gardera en vue de l'eau lustrale pour la communauté des fils d'Israël... » (Nombres, 19, 10).

Le clergé, on le voit, règle les moindres détails de l'existence. Le satrape perse de la province perçoit les impôts et veille à ce que l'ordre public ne soit pas troublé. Pour le reste, il s'en remet au haut clergé qui détient le pouvoir politique et religieux. L'exercice de ce double pouvoir provoquera des drames. Ainsi Jean assassinera son frère, Jésus, grand prêtre, pour prendre sa place. Il faudra que le gouverneur Goboas vienne remettre de l'ordre dans le Temple où partisans et adversaires des deux frères en sont venus aux mains. En punition du sacrilège commis dans un lieu saint, le Perse imposera, pour chaque agneau immolé, une amende de cinquante drachmes.

En dehors de quelques crises de ce genre qui ne touchent que l'aristocratie locale, la paix règne à Jérusalem, restée étrangère aux drames et aux remous qui secouent l'Empire achéménide.

Le peuple de Jérusalem, ses boutiquiers, ses artisans, ses potiers, ses orfèvres connaissent une certaine prospérité grâce au Temple, source de toute richesse et de toute activité. Même s'ils n'utilisent plus que le grec, les juifs de la diaspora n'ont pas oublié Jérusalem et se tournent dans sa direction pour prier. Dès qu'ils en ont l'occasion, pour les grandes fêtes, ils s'y rendent en pèlerinage afin d'offrir des sacrifices. Ils viennent d'Egypte et de Babylonie, de Cilicie et d'Ethiopie, par bateaux, en longues caravanes, à pied, à dos de chameau, montés sur des ânes, chargés de présents, envahissant la Cité sainte par centaines de milliers.

Des établissements de change s'ouvrent aux portes du Temple où se négocient les monnaies, et les prêtres doivent sévir contre les aubergistes rapaces et les vendeurs de bêtes destinées aux sacrifices qui trichent sur la qualité ou pratiquent des prix abusifs. Car on en fait une énorme consommation.

« Une ville abattoir, dira avec horreur un Grec qui se trouve à Jérusalem, un jour de fête religieuse. L'odeur de sang et d'encens se mêle à celle de la graisse rôtie et les sacrificateurs ont des allures de bouchers maladroits et mal lavés. » Mais comment demander à un Grec, ou plus tard à un Romain, de se montrer impartial quand il s'agit du peuple juif ?

Quelle cité étrange que Jérusalem au temps des Achéménides ! Les scribes et les sacrificateurs constituent le tiers de la population, le reste étant à leur service et l'argent venant d'ailleurs.

« La Torah triomphe, le carcan des lois religieuses se resserre tous les jours autour des fidèles... Vers le même temps, le sabbat et la circoncision deviennent la base même de la vie juive. En faveur des pratiques extérieures, on néglige les conditions fondamentales de la vraie prière... Une casuistique effrénée absorba les meilleures forces de la race. »

Cette vision noire que nous propose Renan de la vie à Jérusalem dans son *Histoire d'Israël* doit cependant être corrigée par ce que l'on sait aujourd'hui et grâce à une lecture plus ouverte de la Bible. Les scribes, en effet, s'attachaient davantage à relater les faits tels qu'ils les souhaitaient plutôt que de rendre compte de la réalité.

« Ainsi se retrouvait constitué le judaïsme, c'est-à-dire la religion des fils d'Israël, en très grande partie judéens, qui avaient survécu au peuple anéanti par les Assyriens et les Chaldéens et s'étaient réinstallés sur le sol de leurs pères. Jérusalem est alors dans sa plénitude : groupée autour du Temple et à l'abri de ses remparts, purifiée de tout élément étranger, la communauté vit sous l'autorité de son clergé et de ses docteurs dans l'observance de la Loi de Dieu. Mais ceux mêmes des fils d'Israël, proches ou lointains, ceux de la diaspora qui ne peuvent prier au Temple ou se sentir en paix derrière les murailles de la Ville sainte, gardent fidèlement les deux éléments fondamentaux du judaïsme : la séparation d'avec les étrangers et l'observation de la Loi avec ses obligations et ses interdits. Ils forment autant de petites sociétés fermées, claquemurées, qui disent un non farouche au monde extérieur, et cela dans un temps où une vague de cosmopolitisme menace de submerger les vieilles cités. Cette séquestration volontaire leur vaudra l'accusation d'*Odium humani generis* » (Bible Osty).

CHAPITRE V

ATHÈNES CONTRE JÉRUSALEM

« En ces jours-là surgirent d'Israël des vauriens qui séduisirent beaucoup de personnes en disant : "Allons, faisons alliance vers les nations qui nous entourent..." Ils bâtirent un gymnase, selon les coutumes des nations ; ils se firent des prépuces et, désertant l'Alliance sainte, ils se mirent au joug des nations et se vendirent pour faire du mal. »

Maccabées, I-100

Alexandre le Grand n'est jamais venu à Jérusalem

Alors que le reste du monde connaît de grands bouleversements, à Jérusalem les hommes de bien les ignorent. A leurs yeux ils n'ont d'autres devoirs que de servir les desseins de Yahvé et de proclamer sa gloire.

Alexandre le Grand soumet l'Empire des Perses, et le Conquérant du monde, si l'on s'en tient au récit édifiant de Flavius Josèphe, vient humblement s'humilier devant le grand prêtre à Jérusalem.

« Jaddus [le grand prêtre sacrificateur à qui Dieu est apparu en songe], lorsqu'il apprit qu'Alexandre était proche avec son armée et bien décidé à punir Jérusalem qui était restée fidèle à Darius, accompagné des autres sacrificateurs et de tout le peuple, alla au-devant de lui dans cette grande pompe, si sainte et si différente des autres nations, jusqu'au lieu nommé Sopha qui signifie Guérite parce que l'on peut de là voir la ville de Jérusalem et le Temple. Les Phéniciens et les Chaldéens qui étaient dans l'armée d'Alexandre ne doutaient point que, dans la colère où il était contre les juifs, il ne leur permît de saccager Jérusalem et qu'il ne fît une punition exemplaire du grand sacrificateur. Mais il arriva tout le contraire ; car ce prince n'eut pas plus tôt aperçu cette grande multitude d'hommes vêtus de blanc, cette troupe de sacrificateurs vêtus de lin et le grand sacrificateur avec son éphod de couleur azur enrichi d'or et sa tiare sur la tête, avec une lame d'or sur laquelle le nom de Dieu était écrit, qu'il s'approcha seul de lui, adora ce nom si auguste et salua le grand sacrificateur que nul autre n'avait encore salué... Parménion, qui était en grande faveur auprès de lui, lui demanda d'où venait donc que, lui qui était adoré de tout le monde, il adorait le grand sacrificateur des juifs. "Ce n'est pas, lui répondit Alexandre, le grand sacrificateur que j'adore, mais c'est Dieu dont il est le ministre..." Alexandre monta au Temple et offrit des sacrifices à Dieu... sur quoi plusieurs juifs s'enrôlèrent dans son armée... »

En fait, occupé à soumettre les puissantes citadelles de Tyr et de Gaza qui lui interdisent l'entrée de l'Egypte où il est pressé de se rendre, Alexandre n'est jamais venu à Jérusalem. En revanche, il est possible qu'il ait envoyé un de ses lieutenants s'assurer de la bonne volonté des juifs, que cet officier, Parménion peut-être, ait été bien accueilli par un clergé soucieux de conserver son pouvoir et de ne pas être mêlé aux querelles de son temps. Et qu'il ait ordonné un sacrifice comme c'était la coutume.

En 331, Jérusalem, péniblement sortie de ses ruines et dont Ochos, quelques années plus tôt, avait déporté une partie des habitants, affaiblie en outre par le schisme de Samarie, ne comptait plus que comme centre sacerdotal, Eglise plus que cité. Et on voit mal Alexandre s'en soucier. Un conte absurde, selon Voltaire.

L'histoire que relate si complaisamment Josèphe semble avoir été forgée au IIe siècle de notre ère par des juifs hellénisés d'Alexandrie s'inspirant du *Roman d'Alexandre* et autres ouvrages de la même veine. Il s'agissait de montrer que le plus illustre des rois païens avait été contraint de reconnaître la toute-puissance de Yahvé dont le seul sanctuaire était à Jérusalem, sa ville.

Alors que son règne semble à tout jamais établi, que ses prêtres n'ont jamais été aussi puissants, le Trésor du Temple aussi rempli, Yahvé va frôler le désastre. Il ne devra de l'emporter qu'à l'insigne maladresse d'un roi et à l'inconscience d'une caste de riches commerçants et de jeunes blousons dorés. L'ennemi n'a plus rien de commun avec les grossières divinités cananéennes au sexe étalé, exigeant des sacrifices d'enfants et des fêtes orgiaques. Il présente un séduisant visage, celui de la Grèce.

Derrière Alexandre, l'hellénisme déferle sur le monde antique qui parle grec, écrit grec, pense et vit grec. Malgré les précautions prises par les prêtres qui s'efforcent d'isoler Jérusalem, bon nombre de juifs vont se laisser tenter, non par le culte « des idoles de bois et de pierre » comme le proclament les prophètes, mais par un art de vivre, une esthétique et une éthique. Encore le message qu'ils reçoivent n'est-il pas de première qualité, davantage lié à la mode qu'à l'esprit, à la pratique du sport, à la vie en commun des jeunes garçons, l'éphébie, qu'à la lecture de Platon et d'Aristote.

A ces raisons de fuir le judaïsme, s'ajoute l'influence de l'environnement qui ne pouvait laisser insensibles ces Orientaux curieux de tout, formés depuis Salomon au commerce et aux échanges.

La fausse lettre d'Aristée

L'un des rares documents qui nous soient parvenus est la lettre d'Aristée à Philocrate, « fumeuse élucubration d'un juif anonyme qui se met dans la peau d'un Hellène pour paraître impartial dans l'expression de son admiration à l'endroit des choses juives » (Abel, *Histoire de la Palestine*). La lettre serait antérieure aux persécutions d'Antiochos IV Epiphane, quand la paix régnait encore sous son père, Antiochos III dit le Grand. Si certains points de son plaidoyer sont douteux, en revanche on peut lui faire confiance pour tout ce qui n'engage pas sa foi et se limite aux descriptions d'un pèlerin de la diaspora hellénisée qui écrit en grec pour des Grecs. Même si, parfois, il exagère les beautés de la ville et du Temple, ayant plus à l'esprit le souvenir de la Jérusalem de Salomon que la réalité peu séduisante qui s'offre à ses yeux.

« Au milieu de la Judée, écrit Aristée, se situe une montagne très haute et, sur son point culminant, se dresse un temple d'un aspect splendide. Le Lieu saint domine tout ; il est le centre de la ville comme de la nation, ce qui convient particulièrement à un Etat théocratique...

« Un rideau est tendu devant l'entrée monumentale du sanctuaire, suffisamment rigide pour résister au souffle du vent. Les habitants de Jérusalem lui accordent une telle importance que le Lieu saint a pris le nom de "Maison du Rideau".

« Le Temple est entouré d'une enceinte longue de cinq plèthres et large de cent coudées [soit environ cent cinquante mètres sur cinquante], avec des portes doubles... Aucune statue, aucune offrande, aucun arbuste comme on en trouve dans les bosquets sacrés et ailleurs. Les prêtres y séjournent jour et nuit, accomplissant les purifications déterminées ; il leur est défendu de goûter du vin dans le Temple... »

La citadelle, bâtie sur une hauteur voisine du Temple, est défendue par des tours équipées de balistes et autres engins de guerre. Elle domine le parvis du Lieu saint et, en cas d'émeutes, elle permet d'en contrôler les portes et les abords. Comme au temps des Perses, le pouvoir séleucide y entretient une solide garnison de mercenaires macédoniens ou cypriotes.

Le Temple et la citadelle, qui ont souffert cruellement des guerres entre Lagides et Séleucides, ont été réparés aux frais d'Antiochos III et grâce aux soins du grand prêtre Simon.

On doit encore à Simon un grand réservoir creusé à côté du parvis afin de l'alimenter en eau, et une muraille ainsi que des tours d'angle qui permettront à la ville de soutenir un siège prolongé.

Jésus ben Sira, l'Ecclésiastique, « qui ne manque jamais de faire suivre ses écrits de "fils d'Eléazar et citoyen de Jérusalem" », confirme le récit de notre pseudo-Grec :

« C'est Simon, fils d'Onias, le grand prêtre, qui, pendant sa vie, répara la Maison et durant ses jours consolida le sanctuaire. Par lui fut fondée la hauteur double, soubassement élevé de l'enceinte du Temple. En ses jours fut creusé le réservoir des eaux, bassin dont l'étendue était comme la mer. Soucieux de préserver son peuple de la chute, il fortifia la ville contre un siège » (Ecclésiastique, 50).

Le trésor du Temple ne cesse de s'enrichir grâce aux collectes effectuées dans la diaspora ; il joue le rôle d'une banque pour les riches commerçants qui y déposent des fonds. Pour les nations voisines, il est devenu un objet de convoitise ; pour les grands prêtres qui l'administrent, une source de conflits sanglants quand, par inconséquence, ils en appellent à l'occupant pour trancher leurs différends.

Autour de Jérusalem s'étendent des campagnes riches, bien cultivées, mi-plaine mi-montagne, qui autorisent une grande variété de cultures : légumes, céréales, vignes, oliviers. Les troupeaux sont nombreux et prospères ; le miel abonde. Bref, à en croire Aristée, Hierosolyma serait la cité idéale. Dommage que ses imprudents voisins se soient emparés d'une partie de son territoire, huit cent vingt-cinq mille hectares d'un sol fertile.

« Hierosolyma, écrit-il encore, est d'un niveau inégal si bien que la ville ressemble à un théâtre : le mur avec ses tours en délimite l'hémicycle extérieur ; l'espace intérieur couvert de gradins est divisé par de grandes artères que sectionne le rayonnement des petites rues montantes. Le pourtour de la ville mesure quarante stades » (sept kilomètres environ si l'on s'en tient au stade attique).

Si Aristée, pour rester crédible aux yeux des Grecs, se garde de toute considération politique, il en va autrement de Jésus ben Sira, l'Ecclésiastique, qui ne cache pas son déplaisir de voir sa ville occupée par des païens, un détail sur lequel Aristée ne s'est pas attardé.

Le Siracide nous donne une description très vivante de la vie quotidienne avant que se déchaîne la guerre civile, avec ses artisans, ses préteurs, ses scribes, ses riches et ses pauvres, ses esclaves retors et ses filles perdues, ses fêtes, ses banquets et ses grandes beuveries. Religieux conservateur, fidèle serviteur de la Loi, l'Ecclésiastique est prodigue en bons conseils :

« Bannis la tristesse et la colère qui amènent la vieillesse. Bois du vin qui réjouit le cœur de l'homme, mais n'en abuse pas... Que chacun, scribe, potier, agisse au mieux de son métier... Le scribe, profitant de ses loisirs, appliquera son âme à la recherche de la sagesse, consacrant ses loisirs aux prophéties. Qu'il voyage, parcoure les nations étrangères pour faire l'expérience du bien et du mal parmi les hommes... Que le forgeron examine le fer qu'il travaille quand la chaleur du feu fait fondre ses chairs... De même du charpentier et du maître d'œuvre, car sans eux aucune ville ne serait bâtie ; on n'y habiterait pas ; on n'y circulerait pas.

« A l'âne le fourrage et le bâton et les fardeaux, au domestique le pain, la correction et le travail. Fais travailler ton esclave et tu trouveras le repos. Laisse-lui les mains libres et il cherchera la liberté. Le joug et la lanière font ployer la nuque et au domestique pervers la torture et la question... »

Le bon Hiérosolymite se doit de faire l'aumône, car elle est comme l'eau qui éteint le feu qui flambe ; qu'il n'ait qu'une parole, révère le Seigneur et vénère ses prêtres... Qu'il soit prudent en affaires. « Ne prête pas à plus puissant que toi ; si tu lui prêtes, tiens-toi pour perdant... Ne te lie pas à plus fort ni plus riche que toi comme le pot de terre se lierait à un chaudron... Un marchand évite difficilement la faute ; un commerçant s'en tire difficilement sans péché. Entre les joints des pierres s'enfonce le piquet et entre vérité et achat se glisse le péché.

« ... Si tu présides un banquet, ne te répands pas en discours, condense-le en peu de mots ; ne te rue pas sur les mets, car de l'abondance des mets vient la maladie. L'heure venue, lève-toi, ne traîne pas, cours à la maison.

« Ne te livre pas à une femme pour qu'elle empiète sur ta force. N'aborde pas une courtisane de peur de tomber dans ses filets ; avec une chanteuse, ne t'attarde pas. Auprès d'une femme mariée, ne t'assois jamais et ne bois pas du vin avec elle dans les banquets, de peur que ton âme dévie et que dans la passion tu ne glisses à ta perte. Tiens-toi loin de l'homme qui a le pouvoir de tuer [le roi et ses ministres qui sont grecs]. »

La tentation grecque

Le modèle des juifs « éclairés » est alors Alexandrie où vit la plus importante, la plus civilisée des grandes colonies de la diaspora.

Les juifs alexandrins vantent à leurs coreligionnaires de Jérusalem leur mode d'existence dans une cité aux larges avenues, dotée de stades, de théâtres, de gymnases où il n'est pas malséant de se montrer et même de participer aux jeux. Une ville qui s'ouvre sur la mer alors que Jérusalem, perchée sur ses hauteurs, lui tourne le dos, regardant vers le désert d'où viendra le Messie.

Les femmes de Jérusalem prennent l'habitude de porter bijoux et parures, copiant les belles d'Alexandrie et, dans le même souci d'imiter leur modèle, les jeunes construisent un gymnase que l'on suppose de dimensions modestes étant donné celles de la ville, mais situé sous l'enceinte même du Temple. Du haut des murs, les prêtres peuvent assister aux joutes ; ils ne tardent pas à s'y mêler même si le gymnase est placé sous la protection d'Héraclès dont la statue musclée veille sur les exercices. La fumée de l'encens, ô sacrilège ! monte devant le dieu.

L'aristocratie sacerdotale, les Sadducéens, les riches marchands et leurs fils parlent grec, car c'est en grec que se traitent tous les marchés commerciaux : le grec est la langue du gouvernement et de l'administration. Plus riche, plus souple que l'hébreu, il convient aux beaux esprits du temps, ou qui se piquent de l'être : philosophes, poètes et savants.

Le conflit ne se limite pas seulement à la pratique de certains exercices physiques ou au commerce. Ses causes sont infiniment plus profondes : l'affrontement entre une civilisation ouverte sur le monde, Athènes, et une religion fermée sur elle-même, Jérusalem ; affrontement qui, sur une terre de passions et de violence, tournera vite à la guerre civile.

On a souvent donné comme raison principale de l'échec de l'hellénisme, partout triomphant sauf en Israël, la folie d'Antiochos IV Epiphane qui voulut obliger les juifs à se convertir et répandit en vain le sang des martyrs, ce sang qui produit autant de guerriers que de saints.

Antiochos était moins fou que ses contemporains l'ont prétendu. Il comptait de nombreux partisans parmi la jeunesse et la classe active de la société juive : marchands, artisans et même le haut clergé. Sans qu'aucun pouvoir les sollicite, les jeunes juifs, d'eux-mêmes, abandonnent le judaïsme, ses enseignements, ses interdits, ses multiples obligations, pour se livrer à la danse, à la culture physique, aux exercices guerriers, et nus, comble du sacrilège.

Ils rejettent la circoncision, signe de l'Alliance avec

Yahvé, jugée obscène par les Grecs qui l'assimilent à une castration. Abomination de la désolation, certains vont jusqu'à s'affubler de faux prépuces. Ils mangent du porc, et ne se soucient pas, avant de prendre épouse, que leur fiancée soit juive.

C'est la débâcle dans le clan religieux. Le clergé lui-même est contaminé.

« Il y eut alors une telle montée de l'hellénisme et un tel engouement pour la mode étrangère, par suite de l'extrême scélératesse de Jason, impie et non grand prêtre, que les prêtres n'avaient plus aucune ardeur pour le service de l'autel, mais que, méprisant le Temple et négligeant les sacrifices, ils se hâtaient de prendre part aux exercices de la palestre proscrits par la Loi, comptant pour rien les honneurs ancestraux et tenant les gloires helléniques pour les plus belles de tous » (Maccabées, 4, 13-16).

Deux villes cohabitent désormais dans Jérusalem : la Ville haute accolée à la citadelle, une ville grecque, une *polis* avec son stade, son gymnase, son théâtre, qui honore les dieux de l'Olympe et bénéficie des attentions du pouvoir ; et la Ville basse, la ville authentiquement juive, en effervescence, que ces pratiques païennes révoltent, une révolte qu'encourage le parti des Hassidéens, des Pharisiens, les pieux, les purs.

Antiochos IV a voulu imposer le paganisme pour des raisons strictement politiques et non religieuses. Il demande aux juifs, en certaines circonstances, de sacrifier à Zeus olympien auquel il a voué son royaume, même si c'est à Yahvé que s'adressent, en réalité, prières et sacrifices.

Ayant été élevé à Rome, en matière de religion il pensait comme les Romains : « Les différents cultes admis dans l'Empire étaient considérés par le peuple comme également vrais, par le philosophe comme également faux, et par le magistrat comme également utiles... Souvent le Grec, le Romain, le Barbare venaient offrir leur encens dans les mêmes temples :

malgré la diversité de leurs cérémonies, ils se persuadaient aisément que, sous des noms différents, ils invoquaient la même divinité... » (Gibbon, *Histoire du déclin de l'Empire romain*).

Si, au lieu de précipiter les événements, Antiochos avait laissé agir le temps, Athènes l'aurait probablement emporté. S'hellénisant, Yahvé, représenté tôt ou tard sous la forme humaine, aurait connu le sort commun des divinités grecques et orientales. On l'aurait adoré à Rome à côté d'Isis, de Mithra, d'Apollon et, couronné de lierre, on aurait dansé devant sa statue.

Antiochos et ses partisans juifs, par leur maladresse, leur précipitation, sauvèrent le judaïsme, le rendant à son isolement, à sa sécheresse, pour le plus grand honneur peut-être, mais aussi le plus grand malheur du peuple juif et surtout de Jérusalem qui va en payer chèrement le prix. On peut se demander si un judaïsme moins contraignant, ouvert aux autres peuples, débarrassé de pratiques comme la circoncision qui marque chaque juif et des interdits alimentaires qui l'éloignent de ses contemporains, n'aurait pas connu dans le monde le succès du christianisme, né de lui.

Jérusalem et Athènes vont s'affronter pour le meilleur et pour le pire : fanatisme d'un côté, refus de s'ouvrir au monde extérieur ; corruption, scepticisme et licence des mœurs, de l'autre.

Dans les coulisses se tient Rome qui sait si bien jouer de la guerre civile pour l'avoir appris à ses dépens. Mêlant la noblesse du geste et de la formule aux plus subtiles machinations, elle sait déjà que l'empire du monde auquel elle aspire se gagne autant par l'or, l'intrigue, le clientélisme, que par le glaive auquel elle peut toujours recourir. Ne dispose-t-elle pas de ses légions, la meilleure armée du monde ?

Afin de supplanter la fête des Tabernacles où l'on dédiait à Yahvé les fruits et les prémices des vendanges, Antiochos et ses partisans juifs instituent à Jérusalem les Dionysies, en l'honneur de Bacchus, où satyres et bacchantes couronnés de lierre dansent aux sons de folles musiques. Sur le parvis du Temple, tous les habitants, même les prêtres, sont tenus d'assister au sacrifice offert en l'honneur du roi et de participer au repas commun où, horreur, parmi les nourritures est servi du porc !

Les purs se répandent dans les rues de la basse ville en citant Ezéchiel qui retrouve une renommée qu'il n'avait pas connue de son vivant :

« "Les prêtres ont violé ma loi et profané mon sanctuaire ; ils ne distinguent plus entre le saint et le profane ; ils détournent les yeux de mes sabbats et je suis profané au milieu d'eux... Malheur à toi, Jérusalem !... On commet l'infamie, chez toi on découvre la nudité de son père, chez toi on fait violence à la femme qui est rendue impure par sa souillure. L'un commet l'abomination avec la femme de son prochain... un autre souille sa bru de manière infâme, un autre chez toi fait violence à sa sœur, la fille de son père..."

« Bref, Jérusalem, sous les Séleucides, était en passe de devenir une municipalité grecque avec un gouvernement calqué sur celui d'Antioche, la capitale impériale. Il y a même quelques raisons de penser que le nom de Jérusalem, comme celui de plusieurs villes asiatiques, y compris Gérasa en Transjordanie, devait être échangé contre celui d'Antiochéa » (S.W. Baron, *Histoire d'Israël*).

Et c'est ainsi que Jérusalem, la Juive, entra en guerre contre Hierosolyma, la Grecque, et ne devint jamais Antiochéa, grâce aux Maccabées, dont un personnage d'Arthur Koestler, dans *La Tour d'Ezra*, disait : « Entre nous, si les Maccabées n'avaient pas été si bougrement héroïques, nous aurions été hellé-nisés et le ghetto nous aurait été probablement épargné. »

Les Pharisiens, les juifs pieux qui constituent, au début de leur aventure, la clientèle des Maccabées ne se soucient pas du contexte extérieur, seulement de leur foi menacée. Par chance, il se trouve que le pouvoir séleucide est vacillant. Mais, plus tard, ils se révolteront contre Rome et pour les mêmes raisons, alors que les conditions sont bien différentes, que l'Empire est au sommet de sa puissance. Ils n'en auront pas conscience. On leur a affirmé que Yahvé était menacé, qu'il risquait de finir comme tant d'autres divinités délaissées par leurs fidèles, statues mutilées dans des temples qui s'écroulaient.

Le peuple juif, si fier de son particularisme, le peuple élu entre tous, allait-il se perdre dans l'océan des autres nations où régnaient l'idolâtrie, la débau-che, toutes les perversions, où les liens sacrés de la famille étaient bafoués ? Alors, il prit les armes, lais-sant à Yahvé, comme au temps des Juges, le soin de lui donner des chefs pour le conduire au combat.

Bien malgré eux, les Pharisiens donneront nais-sance à un nationalisme déguisé qui aura les qualités et les tares de tous les autres. L'épopée des Macca-bées nous en fournit l'exemple. Commencée sous le signe de Dieu, la croisade des fils du prêtre Matta-thias se poursuivra en guerre de conquête et finira par reconstituer un Etat aussi étendu que celui de David. Se conduisant en rois orientaux, gagnés à leur tour par l'hellénisme même s'ils respectent encore les interdits de la Loi mosaïque, les Asmo-néens ne tarderont pas à se heurter à la clientèle dont ils étaient issus. Et ils feront couler dans Jéru-salem le sang des juifs.

Antiochos IV, fou ou aimé des dieux ?

Le roi Antiochos IV Epiphane, aimé des dieux, que ses ennemis ont baptisé Epimane, le fou, a battu au cours de son expédition en Egypte le jeune roi Ptolémée VI et, au printemps de 170, à Memphis, il s'est fait couronner roi, réunissant sur sa tête les deux couronnes d'Egypte et de Syrie. Mais il n'a pu prendre Alexandrie, ce qui lui interdisait de se poser en successeur d'Alexandre, rêve qu'il caressait.

Sur le chemin du retour, il trouve le général romain Popilius Laenas qui, sans un mot d'accueil, lui tend une tablette où est inscrit le sénatus-consulte par lequel le Sénat lui interdit de poursuivre ses conquêtes. Comme il demande à réfléchir, à consulter au moins ses conseillers, le Romain, du cep de vigne qu'il tient à la main, trace un cercle dans le sable autour du roi et le somme de n'en sortir qu'après avoir donné sa réponse. Profondément humilié, Antiochos doit s'incliner devant l'ordre de Rome.

Il rentre en Syrie fou de rage. Il en veut surtout aux habitants de Jérusalem qu'il soupçonne de collusion avec les Romains.

Antiochos s'empare de Jérusalem sans difficulté, car ses partisans, les juifs antiochiens, lui ont ouvert les portes. Il massacre ses adversaires, rafle ce qu'il peut et s'en retourne à Antioche. A court d'argent, il revient deux ans plus tard et, cette fois, s'en prend au Temple et à son trésor, dont il retire dix-huit cents talents, une somme fabuleuse en un temps où un légat romain s'achetait pour trois cents talents et le grand Pompée lui-même pour cinq cents. Par la même occasion, il vole les chandeliers d'or, la table d'or des pains de proposition, les encensoirs et même le rideau de pourpre qui fermait le Temple et qu'avait tant admiré le pseudo-Aristée. Il le consacrera au sanctuaire de Zeus, à Olympie.

« Pour comble d'afflictions, nous dit Flavius Josèphe, il défendit aux juifs d'offrir à Dieu les sacrifices ordinaires selon que leur Loi les y oblige. Après avoir ainsi saccagé toute la ville, il fit tuer une partie de ses habitants, fit emmener dix mille captifs avec leurs femmes et leurs enfants, fit brûler les beaux édifices, ruina les murailles, bâtit dans la Ville basse une forteresse avec de grosses tours qui commandaient le Temple et y mit une garnison de Macédoniens, parmi lesquels étaient des juifs si méchants et si impies qu'il n'y avait point de maux qu'ils ne fissent souffrir aux habitants. Il fit aussi construire un autel dans le Temple et y fit sacrifier des pourceaux, ce qui était une des choses du monde la plus contraire à notre religion. Il contraignit ensuite les juifs à renoncer au culte du vrai Dieu pour adorer ses idoles. Il défendit aussi aux juifs, sous de grandes peines, de circoncire leurs enfants et établit des personnes pour prendre garde s'ils observaient toutes les lois qu'il leur imposait et les contraindre s'ils y manquaient. La plus grande partie du peuple lui obéit, soit volontairement, soit par crainte ; mais ces menaces ne pouvaient empêcher ceux qui avaient de la vertu et de la générosité d'observer les lois de leurs pères ; ce cruel prince les faisait mourir par divers tourments. Après les avoir fait déchirer à coups de fouet, son horrible inhumanité ne se contentait pas de les faire crucifier, mais lorsqu'ils respiraient encore, il faisait pendre auprès d'eux leurs femmes et ceux de leurs enfants qui avaient été circoncis. Il faisait brûler tous les livres des Saintes Ecritures, et ne pardonnait pas à un seul de tous ceux chez qui il s'en trouvait. »

Dans une guerre civile, les plus acharnés sont les frères ennemis. Ce furent les juifs qui, le plus souvent, se massacrèrent entre eux. D'où l'acharnement des « pro-hellènes » à effacer jusqu'au souvenir de Yahvé, et jusqu'à sa marque, la circoncision.

Tacite, qui n'aime pas les juifs, écrit : « Aussi longtemps que l'Orient appartint aux Assyriens, puis aux Mèdes et aux Perses, les juifs furent les plus méprisés des peuples esclaves ; lorsque la suprématie passa aux Macédoniens, le roi Antiochos tenta de les tirer de leurs superstitions et de leur faire adopter des mœurs grecques, mais il fut empêché par la guerre contre les Parthes de faire progresser cette nation abominable... » (*Histoires*, Livre V).

Si beaucoup d'Israélites sacrifient aux idoles et profanent le sabbat (I Mac, 1-41), certains d'entre eux préfèrent s'enfuir, refusant de prier dans un Temple souillé où se dresse la statue de Zeus érigée derrière la table des sacrifices, si bien que toutes les offrandes lui semblent dédiées.

Un humble prêtre va créer une dynastie

Parmi eux, Mattathias, prêtre d'humble origine, pharisien de la famille d'Hashmmay d'où vient le nom d'Asmonéens sous lequel sera connue la dynastie qui descendra de lui. Réfugié dans la petite ville de Modin, il a été suivi par ses cinq fils, tous de robustes garçons : Jean, Simon, Judas surnommé Maccabée — tête de marteau —, Eléazar et Jonathan.

« Un officier syrien ou grec, envoyé du roi, voulut obliger Mattathias, en sa qualité de prêtre, à donner l'exemple à la population en sacrifiant aux idoles. Comme il refusait et qu'un juif pour éviter des ennuis à la communauté acceptait de se substituer à lui, saisi d'une sainte colère, Mattathias l'égorgea sur l'autel. Ses fils se jetèrent sur l'officier et la petite escorte qui l'accompagnait et les tuèrent tous. Puis ils gagnèrent les montagnes où de nombreux fidèles vinrent les rejoindre. Puis, après un an, Mattathias mourut et Judas, surnommé Maccabée, se leva à sa place. »

Dès les premiers accrochages avec les troupes du

roi, Judas se révèle un remarquable chef de guérilla. La Bible nous affirme qu'il était « semblable au lion dans ses hauts faits, qu'il remplit maints rois d'amertume et que son nom retentit jusqu'aux extrémités de la terre ».

Sous la plume de l'auteur de Maccabée II, dont on se demande s'il n'a pas lu Homère, Judas est devenu Achille, et Troie, la citadelle qu'occupent les Antiochiens dans Jérusalem. Malgré ses efforts, Judas ne pourra s'en emparer, car elle est solidement tenue par une garnison renforcée d'éléments juifs pro-hellènes qui n'ont aucune pitié à attendre de leurs concitoyens. Judas subit même une cuisante défaite devant les remparts de la ville où son frère, Eléazar, sera écrasé par un éléphant pour s'être glissé sous lui afin de l'éventrer.

Désemparé, Judas fait alors appel à Rome où il envoie une ambassade. Par ce geste, commence l'infernal enchaînement qui conduira le peuple juif à sa perte et Jérusalem à sa destruction.

« Depuis sa victoire sur Antiochos III, roi de Syrie, en 190, Rome, nous dit F. Abel [*Histoire de la Palestine*], s'intéressait de près aux affaires d'Orient, soucieuse d'affaiblir un royaume rival de ses ambitions. Bien que devenue prétendument son alliée, elle n'avait pas vu sans satisfaction secrète les habitants de la Judée se soulever contre leurs suzerains séleucides. Le soutien qu'elle accorde aux juifs en 161, à la demande de Judas Maccabée, est dans la logique de sa politique orientale... Les ambassadeurs de Judas sont reçus au Sénat et un pacte d'assistance mutuelle est aussitôt signé. Selon le texte que nous en donne Flavius Josèphe (A.J. XII-417), "aucun des sujets des Romains ne devra faire la guerre aux juifs ni fournir à ceux qui les combattent blé, navires ou argent ; au cas où les juifs seraient attaqués, les Romains viendraient à leur secours dans la mesure du possible, et inversement, au cas où les Romains seraient attaqués, les juifs combattraient à leurs côtés en alliés". »

Par ce traité bilatéral, Rome reconnaissait l'indépendance de la Judée, mais n'envisageait pas d'intervenir militairement. Les Romains usaient beaucoup de ce genre de contrat.

Nous n'entrerons pas dans les détails de la longue lutte qui, avec des fortunes diverses, opposera les partisans des Grecs et ceux des Maccabées et sur lesquels nous renseignent la Bible et Flavius Josèphe qui la démarque. Nous devons nous accommoder d'une histoire « engagée ». Elle exalte les héros de la cause de Dieu et accable les Macédoniens et les mauvais juifs auxquels on prête toutes les traîtrises et tous les crimes. Le plus grand serait d'avoir voulu échapper au monde clos de Jérusalem, à son Dieu atrabilaire et à ses pharisiens intolérants.

Héros ou brigand, Judas Maccabée

Se détache Judas, un personnage hors du commun, qui rappelle David dans ses jeunes années, moitié héros, moitié brigand, aimant Dieu, la guerre et l'aventure. De ses bandes, il fera une véritable armée si bien qu'à la mort d'Antiochos IV, il entrera à Jérusalem en vainqueur. Il purifiera les Lieux saints, renversera la statue de Zeus et présidera aux sacrifices. Enfin, il occupera l'Akra, la citadelle évacuée par sa garnison que suivent les juifs qui ont lié leur sort aux Grecs. L'encens et la graisse fument à nouveau sur les autels de Yahvé.

Fort de l'appui de Rome sur lequel il se fait bien des illusions, Judas poursuit le combat contre les Séleucides, espérant rendre à Jérusalem ses anciennes possessions. Le rêve pieux du départ est devenu une aventure militaire, encouragée par Rome qui favorise toute initiative susceptible d'affaiblir les descendants d'Alexandre.

Judas présume de ses forces et attend trop du soutien des légions : son armée se fait écraser à Berzyth où il perd la vie. Rome ne bronche pas : Judas n'était qu'un pion dans l'immense partie qu'elle joue. Il en sera de même avec son frère, Jonathan, qui lui succède. Se trouvant dans une situation périlleuse, il en appelle au Sénat qui l'encourage, mais ne déplace pas une cohorte.

Jonathan se fait confirmer dans sa double fonction d'ethnarque et de grand prêtre. Le trône est à sa portée ; le Sénat, incertain, n'a pas encore décidé de sa politique en Syrie-Palestine : administration directe par des procurateurs, mais ils sont avides, pressés de s'enrichir, ou rois locaux dont on peut, à la rigueur, s'assurer la fidélité quand ils tiennent de lui leur pouvoir.

Les Pharisiens acceptent mal ce détournement d'une révolte religieuse et l'instauration d'une monarchie dont le roi serait aussi grand prêtre. Certains se révoltent, d'autres s'enfuient dans le désert où, sous la direction du « Maître de Justice » — peut-être un prêtre chassé de sa fonction —, ils seraient devenus les Esséniens sur lesquels nous aurons à revenir plus longuement.

Simon succède à son frère assassiné. Les Romains ont renouvelé avec lui le traité d'alliance qu'ils ont inscrit sur du bronze pour le rendre plus solennel, car le Maccabée est devenu une carte importante dans la région. Désormais, les juifs ont droit au titre « d'alliés et de frères des Romains ». En remerciement, Simon envoie un bouclier d'or du poids de mille mines, pris dans le trésor du Temple. Un geste bien imprudent !

En -140, lors d'une grande assemblée à Jérusalem, il se fait élire grand prêtre et commandant en chef de l'armée. Pour ceindre la couronne, il ne manque plus que l'autorisation de Rome.

Rome jouit auprès des juifs d'un immense prestige. Le Livre des Maccabées leur prête toutes les qualités et tous les pouvoirs. Ce sont de vaillants guerriers, « ceux qu'ils veulent soutenir et faire régner règnent, ceux qu'ils veulent, ils les déposent, leur grandeur est extrême... Malgré tout cela, aucun d'entre eux ne s'est imposé le diadème, nul n'a revêtu la pourpre pour grandir par elle. Ils ont créé un Sénat où chaque jour délibèrent trois cent vingt membres continuellement occupés du peuple pour en assurer le bon ordre » (I Mac 8).

Les juifs auraient plutôt intérêt à lire le clairvoyant Polybe : « Ils [les Romains] tirent habilement parti des erreurs d'autrui pour étendre et renforcer leur propre domination et, ce faisant, ils gagnent la reconnaissance de ceux qui commettent des fautes en ayant l'air de leur rendre service... Chacun maintenant sentait en Asie Mineure que les Romains n'avaient pas voulu libérer les peuples, mais substituer leur prépondérance à celle de la Macédoine et de la Syrie et agencer pour leur plus grand avantage les frontières des Etats hellénistiques » (Polybe, 36-9).

Simon ne sera jamais roi. Au cours d'une beuverie, il est assassiné, avec deux de ses fils, par son gendre, Ptolémée. Sur sa fin tragique se termine le Livre des Maccabées et avec lui se clôt la Bible.

Jean Hyrcan avec l'argent de David refait une armée

Jean Hyrcan, le troisième fils de Simon, échappé aux tueurs lancés à ses trousses, se réfugie dans Jérusalem où il se fait proclamer grand prêtre. Profitant de la famine et des affrontements qui opposent les juifs entre eux, Antiochos VII assiège la ville et s'en rend maître. Jean Hyrcan doit subir les dures conditions qui lui sont imposées : restitution des cités conquises en bordure de la Judée, démantèlement des murailles de la capitale et paiement d'un tribut de cinq cents talents dont trois cents comptant, le trésor du Temple jouant à son habitude le rôle de banque.

Bien qu'appelés à l'aide, les fidèles alliés romains n'ont pas bronché. Ils n'ignorent rien des malheurs des juifs et des désordres qui désolent la Syrie-Palestine. Les rois ne montent sur les trônes que pour en être chassés, des bandes armées hantent les campagnes, les Parthes sont sur les frontières, le commerce périclite : tout les sert. Plus d'autorité, plus de lois. L'Orient attend l'ordre romain.

A la mort d'Antiochos VII vaincu par les Parthes, Jean Hyrcan décide de profiter de la confusion qui règne pour agrandir son petit royaume et échapper ainsi aux querelles qui agitent Jérusalem. Les Pharisiens ne lui pardonnent toujours pas de cumuler le pouvoir politique avec la fonction de grand prêtre et de jouer contre eux le haut clergé sadducéen.

Il fait ouvrir le sépulcre de David, en retire trois mille talents et, avec cette somme, engage des mercenaires en majorité gaulois. Grâce à eux, il pourra asseoir son pouvoir, calmer les Pharisiens et élargir son territoire. Disposant d'une petite armée de six mille hommes, dont les jeunes membres de l'aristocratie sadducéenne qui sont venus le rejoindre, il se lance à la conquête de la Samarie. Auparavant, il n'a pas manqué d'en aviser Rome avec qui il a renouvelé le traité d'alliance, sans trop se faire d'illusions sur l'appui qu'il peut en escompter. Une sorte de permis de chasse. Rien de plus.

Il commence par passer des accords avec Cléopâtre III, reine d'Egypte et, libre de ses mouvements, il prend Gaza qu'il dévaste après un siège difficile. Puis il s'empare des cités hellénisées de la côte, Pella et Géralsa, qui, refusant de se convertir au judaïsme, sont rasées. On massacre leurs habitants. Zeus a droit, lui aussi, à ses martyrs. Un des rares moments où s'exercera le prosélytisme militaire juif.

Sur sa lancée, Jean Hyrcan soumet les Samaritains, détruit le temple de Garizim qui prétendait rivaliser avec celui de Jérusalem, mais le parti des dévots qui aurait dû s'en réjouir s'obstine à le rejeter. Ne l'intéresse que ce qui se passe à l'intérieur des murailles de sa ville. Tout le reste est vanité.

Jean Hyrcan s'empare de l'Idumée et exige des habitants des deux principales villes, Adora et Marissa, sous peine d'être chassés de chez eux ou exécutés, d'adopter le judaïsme et la circoncision. Les premiers Maccabées avaient lutté contre les Séleucides parce qu'ils refusaient de se soumettre à un culte étranger, leurs descendants les imitaient dans l'intolérance.

Jean Hyrcan se heurte bientôt à l'opposition farouche des Pharisiens qui exigent son renoncement au pouvoir religieux alors que l'autre parti, les Sadducéens, gagnés au principe monarchique et au grand Israël, s'en accommodent. Aussi est-ce près d'eux et de leurs fils qu'il trouvera aide et appui. Mais le peuple est pharisien.

Les premiers rois asmonéens

A sa mort, lui succède Aristobule Ier qui, le premier, osera prendre le titre de roi. Il est déjà très malade, atteint de phtisie, et il subit l'influence de sa belle et intrigante épouse, Alexandra-Salomé. Il jette ses trois frères en prison ainsi que sa mère qu'il laissera mourir de faim. Mais il associe au pouvoir son quatrième frère, Antigone, qui, pour son malheur, se distingue au cours d'une expédition en Galilée. Alexandra excite si bien la jalousie de son époux

141

qu'il le fait assassiner et, bourrelé de remords, il meurt après avoir régné un an.

La couronne revient à son deuxième frère, Alexandre Jannée, qu'Alexandra épouse le jour où elle le fait sortir de prison, partageant ainsi le pouvoir avec lui. Sur ses conseils, le jeune roi se débarrasse d'un autre de ses frères en le faisant assassiner, laissant vivre le dernier, car il est idiot et ne présente aucun danger. Alexandre Jannée peut enfin se livrer à sa seule passion, la guerre, laissant à Alexandra le soin de gérer le pays et de régner sur Jérusalem qu'il déteste. Conquérant brutal, n'aimant que la compagnie de ses mercenaires, il se révèle un remarquable soldat et remporte victoire sur victoire.

« Ces succès, écrira Flavius Josèphe, furent suivis d'une guerre que ses sujets lui firent pendant six ans. Il n'en tua pas moins de cinquante mille ; et quoiqu'il n'oubliât rien pour se remettre bien avec eux, leur haine était si violente que ce qui semblait l'adoucir l'augmentait encore. Ainsi demandant un jour ce qu'ils voulaient donc qu'il fît pour les contenter, tous s'écrièrent qu'il n'avait qu'à se tuer lui-même. »

Lors de la fête des Tabernacles, quand il se présente à la foule, elle lui jette des citrons, lui interdisant de présider aux sacrifices. Il fait donner sa garde : six mille morts. Après une défaite à Sichem, où il avait dû combattre à la fois les Grecs et ses propres sujets révoltés, il réussit à se réfugier derrière les murailles de Jérusalem, entraînant avec lui huit cents juifs qu'il a capturés. Il donne un grand banquet, entouré de ses concubines et gardé par ses mercenaires. Tandis qu'autour des tables ses prisonniers, qu'il fait crucifier, agonisent, il fait saisir dans la ville leurs femmes, leurs enfants et donne l'ordre qu'on les égorge devant eux.

Il mourra à quarante-neuf ans, les armes à la main, haï de tous, sauf de ses reîtres qui lui resteront fidèles. Premier véritable roi de la dynastie asmonéenne, il s'était taillé un royaume aussi grand que celui de David et de Salomon, mais infiniment plus fragile, dont il devait l'existence à la tolérance ou à l'indifférence de Rome. Sa femme Alexandra, à qui, en mourant, il a confié la régence, lui succède, régnant au détriment de ses deux fils : Hyrcan II, qui n'aspire qu'à une vie paisible et dont elle fait un grand prêtre, et Aristobule II qui, à l'image de son père, ne rêve que batailles et conquêtes et qu'elle envoie dans de lointaines expéditions. Suivant les conseils de son époux qui n'a pu en venir à bout, Alexandra s'appuie sur les Pharisiens. A peine au pouvoir, ils traquent les Sadducéens, partisans de l'ancien roi et les officiers de son armée. Pour sauver leur vie, ils doivent se réfugier dans les garnisons des provinces lointaines et attendre que leur champion, Aristobule, s'empare du pouvoir à la mort de la reine.

Sous les derniers Asmonéens, la capitale de Juda ressemble à un camp retranché où chaque parti se dispute le Temple et la citadelle. Meurtres et règlements de comptes se succèdent. La belle aventure des Maccabées sombre dans la confusion et le sang sous l'œil intéressé des grands rapaces d'Occident en quête d'or et de nouvelles conquêtes, car, si le pouvoir s'exerce à Rome, il se gagne en Asie.

CHAPITRE VI

HÉRODE, UN ROI ARABE À JÉRUSALEM

« C'est par la volonté romaine qu'un Arabe nommé Hérode, fils d'un certain Antipater, choisi par César pour gouverner la Judée en 47, énergique et fort habile à se faire valoir, devint roi des juifs et *rex socius*, ami et allié du peuple romain. »

Ch. Guignebert, *Le monde juif vers les temps de Jésus*

« Hérode était un superbe Arabe, intelligent, habile, brave, fort de corps, dur à la fatigue, très adonné aux femmes... Capable de tout même de bassesses, quand il s'agissait d'atteindre l'objet de son ambition, il avait un véritable sentiment du grand ; mais il était en dissonance complète avec le pays qu'il avait voulu gouverner. Il rêvait d'un avenir profane, et l'avenir d'Israël était purement religieux. Aucun mobile supérieur ne paraît l'avoir dominé... Il voyait le monde tel qu'il est, et, nature grossière, il l'aimait. La religion, la philosophie, le patriotisme, la vertu n'avaient pas de sens pour lui. Il n'aimait pas les juifs ; peut-être aima-t-il un peu l'Idumée... Etranger à toute idée religieuse, il réussit un moment à faire taire le fanatisme ; mais son œuvre ne pouvait qu'être éphémère. Le génie religieux d'Israël anéantit bien vite toute trace de ce qu'il avait créé ; il ne resta de lui que des ruines grandioses et une affreuse légende. »

Ernest Renan, *Histoire du peuple d'Israël*

Premier des Hérodiens, Antipater, maître des caravanes, seigneur de l'Idumée

L'Idumée, l'ancien pays d'Edom, aujourd'hui le Néguev, s'étend des bords de la mer Morte au désert d'Arabie et le long du golfe d'Aqaba. Ses habitants, les Edomites ou Iduméens, seraient, d'après la Bible, les descendants d'Esaü qui vendit son droit d'aînesse à son frère Jacob pour un plat de lentilles. Les juifs leur vouaient une haine tenace, les accusant d'être des pillards sans foi ni loi, des païens dont la religion, avant qu'ils ne soient convertis de force, se limitait à l'adoration d'idoles grossières ou de pieux plantés dans le sable. Mélange de Sémites et d'Hourrites, hommes du désert, c'étaient des Bédouins querelleurs, orgueilleux, de remarquables commerçants vivant depuis longtemps en osmose avec les juifs, mais qui se sentaient plus proches des Nabatéens, des Arabes comme eux, ayant le même mode de vie.

Parmi les nouveaux convertis, le grand-père d'Hérode, Antipater, qui règne sur un clan puissant et auquel on prête une immense fortune. Il est rusé, subtil, intelligent, et de fière allure. Il séduit, flatte, impressionne Hyrcan, le jeune ethnarque juif, qui n'ose toujours pas se proclamer roi. Il le fournit en bons conseils et lui procure les sommes dont il a besoin pour poursuivre ses conquêtes. En échange de ses bons offices, Antipater est nommé gouverneur de la province d'Idumée nouvellement conquise ; il le restera sous les successeurs de Jean Hyrcan.

L'administrant à sa guise, il s'y crée une clientèle

où se mêlent nomades et commerçants, tous excellents soldats, le commerce en ces régions troublées s'abritant à l'ombre des épées. Il se garde d'importuner ses sujets en les obligeant à se plier aux règles compliquées du judaïsme ; il les laisse adorer leurs anciens dieux ou, comme lui, n'en adorer aucun. Les juifs pieux n'ont pas tort d'affirmer que les Iduméens, circoncis ou non, sont restés de vrais païens.

Antipater a l'oreille trop fine pour ne pas entendre, venant des déserts de Syrie, le crissement des sables sous les lourdes sandales des légions. Elles n'avancent jamais à l'aveuglette, mais sont toujours précédées des envoyés du Sénat qui s'inquiètent de la situation politique, nouent des alliances, préparent retournements et trahisons.

Les réseaux de commerce sur lesquels Antipater a bâti sa fortune l'ont vraisemblablement mis en contact avec les *negotiatores* romains. Comment auraient-ils pu négliger pareille source de renseignements ? Antipater, n'ignore rien de ce qui se trame entre juifs, Arabes, Phéniciens, Egyptiens. Il est proche des Nabatéens, seigneurs de Pétra, grands maîtres du commerce caravanier. Son fils, Antipater II, ne vient-il pas d'épouser Cypros, une princesse nabatéenne fort riche et dont la famille a des liens avec tous les roitelets d'Arabie ? Elle sera la mère d'Hérode.

Antipater II, client de Rome

Lorsqu'il succède à son père comme gouverneur de l'Idumée, Antipater II sait que Rome seule décidera du sort de la Syrie-Palestine et lui imposera le régime qu'elle jugera bon pour ses intérêts. Les rois ne seront que des marionnettes entre les mains de ses légats et de ses procurateurs. Il se donne aux

Romains et, bientôt, plus personne ne l'ignore à Jérusalem. Les Pharisiens partagent son analyse, mais le poursuivent cependant d'une haine tenace. Ils ne lui pardonnent pas ses origines et vont jusqu'à l'accuser de n'être qu'un esclave qui s'est prostitué, quand il était jeune, dans le temple d'Astarté.

Autoritaire, courageuse, intrigante, sans aucune des faiblesses de son sexe, Alexandra règne sept ans, appuyée sur les Pharisiens et le Sanhédrin qui lui sont acquis. Son fils aîné, Hyrcan II, nommé grand prêtre, ne dispose d'aucun pouvoir. Quand la reine meurt, Hyrcan II, déjà pontife, s'installe tout naturellement sur le trône, les deux fonctions étant liées. Aristobule, son frère cadet, qui connaît ses faiblesses, sa peur du danger, sa ladrerie, lui déclare aussitôt la guerre et, rejoint par les partisans de son père, Alexandre Jannée, Sadducéens et mercenaires, il bat les troupes royales à Jéricho. A moins qu'elles ne se soient débandées ? Avait-on oublié de les payer ? Hyrcan accepte de se démettre en faveur de son frère de toutes ses charges : roi, grand sacrificateur éternel, pourvu qu'on lui laisse ses biens et qu'il puisse vivre en paix à l'abri du Temple.

C'est alors qu'intervient Antipater II. De l'Idumée conquise, il a fait un royaume indépendant, contractant alliance avec les Arabes, les Gazéens, les Ascalonites.

On est surpris qu'un homme aussi avisé qu'Antipater s'attache à la fortune d'Hyrcan, un vaincu, sans caractère, sans courage, auquel on ne prête aucun avenir.

Sur cette période obscure de l'histoire de la Palestine et sur le jeu que mène Rome, nous n'avons que peu de renseignements sinon par Flavius Josèphe, trop lié aux Romains pour ne pas être suspect, et parfois si confus qu'il est difficile de s'y retrouver. Les Romains auraient-ils souhaité se débarrasser d'Aristobule, un roi turbulent qui risquait de compromettre leurs plans ? Auraient-ils prié leur client et ami, Antipater, de régler ce problème au mieux de leurs intérêts en remettant en selle Hyrcan ?

Antipater II le reprend en main, joue de sa peur, le persuade, s'il ne veut pas être exécuté, de rompre les accords passés avec son frère. Mieux, il lui procure un allié en la personne du roi nabatéen Arétas III.

Arétas intervient avec cinquante mille fantassins et cavaliers, met en déroute les troupes d'Aristobule qui s'enfuit à Jérusalem où les Nabatéens viennent l'assiéger. Le questeur Scaurus, envoyé de Pompée, intervient pour calmer le jeu et se remplir les poches. Il prend position en faveur d'Aristobule qui contrôle le trésor du Temple et, en échange de quatre cents talents, il oblige Arétas à lever le siège.

En ce printemps de l'année 63, Pompée, vainqueur de Mithridate, tient à Damas ses assises. Les deux prétendants au trône de Jérusalem, Hyrcan II et Aristobule II, décident de lui soumettre leur différend.

« Dans cette ville, l'arbitre romain, nous dit F.M. Abel, se trouva en face de trois demandes opposées de la part des juifs. Hyrcan revendiquait le pouvoir en vertu du droit d'aînesse, Aristobule à cause de l'incapacité de son frère ; la délégation du peuple, influencée par les Pharisiens, ne voulait ni l'un ni l'autre, réclamant l'abolition de cette royauté contraire à leurs traditions qui leur faisaient un devoir d'obéir au sacerdoce du Dieu qu'ils adoraient. »

Pompée ne peut que se réjouir d'une situation qui lui promet de fructueux profits.

Il vient de purger la Méditerranée de ses pirates ; enfant chéri du Sénat, adulé du peuple, il est au sommet de sa gloire. Aristobule, pour le séduire, lui envoie une vigne d'or de cinq cents talents, fruit des pillages de son père à qui il souhaite tant ressembler. Elle ornait le Temple et sera exposée à Rome où Strabon l'admirera dans le sanctuaire de Jupiter Capitolin. Hyrcan II, qui répugne à la dépense, se borne à lui déléguer Antipater accompagné d'un groupe de juifs astucieusement choisis, en majorité des Pharisiens qui se plaignent des brigandages d'Aristobule et de ses prétentions à la royauté.

Pompée cherche Yahvé dans un temple vide

Aristobule accourt pour se défendre, mais il se montre si arrogant face au grand *imperator* qu'Antipater n'a aucun mal à démontrer combien les Romains risquent d'ennuis avec un tel énergumène. Il contrôle déjà si mal son peuple qu'il n'a pu tenir sa promesse d'accueillir Pompée dans sa capitale. Il est mis aux fers et Pompée marche sur Jérusalem.

Etrange siège s'il en fut et que l'on imagine mal dans toute autre ville du monde. Les partisans d'Hyrcan II et d'Antipater ouvrent les portes de la Ville basse aux légions qui s'y engouffrent. Mais les fidèles d'Aristobule, furieux de voir leur roi prisonnier, résistent avec acharnement dans le Temple, après avoir détruit le pont qui, par-dessus le Tyropéon, le reliait au reste de la ville.

Du haut des murailles, les assiégés lancent des pierres et des flèches sur les légionnaires qui ont le plus grand mal à progresser jusqu'à ce qu'ils s'aperçoivent que, pendant le Sabbat, respectant scrupuleusement la Loi mosaïque, les juifs s'abstiennent de toute attaque. En trois sabbats et pratiquement sans perte, les Romains peuvent combler les fossés, avancer leurs machines et battre les murailles.

Ce fut encore le jour du Sabbat qu'ils donnèrent l'assaut. Les juifs, qui s'étaient si bien battus les autres jours, se laissèrent égorger. Douze mille périrent, une partie de la main de leurs propres compatriotes qui n'avaient pas une conception aussi étroite de la Loi.

« Plusieurs des sacrificateurs qui étaient occupés

aux fonctions saintes de leur ministère virent, sans s'étonner, les assaillants venir l'épée à la main et, préférant le culte de Dieu à la vie, se laissèrent tuer en continuant à lui offrir de l'encens et les adorations qui lui étaient dues » (Flavius Josèphe).

Pompée veut connaître ce dieu qui, selon le jour, paralyse ou enflamme ses défenseurs. Entouré de ses officiers, casqué, en grand manteau pourpre, l'épée à la main, il pénètre dans le sanctuaire, souhaitant ainsi honorer cette divinité inconnue et se concilier ceux qui l'adorent. Le résultat obtenu sera à l'opposé de ses vœux. Aux yeux des juifs, il vient de commettre le plus grand des sacrilèges et jamais ils ne l'oublieront.

Pompée trouve des chandeliers, des coupes d'or, une grande quantité de parfums et, dans le trésor, deux mille talents. Il entre enfin dans le Saint des Saints, le *Débir*, où seul le grand prêtre a le droit d'officier une fois l'an. Rien qu'une petite pièce obscure et vide, à l'exception d'une simple pierre sur laquelle a séché le sang du dernier sacrifice, mais non une mâchoire d'âne comme on le prétendit plus tard.

Les juifs espéraient un miracle qui chasserait l'Impie, l'obligerait au moins à ployer les genoux. Il ne se passe rien et une moue désabusée apparaît sur le visage de Pompée. Pas la moindre statue de divinité, aucun emblème. L'Arche est partie en fumée quand Nabuchodonosor a pris la ville et Zeus, qui avait habité le Temple au temps d'Antiochos IV, en a été chassé par les Maccabées qui ont détruit sa statue.

Le vide absolu. Pour Pompée qui, en bon Romain, ne porte aux dieux qu'un intérêt distrait, les juifs ne sauraient être que des égarés, appartenant à un autre univers où les gens de bon sens n'ont pas à se risquer. Il s'en tient là.

« La piété de Pompée, nous affirme Flavius Josèphe cherchant à l'excuser, l'empêcha de toucher au trésor du Temple ; il ne fit rien en cette occasion qui ne fût digne de sa vertu... Le lendemain, il commanda aux officiers du Temple de le purifier pour offrir des sacrifices et donna à Hyrcan la charge de grand prêtre à cause de l'assistance qu'il en avait reçue, lui laissant l'autorité sur la seule Galilée, l'Idumée et la Judée. »

A ses côtés, comme garant de Rome, Pompée installe Antipater à qui il devait de s'être emparé de Jérusalem sans trop de pertes. Il refuse cependant à Hyrcan II la couronne de roi, soucieux de ne pas mécontenter les Pharisiens qui s'en tiennent à leur république. Jérusalem devient une simple ville tributaire ; les remparts, une fois de plus, sont abattus.

Nombre de têtes sautent parmi les partisans d'Aristobule et des convois de captifs prennent le chemin de l'Italie pour y être vendus. Aristobule et sa famille sont déportés à Rome où ils jouissent, comme tous les prisonniers de qualité, d'une certaine liberté. On ne détestait pas, au Sénat, de tenir plusieurs fers au feu.

L'intervention romaine n'a fait que précipiter le cours des événements en mettant à la tête de la Judée le plus faible des Asmonéens, Hyrcan II, et en écartant Aristobule susceptible de résister à l'annexion qui se préparait. Antipater et son clan règnent désormais, abandonnant l'apparence du pouvoir au faible pontife qui tremble sans cesse pour sa vie et son argent. Sa seule garantie dans Jérusalem, ville ouverte, dont le Temple souillé n'est même plus défendu : la petite armée de mercenaires et le réseau d'espions qu'entretient l'Iduméen.

César, Pompée et Crassus constituent le premier triumvirat. César obtient les Gaules, Pompée l'Espagne et Crassus la Syrie. Il sera entendu que chacun pourra se comporter à sa guise dans son fief.

Crassus s'occupe d'abord d'accroître sa fortune, ce qui le conduit à Jérusalem. Il pille le trésor du Temple, dépouille le sanctuaire de tout l'or sur lequel il peut mettre la main, soit pour la valeur de huit mille talents, une somme considérable, l'équivalent de plusieurs milliards de nos francs.

Au printemps 54, Crassus, âgé de soixante ans, désireux de montrer sa valeur, d'égaler ses rivaux plus jeunes, avide de richesse comme de gloire, franchit l'Euphrate avec sept légions, envahit la Mésopotamie, se fait donner le titre d'*imperator* et pénètre en Syrie. Au contraire de César et de Pompée, c'est un mauvais général, et il trouve en face de lui l'armée parthe, ses redoutables cavaliers commandés par Suréna dont Plutarque nous dit qu'il était un des meilleurs stratèges de son temps.

L'impréparation des légions, le manque de commandement, l'hostilité des peuples saignés à blanc, la valeur des guerriers parthes aboutiront à la sanglante défaite de Carrhès qui coûtera à la République vingt mille morts et dix mille prisonniers. La tête de Crassus fut portée au roi Orodès qui, dans sa capitale, assistait à une représentation des Bacchantes d'Euripide, en grec car il était cultivé. Un acteur s'empara du sanglant trophée pour le présenter à l'assistance et poursuivit la pièce en l'utilisant en guise d'accessoire.

Mais les Parthes ne réussiront pas à occuper la Syrie, et les juifs, qui comptaient sur leur appui et s'étaient révoltés, seront défaits grâce à Antipater resté fidèle à Rome dans ces circonstances difficiles. Il fit preuve, en cette occasion, de sa loyauté et de ses qualités militaires. Rusés comme des renards, fidèles comme des chiens, braves comme des lions, disent les Romains des princes iduméens.

« *Tu seras roi* », prédit Menahem le devin au jeune Hérode

Hérode n'est encore qu'un enfant. Mince, brun, les yeux clairs, le corps brûlé par le soleil, endurci par les exercices physiques, excellent cavalier, il aime galoper dans le désert et c'est ainsi qu'il rencontre un certain Menahem, un anachorète, peut-être un Essénien, qui lui prédit qu'il sera roi. Le jeune Hérode refuse de le croire. Lui si peu juif, comment pourrait-il devenir le roi d'un peuple à ce point sourcilleux de la pureté de sa race ? L'inconnu le frappe alors à l'épaule et ajoute :

« Oui, tu seras roi comme je te le dis. Tu seras même un grand roi et, parce que Dieu t'en juge digne, tu auras un règne heureux. Souviens-toi alors de Menahem et comment il t'a frappé. Mais rappelle-toi que tout bonheur est éphémère. Une telle réflexion te sera hautement profitable si tu aimes la justice et te montres clément vis-à-vis de tes sujets. Mais je sais que tu ne seras pas ainsi. Tu mèneras une existence plus heureuse que quiconque et tu auras une gloire éternelle, mais tu oublieras prière et justice. Ceci ne sera pas caché à Dieu, notre Seigneur, et il te punira à la fin de ta vie. »

De retour à Jérusalem, troublé par la prédiction, Hérode jette sur la ville un regard nouveau. Elle n'a cessé de se dégrader, en proie aux factions ennemies qui se déchirent. Pour l'instant, elle n'est à personne, même pas aux partisans d'Aristobule qui tiennent seulement le Temple. Il rêve, sur ses ruines, de construire une cité nouvelle : elle empruntera à Rome et à la Grèce l'ordre et la beauté et, comme au temps de Salomon, elle deviendra l'une des grandes capitales du commerce oriental. Il y fera régner la paix, car il n'est pas de bon commerce si on s'étripe dans les rues, si les incendies ravagent les palais récemment construits, les entrepôts que l'on vient de remplir. Il voudrait se faire aimer de ce peuple versatile, déconcertant. Ni son père ni son frère aîné, Phazael, malgré leurs efforts, ne semblent y être arrivés. Il leur manque d'être juifs.

Hérode est persuadé, tant il se sait habile, qu'il pourra surmonter ce handicap, être admis d'eux en flattant leur vanité, en faisant de Jérusalem, la Sainte, une des plus glorieuses cités de son temps. Il permettra à ses habitants de s'enrichir grâce à la paix romaine : ils cesseront de faire figure de parents pauvres, de mendiants vivant des oboles de la diaspora et, le temps aidant, se montreront plus tolérants, acceptant que chacun prie le dieu de son choix sans devenir un impur, un objet d'exécration. Il oublie que d'autres, avant lui, ont caressé les mêmes chimères, que ce soit Salomon, les grands rois de Samarie, les souverains séleucides. Son conseiller et maître, Nicolas de Damas, l'égare en parlant raison quand il s'agit de Dieu. Et Yahvé est particulièrement incommode.

Les dieux choisirent César contre Pompée le sacrilège

César et Pompée se retrouvent face à face. Aux dieux de décider. A Pharsale, les dieux choisirent César. Les juifs virent dans la défaite de Pompée la punition de son sacrilège, les historiens de sa naïveté.

Pontife et dictateur, César est maître de l'Empire. Mais nombreux sont encore les partisans de Pompée en Syrie-Palestine. Antipater et Hyrcan passent pour l'être. César libère Aristobule que Pompée avait exilé et l'envoie à la tête de deux légions reprendre Jérusalem. Pour avoir fait le mauvais choix, Hyrcan et Antipater se sentent personnellement menacés. Antipater fait empoisonner Aristobule et, accompagné d'Hyrcan, vient offrir ses services à César qui en a grand besoin.

Comme plus tard Hérode, Antipater plaide sa cause en termes qui ne peuvent que plaire au Romain. Il se vante à juste titre d'avoir toujours été fidèle à Rome sans chercher à s'immiscer dans ses querelles intestines. Il parle sans bassesse, car il est de la race des soldats et il l'a montré sur les champs de bataille. Par sa connaissance du pays, des peuples qui l'habitent, il peut se révéler d'un grand secours. Il sait comment se nouent et se dénouent les intrigues dans cet Orient compliqué qui ressemble à la tapisserie de Pénélope où chacun, la nuit, vient détruire ce que l'autre a tissé.

César est séduit, d'autant qu'il se trouve en Egypte dans une fâcheuse position, ne disposant que de quelques milliers de fantassins et d'une poignée de cavaliers. Il s'est épris de son double, Cléopâtre, qui a le mérite à ses yeux d'être une Lagide, descendante d'un des lieutenants d'Alexandre, le demi-dieu macédonien qu'il a rêvé d'égaler. Intelligente, cultivée, ambitieuse, elle est d'une grande beauté. César la rétablit sur son trône, se mettant à dos la population alexandrine. Sa flotte est incendiée et il se trouve assiégé dans le palais de la reine, privé de secours. Il aurait été perdu si Antipater ne lui avait amené trois mille volontaires juifs, sa garde mercenaire, ainsi qu'un certain nombre de cavaliers arabes de sa clientèle.

Pour rejoindre César, Antipater a dû livrer bataille dans le delta, au lieu appelé depuis « Camp des juifs », où il défait les Egyptiens. Il s'est fait accompagner d'Hyrcan qui, s'il n'est pas d'une grande utilité au combat, sait user de son prestige de grand prêtre auprès des riches colonies juives pour obtenir des armes, du ravitaillement, de l'argent. Antipater commande l'assaut contre Péluse qu'il emporte.

« César, dit Josèphe, le prit dès lors en si grande

estime qu'outre les louanges qu'il lui donna, il l'employa dans toutes les occasions les plus périlleuses de cette guerre. Il n'y témoigna pas moins de valeur et de courage et y reçut même des blessures. »

En mars – 47, la guerre est terminée. César manifeste sa reconnaissance aux juifs en confirmant Hyrcan dans sa fonction de grand prêtre à vie pour lui et ses descendants, le nommant ethnarque, c'est-à-dire chef de la nation et protecteur de la diaspora. Enfin, il l'autorise à relever les murailles de la cité. Antipater se voit conférer la citoyenneté romaine qui vaut tous les titres ; il devient procurateur de Judée avec pleins pouvoirs sur l'administration de la province et sur ses finances.

Profitant de la paresse et de l'incapacité d'Hyrcan, Antipater jette les bases de sa dynastie. Il a quatre fils : Phazael, Hérode, Joseph, Phéroas, et une fille, Salomé. Il nomme gouverneur de Jérusalem l'aîné, Phazael, réputé pour son courage tranquille, sa détermination, son sang-froid et une certaine habileté à se faire tolérer de ses difficiles sujets. A son second fils, Hérode, dont il redoute le tempérament violent, il donne la Galilée. « Quoiqu'il n'eût encore que quinze ans, il avait tant d'esprit et tant de cœur qu'il fit bientôt voir que sa vertu dépassait son âge » (Flavius Josèphe).

Hérode avait au moins vingt ans. Mais Flavius Josèphe a toujours manifesté dans ses écrits, *Les Antiquités* et *La Guerre des juifs,* une conception particulière des dates et des chiffres. Hérode trouve la Galilée en proie à de graves désordres. Un certain Ezéchias, moitié bandit, moitié patriote, se présentant comme l'héritier des Maccabées, terrorise le pays avec ses bandes. Hérode le traque, l'accule dans les grottes et l'exécute ainsi que ses compagnons. Il ne se fait aucune illusion : si, comme la Loi juive l'exige, Ezéchias est jugé par le Sanhédrin, il sera acquitté. Le Sanhédrin, composé de Pharisiens et de partisans d'Aristobule, hait les Iduméens en qui il voit uniquement des agents de Rome.

Hérode devant le Sanhédrin

Cousin et ami de César nommé à la tête des légions, Sextus félicite le jeune Hérode, mais Jérusalem s'émeut de cette grave transgression de la Loi qui interdit que tout juif soit exécuté sans être jugé par les siens. Sur le parvis du Temple, en grand deuil, les mères, les veuves des victimes viennent réclamer justice, se lacérant le visage, s'arrachant les cheveux et les vêtements. Le piège est si bien monté que l'opération de police approuvée par Sextus se retourne contre Hérode. Le faible Hyrcan, en l'absence d'Antipater et redoutant un soulèvement populaire, convoque le jeune gouverneur de Galilée pour y être jugé devant le Sanhédrin ou Grand conseil, qui siège à Jérusalem dans « la salle aux pierres polies » installée dans l'enceinte même du Temple. Dans son sein, il compte une majorité de Pharisiens et, si Hyrcan le préside en tant que grand prêtre, il n'a que peu d'autorité. Le Sanhédrin a droit de vie et de mort pour tous les crimes relevant de la religion et ses membres comptent bien en user contre Hérode, cet Infidèle, cette graine de roi. Plus tard, au temps de Jésus, le Sanhédrin sera dessaisi de ce droit au profit du procurateur romain, seul à posséder le *jus gladii*, le droit du glaive.

De ce complot monté contre lui et son clan, Hérode se tirera avec ce mélange de subtilité et d'audace dont il usera toute sa vie. Il accepte de comparaître, mais il vient en armure, l'épée au côté, entouré de sa garde personnelle, ce qui rend les juges muets de terreur. Seul un certain Samoës osera protester. Hérode, qui apprécie le courage, devenu roi, fera exécuter tous les juges, à l'exception de Samoës qui deviendra l'un de ses conseillers.

Pour éviter une émeute et sur les conseils d'Hyrcan qui ne sait comment se tirer de ce mauvais pas, Hérode, la rage au cœur, accepte de quitter la ville. Mais, à peine franchis les remparts, il veut marcher sur Jérusalem. Il faut toute l'insistance de son père et de son frère, Phazael, pour l'en dissuader. Cet épisode de son existence mouvementée révèle un des traits de son caractère : ses terribles colères qui lui font perdre la raison et le conduisent aux pires erreurs, comme le meurtre de son épouse Mariamne, la princesse bien-aimée, et de ses fils.

Il tire pourtant la leçon de cet incident qui lui aurait coûté la vie sans l'appui de Sextus et la menace que ses légions faisaient peser sur Jérusalem. Il sait qu'il ne pourra jamais compter sur l'aide des juifs, même dans les projets qui leur sont favorables, mais seulement sur les Romains, à condition de les servir fidèlement. Désormais, il sera le champion de Rome et servira fidèlement celui que le destin et ses légions auront porté au pouvoir.

Dépité, peut-être relevé de son commandement en Galilée par son père, il part pour Damas rejoindre Sextus à qui il achète les gouvernements de Basse-Syrie et de Samarie. Il n'est plus qu'un fonctionnaire romain qui vit à la romaine et porte la toge.

Les funestes Ides de mars

Alors qu'il prépare une expédition contre les Daces et les Parthes, aux Ides de mars, César est assassiné. Les juifs, écrit Suétone, furent ceux qui le pleurèrent le plus. Ne leur avait-il pas accordé, par sénatus-consulte, le droit de pratiquer librement leur religion, non seulement en Judée, mais sur tout le pourtour de la Méditerranée où la diaspora avait installé de puissantes colonies ? Il avait resserré leurs liens avec Jérusalem, grande bénéficiaire de ces mesures, en autorisant le prélèvement d'une taxe pour l'entretien du Temple. Grâce à lui enfin, ils ne dépendaient plus que de la seule juridiction sacerdotale, dispensés du service militaire alors qu'ils étaient reconnus comme d'excellents combattants. Pas facile, il est vrai, de s'accommoder de soldats qui, le jour du Sabbat, refusent de se battre et exigent une nourriture spéciale.

C'est à Antipater, à son habileté et à sa connaissance du monde romain que les juifs doivent ces privilèges. Ils ne lui en témoignent aucune reconnaissance, car il n'est pas juif.

Les meurtriers de César, Brutus, Cassius et leurs partisans, sont chassés de Rome. Cassius gagne la Syrie, s'en empare et rallie les légions. Il a de gros besoins et impose la Judée de sept cents talents. Antipater charge ses fils de lever cet impôt, impopulaire comme tous les impôts, et qui doit, en outre, aider les assassins de César aimé des juifs. Encore mal instruit des aléas de la politique romaine, ne voyant en Cassius que l'homme mandaté par le Sénat même si le Sénat n'est plus à Rome, Hérode fait du zèle et gagne si bien son amitié que Cassius envisage de l'établir comme gouverneur de la Syrie.

Antipater, qui lui aurait prodigué de sages conseils de prudence, vient hélas ! d'être empoisonné au cours d'un banquet par un certain Malichos dont on ne sait pas grand-chose. Il a cru son heure venue quand Cassius a quitté précipitamment la Syrie avec ses légions pour rejoindre Brutus, abandonnant la province à l'anarchie. Hérode fera assassiner Malichos qui avait réussi à capter la confiance du faible Hyrcan et se disposait à soulever la Syrie-Palestine.

On s'affronte dans Jérusalem. Hérode et Phazael sont assiégés dans le palais royal par Aristobule, accouru de Rome, et qu'ont rejoint ses partisans. Les deux frères reprennent le Grand marché et contraignent les Asmonéens à se réfugier dans le Temple et les maisons qui l'entourent. Attaques et contre-attaques se succèdent tandis que la ville brûle. Les princes iduméens se croient maîtres de la situation quand, pour la fête de Succoth, une des trois grandes fêtes juives, une foule de fidèles armés vient soutenir Aristobule. La victoire change de camp.

Après maintes aventures, Hérode, contraint de s'enfuir chez ses alliés nabatéens, reviendra en vainqueur à Jérusalem où il se fiancera avec la très belle Mariamne, une princesse asmonéenne. A l'origine, un mariage de raison. Alexandra, mère de Mariamne et fille d'Hyrcan II, espère, grâce à cette union, rétablir un prince de son sang sur le trône de Jérusalem. De son côté, Hérode souhaite se faire accepter de son peuple. L'hostilité des juifs lui est insupportable et il désire sincèrement en être aimé. Un rêve impossible : deux conceptions du monde, l'une plus laïque que païenne, l'autre plus religieuse que politique, s'affrontent comme au temps des Séleucides. Les juifs vivent dans l'obsession de la Loi, refusant tout compromis. Hérode n'existe que par le compromis ; séduit par la Grèce, il est marqué par Rome. Jeune Bédouin brutal et inculte, il a acquis l'amour de la beauté classique, des nobles constructions : magnifique athlète, il a le culte du corps et des jeux du cirque. Sa violence le pousse aux excès dans sa vie personnelle ; en politique, sa raison lui dicte une attitude prudente vis-à-vis de Rome pour laquelle il éprouve la plus vive, la plus sincère admiration. Il veut s'instruire, mais n'en a guère le temps. Il a une connaissance cynique des êtres et de leurs convoitises, il sait en jouer et s'en défendre. Un grand roi, si son peuple ne lui avait été à ce point étranger.

En – 42, après leur défaite à Philippes, en Macédoine, Brutus et Cassius se donnent la mort. Leur vainqueur, Marc Antoine, s'installe à Damas comme Pompée avant lui. Hérode vient en personne plaider sa cause auprès du jeune triumvir. Comme avec César, il sait employer les mots qui touchent : fidélité de son clan à la Rome éternelle, assortie, il est vrai, d'un tribut important en argent. Antoine nomme Hérode et Phazael tétrarques et, sans plus se soucier du danger parthe qui menace, part rejoindre Cléopâtre en Egypte.

Antigone l'Asmonéen roi de Judée par la grâce des Parthes

Au printemps de l'an – 40, les Parthes envahissent la Palestine et trouvent un allié non plus en Aristobule, mais en son fils, Antigone, qui promet au roi et à ses généraux, s'ils l'aident à remonter sur le trône de ses ancêtres, mille talents et cinq cents jeunes filles choisies parmi les plus belles et les plus nobles de Jérusalem.

Hérode et Phazael sont chassés du Temple, puis de la citadelle, par les partisans d'Antigone et leurs alliés parthes. Ils ne tiennent plus que le palais. Le général parthe Barzophanès propose alors d'arbitrer le conflit entre les deux camps. Hyrcan, grand prêtre et officiellement ethnarque, accompagné de Phazael, gouverneur de Jérusalem, se rendent à son invitation. Ils se retrouvent chargés de chaînes pour être livrés à Antigone. Hérode, qui a hérité de la méfiance de son père, flairant le piège, s'est récusé. Fort sagement, il a fait passer toute sa fortune en Idumée. Il doit s'enfuir avec les siens, assailli par les juifs et les Parthes forçant le passage le glaive à la main.

Antigone devient roi de Judée. A Hyrcan, il tranche les oreilles pour lui interdire désormais la Sacrificature. Mais Phazael lui échappe en se donnant la mort. Bien qu'enchaîné, il s'est brisé la tête contre un rocher, refusant de servir d'otage et de desservir les

siens. Hérode lui témoignera une véritable vénération pour s'être comporté, comme il eût fait lui-
même, en Romain. Il donnera son nom à l'un des
plus illustres monuments de la Jérusalem héro-
dienne.

Quant au roi des Parthes, il attendit en vain les
mille talents et les cinq cents jeunes filles. Hérode
avait raflé l'argent et entraîné dans sa fuite tout ce
que Jérusalem comptait comme femmes de qualité.
Furieux, les Parthes se paient sur le pays. Jérusalem
leur est livrée, à l'exception du Temple dont ils n'ont
rien à tirer puisque le trésor est vide. Ils ravagent la
Judée, pillent, incendient et violent à l'envi.

Hérode roi par la grâce de Rome

Hérode gagne Pétra et, de là, Alexandrie. Il refuse
l'aide de Cléopâtre dont, avec raison, il se défie et,
après une pénible traversée, arrive à Rome. Devant
le Sénat, entouré d'Antoine et d'Octave, il plaide
habilement sa cause qui se confond, affirme-t-il,
avec celle de la République : à Jérusalem, les Parthes
ont nommé roi Antigone, un ennemi du peuple
romain. C'est un défi. Antoine fait valoir combien il
serait avantageux, face au « roi des Parthes », d'avoir
un roi de Judée qui soit l'ami de Rome.

Le Sénat proclame Hérode roi. Il a trente-quatre
ans. Antoine et Octave, accompagnés des consuls, le
conduisent au Capitole où ils célèbrent un sacrifice à
Jupiter et placent dans un dépôt sacré l'arrêt du
Sénat. Antoine offre ensuite un somptueux festin en
l'honneur du nouveau souverain de Jérusalem.

Quel étrange roi est donné aux juifs ! D'une judaïté
contestée, il se retrouve à la tête du peuple le plus
pieux du monde, qui voit dans le paganisme la désolation de la désolation, et c'est à Zeus qu'il témoigne

sa reconnaissance par le sacrifice d'un porc, animal maudit ! Malgré ses qualités d'homme, Hérode ne parviendra jamais à surmonter ce lourd handicap.

Hérode débarque à Ptolémaïs (aujourd'hui Saint-Jean d'Acre) avec de maigres troupes, les légats d'Antoine qui devaient lui prêter main-forte s'étant laissé acheter par Antigone. Excédés par les pillages des Parthes contre lesquels leur roi otage ne peut les défendre, de nombreux juifs viennent se joindre à lui sans l'aimer pour autant. Malgré ces ralliements, les ennemis d'Hérode l'emportent par le nombre. Etranger, à la solde de Rome, il ne mérite pas plus de respect qu'un mercenaire, malgré ce titre de roi qu'on lui a jeté comme un os à ronger.

Hérode se résigne à faire appel à Antoine. Il reçoit le commandement de deux légions et l'autorisation de lever des troupes au Liban. Sur la route de Naplouse à Jérusalem, il écrase les partisans d'Antigone et, en février – 37, il est sous les murs de Jérusalem. Le gros de l'armée romaine le rejoint sous les ordres de Socius : onze légions, six mille cavaliers, des machines de guerre et de nombreux auxiliaires.

Il faut cinq mois pour prendre la ville. Entre-temps, Hérode s'est rendu en Samarie pour épouser Mariamne, persuadé que cette union lui conférera vis-à-vis des juifs une légitimité comparable à celle qu'il a obtenue des Romains. Encore faut-il prendre Jérusalem où s'est enfermé Antigone avec ses partisans. Persuadés que Dieu les délivrera du péril, des juifs sont accourus de toute la province pour se jeter dans la place qu'ils défendent avec un extrême courage.

Après quarante jours, légionnaires et mercenaires d'Hérode s'emparent du premier mur. Les abords du Temple et la Ville basse tombent à leur tour. Dans le Temple, cependant, les sacrifices continuent, car Hérode, pour se concilier son peuple, a laissé entrer les bêtes nécessaires au culte. On ne lui en saura aucun gré.

Irrités d'une telle résistance, les Romains veulent en finir, si bien que le siège menace de se terminer en massacre général. Si on laissait agir à leur guise les soldats romains à Jérusalem, à leurs yeux ville symbole de toutes les traîtrises, ils n'en laisseraient pas pierre sur pierre.

Hérode eut le plus grand mal à empêcher les légionnaires de pénétrer dans le sanctuaire. Comme il reprochait au légat de ne lui laisser qu'un champ de ruines, Socius fit la sourde oreille jusqu'à ce qu'Hérode lui promette une forte récompense pour que les légionnaires mettent un terme au pillage. Obligé de racheter sa capitale quelques mois après son sacre !

Antigone vint se jeter aux pieds de Socius. Il fit preuve d'une telle veulerie qu'on le baptisa Antigona. Il fut envoyé, enchaîné, à Antoine. Inquiet, Hérode qui connaissait la légèreté et les besoins d'argent du triumvir, se décida à payer encore une fois pour qu'au cours du voyage qui le conduisait à Rome, le dernier héritier des rois asmonéens eût la tête tranchée.

Un crime nécessaire ?

Hérode règne enfin, mais sur Jérusalem désertée, sur des villes en ruine, sur un pays qui se refusait à lui, étroitement contrôlé par Antoine, lui-même enchaîné aux charmes de Cléopâtre qui rêve de s'en emparer.

Le vieil Hyrcan, mutilé, est incapable désormais, selon la Loi juive, d'exercer la grande prêtrise ; il faut lui trouver un successeur. Alexandra, mère de Mariamne, qui poursuit de tortueux desseins, pousse en avant son jeune fils, Aristobule. Il a seize ans, il est d'une grande beauté. Peu de temps auparavant, prête à vendre son fils et sa fille pour assouvir ses ambitions, elle n'avait pas hésité, en maquerelle de haute volée, à envoyer à Antoine et Cléopâtre les images peintes des deux adolescents, espérant qu'ils se les attacheraient.

De son côté, Hérode, aveuglé par l'amour passionné qu'il porte à sa hautaine et glaciale épouse — elle lui donnera cependant deux fils — et désireux de se concilier sa redoutable belle-mère, nomme Grand Pontife le jeune Aristobule. Une nomination dangereuse, les Asmonéens étant toujours grands prêtres avant de devenir rois. Elle a cependant l'avantage d'interdire au jeune prince de quitter Jérusalem, de se rendre à la cour d'Antoine et de tomber sous l'influence de Cléopâtre qui n'aurait eu de cesse de l'utiliser pour détrôner Hérode.

A la fête des Tabernacles, devant ce grand prêtre si jeune, si beau, de la race de ses rois, et qui apparaît vêtu des somptueux ornements sacerdotaux, la foule des fidèles ne contient plus son enthousiasme. Hérode comprend son imprudence et découvre les desseins secrets d'Alexandra. Il fait noyer Aristobule dans la piscine de son palais de Jéricho au cours d'une bacchanale des plus suspectes entre jeunes gens. Déguisé en accident, le crime ne trompe personne.

Hérode verse beaucoup de larmes, il fait à Aristobule de somptueuses funérailles. Alertée par Alexandra, furieuse d'avoir été jouée car elle fondait de grands espoirs sur le jeune Asmonéen, Cléopâtre exige d'Antoine qu'il réclame des comptes à ce petit souverain de Judée par la seule grâce de Rome et que ses sujets rejettent déjà à cause de ses crimes.

Mais Antoine n'a aucune envie de se mettre Hérode à dos. Il le convoque, cependant, à Laodicée. Connaissant sa cupidité et ses besoins d'argent, Hérode s'est muni de splendides cadeaux, allant jusqu'à dépouiller sa résidence de ses ornements précieux. Il est acquitté au bénéfice... de l'or.

Prudent, il a donné pendant son absence mission à son beau-frère, Joseph, époux de sa sœur Salomé, de mettre à mort Mariamne au cas où il lui arriverait malheur. Il ne supporterait pas, prétend-il, de l'imaginer, lui mort, dans les bras d'un autre. Quant à sa belle-mère, elle devra être jetée en prison. Sages mesures destinées à éviter que les partisans des Asmonéens, profitant de ses ennuis, s'emparent du trône. Séduit par les deux femmes dont il a la garde, Joseph leur révèle les projets secrets d'Hérode. Mariamne ne veut pas croire qu'il pousse l'amour et la jalousie à de telles extrémités. Elle pense qu'il agit plutôt en rusé politique, soucieux de mettre son clan à l'abri. Dès lors, elle le prend en horreur, ce qui ne fait qu'accroître encore la passion de son époux. Quant à Joseph, il est étranglé. Salomé s'en console ; elle n'en est plus à pleurer la mort d'un mari ou d'un amant.

Hérode et Cléopâtre, deux fauves aux prises

Oubliant Rome, à la fureur du Sénat, Marc Antoine fait d'Alexandrie sa capitale, négligeant sa patrie, ses lois et son épouse romaine, Octavie, sœur d'Octave. Pour qu'on se souvienne de sa valeur militaire, il va chercher en Arménie une victoire facile. Cléopâtre, qui l'a accompagné jusqu'à l'Euphrate, décide de visiter la Judée et Jérusalem, qui avait fait partie du domaine de ses ancêtres. Hérode l'accueille somptueusement, sachant pourtant qu'elle est venue pour le perdre.

Elle emploie tous les artifices pour le séduire. La reine passe, à l'époque, pour la plus belle, la plus impudique, la plus habile des courtisanes. Hérode aime les femmes : sa fougue avait même troublé la hautaine Mariamne. Mais il sait, s'il succombe aux charmes de la reine, qu'Antoine en sera informé et qu'il ne manquera pas de le faire tuer.

Il résiste donc aux avances de Cléopâtre, envisage un moment de l'empoisonner pour s'en débarrasser et en débarrasser l'Empire romain. Il finit par la reconduire en Egypte, comblée de cadeaux. Elle a, quand même, raflé au passage les riches oasis de Jéricho. Couple étonnant de prédateurs que l'Arabe et la Grecque ! La tête froide dans le plaisir, jouant du poison, du poignard, de la trahison, de l'or, tous deux beaux et cruels, ayant le sens de la grandeur, contraints de se soumettre à Rome, mais habiles à utiliser ses faiblesses pour en tirer avantage.

Antoine et Octave en sont venus aux mains. En loyal vassal, Hérode se dispose à rejoindre l'armée d'Antoine, mais la haine de Cléopâtre l'en dispense. Pour l'empêcher de participer à ce qu'elle espère être une victoire, elle l'envoie combattre un roitelet nabatéen qui a refusé de lui payer tribut. Antoine est vaincu à Actium, Cléopâtre se donne la mort et Hérode, qui s'est aussitôt déclaré pour le vainqueur, vient lui rendre hommage à Rhodes.

Hérode se présente à Octave dépouillé de ses attributs royaux, en simple citoyen romain, faisant valoir sa fidélité, par-delà les hommes, à la Rome éternelle. Séduit par tant de grandeur et de franchise, Octave le confirme, par un sénatus-consulte, dans sa royauté et ses privilèges. On le donnait pour perdu, Hérode revient à Jérusalem triomphant. La magnanimité d'Octave lui a quand même coûté neuf cents talents.

Hérode récupère au passage les terres que Cléopâtre s'était attribuées dans la vallée du Jourdain. Il s'adjoint les services de Nicolas de Damas, ancien précepteur des enfants de la reine d'Egypte. Nicolas l'initiera à la rhétorique, à la philosophie, à l'histoire, à la littérature grecque. Hérode, alors âgé de trente-six ans, habitué à se battre depuis quinze ans, se met humblement à l'étude. Mais il se montre moins doué en ce domaine que pour la guerre ou la politique. Il ne saura jamais bien le grec.

Nicolas de Damas deviendra son conseiller, son ambassadeur ; il écrira une vie d'Hérode qui ne nous est pas parvenue, mais où Flavius Josèphe puisa la plus grande partie des renseignements ayant trait à Hérode et à sa famille.

Se défiant des Asmonéens, Hérode, avant de rencontrer Octave, a fait étrangler le vieil Hyrcan II. Dernier descendant mâle de la lignée, père d'Alexandra, grand-père de Mariamne, il avait été à l'origine de la fortune d'Antipater II et de ses fils. Mais il était faible, lâche, intéressé, écoutant le dernier qui avait parlé surtout s'il lui proposait de l'argent. En son absence, Hérode avait enfermé Mariamne et Alexandra dans la forteresse d'Alexandrion, sous bonne garde, tant il redoutait qu'elles profitent de sa disgrâce pour soulever le peuple et s'emparer du pouvoir. Prévoyant le pire, il avait mis à l'abri sa mère Cypros et sa sœur Salomé dans la forteresse de Massada, considérée comme imprenable. Son frère, Phéroas, avec une garde mercenaire, tenait solidement Jérusalem.

Ces précautions se révèlent inutiles. Hérode est de retour en Judée, assuré de la faveur de Rome et de l'amitié d'Octave. Il a enfin les mains libres pour se consacrer à son grand projet : faire de Jérusalem, qui n'est plus qu'un amas de ruines, une des grandes capitales d'Orient. Par sa splendeur, elle étonnera le monde et répandra jusqu'à Rome la renommée de son roi.

Princesses juives contre Bédouines

Les deux clans de femmes, les Asmonéennes et les Hérodiennes, se trouvent réunis, à Jérusalem, dans le même palais. Elles s'affrontent avec une violence inouïe. D'un côté Alexandra et sa fille Mariamne, aristocrates juives fières de leur race et d'appartenir au peuple élu ; de l'autre, Cypros et Salomé, mère et sœur d'Hérode, dures filles du désert, cruelles, violentes, superstitieuses, qui croient aux devins et aux jeteurs de sort, sacrifiant indifféremment aux idoles aussi bien qu'à Yahvé. Mariamne ne cache plus l'aversion qu'elle éprouve à l'égard de son époux et lui refuse son lit, là où le drame qui se prépare aurait pu être conjuré.

Aussi diabolique qu'Alexandra, mais dépourvue de scrupules, très proche de son frère, Salomé profite de ce climat de folie et de passion pour accuser Mariamne d'avoir voulu empoisonner Hérode afin de venger son frère, Aristobule, et son grand-père, Hyrcan. Alexandra qui, vraisemblablement, était à l'origine du complot, confirme pour sauver sa vie les soupçons qui pèsent sur sa fille. Mariamne refuse avec hauteur de se justifier ; son orgueil la perdra.

« Elle se laissa conduire au supplice, nous dit Flavius Josèphe, sans faire paraître la moindre crainte... Ainsi finit cette princesse si chaste et si courageuse, mais trop fière et d'un naturel trop aigre. Elle surpassait infiniment en beauté, en majesté, en bonne grâce toutes les autres jeunes femmes de son siècle, et tant de rares qualités furent la cause de son malheur, parce que, voyant son mari si passionné pour elle, elle crut n'en pouvoir rien appréhender ; elle perdit le respect qu'elle lui devait et ne craignit même pas de lui avouer le ressentiment qu'elle conservait toujours de ce qu'il avait fait mourir son père et son frère.

« ... Quelque violente que fût la passion qu'Hérode avait pour elle durant sa vie, elle augmenta encore après sa mort, car il ne l'aimait pas comme les autres maris aiment leurs femmes. Il l'aimait jusqu'à la folie... Après qu'elle ne fut plus au monde, il comprit que Dieu lui redemandait son sang ; on l'entendait à toute heure prononcer le nom de Mariamne ; il se livrait à des plaintes indignes de la majesté d'un roi et cherchait en vain dans les festins et dans les autres divertissements quelque soulagement à sa douleur. Elle le poussa jusqu'à un tel excès qu'il abandonna même le soin de son royaume et commandait aux siens d'appeler Mariamne comme si elle était vivante... Un si grand surcroît d'affliction acheva d'accabler Hérode. Il s'abandonna à son désespoir et alla se cacher dans le désert sous le prétexte d'aller à la chasse et tomba malade. »

Tandis qu'Hérode se rétablissait en Samarie, Alexandra crut son heure venue et tenta de gagner à sa cause les gouverneurs des deux forteresses de Jérusalem, l'une en Ville basse, l'autre aux abords du Temple. Qui les tenait était maître de la ville. L'un des gouverneurs, neveu d'Hérode, le prévint, et Hérode fit mettre à mort l'orgueilleuse reine qui n'avait pas hésité à sacrifier sa fille à sa propre ambition.

Octave, qui a pris le titre d'Auguste, règne désormais sans partage sur un immense Empire. La Syrie est devenue province romaine avec un légat à sa tête. Grâce à l'amitié d'Auguste, le petit royaume de Judée jouit d'une certaine indépendance. Hérode dispose de sa propre armée, de ses finances, de ses tribunaux. Seules restrictions à son pouvoir : il n'a pas le droit de frapper des monnaies d'or ou d'argent à son effigie, seulement de cuivre, et son successeur, pour régner, doit demander l'agrément de l'empereur.

« Comme Octave, Hérode était sorti de la période des cruautés nécessaires. Il passait à l'ère des œuvres brillantes qui font tout pardonner... Les meurtres odieux d'Aristobule, de Mariamne étaient la condition de ce qui va suivre... Certainement, si Hérode n'avait pas supprimé Alexandra, Alexandra l'eût supprimé. Maintenant, grâce à l'extermination des derniers Asmonéens et à l'amitié d'Auguste, il est vraiment roi. Il va passer aux œuvres qui pèsent lourdement sur les peuples, mais font ce qu'on appelle les grands souverains » (Renan, *Histoire d'Israël*).

Hérode, roi honni de son peuple

Jérusalem fourmille de complots contre ce roi imposé par un occupant honni depuis le sacrilège de Pompée. Ses habitants guettent le moment favorable pour se révolter, qu'ils appartiennent à l'aristocratie sadducéenne qui rêve toujours d'un souverain asmonéen ou, comme les Pharisiens, qu'ils soient farouches partisans d'une république théocratique. Conscient du danger, Hérode s'est doté d'une solide garde mercenaire : fantassins, cavaliers thraces, celtes, germains, iduméens et vétérans romains auxquels il a distribué des terres et qui ont pris en charge l'instruction de son armée.

Plus encore que de sa garde et de ses espions, sa position, sa vie, dépendent du bon vouloir d'Auguste et jamais il ne l'oublie. Partout, il célèbre son culte, érige des temples, des statues en son honneur, sauf à Jérusalem, l'intraitable. Mais il ruse, et y introduit les Jeux actiaques, célébrés tous les quatre ans, en mémoire de la bataille d'Actium. Les prix qu'il distribue, les concours d'athlétisme, les courses de chars, les combats de gladiateurs, les représentations théâtrales attirent à Jérusalem, en dehors des pieux pèlerins, la population hellénisée des villes voisines. Bien qu'il ne les contrôle pas, Hérode entretient avec elles les meilleures relations, leur construit monuments et temples. En retour, elles lui accordent les honneurs que lui refusent les juifs.

Il édifiera, mais hors des murailles pour minimiser la provocation, un théâtre dont on a retrouvé les traces de l'hémicycle, à huit cent cinquante mètres de la muraille actuelle, et, contre l'enceinte du Temple mais toujours hors des murs, un hippodrome ainsi qu'un amphithéâtre dans la plaine de Rephaïm.

Ces spectacles choquent si profondément les juifs pieux qu'ils décident d'assassiner Hérode sur le lieu même de ses forfaits : le théâtre qui a vu représenter des pièces en l'honneur des divinités de l'Olympe. Averti, Hérode se saisit de dix des conjurés ainsi que des prêtres qui les ont inspirés et les fait mourir sous la torture avec toute leur famille.

On raconte qu'il avait coutume de se promener dans Jérusalem vêtu comme un marchand étranger et qu'après avoir demandé son chemin, comme s'il s'était égaré, il s'enquérait de ce qu'on pensait du roi Hérode. On redoutait à ce point ses espions que tous se détournaient ou se taisaient. L'un d'eux cependant, en guise de réponse, lui cita l'*Ecclésiaste* : « Même les oiseaux du ciel rapportent les paroles des hommes. »

La treizième année de son règne, une terrible famine s'abat sur le pays, due à la sécheresse et, pour les prêtres, à la colère de Yahvé. Hérode ordonne de fondre tout ce qu'il possède de bijoux d'or et d'argent, la vaisselle et même les ornements de ses palais pour acheter du blé en Egypte et le distribuer au peuple. L'abondance revenue, on s'empresse d'oublier son geste.

Hérode règne depuis dix-huit ans. Riche, puissant, ami et allié de Rome, il gouverne un royaume qui s'étend des sources du Jourdain au sud de la Transjordanie. Il contrôle une partie de la côte méditerranéenne et la Jordanie jusqu'aux limites de la Damascène.

Il a fait construire, à Césarée, une ville et un port selon les canons de l'architecture gréco-romaine, où se combinent la puissance des fortifications et les perspectives des agoras avec leurs portiques et leurs jardins. Les palais sont de marbre blanc, les maisons des particuliers d'une belle apparence et le port peut rivaliser avec celui du Pirée ; il a fallu créer un môle servant de brise-lames en immergeant d'énormes roches jusqu'à une profondeur de vingt brasses. Le port assure le débouché commercial de tout le nord du royaume. Roi fastueux, mais aussi roi marchand comme Salomon, Hérode n'oublie jamais ses intérêts qu'il confond avec ceux de son peuple.

Dans un même dessein, il reconstruit Sébaste, repeuple la Samarie et s'attache à rendre à Jéricho et à la Galilée la fertilité qu'ils avaient connue. Pour que partout règne l'ordre hérodien et la paix romaine, il hérisse le pays de palais fortifiés dont les plus célèbres seront Massada, Machéronte et Alexandrion. N'était-il pas le gardien du *limes* dans cette partie troublée de l'Asie, ce qui justifiait ce genre de fortifications qui aurait pu inquiéter Rome ?

Palais et forteresses précédèrent le Temple

Il ne lui reste plus qu'à conquérir sinon la faveur, au moins la neutralité de son peuple, en jouant de sa piété. Il décide de rebâtir le Temple, plus grand, plus splendide que ne le fut jamais celui de Salomon ; il remplacera avantageusement l'édifice qui lui avait succédé, assez peu reluisant malgré les améliorations qui lui avaient été apportées au cours des siècles.

Mais, connaissant ses remuants sujets, il prend ses précautions. A la place de l'ancienne acropole rasée par les rois Asmonéens, il édifie la puissante forteresse Antonia, une construction quadrangulaire, ancrée à vingt-cinq mètres au-dessus d'une élévation de rocher, au nord-ouest de l'esplanade du Temple et qui la domine. Elle est revêtue d'un placage de pierre polie qui en interdit l'escalade. Longue de cent vingt mètres, large de quarante, isolée de la colline par une profonde coupure, elle comporte quatre puissantes tours dont l'une, de trente-cinq mètres, permet une vision complète de ce qui se passe dans le Temple, centre de tous les rassemblements d'où naissent les émeutes.

Moitié forteresse, moitié palais, l'Antonia, nommée ainsi en souvenir d'Antoine, peut servir de résidence royale en temps de guerre et Hérode l'habitera avant que son palais ne soit construit. Tout est prévu pour qu'une garnison soit en mesure de soutenir un long siège grâce aux magasins de vivres, aux arsenaux abritant des machines de guerre, aux immenses citernes et aux logements pour les soldats et leurs familles.

Hérode ne s'est jamais senti en sécurité à Jérusalem d'où il a été chassé à plusieurs reprises. Malgré ses efforts, bien qu'il aimât cette ville jusqu'à se ruiner pour elle, il n'en sera jamais accepté. Il connaîtra les mêmes malheurs qu'avec Mariamne, la belle princesse asmonéenne qu'il épousa pour être reconnu comme roi. Il leur portera le même amour inquiet et jaloux, mais ne récoltera que mépris et haine. Mariamne périra de sa main, Jérusalem sous les coups de ses amis romains.

En l'an – 23, avant de s'attaquer au Temple, Hérode commence par construire son propre palais-forteresse sur la colline de l'ouest, position dominante qui lui confère une valeur stratégique. Sa splendeur, nous dit-on, éclipsa, à l'époque, tous les édifices de ce genre. D'un style massif, fait pour durer, il est bâti en solides pierres de taille. De grandes salles servent aux banquets dont l'une porte le nom de Césaréion, et l'autre d'Agrippéion, en l'honneur d'Auguste et d'Agrippa, son gendre.

Ce ne sont que péristyles à colonnes encadrant des massifs de plantes rares arrosées par des eaux courantes où viennent s'abreuver des colombes. Un solide rempart de quinze mètres, flanqué de tours, le défend. Le palais se prolonge vers le nord par une forteresse à trois tours dont la plus élevée mesure quarante-sept mètres de hauteur et que l'on compare au phare d'Alexandrie. L'une porte le nom de Mariamne, la morte bien-aimée, et les appartements qu'elle abrite sont les plus somptueux ; l'autre, celui de Phazael qui se tua pour ne pas servir d'otage aux Parthes ; la troisième, celui d'Hippicos, un ami d'Hérode. Un aqueduc alimente l'ensemble en eau et, s'il venait à être coupé, des citernes profondes le relaient. Précaution supplémentaire, la forteresse colle au mur d'enceinte, permettant aux assiégés de recevoir des renforts de l'extérieur ou de s'enfuir.

Ce palais aurait été bâti sur l'emplacement actuel du poste de police et du jardin des Arméniens. De la forteresse Antonia, au nord-ouest de l'esplanade et qui jouxtait le Temple, on a pu identifier des éléments de l'une des tours. De la citadelle qui prolongeait le palais et que les Romains conserveront après la destruction de la ville pour servir de quartier général à la Xe Légion, subsistera la base de l'un des ouvrages. Reconstruit par les croisés, il deviendra la Tour de David que l'on vient de transformer en musée historique.

Ces garanties prises, Hérode met en œuvre son grand projet, l'édification du sanctuaire dédié à Yahvé. Par ce geste, il compte faire oublier ses constructions « païennes » et se concilier le peuple de Dieu. Aussi s'avance-t-il sur ce terrain brûlant, comme pour tout ce qui touche à Dieu, en prenant les plus grandes précautions.

Il commence par s'ouvrir de son projet au peuple rassemblé sur l'esplanade du vieux Temple. Il vante ses réalisations, les villes qu'il a bâties, celles qu'il a embellies. Mais aujourd'hui il estime qu'il doit remercier le Seigneur de ses bienfaits en lui donnant une demeure digne de lui. Il promet de ne toucher à l'ancien Temple auquel il manquait, il le rappelle, soixante coudées pour égaler celui de Salomon, que lorsque tout sera prêt pour l'édification du nouveau. Il assure que les sacrifices ne seront jamais interrompus.

A ses promesses, les juifs opposent une défiance injurieuse. Ils redoutent qu'Hérode ne saisisse l'occasion pour substituer au sanctuaire de Yahvé un monument profane qui, le temps aidant, deviendrait un lieu de culte païen. Même si l'idée l'en a effleuré, Hérode fait son possible pour les rassurer.

Il réunit mille chariots pour le transport des pierres, dix mille ouvriers dont mille, consacrés prêtres, sont chargés de démolir l'ancien Temple et d'exécuter les parties consacrées du nouvel édifice.

L'un des plus beaux monuments de son siècle, dédié à un Dieu qui refusait Hérode

En janvier – 19, les travaux commencent. La partie du sanctuaire nécessaire au culte sera terminée au bout d'un an et demi, et, faveur du ciel, sans qu'il plût jamais sauf la nuit.

Il s'agissait d'une œuvre gigantesque et on se demande encore quel en fut le maître d'œuvre, grec ou romain, « l'homme à l'aspect d'airain qui tenait en ses mains le cordeau de lin et la canne de mesure » qu'entrevit Ezéchiel dans l'une de ses visions. Afin de doubler la plate-forme primitive, quatre cent quatre-vingts mètres sur deux cent quatre-vingts, on construit quatre murs de soutènement qui encadrent le mont Moriah. Des pierres de quarante à cinquante tonnes en constituent les angles. Le plus grand ouvrage de ce genre dans tout l'Empire romain.

Flavius Josèphe, qui en bon dévot vint souvent y prier avant qu'il ne fût détruit, nous en fournit une description enthousiaste :

« La façade de ce superbe bâtiment ressemblait à un palais royal... On voyait, tendues au-dessus des portiques, des tapisseries de diverses couleurs, embellies de fleurs de pourpre, avec des colonnes aux corniches desquelles pendaient des branches de vigne d'or avec les grappes et leurs raisins si excellemment travaillés que, dans ces ouvrages si riches, l'art ne cédait point à la matière... Du côté de l'occident, il y avait quatre portes. On allait par l'une au palais royal en traversant une vallée ; on allait par deux autres dans les faubourgs, et par la quatrième dans la ville ; mais il fallait pour cela descendre par plusieurs degrés jusqu'au fond de la vallée et remonter par autant d'autres ; car la ville est assise à l'opposite du Temple en forme d'un amphithéâtre qui finit dans cette vallée du côté du midi. Il y avait une superbe et triple galerie qui s'étendait depuis la vallée qui était du côté de l'orient jusqu'à celle qui était du côté de l'occident. Cet ouvrage était l'un des plus admirables que le soleil eût jamais vus, car cette vallée était si profonde et le dôme élevé au-dessus de la galerie si haut, qu'on n'osait de là regarder le fond de la vallée parce que la vue ne pouvait aller si loin sans s'éblouir et sans se troubler... Ces galeries étaient soutenues par quatre rangs de colonnes également distantes... Toutes ces colonnes étaient si grosses que tout ce que trois hommes pouvaient faire était d'en embrasser une. Il y en avait en tout cent soixante-deux ; elles étaient d'ordre corinthien et si excellemment travaillées qu'elles donnaient de l'admiration... C'était ainsi qu'était construite cette première clôture. Il y en avait une seconde faite avec un mur de pierre et qui en était peu éloignée. L'on y montait par quelques degrés, et il y avait une inscription qui défendait aux étrangers d'y entrer sous peine de la vie. Cette clôture intérieure avait, au midi et au septentrion, trois portes également distantes et une grande du côté de l'orient, par laquelle ceux qui étaient purifiés entraient avec leurs femmes ; mais il était interdit aux femmes de passer outre. Quant à l'espace qui était au milieu de ces deux enceintes, les seuls sacrificateurs pouvaient y entrer ; car c'était là qu'était bâti le Temple où était l'autel sur lequel on offrait des sacrifices à Dieu. »

Le parvis des païens jouait le rôle d'une place publique où se tenaient changeurs, marchands d'animaux pour le sacrifice, savants rabbis enseignant leurs disciples, badauds et commerçants de toutes nationalités. Les portiques qui l'entouraient servaient d'abris contre le soleil et la pluie.

Dans l'enceinte des femmes, que l'on atteignait par quinze marches, étaient disposés quinze troncs où les fidèles déposaient leurs oboles. Quinze marches encore, et on entrait dans le parvis des hommes, de dimensions plus réduites, une bande étroite de cinq mètres sur soixante. Les fidèles ne pouvaient aller plus loin.

Au sanctuaire lui-même, réservé aux prêtres, on accédait par la porte de Nicanor, en bronze, offerte par un riche marchand de la diaspora, si lourde qu'il fallait vingt hommes pour la manœuvrer matin et soir. Dans cette troisième enceinte de soixante mètres sur quatre-vingts, se succédaient au nord et au sud, de part et d'autre du Saint et du Saint des Saints, des salles couvertes, dont la salle « aux pierres polies » où siégeait le Sanhédrin, la « Source » où l'on puisait l'eau des purifications, les magasins pour le bois, l'encens, les étables pour les bêtes attendant d'être sacrifiées, « la maison de l'abattoir » qui méritait bien son nom. Sur le devant, d'un côté, l'autel des sacrifices, de l'autre, le bassin des ablutions. L'autel lui-même était un gros bloc de pierre non taillée, avec des rigoles drainant le sang des victimes qui attendaient, attachées à huit poteaux de cèdre. Entravées, elles étaient amenées par une pente douce jusqu'au sacrificateur et à son coutelas. Une fois immolées, elles étaient portées sur des tables de marbre où on les dépeçait. Leurs entrailles étaient jetées dans un brasier qui ne s'éteignait jamais tandis que fumait l'encens sur l'autel des parfums.

Encore douze marches et c'était le portique où Hérode voulut placer l'aigle d'or de l'Empire ; puis, la porte de cèdre plaquée d'or que domine la vigne d'or, symbole de la création. Les Romains prétendaient que les juifs, grands amateurs de vin, adoraient en réalité Bacchus.

Toute la journée la porte restait ouverte, mais un rideau richement brodé en dissimulait l'entrée.

Le Saint, le *hieron*, était une pièce rectangulaire de dix-huit mètres quarante-huit de long sur neuf mètres vingt-quatre de large et vingt-sept mètres soixante-douze de haut, qui recevait la lumière à travers le grand voile portière et par les fenêtres situées très haut dans l'édifice qui permettaient l'évacuation des fumées d'encens brûlé en permanence sur l'autel des parfums. Tout au fond, le Saint des Saints, le *Débir*, de neuf mètres vingt-quatre de côté, une pièce vide, sans le moindre objet de culte, où seul le grand prêtre pouvait pénétrer une fois l'an. La toiture, en dalles légèrement inclinées des deux côtés, était hérissée de pointes dorées pour empêcher les oiseaux de s'y poser et de souiller le saint édifice.

A distance, les ors de la façade étincelaient comme les rayons du soleil. Les blocs récemment sortis des carrières avaient conservé leur blancheur.

Le Temple et ses services nécessitaient de grandes quantités d'eau. Sous l'esplanade, trente-sept grandes citernes sont creusées. Les unes servent à recueillir les eaux de pluie, les autres sont alimentées par l'un des aqueducs qui amènent à Jérusalem l'eau des vasques de Salomon, près de Bethléem, et dont on a retrouvé le tracé.

Grâce à la paix qui règne dans toute la Palestine, au commerce qui a repris, aux pèlerinages plus nombreux, Jérusalem connaît, après tant de malheurs, une prospérité sans égale. La ville s'étend sur cent soixante dix-huit hectares et compte trente mille habitants, cent mille pendant des grandes fêtes qui voient l'afflux des pèlerins. La Ville haute, où se trouve le palais d'Hérode, est devenue le quartier résidentiel.

Les fouilles, conduites de 1969 à 1983 dans ce qui est aujourd'hui le quartier juif de la Vieille Ville par le professeur N. Avigad, ont révélé les vestiges de somptueuses villas dans le style gréco-romain. Elles sont spacieuses, avec des cours intérieures ornées de fresques, de motifs floraux et de stucs imitant la pierre. Toutes jouissent d'un confort raffiné. La salle de séjour se trouve au rez-de-chaussée. Les salles d'eau, les réserves sont creusées dans le sous-sol rocheux. Certaines d'entre elles semblent avoir comporté un étage. La construction est en pierre du pays et de bonne qualité. Toutes sont pourvues de citernes alimentant des bains rituels dont le sol est embelli de mosaïques colorées. L'eau est contenue dans de grandes jarres de pierre, car, selon la Loi juive, seule la pierre est noble alors que l'argile reste impure. Certaines de ces jarres sont de belle facture.

On a ainsi retrouvé un choix complet de poteries, de bois peints, de coupes, de plateaux en pierre dure avec décor stylisé, fabriqués sur place ou importés, comme les vases de terre rouge qui font fureur dans l'Orient.

Les résidences édifiées sur la pente orientale de la colline de l'ouest, serrées les unes contre les autres, ne laissent place qu'à un étroit passage, mais il semble qu'il exista de véritables rues puisqu'on a découvert les traces de l'une d'elles, pavée de grandes dalles et qui descendait vers le Temple. La « Maison de l'ouest », dont le niveau inférieur est le seul à avoir subsisté, comprend de luxueuses installations avec chambres disposées autour d'une cour centrale. Résidence d'un grand prêtre, elle s'étend sur six cents mètres carrés.

Les peintures disposées en panneaux rouges et jaunes rappellent certaines fresques de Pompéi par l'agencement, la couleur, mais elles ne représentent jamais ni hommes ni animaux, seulement des plantes. Un véritable palais qui fut détruit quand les Romains prirent la ville. On a retrouvé des traces d'incendie.

Outre ces grands travaux qui firent de Jérusalem une des plus belles cités d'Orient, avec la construction de ports, de villes nouvelles et la mise en valeur de tout le pays, Hérode donnait des jeux où l'on accourait de la Grèce entière. Il disposait de considérables ressources qui ne venaient pas seulement de son royaume. La Judée ne lui rapportait que mille talents de revenus annuels. Il en dépensait trois fois plus et devait puiser dans sa fortune personnelle. Il disposait, en effet, de grands biens en Idumée. Il partageait avec Auguste les revenus des mines de cuivre de Chypre. Il percevait les taxes dues à Rome et se servait au passage, c'était la règle. Enfin, grâce à ses alliés nabatéens, il contrôlait les routes du désert et les caravanes qui les empruntaient. Il prêtait aussi de l'argent à ses voisins, comme à ce roi arabe qui tarda à lui rembourser cinq cents talents, qu'il vint revendiquer, les armes à la main.

Jérusalem le ruinera comme Mariamne faillit le rendre fou.

La défiance d'Hérode avait transformé Jérusalem en une série de citadelles et les Romains en feront les frais quand ils voudront s'emparer de la ville. Cette même défiance, devenue obsessionnelle avec l'âge, le conduira à s'en prendre à sa propre famille. Il a envoyé à Rome les deux fils qu'il a eus de Mariamne pour y être élevés. Ils sont beaux, brillants ; dans leurs veines coule le sang des Asmonéens ; à leur retour, le peuple de Jérusalem voit en eux les successeurs d'Hérode et les acclament. Salomé, la sœur d'Hérode, et Antipater, le fils qu'il a eu de Doris, sa première épouse, s'unissent pour les perdre. Ils les accusent de vouloir venger leur mère en tentant d'empoisonner Hérode ou de le tuer au cours d'une partie de chasse. Entourés d'espions, ils se laissent aller à des paroles maladroites qui sont rapportées et déformées ; les deux jeunes gens sont reconnus coupables et envoyés à Beyte. L'affaire est soumise à Auguste qui délègue ses pouvoirs à un tribunal, composé des officiers et des légats de Syrie.

Le tribunal estime que, si de graves présomptions pèsent sur eux, ils ne méritent pas la mort. Mais la foule la réclame. Beyte est en Samarie, et tout ce qui vient de Jérusalem et appartient à la dynastie des Asmonéens est honni des Samaritains. Malgré l'intervention de Nicolas de Damas, les jeunes princes seront étranglés à Sébaste où ils ont été conduits après le jugement.

Antipater et Salomé triomphent. Le triomphe d'Antipater sera bref ; convaincu à son tour et non sans raisons d'avoir voulu la mort de son père, déjà malade, il est emprisonné et chargé de chaînes. Quand il tente de soudoyer ses gardiens pour s'évader, Hérode donne l'ordre de le tuer. Auguste dira qu'il vaut mieux être le pourceau d'Hérode que son fils. Hérode affectait, en effet, pour complaire à ses sujets, de ne pas manger de porc.

Les derniers jours d'Hérode seront marqués par la rancune qu'il manifestait à l'égard des juifs qui le refusent malgré ses efforts de plus en plus maladroits pour les séduire, et par sa folle méfiance à l'égard de son entourage, accompagnée de crises de désespoir quand il doute du bien-fondé des exécutions qu'il a ordonnées. Il n'accorde sa confiance qu'aux étrangers qui profitent de ses bienfaits, et la seule reconnaissance qu'il obtient des juifs lui viendra de la diaspora que flatte la renommée qu'il a rendue à Jérusalem.

Hérode a compris que son royaume, pour continuer à exister après sa mort, ne devait pas rester un corps étranger à l'Empire romain qui ne manquerait pas, dans ce cas, de l'éliminer. Mais il échoue dans ses tentatives pour amener le peuple juif à composer avec ses voisins, avec l'hellénisme et avec Rome. Ainsi, un groupe de jeunes gens, poussés par deux docteurs de la Loi, arrachent l'aigle d'or, symbole de la présence romaine, que le roi a fait placer au-dessus de la grande porte du Temple et qui brave, selon les docteurs, la Loi mosaïque. Les coupables sont brûlés vifs et le grand prêtre, accusé de les avoir soutenus, est déposé.

Agonie d'un roi, fin d'un royaume

Hérode connut une agonie atroce.

« A partir de ce moment, la maladie gagnant tout son corps, les souffrances les plus variées devinrent son partage. Aussi les personnes inspirées disaient-elles que ses maladies étaient un châtiment pour le supplice qu'il avait infligé aux docteurs de la Loi. Mais lui, luttant contre tant de souffrances et se cramponnant malgré tout à la vie, espérait la guérison et ne cessait d'imaginer des remèdes. Désespérant désormais de sa guérison, il ordonna de distribuer cinquante drachmes par tête aux soldats et des sommes importantes aux officiers et aux "amis du roi". Quant à lui, de retour à Jéricho, lançant presque un défi à la mort, il s'enhardit à commettre une action sacrilège : il fit rassembler les notables de chacun des bourgs de toute la Judée et donna l'ordre de les enfermer dans l'hippodrome. Il fit venir alors sa sœur Salomé avec son mari Alexas et leur dit : "Je sais que les Judéens vont festoyer à ma mort. Mais j'ai le moyen de les endeuiller par d'autres motifs et d'avoir des funérailles magnifiques, si vous voulez bien, de votre côté, vous prêter à mes instructions. Ces hommes qui sont sous bonne garde, dès mon dernier soupir, faites-les cerner et massacrer par les soldats, pour que toute la Judée et chaque famille soit forcée de pleurer à cause de moi" » (Flavius Josèphe).

Salomé se garda d'obéir aux ordres de son frère et, dès qu'il eut rendu le dernier soupir, elle remit en liberté les détenus. Hérode eut droit à de splendides funérailles, celles d'un souverain oriental, d'un chef de guerre, mais non d'un juif. Le corps, revêtu de la pourpre royale, couronné d'or, le sceptre à la main, fut porté sur une litière enrichie de pierreries. Ses fils, ses parents proches la suivaient. Venaient ensuite tous ses gens de guerre, groupés nation par nation : Thraces, Germains, Gaulois en tête. Cinq cents officiers fermaient la marche, défilant dans l'ordre le plus strict pendant huit stades, de Jéricho jusqu'au château d'Hérodion, qu'Hérode avait choisi comme sépulture.

Hérode n'avait cessé de refaire son testament au gré de ses humeurs, de ses colères, de l'exécution de ses héritiers. Nous en connaissons quatre moutures. Dans la dernière, modifiée peu de jours avant sa mort, il partage son royaume entre ses fils encore vivants. Antipas est institué tétrarque de Pérée et de Galilée, et Philippe, tétrarque de Gaulanitide, de Trachonide, de Batanée et autres terres marécageuses. Salomé recevait un certain nombre de villes et cinq cent mille drachmes d'argent. Enfin Archélaus, l'aîné, héritait du titre royal. Ces dispositions restaient soumises à l'agrément d'Auguste. Il allait en disposer autrement, car, s'il avait confiance en Hérode, il se méfiait de ses fils, en particulier d'Archélaus qu'il tenait pour un imbécile.

Sans attendre cet agrément, Archélaus se précipite au Temple pour se faire acclamer par le peuple qui ne voulait de lui ni d'aucun roi de la lignée d'Hérode. Puis il gagne Rome suivi de ses frères et de Salomé, abandonnant Jérusalem en proie à une révolte qu'il a été incapable de prévoir, encore moins de maîtriser. Il ne sera pas roi, décide Auguste choqué par son manque de sens politique et sa précipitation à s'emparer de la couronne sans attendre sa décision. Il ne sera qu'ethnarque et son territoire se limitera à Jérusalem, la Judée, la Samarie, l'Idumée, Césarée et Sébaste. Il n'aura aucun pouvoir sur ses frères. S'ils conservent le titre de tétrarques, ces derniers voient leurs domaines réduits tandis que Gaza, Gadéra et Hippas sont rattachés à la Syrie. Seule, Salomé recevra, en plus de ce qui lui était légué, le palais d'Ascalon, berceau des Hérodiens.

Archélaus, le nouvel ethnarque de Jérusalem, cruel et tyrannique, accumule les fautes. Il épouse sa belle-sœur malgré la Loi juive, opprime juifs et Samaritains qui vont se plaindre à Rome. Six ans après la mort d'Hérode, Archélaus est déposé et exilé à Vienne, sur les bords du Rhône, où il mourra. Une partie de la Palestine et Jérusalem passent sous le contrôle direct de Rome. Le royaume d'Hérode a cessé d'exister.

Le meilleur et le pire des rois juifs, dira-t-on d'Hérode, qui l'était si peu. Meurtrier de son épouse, de ses fils, il s'était repenti de ses excès, demandant à son maître, Nicolas de Damas, de l'initier à la sagesse, mais il restait incapable de surmonter sa violence native. Il savait sa vie menacée et ne devait jamais baisser la garde. Pour se maintenir sur le trône, il tua, tortura à l'instar des roitelets voisins ou des rois-prêtres asmonéens. Il ne fut pas le valet de Rome, mais un vassal courageux. Grand administrateur, homme de finance et de guerre, par son habileté, sa connaissance des mécanismes du pouvoir romain, il procura aux juifs trente ans de paix dans l'une des périodes les plus troublées de l'histoire. Il eut le goût du faste et des grands monuments à la façon des pharaons d'Egypte. Il laissa en mourant une capitale hérissée de forteresses. Le Temple en est une, son palais une autre, chacune gardée par ses mercenaires. Les monuments qu'il a construits, dans le goût du temps, sont splendides et il eût souhaité les rendre plus splendides encore s'il avait pu braver les interdits de la Loi juive.

Les causes de son échec auprès de son peuple viennent d'abord de sa naissance — il ne fut jamais reconnu comme juif — mais aussi de la défiance du clergé qui le soupçonnait, avec quelque raison, de poursuivre en douceur la politique d'hellénisation d'Antiochos IV que l'on disait fou et qui ne l'était pas tellement.

Que laissa-t-il en dehors des pierres ? Des prêtres révoltés, des marchands enrichis et un peuple écrasé de taxes, au bord de la révolte et qui en appelait à Yahvé.

Comme Salomon son modèle, lucide comme lui, il mourut désespéré.

CHAPITRE VII

JÉRUSALEM AU TEMPS DE JÉSUS

« Et Jésus entra dans le Temple de Dieu et il chassa tous ceux qui vendaient et qui achetaient dans le Temple ; et les tables des changeurs, il les culbuta, ainsi que les sièges de ceux qui vendaient des colombes. Et il leur dit : "Il est écrit que Ma Maison sera appelée maison de prière, mais vous en faites une caverne de brigands." »

Évangile selon saint Matthieu, 21-12

Ponce Pilate procurateur de Judée

Hérode est mort depuis trente ans ; son royaume a
été dépecé et Jérusalem n'est plus sa capitale. La
Judée est devenue province procuratorienne de
seconde classe, rattachée au gouvernement de Syrie.
Le procurateur, Ponce Pilate, réside à Césarée.

Parfait fonctionnaire, chevalier romain, Ponce
Pilate a été nommé à ce poste grâce aux intrigues de
son épouse Claudia Procula, fille de Claudia, elle-
même fille d'Auguste, dont les débordements avaient
scandalisé Rome. Oublié en Asie, Ponce Pilate tente
de se rappeler au souvenir de Tibère par une action
d'éclat. De nuit, il fait dresser sur l'esplanade du
Temple les enseignes et les boucliers votifs symboles
de l'Empire, provoquant une émeute d'une telle violence qu'il doit les retirer. Pour construire un aqueduc, il « emprunte » trente talents du trésor sacré.
Nouvelles émeutes. Le Sanhédrin menace d'en appeler à Rome et piteusement le procurateur renonce à
son projet. On sait désormais, à Jérusalem, qu'il suffit de brandir la menace de l'empereur pour qu'il
cède. Quitte, par la suite, à se laver les mains des
décisions désastreuses que, par veulerie, il a prises.
La condamnation de Jésus en est un exemple. Elle
pèsera jusqu'à nos jours sur les relations entre juifs
et chrétiens ; elle marquera à tout jamais Jérusalem,
théâtre d'un crime où le Juste, dans une ambiance de
guerre civile, fut victime autant de la lâcheté ou de
l'indifférence d'un fonctionnaire romain que des
intérêts ou de l'intolérance des prêtres. Quant au

peuple juif dans son ensemble, il ne pouvait être rendu coupable du supplice de l'un des siens.

Jésus serait né à Bethléem, deux ans avant la mort d'Hérode, soit en – 6. Ses parents qui habitaient Nazareth auraient été obligés par un édit de César (dont on n'a jamais retrouvé la trace) de se faire recenser dans leur lieu d'origine. Car, selon les Evangiles, ils appartenaient à la tribu de David dont devait être issu le Messie.

Jésus grandit en Galilée et, après avoir été baptisé par Jean le Baptiste dans les eaux du Jourdain, selon le rite essénien, il commence à prêcher un évangile de fin du monde. Il adjure les riches de distribuer leurs biens, ceux qui veulent le suivre de tout abandonner, même leurs familles. Il dit encore que les temps sont accomplis, que le Royaume de Dieu est proche. Il n'est pas le seul à annoncer l'Apocalypse. Mais il choque Pharisiens et Sadducéens quand il prétend que le Sabbat est fait pour l'homme et non l'homme pour le Sabbat, ou quand il les apostrophe en termes violents :

« Malheur à vous, scribes et Pharisiens hypocrites, parce que vous acquittez la dîme de la menthe, du fenouil et du cumin, mais vous avez laissé ce qui a le plus de poids dans la Loi : la justice, la miséricorde et la foi » (Matthieu, 23).

Il prononce l'admirable Sermon sur la Montagne : « Heureux ceux qui ont une âme de pauvre, car le Royaume des Cieux est à eux. Heureux les doux, car ils hériteront de la Terre... »

Qu'un texte d'une même inspiration, mais antérieur d'un demi-siècle, ait été retrouvé parmi les manuscrits de la mer Morte n'enlève rien à la valeur du message.

Jésus se dit le Messie que tous les juifs attendent. Mais en ces temps de troubles, ils le voient sous les traits d'un chef de guerre qui les libérerait du joug romain. Or, il leur parle de paix, leur demande de tendre la joue gauche après avoir été frappé sur la joue droite ; et que l'on rende à César ce qui est à César, quand les impôts romains sont particulièrement lourds et les publicains qui les recueillent, détestés.

Dans les jours qui précèdent les fêtes de la Pâque, la situation est à ce point tendue qu'on s'attend à une révolte. La ville est pleine de pèlerins ; mêlés à eux des zélotes, qui font régner la terreur, comme un certain Barrabas que l'on vient d'arrêter.

Ponce Pilate, venant de Césarée, s'est installé dans le palais fortifié d'Hérode qu'Auguste s'est attribué. Il s'est fait suivre de renforts, car la forteresse Antonia n'est tenue, en temps ordinaire, que par une cohorte de cinq cents hommes. Le tétrarque de Galilée, Hérode Antipas, un des fils et successeurs d'Hérode le Grand, l'a rejoint avec un contingent de ses troupes. Le grand prêtre et l'*establishment* juif craignent en effet pour leur vie ; ils voient partout des révolutionnaires prêts à brandir le poignard, mais ils s'en remettent aux Romains pour les traquer, les juger et les supplicier.

Sadducéens et Pharisiens profiteront de ce contexte pour se débarrasser de Jésus, les premiers afin de conserver leurs prébendes — Jésus chassant les marchands du Temple, ce qui en fait, à leurs yeux, une menace contre l'ordre établi —, les seconds par fanatisme religieux. Jésus a commis contre Yahvé le crime inexpiable de se déclarer le Messie et de s'exprimer en son nom propre, sans prendre la précaution, comme les prophètes, de se dire « la parole de Dieu ».

Après avoir fêté la Pâque et dîné avec ses disciples, à l'image de beaucoup de pèlerins, Jésus est allé dormir dans le jardin de Gethsémani, au pied du mont des Oliviers. « L'heure venue et trahi par Judas, il est arrêté par les gardes armés du grand prêtre Caïphe. » Il comparaît devant le Sanhédrin, le tribunal juif composé de prêtres sadducéens et de docteurs de la Loi pharisiens, où il réaffirme être le Messie.

On l'envoie devant Pilate qui seul peut le condamner à mort et le faire exécuter. Preuve qu'il est bien un agitateur, ne s'est-il pas prétendu le roi des juifs ? Selon les Evangiles, Ponce Pilate essaie de lui sauver la vie, car il le juge innocent des crimes dont on l'accuse. Mais il est lâche, il en a donné les preuves et, pour ne pas provoquer une populace qui réclame la mort, il le livre aux bourreaux.

On voit mal cependant un procurateur romain se prêter à une telle mise en scène et, quand il dit en se lavant les mains : « Je suis innocent du sang de ce Juste », la foule lui répondre : « Que son sang soit sur nous et nos enfants ! »

Vraisemblablement, on a présenté Jésus comme un zélote appartenant à une secte qui assassinait les Romains et leurs amis. Sans s'inquiéter de la foule, sans même avoir interrogé Jésus ou l'avoir vu, Pilate le condamne, comme des centaines d'autres, à être crucifié. Les collines de Jérusalem sont hérissées de croix.

Le peuple juif n'est pas responsable de ce règlement de comptes entre prêtres du Temple et petit rabbi galiléen venu remettre en question leurs privilèges et apporter un sang nouveau à une religion sclérosée. Jésus, qui prêchait la paix, mourra condamné comme un meneur venu apporter la guerre. L'histoire des peuples n'est souvent qu'une succession de méprises de ce genre sans qu'on les condamne pour cela à l'exécration universelle. Encore moins s'ils sont victimes d'un occupant qui fait passer l'ordre avant la justice.

Pour faire régner cet ordre dans la province, Ponce Pilate ne dispose que de trois mille soldats, soit cinq cohortes d'infanterie et une aile de cavalerie, unités composées d'auxiliaires grecs ou syriens recrutés sur place et encadrés par des centurions romains. Les légions campent en Syrie, prêtes à intervenir en cas de révolte, mais seul le légat, qui réside à Damas, peut décider de leur emploi.

Le procurateur détient dans la forteresse Antonia les somptueux vêtements du grand prêtre sans lesquels celui-ci ne peut officier. Il les lui remet le temps de la fête et les récupère ensuite, heureux quand manifestations ou émeutes ne sont pas venues troubler la cérémonie. Il regagne ensuite sa résidence habituelle du bord de mer où il vit à la grecque et dispose du confort romain, parmi les jardins où se dressent les statues des dieux et de l'empereur, bannies de Jérusalem.

Pour plus de sécurité, le grand prêtre est choisi par le procurateur ; il est déposé à la moindre incartade. En général, le pontificat reste dans les mêmes familles, les plus riches, les seules susceptibles de l'acheter. C'est ainsi qu'Anne, désigné par le légat Quirinius, en charge pendant sept ans, fera ensuite nommer son fils, Eléazar, puis son gendre, Caïphe.

Les Sadducéens règnent sur le Temple

Bien que nul n'ignore la dépendance du grand prêtre à l'égard de Rome, ni les initiés quelle somme il a dû débourser pour obtenir et conserver sa charge, il reste cependant, aux yeux du peuple, l'oint du Seigneur, le témoin de Yahvé. Habitant un palais somptueux, disposant d'innombrables serviteurs, toujours richement vêtu, entouré d'une cour de prêtres et de lévites, il préside aux fêtes. Seul, il est autorisé, une fois l'an, à pénétrer dans le Saint des Saints pour y célébrer un sacrifice. Enfin, il est l'un des plus riches banquiers de son temps.

Le grand prêtre appartient à la secte des Sadducéens. Elle regroupe les grandes familles aristocratiques et religieuses qui se sont résignées d'assez bon cœur à l'occupation romaine, du moment qu'elle leur conserve leurs privilèges et les assure de la garde du Temple, source de leurs revenus et de leur clientèle. Sur trente mille Hiérosolymitains, entre dix et douze mille vivent du Temple. Orthodoxes, les Sadducéens s'en tiennent strictement à la loi écrite de Moïse et refusent la tradition orale à laquelle sont attachés les Pharisiens. Ils nient les apports nouveaux : l'immortalité de l'âme, la résurrection des corps, le Jugement dernier, la vie future, les anges, les démons, les messies, tout ce qui crée des enthousiasmes dangereux et des illusions pernicieuses. Ils nient le destin et affirment qu'il est au pouvoir des hommes de décider entre le bien et le mal. Sur terre, le juste sera récompensé ou puni. Qu'il n'espère rien après la mort sinon d'errer dans le Jéhol comme une ombre. Les Sadducéens sont riches, ils portent de somptueux vêtements, mais ils n'osent se risquer dans les quartiers populaires où ils sont honnis.

En revanche, ils se montrent extrêmement stricts sur le déroulement des cérémonies et des sacrifices. Les autels fument du matin au soir tandis que dîmes et redevances viennent remplir les caves du trésor auxquelles s'ajoutent les dépôts des riches marchands. Toutes les grandes transactions passent par le Temple.

Ce serait une erreur de voir dans les Sadducéens de simples collaborateurs des Grecs, puis des Romains. Ils s'en tiennent à l'antique tradition israélite qui a cours depuis la déportation. Selon elle, le culte de Yahvé et la perpétuation du sacrifice comptent plus que le régime politique imposé par l'occupant, à la seule condition qu'il n'interdise pas le déroulement des cérémonies et les dispositions de la Loi.

Les Pharisiens, maîtres des synagogues, règnent sur le peuple

En face de cette aristocratie complaisante, sceptique, liée aux rites plus qu'à l'esprit, se dressent les Pharisiens. Juifs de stricte obédience, ils poussent le respect de la Loi jusqu'à ses extrêmes limites. Ainsi glosent-ils interminablement sur l'œuf que la poule pond un jour de Sabbat : doit-il être considéré comme pur ou impur ? Ils vénèrent la Torah, mais élargie, fécondée par la tradition orale. Ouverts aux nouveautés religieuses que refusent les Sadducéens, ils enflamment le peuple, l'incitent à se libérer d'une occupation intolérable, d'une soumission honteuse aux adorateurs des idoles. Ils lui promettent le prochain avènement d'un royaume de Dieu qui sera celui d'Israël étendu au monde connu.

Les Pharisiens refusent tout contact, tout compromis avec les occupants. La tension est telle que le passage d'un cavalier romain est considéré comme une provocation, même s'il se rend d'une garnison à l'autre, de la forteresse Antonia au palais d'Hérode. Ils contrôlent le Sanhédrin, le Sénat juif et le réseau serré des synagogues qui quadrillent Jérusalem.

Dans la Ville sainte, dans chaque quartier, chaque rue, chaque groupe de maisons, on trouve une synagogue. Les pèlerins de la diaspora ont les leurs selon leur pays d'origine. On en comptera quatre cent quatre-vingts. Riches ou modestes, elles sont exclusivement des lieux de prière et n'ont rien de commun avec le Temple. On n'y célèbre pas de sacrifices. Le Temple reste le centre de toute la vie religieuse officielle et c'est vers lui qu'on se tourne pour prier.

La création de la première synagogue date, croit-on, de la déportation à Babylone où le peuple de Dieu prit l'habitude de se réunir dans un lieu de prière construit à peu de frais. N'importe quel groupe de juifs, pourvu qu'il compte au moins dix membres, est autorisé à créer son propre lieu de culte. La coutume se poursuit sous les Perses, les Grecs, puis les Romains. Les juifs de passage sont invités à y prendre la parole, qu'ils viennent de Galilée ou d'Alexandrie, et les « Gentils » à assister aux exercices de piété. Ils se limitent à la lecture de la Torah et à ses commentaires, chacun cherchant à faire étalage de sa connaissance du Livre.

Pas de desservants, pas de prêtre. Un *hazzam*, sorte de bedeau, veille à l'entretien du local et enseigne aux enfants le Livre saint dans lequel ils apprennent à lire et à écrire, imaginant à travers lui le monde et son histoire puisque tout est censé y être contenu. Plus tard, synagogue et école se sépareront. Pour les grandes fêtes, la Pâque, les Semaines, le Jour de l'An, le Kippour, les Tentes et la Hanouka, le *hazzam* répand des eaux parfumées sur le sol.

Pas d'autel, rien qu'une niche où sont conservés dans la toile de lin et un étui de cuir les rouleaux de l'Écriture. On se réunit tous les soirs à la synagogue ainsi que les jours de Sabbat, faute de pouvoir se rendre au Temple qui reste le seul lieu de communion avec Yahvé, par le sacrifice. Mais il n'y est donné aucun enseignement. Comme l'hébreu n'est plus pratiqué, sauf par les prêtres et les rabbis, à côté du *hazzam*, dans chaque synagogue, se tient un *targoman* chargé de traduire les prières en araméen. Jésus parle en araméen, prêche en araméen, ne connaît l'hébreu que par la pratique qu'il a de la Bible. Le grec ? C'est peu probable.

La synagogue est au centre de la vie religieuse de la petite communauté qu'elle rassemble. Les fidèles se connaissent, se surveillent, s'encouragent, chacun rivalisant dans les démonstrations de piété, car c'est sur elles qu'il est jugé.

Les Pharisiens, docteurs de la Loi, scribes ou rabbis, n'ont rien de commun avec les prêtres qui règnent sur le Temple et les lévites qui en constituent le petit personnel. Les prêtres, les sacrificateurs doivent faire la preuve de la pureté de leur race et pouvoir assurer qu'aucun de leurs ascendants n'a été réduit à des occupations indignes ou des travaux dégradants. Les rabbis, au contraire, viennent du peuple ; ils se sont formés eux-mêmes par la lecture du Livre et de ses commentaires. Ils sont pauvrement vêtus, leur enseignement est gratuit et la plupart, comme le grand Hillel, exercent pour survivre un métier manuel chichement rétribué.

Les zélotes, fous de Dieu

Peu après la naissance de Jésus, de l'aile extrême des Pharisiens naîtra le mouvement des « zélotes », les zélés de Dieu. Religieusement ils ne s'en distinguent pas. Ils sont, comme eux, légalistes, piétistes, nationalistes. Ils fréquentent assidûment les synagogues de leur quartier. Ils y reçoivent un accueil chaleureux des fidèles qui voient en eux les dignes successeurs des Maccabées. Les zélotes n'acceptent comme seul maître que Dieu et sont prêts à endurer les pires supplices plutôt que de reconnaître le pouvoir d'un païen. Ils prônent l'action immédiate et violente et reprochent aux Pharisiens leur passivité. Nombre de synagogues de la Ville basse sont devenues des foyers d'agitation religieuse nationaliste et des dépôts d'armes. Car beaucoup d'armes traînent dans Jérusalem depuis les guerres entre descendants des Maccabées et Hérodiens, entre Romains et Parthes.

Sous la direction du Galiléen Judas de Gamala, les zélotes se révoltent pour protester contre un recensement mal accepté des juifs. Ils sont écrasés et des milliers sont crucifiés. Ayant compris qu'ils n'avaient aucune chance de l'emporter dans ce genre d'affrontement, ils décident de recourir au terrorisme et, armés d'un poignard court appelé *sica*, d'où leur nom de sicaires, ils s'attaquent indifféremment aux Grecs, aux Romains, à leurs collaborateurs et à tous ceux qu'ils tiennent pour Infidèles.

Flavius Josèphe, qui ne les porte pas dans son cœur, les appelle « les gens de la quatrième secte », refusant de les accepter pour pharisiens.

« On les nommait les sicaires, écrit-il, et ce n'était pas de nuit mais en plein jour, et particulièrement dans les fêtes les plus solennelles qu'ils faisaient sentir les effets de leur fureur. Ils poignardaient au milieu de la presse ceux qu'ils avaient résolu de tuer et mêlaient ensuite leurs cris à ceux de tout le peuple contre les coupables d'un si grand crime, ce qui leur réussit si bien qu'ils demeurèrent fort longtemps sans qu'on les soupçonnât. Le premier qu'ils assassinèrent de la sorte fut Jonathan, grand sacrificateur, et il ne se passait point de jour qu'ils n'en tuassent plusieurs de la même manière. Ainsi, tout Jérusalem se trouva rempli d'une telle frayeur que l'on ne s'y croyait pas en moindre péril qu'au milieu de la guerre la plus sanglante. Chacun attendait la mort à toute heure ; on ne voyait approcher personne qu'on ne tremblât ; on n'osait même pas se fier à ses amis ; et quoique l'on fût continuellement sur ses gardes, toutes ces défiances et ces soupçons n'étaient pas capables de garantir ceux à qui ces scélérats avaient résolu d'ôter la vie, tant ils étaient artificieux et adroits dans un métier aussi détestable. »

Jérusalem est devenue la cité de tous les dangers et rares sont ceux qui ne portent pas d'armes.

Agitateurs, faux messies, faux prophètes provoquent, à tout propos, des rassemblements qui tournent à l'émeute. Un juif égyptien réunit trente mille hommes et femmes sur le mont des Oliviers, en leur promettant, s'ils marchent sur Jérusalem, que ses murailles s'écrouleront. Le tribun Félix fait donner la cavalerie et des milliers de morts jonchent le terrain. Les maisons des riches sont pillées, des villages incendiés et les amis de Rome menacés dans leurs biens et leur famille. Ses fonctions, son caractère sacré n'ont pas empêché le grand prêtre Jonathan de périr sous le poignard des sicaires ; indifférente, la foule se garde bien d'intervenir.

Les Esséniens, « un peuple unique et admirable »

A l'écart de cette agitation, ne se mêlant pas de politique, encore moins de convertir les Gentils, vivent les Esséniens. Ils évitent Jérusalem qu'ils estiment souillée par les débordements de ses rois et de ses grands prêtres, et par le viol du Saint des Saints commis par Pompée. Ils refusent les sacrifices sanglants et mènent dans le désert une existence monacale ; ils entretiennent cependant dans la cité de nombreuses amitiés, et un quartier où ils sont reçus et hébergés porte leur nom. Ils refusent de se reconnaître dans les Sadducéens comme dans les Pharisiens.

Les Esséniens sont peu nombreux, à peine quatre mille dans toute la Palestine, mais leur mode de vie, leurs prêches apocalyptiques, le mystère dont ils s'entourent, le pouvoir de guérison qu'on leur prête, les initiations auxquelles ils se soumettent, leur confèrent une influence, une *aura* que les auteurs païens, eux-mêmes, comme Pline l'Ancien, reconnaissent :

« C'est un peuple unique en son genre et admirable dans le monde entier au-delà de tous les autres ; sans aucune femme et ayant renoncé entièrement à l'amour, sans argent, n'ayant que la société des palmiers... De jour en jour elle comble ses vides grâce à l'affluence de ses nouveaux hôtes, et la foule ne manque pas d'adhérents fatigués de la vie et que les vagues du sort amènent là, désireux d'adopter les manières des Esséniens. »

Nous devons à Flavius Josèphe, le tableau le plus complet de la secte : « Les Esséniens répudient le plaisir comme un mal et ils tiennent pour une vertu la continence et la résistance aux passions. Ils dédaignent pour eux-mêmes le mariage, mais ils adoptent les enfants des autres à un âge encore assez tendre pour recevoir leurs enseignements... Ils mettent en garde contre le dévergondage des femmes et sont convaincus qu'aucune d'elles ne conserve sa foi à un seul homme.

« Leur piété envers la divinité revêt une forme particulière ; avant le lever du soleil, ils ne prononcent aucune parole profane mais ils récitent certaines prières ancestrales à l'adresse du soleil comme s'ils le suppliaient de se lever. Après ces prières, les administrateurs les congédient pour qu'ils vaquent chacun au métier qu'il connaît. Puis, après avoir travaillé d'un seul tenant jusqu'à la cinquième heure, ils se réunissent à nouveau dans un même lieu et, s'étant ceints de pagnes de lin, ils se baignent ainsi le corps dans l'eau froide... Eux-mêmes n'entrent dans le réfectoire que purs comme dans une enceinte sacrée. Le prêtre prélude au repas par une prière... Ensuite, ils déposent les vêtements qu'ils ont mis pour le repas, vu que ce sont des vêtements sacrés, et ils s'adonnent à nouveau au travail jusqu'au soir. Alors ils reviennent et prennent leur dîner de la même manière et les hôtes s'assoient à leur table s'il s'en trouve de passage chez eux. Aucun cri, aucun tumulte ne souille jamais la maison ; ils se donnent la parole les uns aux autres dans l'ordre ; à ceux du dehors ce silence de ceux du dedans apparaît comme un mystère redoutable. »

Comme les Pharisiens, les Esséniens croient à la résurrection des corps, au Jugement dernier, à la fin des temps qui se terminera par le triomphe des Fils de la lumière contre ceux des ténèbres. Le rouleau de la guerre, l'un des textes découverts à Qumran, prépare les fidèles à ce qui sera le dernier épisode de l'histoire du monde : le triomphe du Bien sous la conduite de deux messies et d'un prophète.

Bien qu'observant strictement la loi de Moïse, l'essénisme a subi nombre d'influences extérieures. Il doit en particulier au mazdéisme iranien une conception dualiste du monde, le combat du jour et de la nuit, du Bien et du Mal, des anges et des démons, le salut au soleil, l'obsession de la pureté, la multiplication des ablutions.

Les Esséniens cesseront d'exister sous forme de communauté après la destruction de Jérusalem. Un certain nombre d'entre eux, malgré leur pacifisme, rejoindront les défenseurs du Temple et les survivants du massacre, les chrétiens, dont ils étaient si proches.

La découverte des manuscrits de la mer Morte viendra confirmer ce qu'on savait déjà de cette secte étonnante, et de sa parenté avec le christianisme primitif dont Renan disait qu'il était un essénisme qui avait réussi.

Le soleil se lève sur Jérusalem

La quatrième veille vient de se terminer à Jérusalem. Selon la coutume romaine partout adoptée dans l'Empire, la nuit est divisée en quatre veilles de trois heures. Un coq a chanté ; ils sont nombreux avec les pigeons à être élevés en pleine ville où les jardins sont minuscules, quand ils existent, sauf à la périphérie et dans le quartier ouest. Malgré le mur récemment construit par le roi Agrippa, il reste encore de grands espaces vides. Les chiens errants, bêtes hargneuses et faméliques, se disputent les ordures dans les rues étroites et nauséabondes de la Ville basse que négligent les services de voirie.

Le soleil s'est levé sur les montagnes de Judée et le premier bruit qui réveille la ville sera le grondement de la porte de bronze de Nicanor qui, la nuit, interdit l'entrée du Temple et que l'on ouvre. Alors, sonnent les trompettes du Temple qui appellent les fidèles à la prière. Elle est une obligation absolue pour les hommes à partir de treize ans ; en sont dispensés les femmes, les enfants et les esclaves, même circoncis. Le jour du Sabbat, la trompe du shofar, la corne de bélier, remplace les trompettes.

Pour prier, le fidèle, s'il n'y habite pas, doit se tourner vers Jérusalem, vers le Temple s'il y habite, et, s'il se trouve dans le Temple, vers le Saint des Saints. Il récite à haute voix sa profession de foi. « Ecoute, Israël, l'Eternel est notre Dieu, l'Eternel est Un. Tu aimeras l'Eternel, ton Dieu, de tout ton cœur, de toute ton âme et de tout ton esprit. » Pour cette occasion, il aura revêtu le *taleth*, le châle de prière ; il se tient debout, se balançant, les mains étendues devant lui et fixant la terre. Il doit aussi porter les phylactères, des boîtes de cuir fixées sur le front, le bras et qui contiennent un verset de la Bible. Car la Loi dit : « Ces commandements seront gravés dans ton cœur. Tu les enseigneras à tes enfants, tu les répéteras dans ta maison, en voyage, au lever et au coucher du soleil. Tu les lieras en signe sur ta main, tu les placeras comme un frontal entre tes yeux et tu les écriras sur les poteaux de ta maison et sur les portes. »

Dès l'ouverture de la porte de Nicanor, les prêtres affluent dans le sanctuaire, toujours pieds nus, fiers Sadducéens appartenant aux nobles familles, caste fermée, hautaine, oints de l'huile sainte comme des rois, vêtus de lin blanc et censés mener une vie exemplaire.

Suivent les humbles lévites en robe safran chargés des tâches subalternes comme entretenir les feux de l'autel, préparer les pains azymes, égorger et dépecer les victimes. Les trésoriers qui veillent sur les biens du Temple s'occupent de l'administration ; les intendants sont responsables du ravitaillement et de la qualité des bêtes sacrifiées ; les portiers, les gardes sont chargés d'escorter le grand prêtre et d'interdire aux Gentils l'entrée du sanctuaire. Enfin viennent les musiciens, les chanteurs, tous lévites et fort mal payés puisqu'ils finiront par se mettre en grève. Flavius Josèphe estime à vingt mille les membres du haut et bas clergé. Le chiffre de dix mille nous semble plus proche de la réalité dans une ville qui ne compte que trente mille habitants hors le temps des fêtes.

Prêtres et fidèles sont répartis en vingt-quatre groupes dont chacun, à tour de rôle, assure le service du Temple pendant une semaine.

L'acte essentiel du culte de Yahvé consiste dans le sacrifice, l'holocauste, qui ne doit jamais être interrompu car ce serait rompre l'Alliance entre Israël et son Dieu. A l'aube est égorgé un agneau mâle, âgé d'un an et sans défaut. Une seule tache brune sur la tête le rendrait impropre à la cérémonie. L'autel est aspergé de son sang, puis la bête est dépecée en quatre quartiers et brûlée. Ce premier sacrifice est accompagné d'offrandes de froment pétri dans l'huile et de libations de vin. Le même sacrifice se répétera le soir, au coucher du soleil. Viennent s'y ajouter les innombrables holocaustes qui se dérouleront au cours de la journée où l'on sacrifiera taureaux, béliers, moutons ou, pour les jeunes mariés ou les fidèles démunis, un couple de colombes.

En période de grande fête comme la Pâque, le parvis du Temple se transforme en champ de foire où se marchandent les bêtes sous l'œil exercé des prêtres qui veillent à la qualité et ne manquent jamais de prélever la dîme (dix pour cent) du prix. L'autel se change en abattoir aux rigoles ruisselantes de sang où pataugent, pieds nus, les sacrificateurs dans une odeur atroce d'encens et de chair brûlée. Si par malheur le vent souffle du mauvais côté, elle se répand sur la ville. Aux yeux des contemporains, Jérusalem apparaît comme la cité la plus malodorante de l'Orient et le Temple, avec ses changeurs, ses prêtres et ses lévites rapaces, comme un véritable repaire de brigands.

Posée devant les petites tables des changeurs, une balance : en effet il est d'usage de peser les monnaies, car elles sont souvent usées ou rognées sur les bords. La seule monnaie admise pour payer l'impôt dû au Temple et acheter les offrandes doit être juive et ne porter aucune effigie à l'exception d'une branche de palmier ou de cédrat avec l'inscription « Sion délivrée ». Hérode, bien qu'il en brûlât d'envie, n'osa braver l'interdit en faisant figurer son profil. Les monnaies de bronze sont frappées à Jérusalem, mais le sicle d'argent, base de toutes les transactions, sort des ateliers de Rome.

Les huit portes de Jérusalem

Les portes de la ville se sont ouvertes en même temps que celles du sanctuaire. Telle qu'Hérode l'a laissée, Jérusalem est entièrement ceinturée de murs sur quatre kilomètres cinq cents, depuis les murs de soutènement de l'esplanade du Temple avec lesquels l'enceinte se confond, jusqu'à l'ancienne cité de David, l'Ophel, et Sion, qu'elle englobe, pour remonter par une série de redans jusqu'au palais fortifié d'Hérode et sa citadelle. Elle laisse le Golgotha, ou mont du Crâne, à l'extérieur du rempart pour rejoindre la formidable forteresse Antonia, collée au Temple. A l'épreuve des sièges, les murs sont construits de blocs énormes dont les renfoncements crénelés permettent les tirs de flanquement des archers.

Au-dessus de chaque porte aux solides vantaux de bois renforcés de fer, une voûte que surmonte une plate-forme où se tient le corps de garde.

On compte huit portes : la Porte dorée, aujourd'hui murée, qui conduisait directement au sanctuaire, et la Porte de la Fontaine s'ouvrant toutes deux sur le Cédron. Puis viennent la Porte d'Ephraïm, la Porte des Jardins, la Porte de la Poterie donnant sur la Géhenne où brûlent les ordures de la ville et qui symbolise l'enfer. La Porte des Brebis par où passaient les troupeaux conduits au sacrifice pourrait être la Porte Saint-Etienne. Les portes franchies, Jérusalem se présente comme un inextricable dédale de rues qui ne cessent de monter, de descendre pour remonter encore, si glissantes qu'elles sont souvent munies de degrés pour permettre aux ânes et à leurs conducteurs de les gravir sans trop de peine ; si étroites aussi, encombrées par les étalages qui débordent, que deux ânes ont peine à se croiser. L'âne de Palestine, il est vrai, est robuste, de forte taille et porte des charges qui doublent son volume. Le cheval est à peu près inconnu et il a mauvaise réputation. N'est-il pas la monture des idolâtres ?

Dans les vieux quartiers, les maisons en torchis, aux toits en terrasse, s'enchevêtrent, débouchent sur des impasses qui s'élargissent pour former de petites places portant le nom des métiers qui s'y sont regroupés : place des tisserands, des teinturiers, des orfèvres, des forgerons, des potiers, et des tisseurs de tentes, la toute-puissante corporation à laquelle appartenaient, mais à Tarse, les parents de saint Paul. Les marchands de fards, de parfums se tiennent dans la Ville haute, quartier des palais et des nobles résidences. Malgré leur fâcheuse réputation, les rabbis ont dû tolérer leur activité puisque l'épouse, selon la Loi, a le droit de disposer, pour l'entretien de sa beauté, de dix pour cent de sa dot.

Enclose dans ses murailles entourées de ravins, Jérusalem ne dispose pas de grands dégagements.

Seules exceptions : la piscine de Siloé, alimentée par le canal d'Ezéchias, une grande vasque entourée de portiques à la romaine, la piscine des Cinq galeries où viennent se plonger aveugles, boiteux et paralytiques espérant être guéris par le passage d'un ange effleurant les eaux. Enfin le Xyros, l'agora construite par Hérode sur l'emplacement des palais asmonéens et de leurs jardins. Il souhaitait qu'elle rivalisât, comme lieu de rencontre, avec le Temple. Sans succès.

Le blé pour les riches, le maïs pour les pauvres, le vin pour tous

Arrivant par les routes de Bethléem, de Jéricho, de Césarée, de Samarie, de Jaffa, les paysans affluent pour vendre les produits de leur terre : fèves, lentilles, concombres, ail, échalotes et les épices qui donnent du goût à la nourriture : sel de la mer Morte, safran, coriandre, menthe, aneth... La viande est réservée au Temple et à la consommation des prêtres et des riches Hiérosolymitains qui sont souvent les mêmes. En revanche, on trouve en abondance poulets, pigeons et perdrix. Le cerf et la gazelle restent des mets de luxe.

Pain de froment pour les riches, pain d'orge pour les pauvres, le grain étant broyé par les femmes et les esclaves dans des moulins de pierre. La meilleure qualité, la fleur de farine, est réservée aux offrandes et sert à confectionner des pâtisseries à base de miel et d'huile d'olive, saupoudrées de sauterelles broyées, qui remplacent le poivre, très rare. Le pain, pétri dans une bassine, en garde la forme et est cuit dans le four familial : il moisit vite. Pas de boulangeries à Jérusalem.

On ignore le beurre : la cuisine est à base d'huile

d'olive qui sert à bien d'autres usages. Réputée, l'huile de Judée s'exporte jusqu'à Sidon et Tyr. Les fruits les plus communs sont les melons, les figues, les grenades, les baies de sycomore et le raisin. Les dattes viennent de Jéricho.

L'animal est d'abord saigné à flanc, puis la viande est rôtie à la broche, afin de respecter le *kashrout*. Les gens du peuple se nourrissent de poisson séché écrasé en purée, de pain d'orge imprégné d'huile, accompagné d'un oignon et frotté d'ail.

En dehors de bières de fabrication locale, le vin est la boisson la plus courante. Comme la viande, il doit être *kasher*, ce qui exclut les vins étrangers. Le vin juif est rouge foncé, épais, d'une si forte teneur en alcool qu'il doit être coupé d'eau et filtré, car il est riche en tanin. Parfois, il est mêlé de miel pour atténuer son âpreté. On le conserve dans de grandes jarres ou des outres en peau de chèvre qui viennent d'Hébron. Les banquets se terminent souvent en beuveries. D'où les conseils répétés des rédacteurs de la Bible comme Jésus le Siracide (l'Ecclésiastique) : « Avec le vin ne fais pas le brave, car le vin en a perdu beaucoup. » Il donne le même conseil à propos des prostituées, des femmes légères et des veuves en goguette.

Comme on s'ennuie à Jérusalem !

La grande majorité des habitants de Jérusalem, à l'exception des prêtres, des commerçants, sont de condition modeste. Ils prennent et cuisinent leurs repas dans la courette de leurs maisons. Un réchaud à charbon de bois sert à tous les usages, à cuire le pain, les aliments et, quand le froid est vif, à se chauffer dans la salle commune. Ils mangent assis sur le sol, les jambes croisées, jamais debout, car, le

Talmud l'affirme, c'est mauvais pour la santé. Le premier repas est pris de bonne heure, avant de se rendre au travail, le second, le soir, au retour. Le jour du Sabbat, un repas plus abondant est servi au milieu de la journée.

Les riches familles de la Ville haute ont adopté dans les banquets la mode romaine du triclinium et, comme sur les fresques de Pompéi, les invités dînent allongés, rangés selon un ordre strict de préséance.

On s'ennuie à Jérusalem qui vit sous une double surveillance politique et religieuse. Les juifs sont hospitaliers, aiment la fête ; ils se recevraient volontiers, mais la vigilance des rabbis interdit dans les banquets tout débordement comme la présence des chanteuses et des danseuses au-delà d'une certaine heure. Restent des jeux anodins comme les dés — on a même découvert des dés pipés —, les osselets et une sorte de jeu de l'oie. Le tir à l'arc et la lutte, en revanche, sont tolérés.

Malgré l'interdiction des rabbis, nombreux sont les habitants de Jérusalem qui se rendent dans les villes grecques voisines pour assister aux jeux du cirque et aux combats de gladiateurs. Ils ne s'en tiennent pas là et profitent de l'occasion pour visiter les temples de Baal et d'Astarté où, survivance des religions cananéennes, les prostituées sacrées continuent à s'offrir. Des mœurs qui scandalisent prêtres et docteurs de la Loi, les « hiérodules » étant souvent des jeunes filles juives poussées à la prostitution par la misère. Les prêtres ne voient que le scandale et veulent en ignorer les raisons.

Sur la route, les auberges emploient de jeunes femmes qui servent à de multiples usages et qu'on appelle « les petites ânesses ». Les courtisanes d'une certaine volée ne semblent pas avoir été inquiétées et, à Jérusalem, mènent grand train.

Pour la majorité des citadins, le vêtement se limite à une simple tunique et un manteau. L'étoffe, tissée sur place, n'est pas de bonne qualité si l'on s'en tient aux rares fragments découverts dans les tombes. Pour le travail, les jours de deuil et de pénitence, on porte une sorte de pagne grossier, le *saq*. La tunique descend jusqu'au-dessus des genoux ; les rabbis, pour se distinguer, la portent plus longue, le bas étant orné de glands de couleur bleue. Les tuniques de qualité sont tissées d'une seule pièce, ornées de broderies et maintenues par une ceinture de cuir ou de brocart. A côté de la bourse, on glisse un poignard. Les ceintures des femmes, en général importées, véritables œuvres d'art, valent des fortunes.

Le manteau est la pièce principale du vêtement. C'est en manteau qu'on se présente au Temple ou devant ses juges. Il sert de couverture lorsqu'on dort à la belle étoile et, en signe de respect, on l'étend sur le passage d'un personnage important ou vénéré. « La foule, très nombreuse, étendit ses manteaux sur le chemin de Jésus ; d'autres coupaient des branches... » (Matthieu, 21).

L'homme porte des sandales de cuir parfois cloutées, en peau de chameau, les plus fines en peau de chacal.

Les vêtements féminins se distinguent par leurs ornements et la qualité du tissu. Les modes importées de Grèce, d'Egypte ou de Rome ne sont suivies que par les femmes et les filles des riches résidents de la Ville haute. Elles accordent le plus grand soin à leur chevelure, qu'elles tressent ou remontent en haut chignon et teignent au henné, à la grande indignation des rabbis qui voudraient qu'elles se rasent la tête et portent perruque. Elles se fardent les joues, les lèvres, les yeux, usant abondamment du khôl et se ruinant en parfums, nard et cinnamome.

En ville, les prêtres portent une tunique blanche serrée par une ceinture enroulée trois fois et un bonnet conique ; au Temple, de grands pantalons bouffants, une tunique tissée d'une seule pièce, ouverte à l'encolure et retenue aux épaules par des cordons de soie. Les habits du grand prêtre sont somptueux. A l'occasion des grandes fêtes, le turban est remplacé par un diadème d'or tandis que, sur sa poitrine, pend un pectoral orné de douze pierres précieuses en souvenir des douze tribus d'Israël. Il ne peut les revêtir que le temps de la fête et doit les remettre ensuite au procurateur romain. Même Yahvé et son représentant sur terre restent sous le contrôle des Césars. Une brimade que les Pharisiens jugent insupportable et qui les poussera à se révolter.

Romains et Grecs, écœurés par les odeurs nauséabondes des sacrifices qui flottent sur Jérusalem au moment des fêtes, accusent les juifs d'être puants et sales. Sans pousser l'hygiène aussi loin que les païens, ils se livrent pourtant à de nombreuses ablutions. Les plus riches disposent de bains privés ; les autres de piscines publiques. La race est saine, vigoureuse. Elle le démontrera dans sa lutte contre les Romains.

Les médecins sont nombreux. Elèves des Grecs, ils pratiquent des honoraires aussi élevés et s'en tiennent, comme remèdes, à des mélanges d'huile, de miel, d'aloès et de vin, et à des tisanes d'hysope, de romarin et de mandragore. Les rabbis, aux prétentions plus modestes, guérissent les malades par des prières et des incantations. Les miracles de Jésus surprennent moins qu'on ne l'imagine. N'est-il pas lui-même un rabbi venu de Galilée, une terre de miracles ?

Le mort, victime de la vieillesse, de la maladie ou du poignard des sicaires, est enterré au plus tard huit heures après le décès. Enveloppé d'un linceul, il est porté en terre sur un brancard, visage découvert, après avoir été frotté d'aromates. Il est accompagné de deux joueurs de flûte et d'une pleureuse qui précèdent la proche famille. Jamais il n'est brûlé. Au temps de Jésus, on croit à la résurrection des corps comme à celle des âmes. Les tombes se répartissent au hasard sur les collines avoisinantes, toujours à une certaine distance des murailles. Tourné vers la vie, le juif se soucie moins de la mort que les autres peuples.

CHAPITRE VIII

LA CLÉMENCE DE TITUS

« ...Vous allez entendre parler de guerres et de bruit de guerres. Attention, ne vous alarmez pas, car il faut que cela arrive, mais ce n'est pas encore la fin. On se lèvera en effet royaume contre royaume. Et il y aura des famines et des tremblements de terre par endroits. Alors on vous livrera à l'affliction et on vous tuera et vous serez haïs par toutes les nations... »

Évangile selon saint Matthieu

Un juif pour dix Romains

Avant d'aborder le récit de la lutte sanglante qui les opposera, il est bon de rappeler que Rome, chargée de tous les maux, s'est toujours efforcée de ménager les susceptibilités religieuses des juifs. Les soldats qui viennent à Jérusalem laissent leurs enseignes à Césarée. Au retour d'une expédition contre les Arabes, on verra une armée entière s'imposer un long détour plutôt que de traverser la Ville sainte. Ces « ménagements » d'un puissant Empire vis-à-vis d'une cité provinciale s'expliquent par l'importance de la diaspora juive installée sur le pourtour de la Méditerranée et à Rome. Elle regroupe entre six et sept millions de juifs, en majorité citadins, réunis dans les mêmes quartiers par goût et non par obligation, ville dans la ville, jouissant d'un statut particulier qui les rend indépendants de l'administration locale, monopolisant le commerce du blé, vital pour l'Empire. Maintenus dans leur foi par les rabbis enseignant dans les écoles et les synagogues, ils vivent tournés vers Jérusalem le matin et le soir pour réciter leurs prières. Le moindre événement se déroulant dans la Ville sainte les touche personnellement et peut avoir des répercussions dans l'Empire où l'on compte un juif pour dix Romains.

Au contraire des Hiérosolymitains, les juifs de la diaspora se sont livrés à un intense prosélytisme, suscitant de nombreuses conversions parmi la population hellénisée, conversions que la traduction en grec de la Bible, la version dite des Septante, a favorisées.

Les peuples païens commencent en effet à se lasser de dieux multiples et qui leur ressemblent trop ; ils cherchent de nouvelles lumières en Orient. Les uns choisissent Mithra, d'autres Yahvé. Mais la religion mosaïque est contraignante et, pour ne pas effrayer les néophytes, on invente une forme de semi-conversion, celle des « craignants Dieu ». Les « craignants Dieu » adoptent les grands principes de la religion d'Israël, mais sont dispensés de la circoncision et des interdits alimentaires difficiles à observer. Ils vivent proches des juifs, les soutiennent en toute occasion, respectent le repos du Sabbat et se réunissent dans les synagogues pour participer aux prières communes.

Des femmes de la bonne société romaine ont été attirées par cette forme de judaïsme édulcoré. Revers de ces succès, l'antisémitisme : on reproche aux juifs de vivre séparés de leurs contemporains, de vouloir affamer l'Empire afin d'y fomenter des troubles, d'accaparer l'économie grâce à leurs puissants réseaux financiers, enfin de comploter contre l'ordre établi.

Accusations absurdes. Les juifs de la diaspora n'ont aucun projet politique commun et souhaitent avant tout que rien ne vienne troubler la *pax romana* dont ils profitent. Ils ne participeront pas aux grandes révoltes de leurs compatriotes de Judée, mais ils en subiront les contrecoups et seront victimes des premiers pogroms de l'histoire. La destruction du Temple, si douloureuse pour eux, les rejettera définitivement vers la synagogue où naîtra la nouvelle conception du judaïsme que nous connaissons aujourd'hui.

A travers la lutte des juifs et des Romains, deux conceptions du monde et de la religion s'affrontent. D'un côté, la soumission à l'ordre établi — accepter par exemple le culte de l'empereur sans y croire ; de l'autre, une foi intransigeante qui pousse à le refuser. Viennent s'y ajouter une situation sociale dégradée, la misère et la famine, le poids des impôts, les exactions de l'administration romaine, un clergé qui a perdu son influence, la terreur que font régner les zélotes. Rien ne pouvait empêcher le désastre, et les exhortations à la raison, dans un tel climat, ne rimaient à rien.

Trente ans après la mort d'Hérode et la naissance de Jésus, le Temple n'est toujours pas terminé — il ne le sera que deux ans avant sa destruction — et, seuls, sculpteurs et artistes venus d'Egypte ou de Syrie s'attachent aux derniers détails. Le gros œuvre achevé, les manœuvres n'ont pas regagné leur campagne et, misérables, errent sur le pavé de Jérusalem, prêts à suivre n'importe quel agitateur. La mort leur semble préférable à leur état présent.

Les impôts romains sont lourds : l'impôt foncier (*tributum agri*) taxe vingt-cinq pour cent des produits du sol ; l'impôt personnel (*tributum capitis*) ou capitation est dû par les filles à partir de douze ans, par les garçons à partir de quatorze. Les vieillards en sont dispensés ainsi que les prêtres et les lévites. La capitation nécessite de fréquents recensements, mal perçus par les juifs.

Les impôts religieux sont de deux sortes : l'impôt du Temple — un didrachme au temps de Jésus — que tout juif âgé de plus de treize ans, où qu'il habite, gueux ou millionnaire, doit verser chaque année. Viennent ensuite les vingt-quatre redevances, les dîmes qui portent sur dix pour cent des produits du sol dont Yahvé, selon la Loi juive, est le seul propriétaire. Les prêtres en sont les bénéficiaires, les lévites les prélèvent. Tout doit être « dîmé » : les moutons qu'on élève, les volailles, les œufs du poulailler, le miel, le blé, l'orge, les fruits, même la menthe, le cumin et le fenouil. Tout produit non « dîmé » est déclaré impur et le consommer est considéré comme une grave infraction à la Loi. La dîme, cependant, n'est pas perçue durant l'année sabbatique, tous les sept ans, où la terre, censée se reposer, ne produit rien.

Un tiers de la population de Jérusalem vit du Temple, plutôt bien, un autre tiers, commerçants et artisans, malgré les taxes et les impôts, connaît une existence supportable. Les artisans les plus favorisés sont les orfèvres, les fabricants de sandales, les menuisiers ; d'autres, au contraire, caravaniers ou marins, sont considérés comme des brigands. Les marchands d'onguents sont suspects de sorcellerie ou de servir d'entremetteurs. Le dernier tiers est voué à la misère, disposé, pour survivre, à accepter n'importe quel travail à n'importe quel prix.

Avec leur minutie habituelle, les rabbis ont édicté une multitude de règlements fixant les conditions d'emploi des travailleurs, comment ils doivent être nourris, payés à l'heure ou à la demi-journée. En échange, ils sont tenus de respecter leurs maîtres, de ne pas paresser et de remplir convenablement leurs tâches. Travaillant eux-mêmes de leurs mains, les rabbis donnent l'exemple, un exemple qui n'est pas toujours suivi.

Une situation révolutionnaire

Tenus à l'écart, et bien que circoncis, viennent les « gens de la terre », les *am-ha-arez*, descendants des Hébreux restés sur place au temps de l'Exode et mêlés aux populations locales. Ce sont les maudits de la société : prêtres et rabbis s'entendent pour les considérer comme des bêtes car, faute d'en avoir les moyens, ils ne suivent pas les règles strictes de la Loi. Nombreux en Galilée, ils sont venus travailler sur les chantiers d'Hérode et n'en sont point repartis. Dans une société profondément troublée, qui a perdu ses structures traditionnelles, ils créent un élément de trouble et de discorde. N'ayant rien à attendre de leurs compatriotes, ils laisseront brûler Jérusalem et rejoindront, nombreux, les disciples du Christ qui, comme eux, ont rejeté la Ville sainte.

Les esclaves sont mieux traités. Quand ils ne sont pas juifs, ils coûtent très cher et, quand ils sont juifs, ils sont si bien protégés par la Loi qu'on préfère s'en passer. Il existe un dicton : « Quiconque achète un esclave hébreu se donne un maître. » Il s'agit, en général, de débiteurs incapables de payer leurs dettes et ils ne restent esclaves que six ans. Aussi préfère-t-on acquérir des esclaves païens achetés sept fois plus cher.

Peu d'esclaves à Jérusalem, mais beaucoup de désœuvrés, de révoltés, de paysans sans terres, un clergé vivant en vase clos, sans contact avec la population, et la redoutant, une petite aristocratie locale basée exclusivement sur l'argent, les fonctions administratives et religieuses tandis que, sous l'influence de ses rabbis, le peuple attend le grand chambardement auquel les zélotes l'engagent à se préparer.

Rien, dès lors, ne semble pouvoir enrayer la décomposition de la société et le recours à la révolte, ni belles paroles, ni nobles exhortations. Flavius Josèphe prête au roi Hérode Agrippa II, arrière-petit-fils du Grand Hérode, un sage discours démontrant au peuple l'inutilité d'un soulèvement contre Rome, maîtresse du monde.

« Les juifs pour s'y risquer, leur demande-t-il, seraient-ils plus intelligents que les Grecs, plus courageux que les Germains, plus puissants que les Gaulois et les Espagnols, n'ayant ni flotte, ni armée susceptible de se mesurer aux légions ? Ils ne peuvent espérer que la défaite, la déportation et la mort. »

Il ajoute :

« Si vous avez perdu tout sentiment d'humanité pour vos femmes et vos enfants, ayez au moins la compassion de cette capitale de la Judée. Ne soyez pas si cruels et si impies que d'armer vos mains pour renverser ses murailles, pour détruire votre sacré Temple, pour ruiner le sanctuaire et pour abolir vos saintes lois. Car pouvez-vous espérer que les Romains, se voyant si mal récompensés de les avoir autrefois épargnés, les épargnent encore lorsqu'ils auront de nouveau vaincu ? »

En cette occasion, Hérode Agrippa II est accompagné de sa sœur, la très belle reine Bérénice, dont il partage le pouvoir et le lit. Elle verse d'abondantes larmes car elle a le cœur sensible, mais ne réussit pas mieux que son frère auprès d'un peuple devenu étranger au langage de la raison.

La mise en garde de Jésus rejoint celle des Esséniens

De son côté, Jésus avait mis en garde les habitants de Jérusalem, une ville qu'il connaissait mal et, à l'image des Esséniens, qu'il n'appréciait guère :

« Et comme Jésus sortant du Temple s'en allait, ses disciples s'avancèrent pour lui montrer les bâtiments du Temple. Prenant la parole, il leur dit : "Vous regardez tout cela ? En vérité, je vous le dis : il ne sera pas laissé pierre sur pierre qui ne soit détruite... On se lèvera nation contre nation et royaume contre royaume. Et il y aura des famines... Alors on vous livrera à l'affliction et on vous tuera, et vous serez haïs par toutes les nations... Que ceux qui seront en Judée fuient dans les montagnes, que celui qui sera sur sa terrasse ne descende pas prendre ce qui est dans la maison et que celui qui sera au champ ne se retourne pas en arrière pour prendre son manteau. Malheur à celles qui seront enceintes et à celles qui allaitent ces jours-là. Priez pour que votre fuite n'arrive pas en hiver ou un sabbat. Car il y aura alors une grande affliction telle qu'il n'en est pas arrivé depuis le commencement du monde jusqu'à maintenant" » (Evangile selon saint Matthieu, 24).

Les juifs ne voulurent rien entendre d'un prophète que peu d'entre eux connaissaient ou d'un roi mal accepté. Il ne manquait qu'une étincelle pour mettre le feu à Jérusalem. Les exactions du procurateur Florus, ses mensonges, sa rapacité, sa cruauté l'allumeront. Et il en fut comme Jésus, et avant lui les missionnaires esséniens, l'avaient prédit : une bien étrange guerre qui ressemble plus à une malédiction du ciel qu'à un conflit classique opposant oppresseurs et opprimés. Elle va coûter la vie à la moitié du peuple hébreu, entraînera l'incendie du Temple et la destruction de Jérusalem. Les dirigeants sadducéens et pharisiens qui ne voulaient de cette guerre à aucun prix ne sauront l'éviter.

Amollis, gangrenés par le pouvoir et l'argent, les Sadducéens avaient renoncé à leur idéal d'Etat juif. Certains aspects révolutionnaires de la révolte les inquiétaient plus encore que la disparité des forces en présence. Quant aux Pharisiens, ils avaient mille raisons de s'opposer à une guerre qui ne mettait pas en cause leur vie religieuse, comme au temps d'Antiochos. Les juifs avaient même obtenu de César certains privilèges les dispensant du culte de l'empereur divinisé, de servir dans l'armée, et leur permettant de récolter la dîme pour l'entretien du Temple et de son clergé. Seuls les zélotes voulaient la guerre, car s'ils savaient ne pouvoir vaincre Rome par les armes, ils espéraient un miracle du ciel.

Les objectifs des révoltés se limitaient à la prise de Jérusalem, à la libération de la Judée ; ils ne chercheront pas à l'étendre plus loin.

Gassius Florus met le feu aux poudres

Le nouveau procurateur de Judée, Gassius Florus, successeur de Ponce Pilate, à peine investi, et fort de la protection de Néron, se croit permis toutes les exactions pourvu qu'elles l'enrichissent. Il est moins venu pour gouverner une province, nous dit Josèphe, que pour se comporter en bourreau. « Ses rapines n'avaient point de bornes non plus que ses autres violences. »

Il pille des villes entières, ruine des provinces et fait preuve d'une totale imprudence dans un climat de passion religieuse et politique.

Quand Cestius Gallus, le légat de Syrie dont dépend Florus, se rend à Jérusalem pour la Pâque, on le conjure de chasser « cette peste publique ». Florus se voyant perdu estime que la meilleure façon de couvrir ses crimes est de pousser les juifs à la révolte. Il sait que Néron ne supporte ni les juifs ni les chrétiens, avec lesquels, souvent, on les confond.

Pour répondre aux attaques dont il est l'objet, il envoie ses troupes piller le Haut marché. Il n'ignore pas la haine portée par la soldatesque à une ville qu'elle juge protégée par des privilèges abusifs, et le pillage — il fallait s'y attendre — se termine par un massacre général. Même des juifs élevés à la dignité de chevaliers sont déchirés à coups de fouet avant d'être crucifiés.

Florus ne s'en tient pas là. La garnison a été renforcée pour les fêtes, et, avec les troupes dont il dispose, il tente de s'emparer du trésor du Temple qu'il guignait depuis son arrivée. Les juifs, alertés, bloquent les rues étroites où les légionnaires ne peuvent progresser sous les jets des projectiles lancés des toits. Pour éviter qu'une tentative du même genre se renouvelle, les juifs abattent la galerie qui joint le Temple à la forteresse Antonia où une cohorte tient garnison.

Dans le même temps, des zélotes s'emparent par

surprise de Massada tandis qu'à Jérusalem, Eléazar, capitaine des gardes du Temple, interdit les sacrifices célébrés au nom de l'empereur. C'était le braver ; c'était braver Rome.

Les partisans de la paix et les mercenaires du roi Hérode Agrippa II se réfugient dans la Ville haute tandis que les « factieux », sous la conduite d'Eléazar, s'installent dans la Ville basse. Les deux partis s'affrontent à coups de pierres. La révolte contre l'administration romaine se complique d'une guerre civile. Le septième jour, rejoints par de nombreux sicaires venus de Massada, les rebelles incendient le palais du grand prêtre Ananias, celui du roi ainsi que de nombreux bâtiments publics et les rôles des impôts. Ne résistent plus que l'ancien palais d'Hérode et la forteresse Antonia. Les rebelles emportent Antonia, massacrent les légionnaires et assiègent les troupes d'Hérode Agrippa II réfugiées dans le palais hérodien avec ce qui reste de sa garnison.

Apparaît alors un certain Menahem dont on ne sait pas grand-chose sinon qu'il est galiléen et n'a cessé de prêcher la guerre contre les Romains. Il prend la tête de la révolte, dirige le siège du palais d'Hérode et s'en empare. Les Romains, abandonnés par les gardes d'Agrippa, se retrouvent isolés, réfugiés dans les tours de l'ouvrage flanquant le palais. Le grand prêtre, qui s'était réfugié dans les égouts avec son frère, est égorgé. Menahem, qui s'attribue le mérite des succès remportés, se prend pour un roi et en arbore les insignes. Eléazar, furieux qu'on lui vole sa victoire, soulève le peuple contre lui. Menahem est lapidé.

Désormais seul maître de la ville, Eléazar poursuit le siège du palais hérodien. Le tribun Metellus accepte de se rendre à condition qu'on lui accorde la vie sauve ainsi qu'à ses soldats. Eléazar engage sa parole, mais, dès que les légionnaires ont déposé les armes, ils sont égorgés, offerts en holocauste à Yahvé comme aux temps anciens du *herem*. Pour sauver sa vie, Metellus doit promettre de se faire circoncire. On ignore ce qu'il en advint.

Les Romains n'oublieront jamais le caractère sanglant de ces premiers affrontements auxquels est mêlé un dieu dont ils ne savent rien sinon qu'il exige qu'on lui sacrifie ceux qui refusent de reconnaître sa Loi. Du simple légionnaire venu des Gaules au légat issu d'une famille sénatoriale, tous voudront la destruction de Jérusalem. Ainsi s'explique l'acharnement, la cruauté des combats, l'incendie du Temple et que la ville soit condamnée à perdre jusqu'à son nom. S'il est vrai, comme l'affirme le Talmud, que Yahvé se soit enfui de son sanctuaire, écœuré par un tel déchaînement de violences, quels furent alors les dieux qui, à sa place, régnèrent sur Jérusalem et rendirent fous ses habitants ? Baal, Astarté, ou d'autres divinités plus anciennes et plus terribles ?

Après Jérusalem, toute la Judée s'embrase

La guerre civile gagne Césarée où Grecs et Romains s'entendent, si l'on en croit Flavius Josèphe, pour exterminer vingt mille juifs. Les Syriens ne se conduisent pas mieux. En guise de représailles, les juifs ravagent Gaza et d'autres villes syriennes et grecques.

« Ainsi l'on voyait avec horreur les villes pleines de cadavres de vieillards, d'enfants et de femmes tout nus et sans sépulture. Ce n'était partout que des misères inconcevables et l'on en appréhendait encore de plus grandes » (Flavius Josèphe).

Cestius Gallus décide d'en finir et, à la tête de la XIIe Légion, de quatre ailes de cavalerie, des troupes auxiliaires des rois alliés dont celles d'Hérode Agrippa II, il envahit la Judée. Oubliant le Sabbat et les cérémonies de la fête des Tabernacles, les juifs se précipitent au-devant des Romains, mais ne peuvent empêcher Cestius de s'installer sur le mont Scopus et de marcher sur Jérusalem. Il se rend maître de la Ville haute, qui lui était acquise, mais attend six jours avant de prendre le Temple. S'il avait poursuivi son attaque, il l'aurait emporté, le peuple étant las d'une guerre à ce point compliquée de querelles domestiques.

Estimant en avoir assez fait, Cestius s'en retourne en Syrie et perd ses bagages dans les défilés dont les juifs tiennent les hauteurs. La retraite se transforme en débâcle. Cestius abandonne ses machines de guerre et les juifs reviennent victorieux à Jérusalem, ayant subi peu de pertes alors que les Romains et leurs auxiliaires ont laissé quatre mille des leurs sur le terrain. « Ce qui arriva le huitième jour de novembre en la douzième année du règne de Néron. Cestius se laissa mourir de chagrin, de lassitude », nous dit Tacite.

Les Hiérosolymitains n'en oublient pas pour autant leurs querelles intestines. Le Sanhédrin veut écarter Eléazar, mais le peuple se déclare en sa faveur. Alors, il s'en accommode et, jouant le rôle du Sénat, il nomme quatre gouverneurs pour les quatre régions libérées ; Josèphe devient responsable de la Galilée.

La guerre est devenue inévitable, mais au lieu de s'y préparer, les juifs poursuivent leurs affrontements : le Sanhédrin se dresse contre le grand prêtre et les zélotes s'entre-tuent.

Néron apprend la défaite de ses troupes. Il redoute que la victoire des juifs incite d'autres peuples de l'Empire à se soulever et nomme, pour en finir, son meilleur général, Vespasien, au commandement des armées de Syrie. C'est un homme tranquille dont il croit n'avoir rien à redouter, car, étranger à la politique, il ne cherche pas à se rendre populaire.

Afin de l'arracher à la vie de débauche qu'il mène à Rome, Vespasien envoie son fils Titus rameuter la Xe et la Ve Légion stationnées en Egypte qui se joignent aux troupes déjà sur place et aux contingents des rois tributaires.

Grisés par leur victoire inespérée sur Cestius, les juifs attaquent la place forte d'Ascalon, tenue par une petite garnison. Ils se font repousser avec de lourdes pertes, mais ils n'en tirent pas la leçon qui aurait dû s'imposer : rien ne peut remplacer l'union — le courage ne suffit pas à pallier l'inexpérience.

Titus a rejoint son père à Ptolémaïs avec les renforts qu'il lui a amenés. Il y rencontrera la reine Bérénice, de treize ans plus âgée que lui, et dont il s'éprendra follement au point d'envisager, pour elle, de renoncer à l'Empire. Bérénice a, sinon la jeunesse, du moins la beauté et l'intelligence de Cléopâtre. Elle nourrit les mêmes ambitions et, à Rome, jouit d'une réputation aussi sulfureuse que jadis la souveraine égyptienne. N'était-elle pas l'amante de son frère ? Cléopâtre avait épousé le sien !

Avant d'en finir avec Jérusalem, âme de la résistance, Vespasien décide de l'isoler du reste de la Judée. Il est parfaitement renseigné par ses agents sur l'état de la rébellion, les rivalités de ses chefs, les désordres auxquels les différentes factions se livrent. Il n'ignore pas que la Galilée, l'un des plus solides bastions de la résistance, est commandée par un général juif, brillant certes, mais qui ne croit pas à la victoire et qui admire Rome. Il s'agit d'un certain Josèphe, issu d'une noble famille sacerdotale et se prétendant le descendant des rois asmonéens. Il n'a pas encore pris le prénom romain de Flavius, mais déclare déjà à qui veut l'entendre que, plus qu'à la fortune, c'est à la seule valeur de son armée que Rome doit l'empire du monde.

Les légions s'avancent en Galilée sous le commandement de Vespasien dont la renommée est telle qu'une partie des rebelles s'enfuient sans combattre et que, lâché de tous côtés, Josèphe en est réduit à se réfugier à Tibériade. Les Romains prennent Gadara au premier assaut, car la ville est mal défendue. Pour venger la défaite de Cestius et le massacre de la garnison de Jérusalem, ils exterminent la population.

Josèphe, un bien étrange général juif

Josèphe s'est laissé enfermer dans la forteresse de Josaphat. Il envoie un message au Sanhédrin pour qu'il lui fournisse de l'aide. Mais le Sanhédrin, qui l'a nommé, n'est plus rien et les renforts n'arriveront jamais.

Malgré le manque d'eau et le soleil brûlant, Titus emporte la position et poursuit, dans les souterrains et les cavernes environnantes, les défenseurs qui s'y sont réfugiés. Josèphe et quarante de ses compagnons décident de mourir plutôt que de se rendre. Mais Josèphe les laisse s'entre-tuer et, resté le dernier, se rend à un centurion avec lequel il avait déjà pris contact quand il avait été question de rendre la place.

Le centurion le conduit à Vespasien. Josèphe est habile, parle grec et latin ; il a vécu à Rome. Il a deviné les secrètes ambitions du général romain et, comme à beaucoup d'Esséniens — il passe pour avoir appartenu à la secte —, on lui prête des dons de divination. Il joue les prophètes et prédit à Vespasien un avenir glorieux : il sera un jour empereur ! Très vite, il devient le courtisan, le conseiller, l'ami du vieux général et de son fils, traître à la cause juive autant par raison — il admire Rome et sait que tout combat contre elle est vain — que par haine des zélotes, « la racaille de la basse ville ». A travers ses écrits, nous connaîtrons le destin tragique de la Ville sainte et de ses défenseurs, leur courage, leur folie et ce qui en résulta : la fin d'une certaine forme de judaïsme.

Toutes les villes de Galilée tombent les unes après les autres, mais Jean de Giscala réussira à s'enfuir et poursuivra son combat jusqu'à la destruction de Jérusalem. Ce sera grâce à Josèphe, qu'il haïssait, que nous apprendrons son nom et ses exploits.

A la fin de l'année 67, la Galilée est entièrement soumise. Les campagnes n'ont pas suivi ; les combats se sont limités à une série de sièges, preuve que les insurgés ne disposaient pas d'une armée capable d'affronter les légions en rase campagne. Bientôt, ils ne contrôlent plus que Jérusalem, la région de Bethléem, la rive occidentale de la mer Morte, les forteresses de Massada et de Machéronte.

Vespasien prend ses quartiers d'hiver à Césarée laissant, à dessein, la situation se dégrader. Des bandes de pillards dévastent les campagnes. Partisans de la paix et de la guerre s'entre-tuent tandis que Jérusalem est envahie par des milliers de réfugiés. S'y rencontrent le meilleur et le pire, d'authentiques patriotes, des brigands assoiffés de pillage, des révolutionnaires rêvant d'instaurer une république populaire.

Les zélotes aux prises dans une guerre maudite

Les zélotes veulent nommer grand prêtre un paysan inculte sous prétexte de « démocratiser » la fonction. La révolte prend une allure révolutionnaire et l'on verra s'installer, sur le parvis du Temple, un Tribunal du peuple.

Jean de Giscala, qui a gagné Jérusalem, prend la

tête de la faction dure tandis que les partisans du grand prêtre Hanan cherchent à déloger les zélotes du Temple. En difficulté, Jean fait appel à des milices iduméennes qui rôdent aux abords de la ville, les assurant que le grand prêtre veut traiter avec les Romains. Vingt mille Iduméens déchaînés, animés du zèle des nouveaux convertis, aidés des zélotes, s'emparent de la cité. Le grand prêtre et ses partisans sont massacrés et le Temple est souillé.

Pour lutter contre eux, les modérés font appel à Simon bar Giora qui, avec ses sicaires, tient Massada, terrorisant les populations voisines. C'est demander à l'incendiaire de venir éteindre le feu.

Durant l'hiver 69-70 apparaît une nouvelle faction dirigée par Eléazar qui fut le premier à lever l'étendard de la révolte en interdisant les sacrifices au nom de l'empereur. Avec ses fidèles, il s'empare de la cour intérieure du Temple, Jean de Giscala gardant le contrôle des parvis extérieurs et Simon bar Giora celui de la Ville haute et d'une partie de la Ville basse. Les Iduméens, estimant avoir été dupés, retournent chez eux.

Entre les bandes armées, la violence des affrontements devient telle qu'on oublie Yahvé, et le sang des pacifiques pèlerins, venus pour la Pâque, se mêle à celui des bêtes sacrifiées. Une guerre maudite ! Les plus sinistres présages s'accumulent. Tacite en fera état, cinquante ans plus tard.

« On vit dans le ciel des armées se livrer bataille, des armes rougeoyer et le Temple illuminé d'un feu soudain sortant des nues. Les portes du sanctuaire s'ouvrirent brusquement et l'on entendit une voix plus puissante que la voix humaine dire que les dieux étaient partis ; et en même temps, se produisit un grand mouvement comme si des gens s'en allaient. »

Les juifs ne peuvent compter sur aucune aide extérieure. Après l'assassinat de Néron et une année de guerre civile, Vespasien est proclamé empereur par les légions. Il abandonne à Titus la conduite de la guerre de Judée. Dans la diaspora, on espère seulement que Titus, sous l'influence de Bérénice, se conduira comme Pompée, prenant la ville sans toucher au Temple. Mais une véritable folie de sang et de meurtre a saisi toutes les classes de la société et l'on voit des grands prêtres à la tête de gardes armés combattre leurs rivaux.

Jamais désolation ne fut plus grande que celle des infortunés habitants de Jérusalem. Impossible pour eux de s'enfuir, qu'ils soient résidents, réfugiés ou pèlerins : tous les passages sont gardés et les malheureux qui se risquent à cette aventure, soupçonnés de vouloir se rallier aux Romains, sont impitoyablement exécutés. Les serviteurs n'obéissent plus à leurs maîtres, les morts sont privés de sépulture. On se bat entre juifs sur des entassements de cadavres. La fureur, la haine, ne connaissent plus de limites.

L'ordre romain face au désordre juif

En face de ce sanglant désordre se déploie l'ordre romain avec son faste, et sa rigueur. Flavius Josèphe ne cache pas son admiration. On lui doit une description enthousiaste de l'armée de Titus marchant sur Jérusalem.

« Les troupes auxiliaires allaient les premières. Les pionniers les suivaient pour aplanir les chemins. Après, venaient ceux qui étaient ordonnés pour marquer le campement, et derrière eux était le bagage des chefs avec son escorte. Titus marchait ensuite accompagné de ses gardes et autres soldats d'élite, et après lui venait un corps de cavalerie qui était à la tête des machines. Les tribuns et les chefs des cohortes suivaient, accompagnés aussi de soldats d'élite. Après paraissait l'aigle environnée des enseignes des légions précédées par des trompettes. Le corps de la bataille, dont les soldats marchaient six par six, venait ensuite. Les valets des légions étaient derrière avec les bagages, et les vivandiers et les artisans, avec les troupes ordonnées pour leur garde, fermaient cette marche. »

Avec les réfugiés venus de la Galilée et de toute la Judée, la ville compte trois cent mille habitants. Les réserves d'eau et de vivres se révèlent insuffisantes. Quant aux combattants juifs, il est impossible de les dénombrer, les chefs de parti grossissant artificiellement leurs effectifs pour réclamer plus de pouvoir. On les estime au mieux à trente mille.

Avec ses murailles hérissées de cent soixante tours carrées, Jérusalem apparaît aux Romains comme une formidable forteresse. A l'intérieur de l'enceinte, d'autres forteresses se dressent comme le palais d'Hérode et sa citadelle, le Temple entouré de deux enceintes, défendu par l'Antonia que l'on disait imprenable.

Titus dispose de quatre légions aguerries, d'une nombreuse cavalerie, de machines de siège, le tout appuyé par vingt mille auxiliaires arabes et syriens qu'anime une haine profonde des juifs. En tout soixante mille hommes. Il a comme chef d'état-major Tibère Alexandre, général remarquable, juif lui-même, converti aux dieux plus tolérants de la Grèce, qui s'est voué corps et âme aux Flaviens. Son conseiller Flavius Josèphe, le meilleur général juif de la révolte selon lui, passe pour avoir conservé des intelligences dans la place.

A Rome est dévolu le destin de gouverner le monde, croient les légionnaires qui tiennent pour sacrilèges ceux qui tenteraient de s'y opposer. En face, des hommes aussi déterminés qui se battent pour leur Dieu et pallient leur manque de connaissances militaires par un courage, une intelligence, un sens de l'improvisation qui surprendront leurs adversaires.

A la tête de six cents cavaliers, sans casque ni cuirasse, Titus lance une reconnaissance sur les faubourgs de la ville. Une charge folle des assiégés sortant par l'une des portes l'isole de son escorte. Il doit combattre seul, l'épée à la main, sous une grêle de flèches jusqu'à ce que ses soldats le rejoignent. Il a pu juger de la qualité des combattants juifs et il sait désormais que la conquête de Jérusalem sera longue, difficile. Il le rappelle à ses officiers trop assurés de leur supériorité.

Pendant que les légions installent leurs camps sur les hauteurs qui dominent Jérusalem, le mont Scopus, le mont des Oliviers, le génie romain se met à l'œuvre avec son efficacité habituelle. Les oliviers magnifiques qu'ont chantés les prophètes sont arrachés, les fossés comblés pour que les puissantes machines de siège puissent avancer jusqu'à l'enceinte extérieure dont certains éléments n'ont pas été achevés, ce dont Titus s'est rendu compte.

Il décide d'attaquer la troisième muraille en ses points faibles. Trois tours de bois hautes de vingt-six mètres dominant le mur qui n'en mesure que dix, renforcées de plaques d'acier et hérissées d'archers et de balistes s'y emploient, tandis que les béliers battent les murs.

Jean de Giscala, avec cinq cents hommes, utilisant un passage secret, incendie les machines romaines ; un autre groupe surprend en plein travail les légionnaires de la Xe Légion occupés sur le mont des Oliviers à fortifier leur camp. Une contre-attaque menée par Titus lui-même ne peut empêcher la déroute des légionnaires.

Profitant de l'inertie momentanée des Romains, surpris par les attaques qu'ils ont subies, et de la renommée que lui ont apportée ses succès, Jean de Giscala, mêlant ses sicaires aux pèlerins de la Pâque, s'introduit sur le parvis du Temple et massacre les partisans d'Eléazar qui, blessé, a pu s'enfuir à Massada.

Jean de Giscala et Simon bar Giora qui rêvèrent d'être rois-messies

Désormais, il n'y a plus à la tête de la résistance que Jean de Giscala et Simon bar Giora, pour Josèphe deux redoutables bandits, pour l'histoire deux excellents chefs de guerre : Jean plus averti, Simon plus jeune, plus ardent, tous deux rêvant d'incarner le Roi-Messie que le peuple attend.

Devant le danger, ils décident enfin d'unir leurs forces. Excellents combattants individuels, les juifs manquent de discipline, d'organisation et ne savent pas utiliser le matériel de guerre dont ils se sont emparés. Au contraire, qu'ils viennent de Germanie, de Gaule ou du Latium, fondus dans le moule de la Légion, cette prodigieuse machine de guerre, les légionnaires ignorent les rivalités personnelles. Ils n'ont qu'un chef, Titus, et professent à son égard une véritable vénération alors que les partisans de Jean et de Simon, entre deux combats, ne pensent qu'à en découdre.

La première enceinte, le mur d'Agrippa, qui défend le quartier de Bezetha, entre Hippicos et Pséphina, s'effondre sous les coups de bélier. Les défenseurs l'ont abandonné, suivis de toutes leurs familles. Les légionnaires vont utiliser les pierres des remparts pour édifier les ouvrages qui leur permettront de venir à bout du deuxième mur. Titus installe son quartier général dans la partie de la ville nouvellement conquise.

Le second mur est pris d'assaut. Mais les contre-attaques incessantes des juifs, les difficiles combats que les légionnaires doivent livrer dans les ruelles étroites où ils se perdent, les obligent à abandonner une place pourtant chèrement acquise.

Titus relance ses troupes, il reprend partout l'offensive ; quatre jours encore et il est maître du quartier. La moitié de Jérusalem est sous son contrôle. Ne résistent plus que le Temple avec la forteresse Antonia, la Ville haute avec le palais d'Hérode, et la Ville basse et son inextricable lacis de ruelles et d'impasses.

Le 27 mai sont achevées les quatre rampes qui vont permettre aux machines de dominer le troisième mur et aux béliers de le battre. Mais Jean de Giscala met le feu à l'assemblage de bois enduit de goudron, de poix et de résine qu'il avait aménagé sous l'une des terrasses. Elle s'effondre au moment où les Romains montent à l'assaut. De son côté, Simon attaque les deux autres rampes et les incendie. Bientôt, les légionnaires sont environnés de flammes et doivent se retirer tandis que les juifs crient victoire. Ils ne doutent plus que Yahvé est avec eux. Les Romains désespèrent de pouvoir jamais prendre la place.

Titus réunit son état-major. Les uns proposent d'en finir en livrant un assaut général, quoi qu'il en coûte, les autres d'empêcher tout ravitaillement de l'ennemi, de le laisser mourir de faim et de l'attaquer quand il sera suffisamment affaibli. Titus se range à cet avis. On construit un mur de sept kilomètres autour de la ville, renforcé par treize forts. Son édification qui, dans d'autres circonstances, aurait nécessité trois mois, ne dure que trois jours tant les Romains sont pressés d'en finir.

La famine accroît ses ravages. Le blé manque et les zélotes, maîtres de la cité, forcent les portes des particuliers pour s'en procurer. Ils torturent d'atroce manière hommes et femmes pour leur faire avouer leurs cachettes. Ils arrachent aux pauvres les herbes qu'ils ont été cueillir de nuit hors de la ville, au péril de leur vie. On n'enterre plus les morts et une puanteur atroce se dégage de la ville transformée en charnier.

« Une partie de ceux qui s'enfuyaient de Jérusalem, nous dit Josèphe, pour se sauver, se jetaient par-dessus les murailles ; d'autres prenaient des pierres sous prétexte de s'en servir contre les Romains, et passaient ensuite de leur côté. Mais après avoir évité un mal, ils tombaient dans un autre plus grand, parce que la nourriture qu'on leur donnait provoquait une mort encore plus prompte que celle dont la faim les menaçait... Ceux qui voulaient se sauver avalaient de l'or, car il y en avait dans la ville une telle quantité que ce qui valait auparavant vingt-cinq attiques n'en valait alors que douze. Il arriva qu'un des transfuges ayant été surpris au quartier des Syriens lorsqu'il cherchait dans ses excréments l'or qu'il avait avalé, le bruit courut aussitôt dans le camp que ces transfuges avaient le corps tout rempli d'or, et plusieurs de ces Syriens et des Arabes leur fendirent le ventre pour chercher dans leurs entrailles de quoi satisfaire leur abominable avarice... »

Instruit par ses espions de la situation désespérée de la population, Titus met au point une mise en scène qui, pense-t-il, décidera de la fin des combats. Défilent sous les remparts, dans la lumière éclatante du matin, les légionnaires par rangs serrés, épée nue, cuirasse et casque étincelants, suivis de la cavalerie magnifiquement harnachée, puis des auxiliaires dans leurs tenues rutilantes... Des centaines de chariots les suivent, croulant sous les victuailles, les amoncellements de viandes, de fruits, d'outres de vin. Alors, devant les affamés, les légionnaires organisent un gigantesque festin.

Les assiégés, encadrés par les zélotes, ne bronchent pas. Titus envoie Flavius Josèphe pour les convaincre de se rendre. Il ne leur reste aucun espoir, leur rappelle Josèphe, depuis que la plus grande partie des défenses de la ville est tombée. Josèphe doit fuir, chassé à coups de pierres de la position d'où il les exhortait.

Titus estime que le temps n'est plus à la clémence. Désormais, décide-t-il, ceux qui seront capturés, transfuges ou prisonniers de guerre, seront crucifiés. Bientôt, les croix, par centaines, se dressent face au

Temple. Chaque matin, on détache les corps des suppliciés pour les remplacer par de nouveaux.

Un grand silence pèse sur Jérusalem

« Le silence était aussi grand par toute la ville que si elle eût été ensevelie dans une profonde nuit, ou qu'il n'y fût resté personne » (Flavius Josèphe).

La forteresse Antonia devient l'enjeu de la bataille. Les Romains battent en vain ses murs. Grâce à une sape, ils provoquent l'écroulement de l'une des quatre tours. Mais les juifs ont construit un second mur, aussi solide. Et il faut recommencer.

Les légionnaires souffrent du manque d'eau qu'ils doivent aller chercher très loin, du manque de bois pour reconstruire leurs ouvrages incendiés aussitôt qu'édifiés. Saisis de découragement, ils en arrivent à croire que Jérusalem est imprenable et qu'un dieu la défend. Mais Dieu n'est plus dans la cité qu'ont souillée tant de crimes, où l'encens ne fume plus sur ses autels et que tous les fidèles ont désertée.

Chez les assiégés, l'horreur dépasse les bornes. Une mère tue ses deux fils, les fait cuire et, aux zélotes attirés par l'odeur, offre de partager son abominable repas.

De garde sur une plate-forme, des légionnaires surprennent en pleine nuit des miliciens juifs endormis. Ils leur coupent la gorge, escaladent le rempart et font sonner les trompettes. Croyant que la forteresse est tombée, le reste des défenseurs s'enfuit dans le Temple. Titus, voulant exploiter ce succès inespéré, les poursuit et tente de prendre pied sur l'esplanade. Après dix heures de combat acharné, « la fureur et le désespoir des juifs qui voyaient que leur salut dépendait du succès de leur combat, l'emportent sur la valeur et l'expérience des Romains » (Flavius Josèphe).

Titus est enfin maître d'Antonia, mais les juifs ont incendié les portiques et les plates-formes qui les reliaient au Temple.

Les béliers battent les murs du Temple pendant six jours, sans succès, tant la construction d'Hérode est solide. Les légionnaires tentent l'escalade avec des échelles. Repoussés, ils n'arrivent qu'à incendier les portes du sanctuaire recouvertes de lames d'argent qui fondent et dont le métal s'étale sur les dalles. Les uns veulent qu'on détruise le Temple dont la résistance les exaspère et qui a depuis longtemps perdu, à leurs yeux, son caractère sacré ; les autres, avec Titus, souhaitent le sauvegarder, « estimant injuste de se venger sur des choses inanimées des fautes commises par les hommes en réduisant en cendres un ouvrage dont la conservation constitue l'un des plus grands ornements de l'Empire ». De son côté, Bérénice aurait poussé son amant à la clémence. Mais, selon Septime Sévère, contrairement aux dires de Josèphe et malgré les serments prodigués, Titus aurait secrètement décidé la destruction du sanctuaire afin d'en finir avec Yahvé et, par ce geste, de contenter ses soldats en un temps où les légions élisaient les empereurs.

Le 10 août, estimant les défenseurs suffisamment démoralisés, Titus attaque avec toute son armée.

Les juifs opposent une résistance acharnée. La Cour des prêtres, le Saint et le Saint des Saints, pour l'instant, sont encore intacts.

Est-ce la main d'un soldat ou celle de Dieu qui incendia le Temple ?

« Alors un soldat, sans en avoir reçu l'ordre et sans appréhender de commettre un si horrible sacrilège, mais comme poussé par un mouvement de Dieu, se fit soulever par l'un de ses compagnons et jeta par la fenêtre d'or une pièce de bois tout enflammée dans le lieu par où on allait aux bâtiments faits alentour du Temple du côté du septentrion. Le feu s'y prit aussitôt ; et dans un si extrême malheur les juifs jetèrent des cris effroyables. Ils coururent pour tâcher d'y remédier, rien ne pouvant plus les obliger d'épargner leur vie lorsqu'ils voyaient se consumer devant leurs yeux ce Temple qui les portait à la ménager par le désir de le conserver » (Flavius Josèphe).

Titus, aussitôt prévenu, aurait donné l'ordre à ses légionnaires d'éteindre l'incendie. Mais il est trop tard. Les assaillants sont pris d'une véritable folie de destruction et de meurtre ; ses ordres n'y changent rien.

« Ce feu qui dévorait le Temple était si grand et si violent qu'il semblait que la montagne même sur laquelle il était assis brûlait jusque dans ses fondements. Le sang coulait en telle abondance qu'il semblait disputer avec le feu à qui s'étendrait davantage... » (Flavius Josèphe).

Tandis que les légionnaires vainqueurs dressent leurs emblèmes sur l'esplanade dévastée, que l'on offre un sacrifice aux dieux de l'Olympe et que Titus est proclamé *imperator*, les combats se poursuivent dans la Ville haute. Une partie des zélotes ont réussi à s'enfuir avec leurs chefs, Jean et Simon. Ils refusent avec hauteur une offre honorable de capitulation et les combats font rage dans le palais d'Hérode. Quatre légions l'investissent.

La construction des terrassements dure huit jours, permettant à une partie de la population de passer du côté des Romains. Dès que les béliers ont entamé les murailles, les derniers défenseurs s'enfuient par les souterrains tandis qu'une poignée d'irréductibles tente de freiner l'avance ennemie en se maintenant dans une des tours encore intactes. Jean et Simon, suivis d'une petite troupe, gagnent la vallée du Cédron, mais, surpris par une patrouille romaine, se séparent. Par un souterrain, Jean atteint les faubourgs de Jérusalem, mais, à bout de forces, il est pris et au Romain qui l'a reconnu, il réclame l'aumône d'un morceau de pain. Quant à Simon, émergeant d'un égout, vêtu d'une tunique blanche de prêtre sur laquelle il porte, tel un roi, un manteau de pourpre, il se rend au tribun Rufus. Comme Menahem, comme Eléazar, Simon avait voulu être le Roi-Messie.

Jean sera condamné à la prison perpétuelle et Simon mis à mort après avoir figuré, à Rome, au triomphe de Titus.

La Ville basse dont on attendait une forte résistance se donne au vainqueur. Les rebelles pris les armes à la main sont exécutés ; on se débarrasse des vieillards et des faibles. Les hommes vigoureux, les femmes jeunes, les enfants bien constitués seront vendus sur les marchés d'esclaves de Syrie et d'Egypte. Ils seront si nombreux que les prix s'effondreront comme celui de l'or dont Jérusalem regorgeait.

Le 8 septembre, tout est consommé. Laissant derrière lui Jérusalem en flammes, Titus, suivi de son armée, regagne Césarée où il donne de somptueuses fêtes aux côtés de Bérénice. Dans les combats de gladiateurs, on verra des juifs affronter d'autres juifs.

Titus a donné l'ordre de raser la ville à l'exception du mur de l'ouest, des tours d'Hippicos, de Phazael et de Mariamne. Il voulait que la postérité sache la valeur et la science des Romains capables d'avoir pris d'assaut de tels ouvrages ! Dans les ruines de la

Ville haute, il installe la Xe Légion et un corps de cavalerie.

Selon Josèphe, le nombre des prisonniers se monterait à quatre-vingt-dix-sept mille et le siège de Jérusalem aurait fait un million de victimes, « dont la plupart, quoique juifs de nation, n'étaient pas nés dans la Judée, mais y étaient venus de toutes les provinces pour solenniser la fête de Pâque et s'étaient ainsi trouvés enveloppés dans cette guerre ». Ces chiffres sont exagérés ; la guerre des juifs, selon des estimations plus vraisemblables (Tacite), aurait fait six cent mille morts, pertes énormes pour une population qui ne dépassa jamais deux millions dans toute la province de Judée.

Résistance des derniers zélotes à Massada

Massada, la forteresse construite par Hérode, prise en 68 par les zélotes, résistait toujours sous le commandement d'Eléazar. Promoteur de la révolte, il en sera le dernier acteur et saura donner à sa fin la grandeur, l'horreur tragique que méritait une telle guerre.

Le légat Flavius Sylva est chargé d'en finir et l'entreprise se révèle difficile même après la chute de Jérusalem qui aurait dû laisser les juifs démoralisés. Il devra engager une légion — huit mille soldats — et employer cinq mille esclaves juifs pour les travaux de terrassement. La plupart mourront à la tâche.

Pour tenir la région, Sylva installe partout de petites garnisons. Puis, comme le fit Titus à Jérusalem, il entoure la citadelle d'un mur afin d'interdire aux zélotes de recevoir aide et ravitaillement de l'extérieur. De ravitaillement, ils n'ont aucun besoin, d'aide ils n'en veulent plus, soucieux de rester entre eux. Bien des années auparavant, redoutant le pire,

Hérode avait rassemblé des vivres en quantité que l'air particulièrement sec a conservés. Les citernes regorgent d'eau, alors que les Romains en manquent.

La place, entourée de précipices, ne peut être attaquée que par le seul point où le fossé est le moins profond. On le comble, on élève un terre-plein pour permettre aux machines d'intervenir. Les esclaves juifs, pris à Jérusalem, tombent sous les flèches de leurs coreligionnaires. Aux yeux des Romains, ils ne sont plus que du bétail.

L'été approche, la chaleur et l'absence d'eau rendent la vie des assaillants insupportable et les assiégés, qui ne manquent de rien, les narguent. Enfin, les béliers peuvent attaquer les murailles. Mais Eléazar a fait construire un deuxième mur en terre argileuse et humide contre lequel ils se révèlent inefficaces.

Le vent vient en aide aux assiégés et les flèches enflammées incendient les ouvrages romains. Mais quand il tombe, plus rien, estime Eléazar, ne peut empêcher la victoire de l'ennemi. Il a vu comment étaient traités les esclaves juifs, déchirés à coups de fouet, balancés dans les fossés quand ils ne pouvaient plus servir. Il veut éviter ce sort à ses derniers fidèles.

« Ne nous déshonorons pas, leur dit-il, en nous soumettant à la plus cruelle des servitudes si nous tombons vivants entre les mains des Romains après avoir été les premiers à secouer leur joug. Ne nous rendons pas indignes de la grâce que Dieu nous fait de pouvoir mourir volontairement et glorieusement en étant encore libres, bonheur que n'ont point eu ceux qui se sont flattés de l'espérance de ne pouvoir être vaincus. Hâtons-nous donc de leur faire perdre l'espérance de triompher de nous et que l'étonnement de ne pouvoir exercer leur rage que sur des corps morts les contraigne d'admirer notre générosité » (Flavius Josèphe).

Les derniers défenseurs de Massada et leurs

familles — ils étaient neuf cent soixante — embras-
sèrent leurs femmes, leurs enfants, puis, « chacun se
rangea auprès des cadavres de ses proches et, les
tenant embrassés, ils présentèrent la gorge à ceux
qui avaient été choisis pour achever l'horrible massacre. Celui qui était resté seul mit le feu au palais et
se jeta sur son épée ».

Une vieille femme et une cousine d'Eléazar, avec
cinq jeunes enfants, s'étaient cachées dans les
citernes.

Le lendemain, dès la pointe du jour, les Romains
donnèrent l'assaut. Ils ne trouvèrent que les deux
femmes qui leur racontèrent ce qui s'était passé. « Ils
eurent peine à ajouter foi tant une action si extraordinaire leur paraissait incroyable ; ils travaillèrent à
éteindre le feu et arrivèrent jusqu'au palais. Alors
voyant cette grande quantité de morts, au lieu de
s'en réjouir en les considérant comme des ennemis,
ils ne pouvaient se lasser d'admirer que par un si
grand mépris de la mort tant de gens eussent pris
et exécuté une si étrange résolution » (Flavius
Josèphe).

De Jérusalem ne subsistent plus que des pans de
murailles. Bientôt, il n'en restera rien. Jérusalem
perdra jusqu'à son nom pour devenir un camp de
légion, puis une cité romaine. Ce sera Aelia Capitolina.

Mais, en devenant chrétienne, elle renaîtra ; elle
retrouvera son identité et, par ses heurs et ses malheurs, continuera à étonner le monde.

La première Eglise chrétienne de Jérusalem

A l'image de nombreux religieux juifs, le petit
groupe des chrétiens de Jérusalem, encore proche
du judaïsme pharisien, s'était tenu à l'écart de l'agi-

tation qui régnait dans la ville. Dès 68, il avait abandonné la Ville sainte ainsi que Jésus l'avait recommandé, franchissant le Jourdain et s'installant à Pella.

Dans les semaines qui suivirent la crucifixion de Jésus et, pour ses fidèles, sa résurrection, les Douze Apôtres, plusieurs membres de sa famille originaires de Galilée et des convertis se regroupèrent à Jérusalem, dans une petite communauté monastique, proche des Esséniens. Tous étaient juifs, circoncis ; ils respectaient les interdits alimentaires et priaient au Temple. Aux yeux des autres juifs, ils constituaient une secte juive comme il y en avait tant à l'époque. On les appelait Nazaréens puisque la plupart étaient, comme Jésus, originaires de Nazareth ; ils n'étaient victimes d'aucune exclusion, encore moins de persécution de la part des autres juifs.

Les Actes des Apôtres nous les montrent « assidus à l'enseignement des Apôtres et à la communion fraternelle, à la fraction du pain et aux prières... Tous ceux qui avaient cru ensemble étaient ensemble et avaient tout en commun ; ils vendaient leur propriété et leurs biens et ils partageaient le prix entre tous selon les besoins de chacun. Chaque jour, d'un commun accord, ils fréquentaient assidûment le Temple et, rompant le pain à la maison, ils prenaient leur nourriture avec allégresse et simplicité de cœur ; ils louaient Dieu et trouvaient faveur auprès de tout le peuple... Car il n'y avait aucun indigent parmi eux. On distribuait alors à chacun selon les besoins ».

L'Eglise naissante se voue à répandre la parole de Jésus par la bouche des Douze. Leur prédication ne se distingue pas de celle des rabbis sauf par l'affirmation que le Messie est enfin venu. Elle touche aussi bien les habitants de Jérusalem que les pèlerins. Le baptême, souvenir de Jean le Baptiste, et les repas rituels en commun prennent une valeur sacramentelle, comme chez les Esséniens. Autres convergences avec les Esséniens : l'importance accordée à certains passages d'Isaïe et l'autorité dont jouissent les apôtres sur leurs fidèles. Déjà, se met en place l'amorce d'une hiérarchie.

Jacques, frère de Jésus, occupe une position éminente aux côtés de Pierre et de Jean. Au cours des années 50, il deviendra le véritable chef de la communauté de Jérusalem.

Parmi les nouveaux convertis, certains appartiennent à la diaspora et sont imprégnés de culture grecque. Ils font figure d'intellectuels parmi les pêcheurs de Tibériade, les artisans de Nazareth, Galiléens qu'une tradition veut balourds et sans culture. Animés d'une foi ardente, ils reprochent à l'Eglise de Jacques sa déférence vis-à-vis de la hiérarchie sacerdotale, du Temple et de ne pas suivre l'enseignement « révolutionnaire » du Messie qui, selon ses propres paroles, n'est pas venu apporter la paix sur la terre, mais le trouble et la confusion.

Le trouble, ce seront les « hellénistes » qui l'apporteront. Etienne, leur chef, pour avoir violemment attaqué les turpitudes du haut clergé et s'en être pris à la Loi, est condamné à mort et lapidé sur l'ordre du Sanhédrin. Parmi ses persécuteurs, un certain Saül de Tarse, probablement un zélote qui approuve ce meurtre, même s'il n'y participe pas, et qui deviendra Paul quand il aura rencontré le Christ ressuscité sur la route de Damas. Etienne sera le premier martyr chrétien. Les membres de l'Eglise de Jacques ne troublent pas l'ordre politique et religieux, aussi ne seront-ils pas inquiétés.

Sans Paul, pas de Christ

Les « hellénistes », après la mort d'Etienne, quittent Jérusalem et essaiment partout où le Sanhédrin qui les poursuit ne dispose d'aucun pouvoir et où les sicaires ne peuvent les atteindre. En Samarie d'abord, puis dans leur pays d'origine, Syrie, Palestine, Chypre, ils créent de vivantes communautés où sont admis les Gentils. Antioche éclipsera bientôt Jérusalem. Mais ce sera Paul de Tarse, le saint Paul de l'Eglise chrétienne, qui tranchera le lien unissant encore le judaïsme à la petite communauté nazaréenne. Proche de certaines religions orientales, parlant le grec et l'écrivant, citoyen romain, il fera du prophète Jésus, Messie exclusif des juifs, le Christ, fils de Dieu, à vocation universelle. Il sera le créateur du christianisme sous la forme que nous connaissons. Certains pourront même avancer : « Sans Paul, pas de Christ. »

A Jérusalem, le clergé sadducéen s'inquiète du succès de la prédication des Apôtres. En 62, le grand prêtre Ananos, profitant d'une vacance du pouvoir romain, fait assassiner par ses séides le discret Jacques. Ananos a agi au mépris des lois de l'Empire, en s'en prenant à un citoyen respectable auquel la communauté hiérosolymitaine ne trouvait rien à reprocher, ni dans ses actes, ni dans ses propos. Il sera sévèrement réprimandé pour cet abus de pouvoir, et démis de sa charge.

Après 68, la communauté originelle des disciples de Jésus, bien qu'elle ait échappé au massacre en se réfugiant à Pella, ne joue plus un grand rôle. Sous le nom de Nazaréens ou Ebionites, l'Eglise des pauvres, ses fidèles continuent à respecter la Loi mosaïque. Jésus reste pour eux le Messie, mais né d'un homme et d'une femme, de Marie et de Joseph et, si son enseignement est de nature divine, sa personne ne l'est pas. Les Nazaréens accusent même Paul d'apostasie pour l'avoir déifié. Voulant rester juifs tout en étant chrétiens, ils se trouvent dans une position inconfortable qui les condamne à disparaître vers le IIIe siècle. Ils resurgiront sous d'autres noms dans le flot d'hérésies qui déferleront sur le christianisme. Pour certains, ce seraient eux les authentiques chrétiens, héritiers directs de l'enseignement de Jésus, prophète inspiré par Yahvé, Messie tant attendu, mais qui n'a jamais été une incarnation de Dieu et qui, de son vivant, n'a jamais prétendu l'être.

A l'image de l'Eglise de Jérusalem, certains rabbis, plus soucieux de sauver la Loi que le Temple, ont quitté la Ville sainte et, avec l'autorisation de Vespasien, ouvert des écoles à Yabné. Le rabbi Yohanan ben Zakkaï, disciple du grand Hillel, estimait vaine toute rébellion contre Rome. Selon lui, le peuple juif avait assez souffert ; révoltes et guerres n'avaient fait qu'accroître sa servitude. Il ne devait compter sur aucun messie en armure, mais sur Dieu seul qui se manifesterait en temps voulu, apportant la lumière au monde.

Ainsi le judaïsme survivra au désastre de 70, mais ce sera celui des synagogues et non celui du Temple, comme le christianisme ne sera pas celui de la petite Eglise primitive de Jérusalem, mais celui de saint Paul qui s'étendra au monde entier.

Pour l'instant, ni les judéo-chrétiens issus de Jacques et de la famille de Jésus, ni les disciples de ben Zakkaï n'envisagent de revenir à Jérusalem.

CHAPITRE IX

AELIA CAPITOLINA,
ROMAINE ET BYZANTINE

« Ainsi la ville de Jérusalem fut réduite à être totalement désertée par le peuple juif et à perdre ceux qui l'avaient habitée autrefois. Elle reçut des habitants de race étrangère. La ville romaine qui la remplaça changea de nom et fut appelée Aelia en l'honneur de l'empereur Aelius Hadrien. L'Eglise [chrétienne] de la ville fut elle aussi composée de Gentils et le premier, après les évêques de la circoncision, qui en reçut la charge fut Marc. »

Eusèbe, *Histoire de l'Eglise*, IV-6

« Structure romaine de l'Etat, culture grecque et foi chrétienne, telles sont les grandes sources dont Byzance est sortie. Supprimez l'un des trois éléments, le fait byzantin devient inconcevable : seule la synthèse de la culture hellénistique et de la religion chrétienne avec la forme romaine de l'Etat a rendu possible la constitution de ce phénomène historique que nous appelons l'Empire byzantin. »

G. Ostrogorsky, *Histoire de l'Etat byzantin*

Jérusalem, camp romain

La Xe légion Fretensis, qui a pour emblème le sanglier, s'installe à Jérusalem dont elle devient la garnison permanente. Elle établit ses quartiers à l'emplacement du marché haut et dans ce qui subsiste du palais d'Hérode et de la forteresse qui y était accolée, toujours défendue par les tours de Phazael, d'Hippicos et de Mariamne. Des casernes sont créées, ainsi qu'une prison, un hôpital, des thermes, un arsenal où se forgent les armes et s'entrepose le matériel de siège.

La ville se réduit à un camp avec, en son centre, le *praetorium*, la résidence du légat militaire commandant la légion. Le pouvoir administratif, représenté par le gouverneur de la province, reste à Césarée.

Selon la loi romaine, les terres des vaincus appartiennent aux vainqueurs. L'empereur les distribue à ses familiers et aux vétérans dont huit cents viennent s'installer avec leurs familles dans les faubourgs de Jérusalem. Flavius Josèphe verra ses propres terres confisquées. Il faudra un édit de Titus pour qu'on les lui restitue.

Autour du camp a été aménagé un vaste emplacement pour servir de champ de manœuvre où s'entraînent les légionnaires.

Ils sont syriens, égyptiens, et ont été rejoints par leurs familles. Ils aménagent des maisons dans les ruines ; leurs esclaves cultivent des jardins, élèvent des animaux de basse-cour, des cochons dont ces incirconcis sont friands. Une sorte de faubourg se crée aux portes du camp, avec ses petits commerces, ses artisans. Les enfants qui naissent à Jérusalem obtiennent le droit de cité.

La ville de Yahvé vit au rythme des sonneries de clairon, ponctuées par les coups de gueule des centurions présidant aux exercices. On y parle grec et seuls les ordres sont donnés en latin.

Son accès n'est pas interdit aux juifs comme ce sera le cas plus tard et rien ne les empêche officiellement d'y travailler, d'y habiter ou de s'y rendre en pèlerinage. A condition de pouvoir se loger, car rien n'existe en dehors du camp romain et de ses dépendances. Cependant, une petite colonie juive pourra s'y fixer et un certain Eléazar racheter les ruines de la synagogue dite des Alexandrins et la restaurer. Sept autres synagogues, de taille modeste, auraient servi aux réunions de la communauté qui mène une vie aussi discrète que précaire.

Des pèlerins viennent au moment des grandes fêtes traditionnelles apporter des offrandes et des fleurs au pied du Temple, pleurant sa grandeur passée, tandis qu'un chacal ou un renard s'enfuit en courant du Saint des Saints.

Si certains nostalgiques rêvent encore d'un troisième Temple, beaucoup y ont renoncé, dont les rabbis qui jugent la pratique de la Loi et la conservation de la doctrine plus importantes que la reprise des sacrifices sanglants sur un autel à jamais souillé.

A Yabné, où Vespasien a permis aux transfuges juifs de se réunir, s'est créé un centre très vivant de culture israélite. Il est à la fois école, cour de justice, sorte de sanhédrin provincial aux pouvoirs diminués. Les rabbis s'y heurtent aux prêtres qui rêvent toujours de voir le Temple renaître de ses ruines. Sans le Temple, ils ne sont plus rien.

Une conception nouvelle du judaïsme est née, adaptant le service religieux aux nouvelles conditions de vie. Le Temple, vers lequel on continue à se tourner pour réciter les prières, n'est plus qu'un symbole. Les temps du Talmud sont venus. Les rabbis de Yabné ne participeront pas aux révoltes qui tente-ront de rétablir Jérusalem comme capitale de la Judée et cité de Yahvé. Cependant, pour en perpé-tuer le souvenir, ils introduiront la coutume de dater tous les événements qui suivront à partir de la des-truction du Temple.

De leur côté, de petits groupes de Nazaréens de retour de Pella, aussi discrets que les juifs, disposent d'une église, celle des Apôtres, dont on se demande si elle n'était pas tout simplement une synagogue.

A Jérusalem, la divinité vénérée n'est plus Yahvé, elle n'est pas encore le Christ, mais Sérapis, cher au cœur de nombreux Egyptiens qui servent dans la Xe Légion ; des monnaies sont frappées à son effigie. Les Flaviens, Vespasien, Titus et Domitien, se gar-dent cependant d'élever sur l'emplacement du Tem-ple des statues de l'empereur ou d'autres divinités. Ils estiment que le peuple juif a suffisamment payé le prix de sa révolte pour qu'on le laisse en paix et ils redoutent toujours ses colères.

L'ordre règne sous les Antonins qui ont succédé aux Flaviens. Trajan, grand soldat, a conquis la Dacie, soumis les Nabatéens, les Parthes ; il s'est emparé de Ctésiphon, créant les nouvelles provinces de Mésopotamie et d'Assyrie. Jamais l'Empire n'a atteint une telle expansion.

Les réseaux secrets de la diaspora

Soudain, en 115, la diaspora, qui n'est pas interve-nue dans la guerre des juifs contre Vespasien et Titus, se soulève tandis que la Judée, occupée à pan-ser ses plaies, ne bronche pas. Au moment où Trajan triomphe, les juifs de Cyrénaïque et de Chypre pren-nent les armes, suivis de ceux de Mésopotamie et d'Adiabène. La révolte revêt une telle violence, prend une telle ampleur, qu'elle compromet la poursuite de ses expéditions. A Chypre, selon Eusèbe (*Histoire ecclésiastique*), elle aurait fait deux cent quarante mille victimes tandis qu'en Egypte, les Grecs pourchassés ont dû se réfugier à Alexandrie.

On en comprend mal les causes. Que pouvaient espérer les juifs contre un Empire romain au sommet de sa puissance ?

Il faut, semble-t-il, en chercher les raisons dans cette forme de messianisme, de folie sacrée qui, après la chute de Jérusalem, a gagné à son tour l'Orient juif, dans les discours enflammés des zélotes qui se sont enfuis de Judée, dans la certitude de nombreux croyants que Rome est l'empire du Mal, la dernière puissance avant l'arrivée des Temps nouveaux. Aussi devaient-ils prendre les armes pour aider à sa venue.

Des éléments activistes, groupés en réseaux et sociétés secrètes, rêvent de créer un grand Etat juif qui s'étendrait à l'Egypte, à la Syrie et à la Palestine, faisant de Jérusalem la capitale politique et religieuse de tous les juifs d'Orient.

On connaît maintenant la valeur militaire des juifs, leur audace quand ils se réclament de Dieu. La menace est prise à ce point au sérieux qu'Hadrien, couronné en 117, renonce aux conquêtes de Trajan, évacue les provinces nouvellement annexées et passe des accords avec les Parthes afin de régler au plus vite et définitivement le problème juif. Epris d'ordre, il tient à donner à son immense empire, peuplé de races diverses, unité et cohésion. Il exige des habitants des provinces les plus éloignées qu'ils vivent et se conduisent en Romains, adoptent leurs coutumes et manifestent leur révérence aux dieux officiels sans être tenus d'y croire. Les juifs se refusent toujours à une telle trahison de leur foi.

Hadrien vient à Jérusalem. En dehors des casernements de la légion, il ne trouve que quelques îlots habités par des juifs et des chrétiens. Grand bâtisseur, amoureux des belles pierres et des nobles proportions, il souhaite construire sur ces ruines une cité conçue selon les canons de l'architecture gréco-romaine et relever le Temple qui serait dédié à Zeus Olympien.

Sa politique, qui perpétue celle d'Antiochos Epiphane au temps des Séleucides, produira les mêmes effets et sera cause d'une nouvelle révolte.

Deux hommes en prendront la tête : le grand rabbin Aqiba que rien ne semblait pousser dans cette voie et celui que les Grecs appellent Bar Kosheba, le Fils de l'Etoile. Les rabbis, qui n'ont apprécié ni ses prêches apocalyptiques, ni ses prétentions messianiques, l'ont surnommé « Bar Koziba », Fils du Mensonge.

Bar Kosheba est né, croit-on, à Modin, la patrie des Maccabées ; il a su rassembler, dans le plus grand secret, de nombreux partisans, soigneusement préparés à la guerre qu'il compte mener. Ils ont caché des armes dans les grottes de Galilée, dans le désert de Judée et dans les montagnes surplombant la mer Morte, créé des dépôts de vivres, des réserves d'eau. Ces dépôts s'ouvrent sur l'extérieur par d'étroits boyaux auxquels on ne peut accéder qu'en rampant. Les tessons de céramique découverts sur les lieux prouvent qu'ils datent d'avant la révolte.

Le Fils de l'Etoile

Nombreux, bien armés, bien encadrés, animés d'une foi et d'un patriotisme farouches, aussi bons soldats que juifs fervents, les insurgés mènent contre les légions une guérilla qui s'étend à tout le territoire. Le légat Rufus, pour y faire face, doit abandonner

Jérusalem dont les défenses ont été démantelées afin de construire la nouvelle cité chère à Hadrien.

Bar Kosheba et ses partisans, maîtres de la Ville sainte, s'efforcent de remettre le Temple en état, de rétablir les sacrifices. Un grand prêtre, Eléazar, est même investi. On bat monnaie. Autour du nom de Jérusalem, est inscrit : « Année I de la rédemption d'Israël, Année II de la liberté d'Israël. » Il n'y aura pas de troisième année.

Les insurgés s'efforcent de construire de nouveaux remparts sur l'emplacement des anciens. Ils interdisent la ville aux incirconcis tandis que les chrétiens sont persécutés. Saint Justin de Néapolis ira s'en plaindre à l'empereur. « Les juifs, dit-il, nous tiennent pour leurs ennemis... ils nous font mourir quand ils le peuvent... »

La guérilla qui tourne au banditisme, l'insécurité des routes, les difficultés de ravitaillement, la foule de réfugiés accourus de Galilée, de Judée pour s'abriter derrière les fragiles murailles de Jérusalem augmentent le désordre, provoquent la famine. On veut la paix, quitte à oublier les promesses de Dieu et de ses prophètes.

Afin de sanctifier la révolte et de lui donner un nouvel élan, le rabbi Aqiba désigne Bar Kosheba comme le Prince d'Israël, le Fils de l'Etoile et le Roi-Messie tant attendu. Mais nombre de docteurs de la Loi refusent de le reconnaître, tel Ben Torta qui réplique à Aqiba que « l'herbe aura poussé entre ses mâchoires avant que le fils de David ne règne ». Quant aux Sadducéens, refusant d'accepter ce semblant de restauration du Temple, ils se sont repliés sur Damas.

Bar Kosheba décide d'abandonner Jérusalem, une position qu'il juge intenable, pour se retrancher dans la place forte de Bethar, à onze kilomètres de là.

Les légions romaines, mal préparées à cette forme de guerre, gagnées par l'inaction, ont subi de lourdes pertes. Hadrien en personne prendra le commandement jusqu'à ce que, la situation rétablie, il puisse le transmettre à Severus, légat de Bretagne.

Le 5 mai 134, Hadrien, de retour à Rome, peut annoncer que Jérusalem a été reprise. Puis c'est Bethar qui tombe l'année suivante, après s'être vaillamment défendue. Le courage des défenseurs n'a pu compenser les destructions causées par les machines de guerre romaines. Bar Kosheba est pris et décapité, le rabbi Aqiba écorché vif.

La guerre a duré trois ans, elle a ravagé la Palestine et coûté des milliers de morts dans les deux camps, dont cinq cent quatre-vingt mille juifs. L'empereur Hadrien refusera le triomphe. Les travaux peuvent reprendre à Jérusalem.

Ce jour-là naquit Aelia Capitolina

En 135, sans s'occuper des anciennes limites de la ville, sur l'ordre de l'empereur et sous la surveillance du légat impérial Tineius Rufus, un nouveau tracé est établi. Comme les urbanistes militaires romains s'accommodent mal des déclivités, ils retranchent l'ancienne cité de David du reste de la ville.

Les vestiges du Temple sont rasés, les pierres mises de côté pour servir à d'autres usages. Les augures s'étant montrés favorables, le légat Rufus, en grand apparat, vêtu d'une toge blanche dont il se couvre à demi la tête, conduisant une charrue attelée d'un bœuf à droite, d'une vache à gauche, ainsi que le veut la tradition romaine, trace le sillon de la nouvelle enceinte. Quatre fois il relève le soc pour marquer l'emplacement des quatre futures portes.

A l'image d'un camp romain, la nouvelle ville a la forme d'un parallélogramme partagé, du nord au sud, par une grande voie, le *cardo maximus*, longue de huit cents mètres, ornée d'une double rangée de colonnes corinthiennes de sept mètres de haut ; d'ouest en est, par une transversale, le *decumanus maximus*, longue de six cents mètres. Des voies secondaires divisent la ville en sept quartiers. Le *castrum*, le camp de la légion, en Ville haute, constitue l'un d'entre eux. Un forum dallé occupe un vaste emplacement proche du croisement des deux voies principales (entre la porte d'Ephraïm et le Saint Sépulcre). Sur le Golgotha et les terrains qui l'entourent s'édifie le Capitole avec les temples de Jupiter, de Junon et de Vénus. Ce qui fera dire à saint Jérôme : « Des temps d'Hadrien au règne de Constantin, pendant cent quatre-vingts ans environ, on adorera à l'endroit de la Résurrection l'idole de Jupiter. »

Pas de remparts : les portes ne sont que des ornements à l'image de l'arc de triomphe édifié au croisement des deux grandes voies et dont nous reste un fragment, l'arc de l'Ecce Homo. Le cirque construit par Hérode est restauré, un théâtre édifié avec les matériaux venus du Temple. L'eau de la fontaine de Siloé vient alimenter des thermes qu'une voie dallée joint au cirque. Enfin, sur l'esplanade elle-même, est dressée la statue d'Hadrien en Jupiter Capitolin. Elle donnera à la ville son nouveau nom, Aelia Capitolina.

Jérusalem a cessé d'exister. Il est désormais interdit aux juifs, sous peine de mort, de s'y rendre ainsi qu'aux chrétiens s'ils sont circoncis et juifs d'origine. Enfin, le nom de Judée est proscrit et changé en celui de Palestine. Hadrien mourra en 138 avant d'avoir vu l'achèvement de ses travaux.

Aelia Capitolina, colonie romaine d'importance moyenne, ne jouit pas cependant des droits accordés aux autres cités, le *jus italicum* ; elle est toujours soumise à l'impôt qui frappe indistinctement la terre et les hommes, traînant, aux yeux des Romains, sa malédiction même si elle s'est affublée de nouveaux oripeaux.

On ignore le nombre d'habitants d'Aelia Capitolina aussi bien sous les Antonins que sous leurs successeurs. La ville profitera d'un décret de Septime Sévère autorisant les légionnaires célibataires à se marier sur place. Ce ne sont plus que des gardes territoriaux qui prennent de l'embonpoint et perdent leur valeur.

On enregistre de nombreuses conversions au christianisme malgré un édit de Septime Sévère qui l'interdit et condamne à la prison, parfois à la mort, propagandistes et convertis. Coupables de ne pas reconnaître la divinité de l'empereur et de refuser de lui offrir des sacrifices, ils se conduisent en mauvais citoyens et leur fidélité devient douteuse.

Aelia Capitolina restera en partie inhabitée jusqu'au IVe siècle et à la conversion de Constantin.

Selon Eusèbe (*Histoire ecclésiastique*) : « Jusqu'au siège des juifs sous Hadrien, il y avait eu à Jérusalem quinze successions d'évêques. On dit qu'ils étaient tous hébreux de vieille roche... D'ailleurs, l'Eglise de Jérusalem était alors uniquement composée d'Hébreux fidèles. Il en fut ainsi depuis les apôtres jusqu'au siège que subirent les juifs révoltés de nouveau contre Rome et où ils furent détruits en de terribles combats. Comme les évêques de la circoncision prennent fin à cette époque, il est peut-être nécessaire d'en donner la liste depuis le premier. Le premier fut donc Jacques, le frère du Seigneur ; le second, Siméon ; le troisième, Juste... Depuis ce temps [la révolte de Bar Kosheba], tout le peuple reçut, par une loi et des prescriptions d'Hadrien, la défense absolue d'approcher du pays qui entoure Jérusalem... Ainsi Jérusalem n'avait plus de juifs dans ses murs et elle en était venue à perdre complètement ses anciens habitants : elle ne renfermait plus que des étrangers... L'Eglise qui s'y trouvait n'était également plus composée que de Gentils. Le premier qui en devint évêque, après ceux de la circoncision, fut Marc. »

Le christianisme recrute partout dans l'Empire de nouveaux adeptes tandis que le judaïsme, par un phénomène inverse, se referme sur lui-même.

Antonin le Pieux, successeur d'Hadrien, ne quitte pas Rome, à la différence de son prédécesseur qui était toujours par monts et par vaux. Il se borne à renouveler aux juifs l'interdiction de l'accès à Jérusalem, de la circoncision, de l'enseignement de la Torah dans les écoles et du repos du Sabbat, laissant à ses fonctionnaires le soin d'appliquer ou de ne pas appliquer ces mesures. Marc Aurèle lui succède et le prince-philosophe laisse en paix toutes les religions estimant qu'elles se valent, c'est-à-dire qu'elles ne valent pas grand-chose. Parmi les dix mille légionnaires de la garnison et leurs familles, beaucoup sont devenus chrétiens au point que, un siècle plus tard, Dioclétien devra procéder à une véritable épuration.

La Xe Légion quitte ses cantonnements d'Aelia pour courir aux frontières menacées et elle est remplacée par un contingent de cavaliers maures.

La Perse renaît de ses cendres et devient un danger. Ardashir instaure une dynastie de droit divin, les Sassanides. Se présentant en successeur des Achéménides, il réclame les territoires qui leur ont été arrachés par Alexandre.

Inquiet des prétentions des Perses et de leur puissance retrouvée qu'il attribue à leur union autour d'une seule Eglise, l'empereur Aurélien (270-275) tente de créer une nouvelle religion, le culte du soleil où viendront se fondre les anciens cultes de Jupiter, Apollon, Mars, Sérapis, Mithra, Baal et Adonis. Il se heurte au christianisme, devenu, après le renoncement des juifs, la seule religion en expansion.

« Grâce au concours de la puissance divine, nous dit Eusèbe, évêque de Césarée, la doctrine du Sauveur, ainsi qu'une traînée de lumière, éclaira d'une façon soudaine la terre entière... Et dans chaque ville, dans chaque bourgade, des églises s'élevaient, se remplissaient de fidèles et ressemblaient à une aire pleine... La grâce de Dieu se répandit en effet sur le reste des Gentils... Une multitude de Grecs d'Antioche crurent également lorsqu'ils eurent entendu les paroles de ceux que la persécution d'Etienne avait dispersés. C'est là que jaillit, comme d'une source merveilleuse et féconde, le nom de chrétien. »

Aurélien, devant ses efforts contrariés, publie contre le christianisme un édit qui ne sera pas appliqué. Il est assassiné et Probus lui succède.

A cause de l'étendue de l'Empire, qui le rend difficilement gouvernable et pour éviter de longues et sanglantes querelles de succession, Dioclétien (284-305) instaure la tétrarchie. Un Auguste et un César régneront en Occident et il en sera de même en Orient, César devant succéder automatiquement à Auguste quand il meurt. César et Auguste seront unis par des liens compliqués de mariage et d'adoption. C'est ainsi que Constance doit répudier sa concubine Hélène, la future sainte Hélène de l'hagiographie chrétienne, qui lui a donné un fils, Constantin, pour épouser Theodora, fille de Maximien. Ancienne servante d'auberge, intelligente, ambitieuse, Hélène a compris que la nouvelle foi, même si elle ne touchait que le vingtième des habitants de l'Empire, pouvait servir les ambitions de son fils. Les chrétiens sont organisés en petites communautés groupées autour de leurs évêques, de leurs prêtres et de leurs diacres ; ils disposent d'appuis importants et sont animés d'un tel zèle qu'il leur fait accepter avec ferveur le supplice pour leur foi. Enfin, de nombreux soldats les ont rejoints. En face d'eux, un paganisme moribond gagné par le scepticisme et dont les desservants sont des fonctionnaires mal rémunérés qui doivent parfois offrir des sacrifices en les payant de leur poche. Hélène pousse son fils dans les bras des chrétiens, et lui-même, par raison autant que par inclination religieuse, se rallie à la Croix. Il conquiert l'Orient et bientôt, seul maître de l'Empire, il renonce à la tétrarchie. Il restitue aux églises leurs biens confisqués. Les soldats chassés de l'armée pour leur foi sont réintégrés, promus, et les chrétiens condamnés aux mines et aux galères sont libérés. Les dédicaces aux dieux païens disparaissent des monnaies même si rien ne vient encore inquiéter leurs fidèles.

Maître de l'Empire, Constantin choisit Byzance contre Rome

Au détriment de Rome, Constantin choisit une nouvelle capitale sur les rives du Bosphore, Byzance, qui deviendra Constantinople. On bâtit des palais, des monuments, des églises à tort et à travers. On prend dans les provinces voisines statues et colonnades. De tout l'Empire affluent le marbre, l'or et les bois précieux.

Etonnant personnage que cet empereur, vaillant soldat, de fière allure, sachant se faire aimer de ses hommes, grand administrateur, qui donnera à l'Empire romain ses nouvelles structures. Généreux dans sa jeunesse, cruel et sombre dans sa vieillesse, assassin d'un de ses fils et de Theodora son épouse, il s'intéresse à tout ce qui a trait à la religion. De Byzance, il fera la capitale d'un immense Empire, de Jérusalem, la ville sanctuaire d'un culte qui, bientôt, ne tolérera plus de rivaux.

Constantin sera chrétien, mais à sa manière. Superstitieux, il ne se fera baptiser que sur son lit de mort, peut-être pour ne pas offenser les dieux auxquels, successivement, il a cru. Il fut d'abord un païen « éclairé », révérant le soleil sous les traits d'Apollon. Puis, il se convertit au monothéisme que tenta d'instaurer Dioclétien. Enfin, doutant du succès d'une bataille qu'il livrait aux portes de Rome à son rival Maxence, éclairé par un songe, il fit graver sur ses emblèmes le signe du Christ.

Des chrétiens de son siècle, il partage le goût pour les controverses théologiques. Il participe aux débats qui opposent avec violence les évêques des communautés d'Orient et d'Occident à propos du dogme de la Trinité, de la nature du Christ, divine, humaine ou relevant des deux. Ils sont monophysites, gnostiques, novatiens, marcionites, valentiniens, manichéens, donatistes, sabelliens ; les plus nombreux, les plus virulents, ariens, disciples du prêtre Arius.

Désireux de mettre de l'ordre dans ce beau désordre, Constantin, en mai 325, convoque à Nicée, dans le palais impérial et non dans une église, un concile œcuménique rassemblant les évêques de toute la Chrétienté, deux cent cinquante, nous dit-on. L'empereur assiste aux délibérations et prend souvent la parole. Il imposera le texte final et, première manifestation connue de césaro-papisme, il fera savoir aux opposants, s'ils s'obstinent dans leurs erreurs, qu'ils seront exilés. Arius, qui niait la divinité du Christ, est condamné, et chacun s'en retourne à ses querelles, le concile n'ayant rien arrangé. Il a seulement donné l'illusion trompeuse que les Eglises, par la grâce de Dieu et de l'empereur, étaient enfin unifiées.

Les visions de l'impératrice Hélène

Macaire est évêque de Jérusalem qui, officiellement, porte toujours le nom d'Aelia. Depuis la conversion de Constantin, il y règne en maître. Pour lui rendre sa grandeur et son identité, il souhaite intéresser l'empereur à son sort. Au cours du concile, il lui apprend comment, en démolissant un temple de Vénus, on vient de découvrir, sous les déblais, une grotte funéraire et un rocher à l'emplacement où, selon les Ecritures, devaient se trouver le Saint Sépulcre et le Golgotha.

Constantin fait part de la nouvelle à sa mère, la pieuse Hélène, à qui il a conféré la dignité d'Augusta. Elle se précipite à la grotte. Dans une anfractuosité, on découvre trois croix. L'une ne peut être que celle du Christ, les deux autres celles des larrons. Quelle est la bonne ? Aidée de Macaire et confortée par une vision, Hélène désigne la Vraie Croix qui, seule, provoque aussitôt des miracles. Difficile de la contredire tant sa foi est ardente et absolu son pouvoir sur son fils. Ne l'a-t-elle pas amené à faire étrangler, dans son bain, son épouse Theodora dont elle était jalouse, lui prêtant des relations sexuelles avec un esclave du palais ? Elle découvrira encore les clous de la crucifixion « qui apparaissent à fleur de terre brillants comme de l'or » et dont elle fait fondre l'un pour servir de mors au cheval de son fils, l'autre pour l'intégrer au diadème impérial.

Grâce à d'autres visions et d'une manière tout aussi péremptoire, elle identifiera la grotte de la Nativité à Bethléem. Hadrien l'avait consacrée à Adonis, y plantant un bois sacré dédié aux rencontres amoureuses et tarifées. De même elle situera le lieu de l'Ascension du Christ au mont des Oliviers où il apparut à ses disciples quarante jours après sa résurrection avant de s'élever dans les cieux. On y construira l'église de l'Eléona.

La première basilique de la Chrétienté

Pressé par Hélène, Constantin envoie à Jérusalem ses meilleurs architectes : Zenobius et Eustache, afin d'édifier une magnifique basilique à l'emplacement du Saint Sépulcre. On sélectionne les plus nobles matériaux dans un Empire qui regorge de toutes les richesses. De l'édifice, qui sera détruit par les Perses, on ne connaît que les descriptions enthousiastes des contemporains, corrigées plus tard par les fouilles des archéologues.

L'ensemble s'étend sur cinq mille mètres carrés. Il se compose d'un premier atrium à ciel ouvert entouré d'un portique avec, en son centre, une vasque pour les ablutions. On trouve ensuite l'église du Martyrium avec trois portes qui s'ouvrent sur le vaisseau central long de quarante-cinq mètres, large de six. A gauche du chœur, quelques marches donnent accès à la crypte de la Vraie Croix. Puis, vient un second atrium semblable au premier. Dans son angle sud, se dresse le rocher du Calvaire. Au fond, la grande rotonde de l'Anastasis, élevée au-dessus du tombeau du Christ, surmontée d'une coupole soutenue par une série de colonnes qui l'entourent.

Sa magnificence, nous dit Eusèbe, efface celle du Temple. La basilique sera inaugurée en 335, en présence de trois cents évêques, mais l'empereur est absent ; l'Augusta, la reine Hélène, morte peu auparavant, est en bonne voie de béatification.

En dehors du Saint Sépulcre, de l'église de la Nativité et de celle de l'Ascension, naissent des sanctuaires : la Néa, la nouvelle église de la Mère de Dieu, l'église de Saint-Etienne Gethsémani, chacune contenant une ou plusieurs reliques à l'authenticité douteuse.

Les pèlerins affluent des Gaules, de Grèce, d'Asie Mineure, d'Egypte, de Mésopotamie, d'Afrique. Certains se fixent à Jérusalem où ils constituent de petites communautés. La ville, qui a retrouvé enfin son nom, s'est prodigieusement développée. Comme aux grandes époques judaïques, elle est devenue un immense caravansérail cosmopolite, très vivant, avec ses hôtelleries de pèlerins que gèrent les monastères, ses hôpitaux, ses palais et ses bicoques, ses saints et ses escrocs, ses catins et ses vierges, les premières venues pour faire de l'argent, les autres pour se consacrer à Dieu. Les marchands occupent avec leurs étals une partie des rues et, hors des grandes voies de la ville romaine, on retrouve le fouillis des ruelles étroites et des impasses où l'on s'égare quand on ne s'y fait pas couper la gorge comme au temps des rois-prêtres asmonéens.

La foire aux reliques

Le Christ a pris la place de Yahvé, le Saint Sépulcre celui du Temple ; l'esplanade a seulement été débarrassée de ses idoles. La ville n'a d'autre activité que l'accueil des pèlerins ; elle vit de leurs dons et de la vente des reliques dont il se fait grand commerce. C'est ainsi que la Vraie Croix se multiplie indéfiniment, tels les pains du lac de Tibériade, si bien qu'il n'est plus de ville, de prince ou de riche particulier qui n'en possède un morceau. Les tibias, les fémurs, les dents de martyrs de moindre importance se vendent aussi très bien.

« Le culte des martyrs prend alors une telle proportion, nous dit Abel, que le pouvoir civil se voit obligé de légiférer en la matière. Il sévit contre ceux qui transportent de côté et d'autre des corps qu'ils ont trouvés dans leur champ et les font passer pour de saintes dépouilles. Les coupables tombent sous le coup de la loi contre la violation des sépultures, de même que ceux qui trafiquent des reliques. Si quelqu'un trouve les restes d'un martyr inhumé dans son domaine, il doit les laisser en place et peut élever au-dessus un *martyrium* en son honneur. L'Orient ne se tint pas lié par cette législation, car on n'éprouva aucune répugnance à tirer de leurs tombeaux le corps des martyrs et même à les démembrer pour la diffusion de leurs reliques. Constantinople, ville nouvelle, réquisitionnait en Thrace, en Palestine, en Egypte des restes sacrés qu'on authentifiait souvent sur la foi d'un songe. » Mais Jérusalem demeure la plus grande mine de reliques et c'est autour des couvents et des hôtelleries que se fixent les cours.

Difficile d'estimer le nombre d'habitants de cette nouvelle Jérusalem en plein bouillonnement avec son flot de pèlerins — certains repartent, et d'autres se fixent : quatre-vingt mille, peut-être plus. Tous les Hiérosolymites sont chrétiens et gentils. Juifs et païens vivent dans les campagnes environnantes, ne cachant pas leur animosité à l'égard de cette citadelle de la nouvelle foi d'où ils sont proscrits.

Dans la petite église de Madaba, en Jordanie, a été retrouvée une mosaïque représentant les Lieux saints au VIᵉ siècle, peu avant leur destruction par les Perses. Elle démontre la continuité entre la ville romaine et la ville byzantine. Le plan romain subsiste, inchangé, dans toute la partie septentrionale et centrale. Les églises s'insèrent dans le réseau urbain existant et c'est ainsi que l'ensemble monumental du Saint Sépulcre se rattache au *cardo*. On parvient à l'église de la Néa par un prolongement de ce même *cardo*, œuvre des Byzantins.

Rues à colonnades, places pavées, coupoles dorées, profusion de sanctuaires et de monastères, tintements de centaines de cloches, processions vers les Lieux saints récemment découverts, Jérusalem la Byzantine, en robe d'or, étale ses fastes. S'y querellent patriarches, évêques et moines. Ils débattent sans fin de la nature du Christ, tandis que le bon peuple préfère s'enrichir en priant Dieu et en vendant les images de son Fils et de ses saints.

Le premier récit de pèlerin qui nous soit parvenu date de 333. Il émane d'un Bordelais dont on ignore le nom, ce qui lui a valu d'être surnommé l'Anonyme de Bordeaux. Au bateau qui l'aurait conduit en moins de trois semaines des rivages du sud de la France jusqu'à Beyrouth, Tripoli ou Saint-Jean d'Acre, il préfère la marche, suivant le tracé des voies impériales pavées de larges dalles de pierre, usant des auberges et relais qui marquent chaque étape. Avançant d'un pas assuré, il abat chaque jour l'équivalent de quarante de nos kilomètres, sans effort ni problèmes. Il s'agit sans doute d'un homme de condition, à qui ne manquent ni l'argent ni les protections qui lui permettent d'utiliser les relais de postes impériaux. Il note soigneusement les distances qui les séparent, en milles romains (environ quinze cents mètres).

Le personnage intrigue : s'agit-il d'un juif converti ? En effet, quand il arrivera à Jérusalem, sa première visite sera pour l'esplanade du Temple et non pour le Saint Sépulcre, et il portera un vif intérêt à la ville israélite. Grâce à lui, on saura qu'à cette date existe encore une synagogue ouverte aux fidèles alors que les autres ont été détruites. Les juifs pourront se prévaloir de son récit pour affirmer qu'ils ont toujours été présents à Jérusalem.

De Bordeaux, il gagne Arles, Avignon, Valence, Turin, Milan, Bergame, franchit les Alpes juliennes et entre en Pannonie. On le retrouve à Belgrade, à Sofia et, enfin, il atteint Constantinople (deux mille deux cent trente et un milles depuis Bordeaux, deux cent trente relais et cent vingt-deux étapes, précise-t-il).

Il traverse le Bosphore, jamais inquiété, ce qui prouve l'excellence des communications au temps de Constantin et la sécurité qui régnait sur les routes. Le voici à Tarse, « là où vécut l'Apôtre Paul », puis à

Tripoli, Beyrouth, Saint-Jean d'Acre, Césarée de Palestine : « Là est le bain du centurion Cornelius qui faisait beaucoup d'aumônes. Au troisième mille, se trouve le mont Syna et une fontaine fameuse. Toute femme qui s'y baigne devient enceinte. »

A Naplouse : « Là est le mont Garizim... Les Samaritains y placent le Sacrifice d'Abraham. »

Le voici enfin à Jérusalem où il s'intéresse particulièrement aux piscines, sources et citernes, comme s'il avait souffert du manque d'eau sa vie durant. Bordeaux, la Romaine, ne manquait pourtant pas de thermes.

« Il y a à Jérusalem, nous dit-on, deux grandes piscines, situées à côté du Temple, l'une à droite, l'autre à gauche. Salomon les fit construire. A l'intérieur de la cité sont des piscines semblables ayant cinq portiques et appelées Bethesda. Des gens malades depuis plusieurs années y étaient guéris. Mais ces piscines ont de l'eau trouble comme de l'écarlate. Là, aussi, est une crypte où Salomon gouvernait les démons. Là est l'angle d'une tour très élevée où le Seigneur monta... Et dans cette tour sont un très grand nombre de chambres. En cet endroit, Salomon avait son palais. Il reste encore là une chambre où il s'assit et décrivit la Sagesse...

« Il y a aussi deux statues d'Hadrien. Non loin des statues est une pierre creusée, où les juifs viennent chaque année : et ils oignent la pierre, et se lamentent en gémissant et déchirant leurs vêtements, et se retirent. Là aussi est la maison d'Ezéchias, roi de Juda. Quand on sort de Jérusalem pour monter à Sion, à gauche et en bas dans la vallée auprès du mur, est une piscine appelée Siloa, à quatre portiques et une autre piscine grandiose extérieurement. Cette source coule six jours et six nuits, mais le septième jour, qui est le Sabbat, elle ne coule plus du tout, ni de jour, ni de nuit. C'est là même qu'on monte à Sion, et l'on voit le lieu où fut la maison du prêtre Caïphe. Il y a encore la colonne où le Christ fut flagellé.

« A l'intérieur, dans l'enceinte de Sion, se voit le lieu où David eut un palais et où existèrent sept synagogues dont une seule a subsisté : les autres sont labourées et ensemencées comme l'a dit le prophète Isaïe. Puis, hors du mur, en allant de Sion à la porte Néapolitaine, à droite, dans le bas de la vallée, sont les murs de ce qui fut la maison ou le prétoire de Ponce Pilate. On y entendit le Seigneur avant sa Passion.

« A gauche, le monticule du Golgotha où il fut crucifié. Ensuite, à peu près à un jet de pierre, est une crypte où le corps de Jésus fut déposé et où il ressuscita le troisième jour. C'est à cet endroit même, sur l'ordre de l'empereur Constantin, que fut construite une basilique, temple impérial d'une admirable beauté ayant sur ses côtés un puisard où l'on élève l'eau et, sur ses derrières, une piscine où l'on baigne les enfants. En allant de Jérusalem à la Porte orientale pour faire l'ascension de la montagne des Oliviers, on trouve la vallée dite de Josaphat. Du côté gauche, où sont les vignes, il y a une pierre qui marque l'endroit où Judas Iscariote livra le Christ. A droite, est un palmier où les enfants prirent les rameaux et, à la venue du Christ, lui en firent une jonchée.

« Non loin de là, à une portée de pierre, sont deux monuments funéraires d'une admirable beauté. Sous l'un qui est un monolithe, fut déposé le prophète Isaïe et dans l'autre Ezéchias. Vous montez alors au mont des Oliviers où le Seigneur, avant sa Passion, enseigna les apôtres. Une basilique y fut élevée de l'ordre de Constantin. »

De la même époque date le Journal de la nonne espagnole Eletheria qui décrit avec enthousiasme les cérémonies de la fête de Pâques au cours de laquelle sont baptisés les catéchumènes, vêtus de blanc, qui ont dû attendre plusieurs années pour être confirmés dans leur foi.

« On va chanter des hymnes à l'Anastasis, écrit-elle, puis à l'église du Golgotha. Alors on fait une prière, on bénit les fidèles ; l'évêque, debout devant la barrière qui entoure la grotte de la Résurrection, explique tout ce que signifie le baptême... »

Saint Jérôme ne partage pas son émerveillement. « Ne vous imaginez pas, dit-il, que quelque chose manquera à votre foi parce que vous n'aurez pas vu Jérusalem, une ville surpeuplée où l'on trouve une curie, une garnison, des prostituées, des bouffons, tout comme dans les autres villes. »

Venu en pèlerinage de Rome, il se retire à Bethléem, où il fondera un couvent et traduira la Bible en latin.

De persécutés les chrétiens deviennent à leur tour persécuteurs ; païens et juifs se voient retirer les rares privilèges qui leur avaient été concédés. Ainsi, un décret de Constance II, interdit-il la divination qui sera punie de mort. Ces mesures visent surtout les habitants des campagnes, où les cultes agraires sont restés vivaces, et les petites communautés juives installées en Galilée. On fera une exception pour Rome, toujours attachée, dans les hautes classes, à une certaine forme de paganisme qui se fond avec la tradition historique, esthétique et littéraire.

Julien l'Apostat veut reconstruire le Temple

Cousin de Constance II, Julien est proclamé César et se signale aussitôt par une série de victoires sur les Barbares. Excellent général doublé d'un philosophe, il méprise la guerre, mais, en soldat valeureux, il marche toujours à la tête de ses légions, ce qui causera sa perte. Il vit comme un ascète, pauvrement vêtu, passant ses nuits dans l'étude. Lutèce, où il s'est installé, apprécie ce César insolite. Son armée, malgré lui, le fera Auguste et, à la mort de Constance, il deviendra empereur.

Depuis l'âge de vingt ans, il a renoncé au christianisme dans lequel il a été élevé, ce qui lui a valu le surnom d'Apostat. Pendant les vingt mois de son règne, amoureux de la Grèce et de ses dieux, il s'efforcera de rendre vie à un paganisme moribond. Aurait-il réussi s'il avait vécu plus longtemps ? On en doute. Les dieux oubliés, à l'image des hommes, ne ressuscitent pas.

Habilement, afin de mieux dresser les différentes sectes chrétiennes les unes contre les autres, il les invite à mettre fin à leurs querelles en laissant chacun prier, penser et vivre à sa guise. Il réussit fort bien dans son projet : l'Eglise chrétienne devient un champ clos où à Jérusalem s'affrontent des moines armés de gourdins.

Julien fait rouvrir les temples païens, ranime l'ardeur des desservants et, comme ils ne peuvent compter sur la charité des fidèles, il les rétribue largement. En revanche, il interdit aux moines, censés ignorer une culture exclusivement païenne, d'enseigner les lettres profanes.

Encadrées par leurs évêques, les communautés chrétiennes se dressent contre lui. A part l'appui de quelques rhéteurs qui hantent les portiques d'Athènes, du petit peuple des campagnes attaché à ses dieux et de ses soldats qui le suivraient jusqu'en enfer, il ne récolte que l'approbation d'une aristocratie romaine indolente, sceptique et vouée au plaisir, mais qui n'ira pas jusqu'à prendre parti.

Des églises sont brûlées ou reconverties en temples de Bacchus. A Damas, les juifs, qui entretiennent vis-à-vis de la nouvelle foi une tenace rancœur, s'en prennent aux sanctuaires que Julien, dans sa haine du « Galiléen », appelle des charniers tant les ossements-reliques y abondent. Ce ne sont là que débordements mineurs et si, à Scythopolis où les païens ont été particulièrement maltraités, le crâne de saint Pamphile est transformé en lanterne, rien n'approche des grandes persécutions que les chrétiens avaient subies sous Hadrien et Dioclétien.

Pour porter un coup au christianisme, le frapper là où il est le plus sensible, ses origines, et parce qu'il se sent, « à part quelques croyances », proche des juifs, Julien imagine de reconstruire le Temple de Jérusalem à l'emplacement qu'il occupait jadis.

Ammien Marcellin, proche de l'empereur, nous confirme que le projet était sérieux et qu'il avait même connu un début de réalisation :

« Julien continuait d'accroître ses armements avec ardeur, son impatience allait au-devant des obstacles, et ce génie qui embrassait tout concevait au même moment la pensée d'une œuvre monumentale capable d'éterniser le souvenir de son règne. Il voulait relever, au prix de sommes folles, ce temple prétentieux de Jérusalem qu'après de nombreux combats meurtriers livrés par Vespasien, Titus avait enfin enlevé de force. Il chargea de ce soin Alypius d'Antioche qui avait administré la Bretagne comme lieutenant des préfets. Alypius poussait en conséquence les travaux avec vigueur, quand, soudain, une éruption formidable de globes de feu qui s'élancèrent presque coup sur coup des fondements mêmes de l'édifice rendit la place inaccessible aux travailleurs après avoir été fatale à plusieurs d'entre eux, et, ce prodige se renouvelant chaque fois qu'on revint à la charge, il fallut renoncer à l'entreprise. »

Les juifs s'étaient lancés dans cette reconstruction avec une ardeur plus factice que réelle et, à la première occasion — l'apparition de boules de feu qui n'étaient que des poches de gaz prisonnières des ruines et qui au contact de l'air s'enflammaient —, ils abandonnèrent les travaux. Optant pour la synagogue, un culte discret, refusant la pompe du Temple et ses sacrifices sanglants, renonçant à tout prosélytisme, loin de Jérusalem gagnée au Christ et qui leur était hostile, ils pensaient ainsi échapper aux persécutions. Ils n'allaient pas se risquer dans une folle entreprise qu'ils concevaient comme un règlement de comptes entre chrétiens et païens.

Julien, victime de son courage, sera tué dans un combat contre les Perses. Les chrétiens y verront une punition de Dieu. Jovien lui succède et, chrétien fervent, ne pouvant plus compter sur une armée démoralisée, il traite avec Shahpour II, le roi sassanide, lui abandonnant les conquêtes de son prédécesseur, dont l'Arménie chrétienne. Une des lâchetés dont l'histoire abonde.

Sous Constance II et Julien, Jérusalem avait poursuivi sa vie agitée. Saint Cyrille, élu métropolite, est chassé par les ariens qui ont l'oreille de Constance, mais retrouve son siège sous Julien qui a ainsi l'occasion d'exacerber les rivalités entre chrétiens. Cyrille, grâce à la découverte des ossements de saint Jacques, premier évêque de Jérusalem, frère de Jésus, retrouve son autorité sur la foule bruyante et passionnée de ses ouailles.

Cyrille doit ensuite faire face à ceux qui prétendent que la Mère de Dieu a cessé d'être vierge en donnant naissance au Christ, tandis que les « collyridiens » proclament le contraire. Son successeur, Jean de Jérusalem, sera aux prises avec l'origénisme et le pélagisme, ce qui nécessitera un nouveau concile auquel participent les moines du désert et autres anachorètes, animés d'un fanatisme brûlant. Ces subtiles querelles se terminent par des échanges de coups et, parfois, de véritables émeutes. On se tue au nom du sexe des anges comme on s'était tué jadis pour une interprétation de la Loi. L'existence d'un prélat chrétien soumis à toutes sortes de pressions par le clan des prêtres et des moines, qui mobilisent le peuple à tout propos, rappelle étrangement les difficultés d'un grand prêtre juif avant la destruction du Temple.

Se succèdent sur le trône Valens, puis Théodose le Grand qui sera le dernier empereur marchant à la tête de ses armées : après lui, les *basileus* s'enfermeront dans leurs palais. A sa mort, l'Empire revient à son fils Arcadius, puis à son petit-fils Théodose II qui n'est qu'un enfant et dont la sœur Pulchérie, âgée de seize ans, est déclarée régente en prenant le titre d'Augusta (414). Femme remarquable, tant par la culture que par le caractère, elle maintient son frère dans une étroite dépendance. Il n'est plus qu'une marionnette, qu'on amuse avec les hochets du pouvoir, et un bigot adonné au culte des saints.

Après la tentative avortée de Julien, le paganisme perd de son influence. Les martyrs chrétiens remplacent, dans la ferveur populaire, les divinités de l'Olympe, donnant naissance à une forme étrange de polythéisme qui se réclame cependant d'un Dieu unique, lui-même constitué par une trinité.

La trop belle Eudoxie, reine de Jérusalem

Pulchérie, en quête d'une épouse pour son frère Théodose, choisit Athénaïs, une jeune Athénienne, fille du philosophe Léontius, que l'on rebaptise Eudoxie. Belle, cultivée, elle compose en grec et en latin. Auteur estimé de poèmes profanes et d'hymnes religieux, elle est à l'origine de la création d'une université où enseignent grammairiens grecs et latins, philosophes et juristes. Mais ses nombreux talents et activités lui attirent l'inimitié de Pulchérie qui voit en elle une rivale.

Pour remercier le Seigneur de lui avoir conservé sa deuxième fille, la première étant morte, Eudoxie fait le vœu de se rendre en pèlerinage à Jérusalem. Quand elle y viendra, en 438, elle comblera la ville de cadeaux et entreprendra la construction de plusieurs églises : Sainte-Sophie au Prétoire, Saint-Pierre, à l'emplacement du palais de Caïphe, Saint-Jean-Baptiste, près du Saint Sépulcre, et Siloé, à l'arrivée du canal d'Ezéchias. Elle fait la conquête de Jérusalem ; elle-même est conquise.

L'évêque Juvénal, rêvant d'ériger son évêché en patriarcat, lui fait une cour pressante. Elle ramène à Constantinople les précieuses reliques qu'il lui a procurées, dont un portrait de la Vierge peint par saint Luc et les chaînes de saint Pierre.

Eudoxie s'ennuie dans l'atmosphère étouffante de la cour. Elle est aux prises avec la jalousie de son époux-enfant et l'hostilité de Pulchérie. Pour confident et ami, elle a Paulin, le beau, le trop beau Maître des Offices. On l'accuse d'adultère. Théodose donne l'ordre d'exécuter Paulin. Eudoxie s'enfuit à Jérusalem. Théodose la fait poursuivre par un de ses officiers qui assassine le prêtre Sévère et le diacre Jean qui l'accompagnent. Elle abat le meurtrier de sa main. Théodose doit se résigner. Mais c'est dépouillée des honneurs de son rang, sans ressources, déshonorée, qu'elle s'installe dans la Ville sainte. Le scandale éclabousse à ce point les institutions impériales qu'une partie de ses droits et privilèges lui seront rendus. Avec le titre d'Augusta retrouvé, elle deviendra une sorte de reine de la Palestine. Jérusalem sera sa capitale qu'elle ornera et embellira. Elle obtient même de Théodose de relever les murailles en suivant le tracé le plus étendu. On lui doit encore la Porte dorée.

Un accident de cheval met un terme à l'existence de Théodose, en 450, ce qui autorise Pulchérie à reprendre un pouvoir qu'elle n'avait jamais complètement abandonné. Pour régner, on l'oblige à prendre un époux. Elle choisit un homme d'âge, le sénateur Marcien, qui s'engage solennellement à ne pas user de ses droits de mari. Elle-même se voue à la chasteté avec ses deux sœurs. Un monastère de femmes dont les hommes, sauf les eunuques, sont proscrits, règne sur l'Empire. Pulchérie, sous les apparences d'une grande piété, tient les rênes d'une main de fer et n'oublie pas ses rancunes.

Pour son malheur, Eudoxie n'a pu s'empêcher de se mêler des querelles religieuses qui déchirent « sa » ville. Le moine Théodose, au nom du monophysisme, l'entraîne dans une révolte armée. Poussée par lui, elle lève des troupes, arme les moines qui viennent garnir les remparts. Juvénal, qui a enfin obtenu ce qu'il souhaitait, le patriarcat, en trahissant tout le monde, accourt pour calmer les esprits. Ses partisans sont massacrés, les prisons ouvertes et, guidée par les officiers de l'entourage d'Eudoxie, la foule envahit le Saint Sépulcre et proclame évêque le moine Théodose. Juvénal, qui a pu s'enfuir, alerte Constantinople. Il faudra que l'armée intervienne pour rétablir l'ordre et, après une bataille à Néapolis où ses partisans sont vaincus, Eudoxie devra se soumettre. Elle n'était pas de taille à affronter Pulchérie.

Eudoxie terminera ses jours à Jérusalem, en odeur de sainteté, gagnée au mysticisme et à l'orthodoxie par l'anachorète Euthyme devenu son maître spirituel. Elle protestera jusqu'à son dernier soupir contre l'accusation d'infidélité que Pulchérie avait probablement inventée pour continuer à régner sur l'esprit faible de son frère. Elle aura vécu seize ans dans une ville que déchiraient déjà les passions, y ajoutant les siennes. Rien ne restera de son œuvre. Les Perses, aidés des juifs, la réduiront à quelques ruines.

Zoroastre face au Christ

Dans le moment où Constantin, au Concile de Nicée, s'efforçait de concilier toutes les sectes chrétiennes autour du pouvoir impérial, le roi sassanide

Shahpour II réunissait de son côté un synode national pour fixer les règles de la religion zoroastrienne, à partir de l'Avesta, Bible des Adorateurs du Feu.

Le zoroastrisme, comme le christianisme, devient religion d'Etat, appuyée sur un clergé hautement hiérarchisé dont l'intolérance rivalise avec celle des moines et des évêques.

Les chrétiens étaient nombreux en Perse et jusque-là bien tolérés. La guerre qui oppose les deux grands Empires, de conflit territorial devient guerre de religion. Shahpour proclame : « Les Nazaréens habitent notre territoire et partagent les sentiments de César, leur coreligionnaire et notre ennemi... » Il déclenche une violente persécution dont l'Arménie chrétienne sera une des principales victimes. Les persécutions cesseront quand la majorité des fidèles se séparera de l'Eglise de Rome.

A l'inverse des chrétiens, les juifs sont bien traités : ils ne présentent aucun danger pour le régime, et de vieux liens historiques et sentimentaux les attachent à la Perse de Cyrus. Opprimés par les chrétiens, chassés de Jérusalem, ils n'attendent qu'une occasion favorable pour se venger, espérant reconstituer autour des ruines du Temple un petit Etat où régnerait Yahvé sous la protection d'Ahura-Mazda et de ses mages. Déjà le judaïsme leur a beaucoup emprunté. En détruisant l'Empire romain, les Sassanides peuvent leur donner cette chance. Aussi les Byzantins les considèrent-ils comme des traîtres et des agents de l'ennemi. Justinien interdira aux juifs de témoigner contre un chrétien, d'épouser une chrétienne, de célébrer la Pâque à Jérusalem et les obligera à utiliser dans leurs synagogues des traductions grecques et latines de leurs Livres saints, l'hébreu étant proscrit.

Justinien, dernier héritier de César

Justinien, fils d'un paysan macédonien, sera le dernier grand empereur romain, héritier de César et d'Auguste. Après lui, viendront les *basileus* qui oublieront le latin et la colline de l'Aventin pour ne plus parler que le grec et regarder vers l'Orient. Justinien reconquiert Rome et ses armées rétablissent l'autorité de l'Empire de la Bretagne à l'Egypte et aux marches de la Perse. Homme d'études, Justinien ne sort guère de son palais. Ce sont ses généraux, Bélisaire et Narsès, qui conduisent la reconquête des provinces perdues, Tribonien qui rédige le Code des lois à l'origine de notre droit civil, Jean de Cappadoce qui met en place une remarquable administration, tous agissant sous l'étroit contrôle de l'empereur. Prince chrétien, assuré de l'origine divine de son pouvoir, il dirige avec fermeté « son Eglise » et décide souverainement de ses orientations, surpassant les plus subtils théologiens dans les discussions acharnées qui les mettent aux prises. Il est aidé par son épouse, la grande impératrice Théodora, qui, née dans le ruisseau, élevée dans un bordel, révélera de remarquables qualités politiques et tempérera le fanatisme de son époux.

Comme Eudoxie, Justinien s'est laissé prendre au charme vénéneux de Jérusalem. Il construit une magnifique basilique, Sainte-Marie-la-Neuve, aux dires de l'évêque Cyrille de Scythopolis « un monument surpassant toutes les merveilles antiques et toutes les descriptions qui ont suscité l'admiration des humains. Il faudra douze ans pour la construire. Supportée par d'énormes soubassements, elle est précédée de somptueuses colonnades et encadrée de portiques ».

Elle figure en bonne place sur la mosaïque de Madeba. Le dernier chef-d'œuvre religieux de l'art byzantin dans la Ville sainte ! Il n'en reste que quelques ruines près de la mosquée d'Al Aqsa. Justinien édifie encore deux hospices de deux cents lits, l'un destiné aux pèlerins étrangers, l'autre aux malades indigents. Il les dote de trois mille sept cents pièces d'or, restaure le sanctuaire de saint Thalélée, de saint Grégoire, aménage le puits de saint Jean Baptiste sur le Jourdain et restaure les murs de Bethléem. N'ayant qu'une confiance modérée dans son clergé, il interdit aux établissements religieux d'aliéner leurs biens, une pratique profitable à Jérusalem où il est si difficile de se loger et où la moindre échoppe permet de gagner une fortune.

Son œuvre ne lui survivra pas. Il aura pour successeurs des empereurs malheureux que chasseront des usurpateurs grossiers, sanglants, sans valeur politique ou militaire, tel Phocas. L'Empire s'effondre sous les coups de Chosroès II et, de 611 à 619, la conquête perse s'étend à la Syrie, puis à la Palestine. Antioche se rend, ses magnifiques églises sont détruites, ses habitants emmenés en esclavage.

Héraclius, un général énergique, est plébiscité par son armée à la tête de l'Empire ; mais il se trouve dans le Caucase, cherchant à entraîner les Khazars dans son camp. A Jérusalem la confusion est extrême ; les Verts et les Bleus, les deux factions aux prises à Constantinople, sont venus y déverser leurs propres venins.

Les armées perses rencontrent devant elles peu d'obstacles : juifs persécutés et Samaritains dont une révolte a été durement réprimée les accueillent en libérateurs. Ils leur fournissent des contingents importants, vingt-six mille hommes rien qu'en Galilée, conduits par Benjamin de Tibériade, et des agents dans toutes les villes. Les portes s'ouvrent devant les envahisseurs. Massacres, incendies des lieux saints auxquels, comme à Antioche, les juifs prêtent la main quand ils ne les suscitent pas.

Chosroès arrive devant Jérusalem ; il souhaiterait que la ville se rende pour éviter sa destruction. Le patriarche Zacharie entame des pourparlers, car il sait la position indéfendable, le mur construit par Eudoxie n'étant qu'un décor, et la garnison composée de soldats d'opérette. Mais, encadré par ses moines, contre toute raison, le peuple refuse de traiter, estimant que Dieu pourvoira à sa défense. On menace de mort le patriarche s'il persévère dans ses tractations. Sans grand espoir, Zacharie envoie un de ses higoumènes chercher du renfort auprès de la garnison byzantine de Jéricho. Mais elle a déjà quitté la place.

Irrité d'une résistance à laquelle il ne s'attendait pas, Chosroès, après un siège de quarante jours, fait dresser des bûchers contre les remparts dont les blocs, mal agencés, éclatent sous l'effet de la chaleur. Une brèche est ouverte par laquelle s'engouffrent soldats perses, bandes armées de juifs et de Samaritains qui organisent une véritable battue, traquant les habitants jusque dans les caves. Seuls les individus jeunes, robustes, pouvant servir d'esclaves, sont épargnés. Avec leur patriarche, ils prendront le chemin de l'exil vers Babylone, comme jadis les juifs, mais cette fois ce sont eux qui les gardent et les revendent, comme du bétail, dans les villes qu'ils traversent. Les mages perses, aussi fanatiques que les néo-zélotes juifs, incendient le Saint Sépulcre, les églises du mont des Oliviers, la basilique construite par Justinien et une grande partie des couvents et autres édifices religieux. Le sang des prêtres, des moines, des évêques ruisselle dans les rues étroites de Jérusalem et dans les sanctuaires aux mosaïques d'or et aux lourdes lampes d'argent. Chosroès, qui connaît le pouvoir de la Sainte Croix sur l'esprit des chrétiens, s'en empare et l'emporte dans sa capitale, à Ctésiphon.

Un certain Thomas et sa compagne qui ont organisé l'ensevelissement des cadavres compteront trente-trois mille huit cent soixante-dix-sept morts rien que dans Jérusalem : les plus acharnés à tuer auraient été les juifs. Chosroès leur abandonne la ville pendant trois ans. Ils en auraient profité pour détruire les églises, acheter à vil prix les prisonniers chrétiens et les auraient exécutés quand ils refusaient de se convertir. Les auteurs juifs mettent en doute cet épisode peu reluisant de leur histoire tandis que les auteurs chrétiens affirment sa véracité. La vérité a toujours deux visages à Jérusalem. Se souvenant qu'il devait son trône et la vie à l'empereur byzantin Maurice, et redoutant de dresser contre lui la masse de ses futurs sujets, Chosroès chasse de la ville les juifs devenus des alliés trop encombrants, après les avoir obligés à rendre les biens dont ils s'étaient emparés et les églises qu'ils avaient transformées en synagogues. Il autorise les chrétiens à restaurer leurs sanctuaires qui sont rouverts au culte. Mais les dégâts sont irréparables et on ne peut ressusciter les morts.

La première croisade fut-elle byzantine ?

Jérusalem est aux trois quarts détruite ; elle a perdu la Vraie Croix qui était son Arche d'Alliance ; Constantinople est encerclée par terre et par mer et Héraclius, désespéré, envisage de se retirer à Carthage. Le patriarche Serge ranime son courage, met les trésors de l'Eglise à sa disposition et prêche aux soldats démoralisés la guerre sainte, la Croisade.

« Ce sont là des mouvements, écrit René Grousset, que nous retrouvons dans l'histoire des croisades et, de fait, c'est bien à une croisade que nous assistons ici, croisade s'il en fut jamais puisque les armées chrétiennes s'ébranlent à la voix du chef de l'Eglise et qu'elles ont pour objectif la délivrance du Saint Sépulcre et la reconquête de la Vraie Croix. »

Héraclius mènera une campagne remarquable, prenant l'armée perse à revers, attaquant Chosroès là où il s'y attend le moins. Il finira par l'écraser dans les ruines de Ninive, près des champs historiques d'Arbèles où, neuf siècles plus tôt, Alexandre avait vaincu Darius. Chosroès s'enfuira comme son lointain aïeul, ira de désastre en désastre et finira détrôné et assassiné par son fils.

Quand il était vainqueur et qu'Héraclius lui demandait la paix, Chosroès lui avait répondu : « Tu prétends mettre ta confiance en Dieu ; pourquoi n'a-t-il pas sauvé de mes mains Césarée, Jérusalem et Alexandrie ? Est-ce que je ne pourrais point aussi détruire Constantinople ? Ne te laisse pas abuser par un vain espoir en ce Christ qui n'a pu se sauver lui-même des mains des juifs qui le crucifiaient. »

Apprenant sa mort, et que son fils demandait humblement la paix, Héraclius l'annoncera à ses armées en ces termes : « Il est tombé l'orgueilleux, l'impur Chosroès ! Il a été précipité dans les enfers... Il y est tombé avec fracas. Il s'en est allé dans les flammes pour brûler avec ses pareils. »

Les Perses évacuent la Syrie, la Palestine, l'Egypte et restituent la Vraie Croix. Le 23 mars 630, Héraclius fait une entrée solennelle à Jérusalem. Portant lui-même la Croix, au milieu d'un enthousiasme indescriptible, il gravit le calvaire. Puis, il remet la précieuse relique à la garde du patriarche Modeste qui a remplacé Zacharie, mort en captivité. On recommence à rebâtir la ville, mais elle ne sera plus jamais cette châsse qui brillait de tous ses feux sous la dure lumière de Jérusalem. L'or et les pierreries s'en sont allés. La croisade d'Héraclius a, certes, atteint ses buts et Jérusalem, même privée de la moitié de ses habitants, peut reprendre son existence de caravansérail pour pèlerins, de marché aux reliques, lieu de piété pour les uns, mauvais lieu pour d'autres.

Byzance victorieuse et la Perse vaincue sortaient également affaiblies, épuisées par leurs affrontements au moment où elles auraient dû s'unir pour affronter le danger qui venait du désert : les cavaliers d'Allah lancés à la conquête du monde.

CHAPITRE X

AL QODS, VILLE SAINTE DE L'ISLAM

« Celui qui meurt à Jérusalem, c'est comme s'il mourait au ciel ; celui qui meurt à côté, c'est comme s'il mourait dans la ville. »

« Une prière récitée à Jérusalem vaut vingt-cinq mille fois plus que celle faite dans un lieu ordinaire. Mais elle vaut cinquante mille fois plus à Médine et cent mille fois plus à La Mecque. »

Les cavaliers pillards d'Allah

En 632, deux ans après le retour de la Vraie Croix à Jérusalem et le triomphe d'Héraclius, Abou Bekr succède à Mahomet à la tête de l'Islam. Il lance ses cavaliers à la conquête de la Palestine, un pays riche, mal défendu, en proie aux querelles civiles et religieuses : juifs contre chrétiens, chrétiens entre eux.

Ce sont, nous dit saint Jérôme, « des fils d'Ismaël, montés sur des chevaux et des chameaux, la tête hirsute et ornée de cordons, le corps demi-nu, traînant un manteau et des bottes trop larges... Des carquois pendaient à leurs épaules ; ils brandissaient des arcs détendus et portaient de longs pieux, car ils n'étaient pas venus pour le combat, mais pour la razzia ».

Héraclius, épuisé par sa victoire sur les Perses et jugeant qu'un tel envahisseur ne vaut pas la peine qu'il se déplace, envoie une armée sous les ordres de son frère, Théodore. La rencontre a lieu dans la vallée du Térébinthe où David avait vaincu Goliath. Les lourds cavaliers byzantins, aux armures niellées d'or, se battent avec courage, mais s'épuisent contre un ennemi insaisissable qui se dérobe, attaque et se dérobe encore. Théodore prend la fuite et se réfugie à Jérusalem. Les Arabes le poursuivent, mais sont incapables de prendre la ville.

« Le pays, nous dit F. Abel, est semblable à une mer arabe d'où émergent comme autant d'îlots isolés les villes munies d'enceintes qui ont fermé leurs portes : Jérusalem, Gaza, Jaffa, Césarée, Naplouse, Beisan. D'une ville à l'autre, les communications sont périlleuses, sinon impossibles. Sortir de l'enceinte, c'est risquer sa vie. Cinq mois après leur victoire, des nomades rôdent encore autour de la Ville sainte si bien que, le jour de Noël 634, il est impossible aux fidèles d'aller comme à l'ordinaire fêter à Bethléem la naissance du Christ. »

Le patriarche de Jérusalem, Sophronius, sera obligé de prononcer son homélie depuis Sainte-Marie-la-Neuve qui se trouve à l'intérieur des remparts.

Une nouvelle armée byzantine accourt au secours de Damas assiégée. Les Arabes, sous les ordres d'Abou Obeyda auquel Omar, calife depuis 634, a confié le commandement de ses bandes, se retirent au sud du Yarmouk. Les Byzantins les poursuivent sur un terrain qui leur est défavorable. Au cours d'une bataille longtemps indécise, en proie à leurs démons familiers et à leurs querelles religieuses, les chevaliers byzantins proclament la déchéance d'Héraclius. Ils le remplacent par leur général, Bahan, qui, à peine nommé, est tué. Les auxiliaires arabes, chrétiens monophysites, opposés aux orthodoxes impériaux, passent à l'ennemi, arabe comme eux. Les femmes musulmanes, munies de piquets de tente, ramènent au combat leurs époux en déroute. Après plusieurs retournements, la défaite des Byzantins est totale.

Omar ne veut laisser à personne d'autre que lui la gloire de s'emparer de Jérusalem. Ce n'est pas un grand soldat : il n'apprécie pas la compagnie de ses Bédouins, leur grossièreté, leur gloriole et leurs vantardises. Mais c'est un administrateur remarquable, un homme intelligent, assez sage pour ne pas pousser à bout un ennemi vaincu. Et s'il est très pieux, il n'est pas fanatique.

En février 638, un messager vient lui apprendre qu'Elia (Aelia) veut se rendre, mais à lui seul. Pour le pieux calife, Jérusalem, vers laquelle hier encore il se tournait pour prier, demeure la cité d'Abraham, père de tous les Arabes, de Moïse, de David, de Salomon, de Jésus, et des prophètes qui avaient préparé la voie de Mohammed, le plus grand et le dernier d'entre eux.

« Porte-toi bien, la Syrie », avait dit Héraclius, le vainqueur de Chosroès, en prenant la route de Byzance. Après cet abandon d'un empereur en qui il avait mis toute sa confiance, le patriarche Sophronius ne pouvait espérer aucun secours. Il ne disposait que d'une poignée de soldats démoralisés et la population, après deux ans de siège, réclamait la paix. Le patriarche de Damas avait ouvert les portes de sa ville et celui d'Alexandrie se disposait à le faire.

Partout, juifs, samaritains, chrétiens nestoriens, monophysites ou ariens, par haine de Byzance, faisaient ouvertement cause commune avec l'envahisseur. Une partie de l'Orient chrétien se dressait contre l'hellénisme, forme finale de l'orthodoxie byzantine.

Un patriarche en chlamyde, face à un calife en haillons

Sophronius et le calife se rencontrent au mont des Oliviers. Le patriarche arrive, vêtu d'une chlamyde d'or, coiffé d'une tiare sertie de pierres précieuses, escorté de prêtres et de gardes parés de brocarts, portant boucles d'oreilles et longs cheveux parfumés. Omar l'attend, accroupi sur le manteau en poil de chameau qui lui sert aussi de couverture. C'est un homme de constitution chétive, au teint foncé, vêtu d'une simple tunique couvrant à peine le genou. Ses gardes offrent une piètre apparence aussi, mais leurs armes, amoureusement entretenues, brillent parmi leurs haillons, et leurs corps maigres, noueux, ont été endurcis par la dure vie du désert. A leurs pieds, s'étend Jérusalem avec ses coupoles rutilantes d'or, ses oriflammes qui claquent au vent ; sur les remparts, se presse tout un peuple attendant qu'on décide de son sort.

Après avoir invoqué le Tout-Puissant, Omar dicte les conditions de la capitulation où il fait preuve d'une modération qui n'est guère dans les mœurs du temps. Les juifs l'ont bien aidé, lui servant d'espions, de guides, d'éclaireurs — l'un d'eux lui a même indiqué le passage secret de l'aqueduc qui lui a permis de prendre Césarée. Il n'en tient pas compte et leur accorde le même statut qu'aux chrétiens qui lui avaient résisté deux ans. A ses yeux ils sont tous « gens du Livre » ; ils ont reçu les Ecritures, mais n'ont pas été jusqu'à se convertir à la vraie foi, celle de Mahomet.

« Au nom d'Allah, le Clément, le Miséricordieux, ceci est un traité octroyé par Omar, fils de Kattab, aux habitants de Jérusalem. En vérité, vos vies seront épargnées, vos biens protégés, vos églises respectées. Vos maisons ne seront ni démolies, ni occupées. Nous vous offrons le pacte d'Allah, la protection de son Prophète, des califes et des croyants. Aussi longtemps que vous paierez le tribut, nous ne vous apporterons que du bien. »

Moyennant ce tribut, juifs et chrétiens pouvaient conserver, sous la protection des musulmans, leurs croyances, leurs hiérarchies religieuses, leurs tribunaux en matière de statut personnel. Mais ils étaient tenus à l'écart de la communauté musulmane.

Cette relative tolérance s'explique en partie par des considérations fiscales : les gens du Livre, que leur exclusion des emplois publics rejetait vers les activités lucratives du commerce et de la banque, sont en effet soumis à une capitation pour le rachat de leur vie et de leur liberté, et à un impôt foncier qui grève le sol devenu dans sa totalité propriété de la communauté musulmane. Ces taxes constituaient une partie importante des revenus des premiers califes. Une tolérance d'ailleurs précaire ; le Coran lui-même contient des versets où paraît la menace : « Faites la guerre à ceux d'entre les hommes des Ecritures qui ne professent pas la croyance de la vérité. Faites-leur la guerre jusqu'à ce qu'ils paient le tribut, tous sans exception, et qu'ils soient humiliés. » Aussi les nouveaux maîtres de Jérusalem montrent-ils peu d'empressement à convertir leurs nouveaux sujets.

Les soldats, les fonctionnaires, les prêtres sont autorisés à se retirer en terre byzantine : le fisc arabe remplace le fisc byzantin ; les biens abandonnés, les domaines impériaux deviennent la propriété des vainqueurs. Le sacrifice d'une chèvre scelle l'accord.

Le lendemain, Omar fait son entrée à Jérusalem, monté sur un chameau qui porte sa provision de dattes pour la journée. Il demande à Sophronius de le conduire à l'emplacement où se dressent le Temple de Salomon et le Rocher, là où tout a commencé depuis la création du monde. La petite troupe arrive par la porte sud-ouest, mais l'entrée est obstruée par des décombres : il lui faut se frayer un passage parmi les ordures qui y ont été déversées.

Omar décide que, dans la partie sud-est de l'enceinte, sera construite une mosquée qui portera le nom d'Al Aqsa, la lointaine. Puis, à l'emplacement choisi, aidé de ses compagnons, il déblaie un carré de terrain et tous, tournés vers La Mecque, se prosternent pour prier. Par ce geste, l'Islam prend possession de ce lieu sacré et s'institue le protecteur, c'est-à-dire le maître, des chrétiens et des juifs réduits à la condition de *dhimmis*, de citoyens de seconde zone.

Jérusalem est rattachée à la province de Palestine, au « djound Filastin », qui rassemble la Judée et la Samarie et dont Césarée reste la capitale. Elle perd toute importance politique, mais Omar la consacre Ville sainte de l'Islam, venant en troisième position après La Mecque et Médine. Une fois encore, elle change de nom pour devenir Roud el Sharif, le Sanctuaire vénérable, puis Al Qods, la Sainte, nom que les musulmans affectent à nouveau de lui donner.

Allah remplaçait Baal, Yahvé, les dieux de l'Olympe et le Christ.

Dans les premiers temps de la dynastie des Omeyyades, Allah se montre de bonne composition envers juifs et chrétiens. Malgré l'opposition de Sophronius, soixante-dix familles juives reçoivent le droit de s'installer à Jérusalem. Les pèlerins chrétiens seront autorisés à venir prier sur l'emplacement de leurs Lieux saints, mais devront payer une redevance avant de repartir.

Jérusalem s'est toujours révélée une bonne affaire pour ses maîtres successifs.

Les croix qui les surmontaient ont disparu des églises, Omar ayant donné l'ordre de les abattre. Une délégation de savants rabbis — aux yeux du naïf calife, ils passaient pour être un peu sorciers — lui aurait affirmé que ce signe de mort nuirait à la prospérité de Jérusalem. La véracité de cette anecdote de source chrétienne est douteuse.

Sur l'esplanade du Temple, Omar a fait édifier une modeste mosquée de bois. Un pèlerin chrétien nous en donne cette description : « Là où autrefois se dressait le temple splendide, les musulmans ont aménagé un lieu de prière rectangulaire. Ils l'ont entouré de poteaux perpendiculaires et de grosses poutres posées sur des ruines. »

Al Qods, nouvelle Mecque

Successeur d'Omar, le calife omeyyade Abd el Malek ne saura s'en contenter. Il a emprunté aux Byzantins leur goût du faste, les imitant au point de passer pour un *basileus* musulman. Il décide de faire de Jérusalem la plus belle, la plus sainte des villes de l'Islam, afin d'éclipser La Mecque et Médine. Il entend leur ravir l'hégémonie religieuse, car les deux villes dépendent de son rival détesté, Abdallah ibn Zurbair, à qui les pèlerinages rapportent beaucoup d'argent.

Sous son règne, prend naissance une légende dont il est peut-être l'initiateur et qui allait devenir un acte de foi pour tout bon musulman. Le prophète, une nuit, aurait été transporté à Jérusalem. Bouraq, un cheval ailé à tête de femme et queue de paon, à partir du Rocher, l'aurait emporté au paradis où Allah l'accueillit. Puis, Mahomet retourna à La Mecque poursuivre la mission que Dieu lui avait confiée : conquérir le monde par le *Djihad*, la guerre sainte, et le convertir à la vraie foi. Cette révélation s'appuie sur la dix-septième sourate, dont le texte ambigu se prête à nombre d'interprétations :

« Gloire à celui qui a fait voyager de nuit son serviteur de la Mosquée sacrée à la Mosquée très éloignée dont nous avons béni l'enceinte, et ceci pour lui montrer certains de nos Signes. » Pour les bons musulmans, il n'existait aucun doute : la mosquée sacrée était à La Mecque et la mosquée éloignée, défendue par une enceinte, ne pouvait être qu'à Jérusalem.

Les califes omeyyades iront plus loin encore, assimilant le Rocher à la pierre noire de la Kaaba et la source Gihon à celle de Zem Zem, à La Mecque.

Bien avant les Omeyyades, les scribes de la Bible s'étaient livrés à ce genre d'acrobaties, s'efforçant de lier Jérusalem, la Cananéenne, au peuple hébreu à travers le sacrifice d'Isaac par son père Abraham et sa rencontre avec le mystérieux Melchisédech, roi-prêtre du Très Haut.

Se prêtant au jeu de ses califes, des milliers de pèlerins musulmans affluent de Syrie, prolongeant leur pèlerinage jusqu'à Hébron où dormait Abraham, le grand ancêtre. Pourtant, malgré les efforts des Omeyyades, Jérusalem ne pourra jamais détrôner La Mecque bien qu'elle soit d'accès plus facile et plus sûr. Car n'est-il pas dit qu'une prière récitée à Jérusalem ne vaut que vingt-cinq mille fois plus que celle faite dans un lieu ordinaire ? Mais elle vaut cinquante mille fois plus à Médine, et cent mille à La Mecque. Jérusalem doit se contenter du rôle de troisième ville sainte malgré les magnifiques constructions dont l'a ornée le *basileus* Abd el Malek.

« Tous les procédés byzantins pour la construction des voûtes et des arcades sur colonnes, l'emploi des tirants en bois, les abaques élevés, les charpentes décorées, la mosaïque sous toutes ses formes, les placages de marbre sur les murs, de bronze sur les boiseries, les menuiseries des portes, les fenêtres en dalles de marbre repercées à jour — tous ont été mis en œuvre par les premiers architectes employés par les musulmans » (G. Migeon, *Manuel d'art musulman*).

Abd el Malek construit la mosquée d'Omar

Sur l'esplanade du Temple devenue le Haram-el-Sherif, Abd el Malek entreprend la construction du Dôme qui recouvrira le rocher sacré. Les travaux dureront cinq ans et coûteront, nous dit-on, les revenus de l'Egypte pendant sept années. Bientôt on eut trop d'argent et, avec les sommes non employées, on put recouvrir d'or la coupole. Les maîtres d'œuvre sont Aja ibn Hayat et Yazid ibn Sallam, originaires de Jérusalem, probablement des architectes byzantins convertis. Ils s'inspirent pour le dôme de celui du Saint Sépulcre à pans octogonaux, l'Anastasia et, pour la mosquée d'Al Aqsa, de la basilique qui lui est jointe. Mais en séparant les deux éléments par un grand espace, ils donnent à l'ensemble infiniment plus de grâce, d'élégance qu'au sanctuaire chrétien, enfoui dans la ville.

Faussement baptisé mosquée, faussement attribué à Omar, le Dôme demeure de nos jours l'un des plus remarquables et le plus ancien monument de l'art musulman. Miraculeusement protégé de la folie des hommes par son ancrage sur le rocher, il le sera aussi des tremblements de terre qui détruiront à plusieurs reprises Al Aqsa. Le Dôme du Rocher, le « Qubbat al Sakhra », doit être considéré comme un lieu de mémoire plus que comme un lieu de prière, rôle dévolu à la mosquée voisine. Construit au centre du Haram-el-Sherif, il rassemble sous sa coupole dorée tous les mythes de cette partie du monde, qu'ils soient juifs, chrétiens, égyptiens, cananéens, philistins ou hittites. Nouveaux venus dans le concert des religions, les musulmans, d'instinct, chercheront à s'ancrer en ce lieu magique où la tradition sémite faisait naître et finir le monde.

Nous avons peu de documents écrits traitant de la période des Omeyyades. On sait seulement qu'Abd el Malek menait une vie scandaleuse. Il s'entourait de danseuses, de musiciens, de poètes, tous de vrais sacripants, s'enivrait avec eux et, pour s'exercer à l'arc, choisissait un Coran comme cible de ses flèches. Il se conduira toutefois en souverain intelligent, lettré, artiste, tolérant. On doit à ce mauvais musulman un monument pratiquement inchangé depuis le VIIe siècle et les plus belles mosaïques du temps.

Pour achever la décoration du Dôme, le calife Welid Ier, successeur d'Abd el Malek, aussi mauvais musulman, mais, comme lui, homme de goût, n'hésitera pas à faire venir des mosaïques de Constantinople.

« Il serait d'ailleurs singulièrement injuste, nous dit Grousset, de prétendre que les Arabes n'ont fait que copier servilement les Byzantins. Leur fantaisie ailée, leur imagination vive et capricieuse ont enrichi l'art décoratif de thèmes nouveaux. Les combinaisons infinies de l'arabesque et les qualités ornementales de l'écriture coufique prêtent aux monuments arabes un charme, une légèreté, une élégance que les monuments byzantins n'ont certes jamais connus. »

Le voyageur-géographe maghrébin Ibn Battuta visita Jérusalem entre 1332 et 1348. Voici ce qu'il nous dit du Dôme, qui ne semble pas avoir subi beaucoup de dégâts après le passage des croisés et des Turcs :

« C'est un édifice des plus merveilleux et des plus solides, et des plus extraordinaires par sa forme. Il a en abondance son lot de beautés et a reçu sa bonne part de toutes choses merveilleuses ; il est situé sur un lieu élevé au milieu de la mosquée, et l'on y monte par des degrés de marbre. Il y a quatre portes ; son périmètre est pavé de marbre d'un travail élégant, et il en est de même de son intérieur. Tant au-dedans qu'au-dehors, il y a diverses sortes de peintures, et un ouvrage si brillant qu'on est impuissant à les décrire. La plupart de toutes ces choses sont recouvertes d'or et la chapelle resplendit de lumière et brille comme l'éclair. Au milieu de la chapelle, on voit la noble pierre qui est mentionnée dans les traditions ; et l'on sait que le Prophète est monté de là vers le ciel. C'est une pierre fort dure et son élévation est d'environ une brasse... Dans la chapelle, se trouve un grand bouclier de fer qu'on y voit suspendu. On prétend que c'est l'écu de Hamzah, l'oncle du Prophète tué à La Mecque. »

Rien de changé jusqu'à nos jours, sinon que l'or de la coupole n'est plus que de l'aluminium anodisé, qui produit quand même son effet sous la lumière éclatante de Jérusalem, et que les mosaïques qui n'étaient déjà plus celles des Omeyyades, mais du Turc Soleiman, ont été remplacées par des carreaux de faïence émaillée, don d'Hussein de Jordanie.

Les malheurs d'Al Aqsa

L'emplacement choisi par Omar pour édifier la mosquée d'Al Aqsa présentait de graves inconvénients. Elle s'appuyait sur un terrain fragile, un soubassement construit de main d'homme au temps d'Hérode. Elle s'écroula plusieurs fois, attira des fous qui l'incendièrent, des assassins qui tachèrent de sang ses splendides tapis. Reconstruite sept fois, on n'y trouve rien qui soit antérieur au XIᵉ siècle. Telle qu'elle se présente aujourd'hui, ce n'est qu'une reconstruction dont les travaux se sont terminés en 1943. Ils devaient reprendre en 1969, quand elle fut incendiée par Rovan, un fou, même pas juif, qui voulait par son geste hâter la fin du monde.

Les Abbassides succèdent aux Omeyyades ; ils abandonnent Damas pour Bagdad et se désintéressent de Jérusalem. Chrétiens et juifs, de plus en plus indésirables, sont obligés pour se distinguer des bons musulmans de porter un costume jaune pour les juifs, bleu pour les chrétiens. Les églises ferment les unes après les autres ou sont transformées en mosquées. Interdiction est faite aux juifs de construire de nouvelles synagogues ou de rénover les anciennes. On s'efforce de décourager les pèlerins qui viennent prier au Saint Sépulcre.

Jérusalem se ferme, devient une ville bigote où les cloches se taisent pour faire place aux appels à la prière des muezzins. Le grand géographe Maqidisi écrivait, en 985, « qu'il était difficile de trouver un musulman cultivé dans tout le pays ».

Charlemagne à Jérusalem !

Le calife Haroun el Rachid, prince des Mille et une Nuits, est amené par sa politique étrangère à se rapprocher de Charlemagne, comme lui en lutte contre les Byzantins. Déjà, sous l'influence du calife, l'Eglise de Jérusalem avait pris fait et cause contre les iconoclastes au pouvoir à Constantinople. On échange des ambassades, des cadeaux. Haroun el Rachid rafle les plus belles reliques que détenait le patriarche dont l'un des clous de la Vraie Croix et les clés du Saint Sépulcre ; il les envoie à l'empereur d'Occident. Charlemagne, institué par ce geste protecteur des Lieux saints chrétiens, fait don à Jérusalem de sommes importantes qui permettront d'édifier une abbaye sur le mont des Oliviers, une église, un marché et une bibliothèque. La condition des chrétiens s'en trouve sensiblement améliorée. Selon une légende, l'empereur des Francs serait venu en secret à Jérusalem et plusieurs personnes auraient pu s'entretenir avec lui.

Cette embellie ne survivra pas à la mort de Charlemagne, à l'éclatement de son Empire, à la disparition d'Haroun el Rachid et aux invasions karmates qui interrompent les pèlerinages à La Mecque. Ils deviennent à ce point dangereux et coûteux que le calife d'Espagne les interdit à ses sujets. La chaleur est insupportable dans le désert d'Arabie et le manque d'eau se fait sentir si cruellement qu'en 1011 des pèlerins doivent payer un verre d'eau deux cents pièces d'argent. Heureux quand ils ne tombent pas sur des pillards karmates qui les rançonnent, les dépouillent, parfois les massacrent. Les Karmates tiennent en effet ce pèlerinage pour une superstition ; ils ont même pris La Mecque, et volé la Pierre Noire qu'il faudra leur racheter. Ils réclament jusqu'à cent mille pièces d'or pour autoriser le passage des caravanes de pèlerins.

Les habitants de la Syrie et des environs se rabattent sur Jérusalem ; les pèlerins musulmans abondent au point qu'il faut partout construire de nouvelles mosquées dont l'une dans l'atrium du Saint Sépulcre.

La croisade de Nicéphore Phocas

Un valeureux général byzantin, Nicéphore Phocas, rêve de rendre à l'Empire ses anciennes frontières romaines, de reprendre la Syrie, de délivrer le Saint Sépulcre et de restaurer dans Jérusalem la foi du Christ. Il envahit la Cilicie, passe en Syrie, marche sur Alep qu'il prend d'assaut, transformant la grande mosquée en écurie. Devenu empereur, il lance un véritable appel à la croisade contre l'Islam : « Je marcherai vers La Mecque, dit-il, entraînant à ma suite des milliers de soldats pareils aux nuits obscures. Je m'emparerai de cette ville pour y dresser un trône au Meilleur des Etres, le Christ. Puis, je me dirigerai vers Jérusalem. Je conquerrai l'Orient et l'Occident et je répandrai en tous lieux la religion de la Croix. »

Profitant des divisions qui déchirent l'Islam, peu s'en fallut qu'il ne réussisse. Aidé de son lieutenant Jean Tzimiscès, Nicéphore conquiert Chypre, la Tarse, peuple la Cilicie de colons chrétiens, chassant les musulmans. Il ravage la Mésopotamie, prend Homs, transforme la grande mosquée où il peut prier, et rapporte le chef embaumé de saint Jean Baptiste. Il prend Tortose, saccage Tripoli et, alors qu'il rentre vainqueur à Constantinople et qu'Antioche, la grande métropole, est rendue à l'hellénisme et à la Chrétienté, il est assassiné par son lieutenant et ami Tzimiscès. Pour son malheur, Tzimiscès était aussi beau et séduisant que Nicéphore était laid, et l'impératrice, dont il était devenu l'amant, l'avait poussé à commettre ce meurtre. Après un bruyant repentir et l'exil de l'impératrice, Tzimiscès fut sacré *basileus* à condition de poursuivre la croisade de Phocas, de rendre à l'Empire ses anciennes frontières et de reprendre Jérusalem.

D'Antioche, il remonte la vallée de l'Oronte, atteint Damas, descend en Galilée, assiège Tibériade qui se rend. Nazareth est épargné en souvenir du Christ. Il ne reste plus qu'à prendre Jérusalem qui ne manifeste aucune intention de résister. « Des gens vinrent à nous de Jérusalem, écrit Tzimiscès au roi d'Arménie Ashod III ; ils venaient solliciter notre Royauté et implorer notre merci. Ils nous demandèrent un chef, se reconnurent comme nos tributaires, et consentirent à accepter notre domination. Notre désir était d'affranchir le Saint Sépulcre des outrages des musulmans... De là, nous nous portâmes au bord de mer, vers Césarée qui fut réduite ; et sans ces maudits Africains [les Fatimides d'Egypte qui venaient de s'emparer du pouvoir et menaçaient la Palestine] nous serions allés, soutenus par le secours de Dieu, dans la cité sainte de Jérusalem et nous aurions pu prier dans ces lieux vénérés. »

Il préféra tourner les talons et s'emparer d'Acre qui, sur le plan stratégique, présentait plus d'avantages qu'une ville indéfendable et coupée de la mer.

La croisade byzantine, si bien partie, échoua aux portes de Jérusalem et le patriarche Jean fut brûlé vif pour avoir pris contact avec les Impériaux... Jean Tzimiscès ne put lancer une nouvelle expédition comme il se l'était promis. Il mourut peu après du typhus et le projet ne fut pas repris. Son successeur, Basile II, abandonnait par traité la Syrie aux Fatimides. Rien ne l'amènera à intervenir, même pas les massacres et les destructions auxquels se livrera à Jérusalem, Hakim, le Calife fou.

Hakim, le Calife fou, détruit le Saint Sépulcre

Les auteurs musulmans contemporains disaient d'Hakim qu'aucun des rêves que lui suggérait sa folie n'était susceptible d'interprétation raisonnable. Personnage étrange, déconcertant, il s'adonnait à diverses formes de magie et de divination. Disciple de Pythagore plus que de Mahomet, il sera à l'origine de sectes mystérieuses, ésotériques, tels les Druzes qui, aujourd'hui encore, se réclament de lui. S'il ne l'inspire pas, il protégera Hassan ibn Sabbah, dit le Vieux de la Montagne, le futur Maître de la secte des Assassins. Il s'en prend aux fidèles du Christ aussi bien qu'aux juifs qu'il met dans le même sac bien que ceux-ci lui aient offert leurs services contre les sectateurs du petit rabbi de Nazareth.

Il interdit aux *dhimmis* de monter d'autres animaux que les ânes et les mulets, d'élever une maison plus haute que celle d'un croyant. Quant aux juifs qui se rendent aux bains, afin de les distinguer des Arabes, circoncis comme eux, il les oblige à porter, attaché au cou, un billot de bois de cinq livres auquel sont suspendues des clochettes. Les femmes doivent porter des chaussures de couleurs différentes à chaque pied, l'une blanche, l'autre noire. Le meurtre d'un juif ou d'un chrétien par un musulman n'est puni que d'une amende ; le contraire, par la mort. Enfin, les *dhimmis* ne peuvent, sous peine de mort, quitter Jérusalem sans un reçu prouvant qu'ils ont payé les taxes. Et elles ne cessent d'augmenter.

Hakim interdit les processions et donne l'ordre de brûler les églises. En 1009, ses gardes envahissent le Saint Sépulcre, chassent les prêtres et démolissent l'édifice. A l'exception de quelques pans de murs et d'une partie de la rotonde, tout le bâtiment est rasé ; le caveau rocheux du Sépulcre est attaqué à coups de pioches et de marteaux. Prétexte invoqué : les prêtres qui le desservent sont des escrocs. Le feu sacré qui descend du ciel, la nuit de la Pentecôte, pour allumer les lampes du sanctuaire ne serait que le fruit d'une machinerie compliquée à base de poulies et de cordes enduites de produits inflammables comme le soufre.

Pris de délire, Hakim se croit Dieu et exige qu'on dise la prière en son nom. Au Caire, un beau matin, il part seul sur son âne et on ne le reverra jamais plus. Pour les Druzes, il est toujours vivant ; il serait l'Iman caché qui apparaîtra le jour du Jugement.

Le Saint Sépulcre sera rebâti en 1048 par l'empereur Constantin Monomaque qui en a reçu l'autorisation du calife Mastousir. Rien à voir avec la splendeur du premier monument. On réaménage la rotonde de l'Anastasis et du calvaire, mais la basilique elle-même reste en ruine, privée de son grand atrium et de son entrée monumentale qui donnait sur l'ancien *cardo*. Un parvis modeste sera aménagé au sud ; aujourd'hui encore, il constitue son seul dégagement.

« Dans les cours brillantes et débauchées, les Arabes avaient perdu leurs qualités guerrières, nous dit J.P. Alem, et ils n'étaient plus préparés aux grands affrontements lorsque, du centre de l'Asie, déferla sur le Croissant fertile la horde des Turcs seldjoukides. Dans la seconde moitié du XIe siècle, ces envahisseurs s'installèrent à Bagdad et dictèrent leur loi aux califes abbassides, tandis que les villes de Syrie — Alep, Damas, Jérusalem — tombaient en leur pouvoir. Les provinces asiatiques de l'Empire n'étaient plus qu'une région en décomposition où une multitude d'émirs locaux, appuyés de mercenaires turcs ou berbères, faisaient peser sur les indigènes une odieuse tyrannie. Elles étaient mûres pour une nouvelle conquête lorsque les croisés parurent sous les murs d'Antioche. »

CHAPITRE XI

GUEUX, CHEVALIERS
ET SEIGNEURS-BRIGANDS
EN QUÊTE DE JÉRUSALEM

« "Gesta Dei per Francos." Dieu agissant par le bras des Francs !... La première des guerres saintes a été prêchée en France par un pape et des orateurs français. La grande masse des chevaliers qu'elle a jetée sur la route de Jérusalem sort de nos provinces. La plupart des seigneuries latines établies en Syrie, avant comme après la conquête de la Ville sainte, ont été fondées par des nobles français. La première croisade, c'est la France en marche. »

Ernest Lavisse, *Histoire de France*

« Il est vrai que cet événement extraordinaire fut préparé par plusieurs circonstances, entre lesquelles on peut compter l'intérêt des papes et de plusieurs souverains de l'Europe ; la haine des chrétiens pour les musulmans, l'ignorance des laïques, l'autorité des ecclésiastiques, l'avidité des moines ; une passion désordonnée pour les armes, et surtout la nécessité d'une diversion qui suspendît les troubles intestins qui duraient depuis longtemps. »

Diderot, *Encyclopédie IV*

Tout ce que l'Occident avait de meilleur et de pire se retrouvera sur les routes d'Orient

En novembre 1095, de Clermont, le pape Urbain II prêche la première croisade. En d'autres temps et d'autres circonstances, une telle entreprise aurait été impossible. Il fallait que la foi soit enracinée dans toutes les couches de la société pour jeter tant de fidèles sur les routes des pèlerinages. Certains iront jusqu'à Jérusalem. A leur retour, ils raconteront l'état déplorable où se trouve la Ville sainte. Michel le Syrien, patriarche d'Antioche, décrit les périls qu'ils courent.

« Comme les Turcs régnaient dans les pays de Syrie et de Palestine, ils infligeaient des maux aux chrétiens qui allaient à Jérusalem, les frappaient, les pillaient, prélevaient la capitation à la porte de la ville et aussi au Golgotha, au Sépulcre. Et en outre, toutes les fois qu'ils voyaient une caravane de chrétiens, surtout ceux qui venaient de Rome ou des pays d'Italie, ils s'ingéniaient à les faire périr de différentes manières. »

Turcs seldjoukides et Fatimides d'Egypte se disputent la Ville sainte. Quand les Turcs l'emportent, ils massacrent juifs, chrétiens et Arabes. Quand les Fatimides reprennent la ville, leur premier soin est de s'en prendre aux chrétiens et aux juifs, puis aux Turcs. Epuisés par leurs guerres incessantes, les deux partis cherchent un allié qui leur accordera l'avantage. Les Fatimides espèrent beaucoup des chrétiens, les Turcs, des Turcomans dont les bandes errent aux confins de la steppe.

Les chevaliers et barons francs s'ennuient dans leurs froides citadelles. Ils rêvent de terres lointaines et d'égaler les exploits que chantent trouvères et troubadours. Leur imagination pare l'Orient de toutes les richesses, de toutes les séductions.

Bons chrétiens, ils ont été entretenus par l'Eglise dans la peur de comparaître en pécheurs devant le Seigneur. Ils ont violé, volé, pillé, incendié ; pour être pardonnés il ne suffit pas de s'être comportés, à l'occasion, en preux chevaliers combattant pour la veuve et l'orphelin, ou de s'être confessés à un chapelain compréhensif. Or le pape vient de proclamer que tout homme, noble ou manant, s'il prenait la Croix, serait absous de ses crimes et que, comblé d'indulgences, il gagnerait le ciel. Barons, chevaliers, reîtres et brigands prennent la Croix. Leurs intentions, au départ, sont pures. Quelle merveilleuse et noble aventure de sauver son âme en délivrant le tombeau du Christ ! Mais s'ils embarquent, bénis par le pape, le chapelet au poignet, chantant des cantiques, quand ils se retrouvent aux prises avec un pays hostile et des adversaires sans pitié, leur vraie nature ne tarde pas à se manifester, celle de survivants dans un monde impitoyable.

L'Europe, en pleine ébullition, connaît une véritable explosion démographique qui pousse les cadets en quête d'apanage, les manants en quête de terres, à les chercher ailleurs. Les grandes républiques maritimes d'Italie : Venise, Gênes, Pise, qui ont ouvert des comptoirs en Orient, cherchent de nouveaux débouchés. Par leurs espions, elles connaissent la situation lamentable où se trouvent la Syrie et la Palestine. Plus de calife reconnu par les Croyants, mais des vizirs corrompus qui s'emparent du trône par le poison et le poignard ; des villes en ruine ; des terres dévastées. Les chrétiens qui peuplent les provinces conquises ne font plus confiance à Byzance

et n'attendent que l'arrivée des Francs pour se
soulever. Les Byzantins ont subi une dure défaite à
Manzikert. S'étant rendus maîtres de la Syrie et de
l'Hellespont, les Turcs campent en vue de Constantinople.

Byzance abandonne à Rome
la défense de la Chrétienté

Guillaume de Tyr, patriarche d'Antioche, conseiller des rois francs et grand historien des croisades, voit dans cette défaite l'éviction de l'Empire
byzantin en tant que champion du christianisme et
souhaite, face à l'Islam, son remplacement par les
Francs qui devront désormais assurer la protection
des Lieux saints. Il ne fait que refléter la pensée de la
papauté. Pour leur malheur, les croisés manquent
d'un roi pour prendre leur tête. Philippe Ier, roi de
France, Guillaume II, roi d'Angleterre, Henri IV,
empereur d'Allemagne, sont tous les trois sous le
coup d'une excommunication. Aucun des grands seigneurs, de si haute lignée soit-il, ne réussit à s'imposer à ses pairs. Ils s'estiment égaux et se jalousent.
Dans leurs bagages, ils ont emporté leurs rivalités,
leurs querelles de préséance et, sous couvert de la
Croix, ils espèrent sinon devenir rois, au moins se
tailler un royaume. Selon la coutume féodale, chaque duc ou comte dispose de chevaliers et de sergents d'armes qui lui sont personnellement attachés
et le suivent pour le meilleur comme pour le pire.
Seuls les chevaliers sans maîtres, équipés à leurs
frais, n'ont pas d'autre ambition que de délivrer
Jérusalem. Sans eux, la croisade se serait enlisée.

La croisade des gueux et des chevaliers sans avoir en quête d'indulgences

Les premiers à répondre à l'appel d'Urbain II sont les paysans et le petit peuple, fanatisés par Pierre l'Ermite. Sans attendre les barons, il entraîne derrière lui quinze mille pèlerins-croisés, mal équipés, brandissant des faux et des fourches, emmenant avec eux leur bétail, leurs femmes et leurs enfants. Ils sont encadrés par une poignée de chevaliers démunis comme Gautier Sans Avoir qui méritait son surnom, car il ne possédait que son épée, une vieille haridelle et aurait pu servir de modèle à Don Quichotte. Le pape, horrifié, a refusé de les bénir. Pierre l'Ermite ne tarde pas à perdre toute autorité. Affamés, les pèlerins-croisés pillent, volent et les portes des villes se ferment devant eux. Ils arrivent devant Constantinople, mettent à sac les faubourgs, brûlent les riches villas de la banlieue et s'en prennent même aux églises.

Pour s'en débarrasser, l'empereur Alexis Comnène les transporte de l'autre côté du Bosphore. Face aux Turcs, ils se débanderont et seront massacrés. Piteusement, Pierre l'Ermite s'enfuira.

On ne parlera plus de cette croisade avortée des pauvres, sauf dans les légendes pieuses qui naîtront plus tard. Elle jeta sur la première croisade, opération autrement mieux montée et organisée, un discrédit qui fit oublier la foi sincère qui animait ces « gueux de Dieu ».

D'autres bandes, aux ordres des seigneurs-brigands des bords du Rhin, malgré l'opposition du clergé et des autorités locales, profitent de l'occasion pour massacrer les juifs et incendier leurs synagogues. Prague, Mayence, Cologne, Trèves sont dévastées. Puis, satisfaits, souillés de sang, ils rentrent chez eux avec leurs rapines sans se soucier de poursuivre la croisade.

Et celle des barons en quête d'apanages

A la fin de l'année 1096, les croisés se retrouvent enfin devant Constantinople. Lorrains, Wallons, Flamands et Allemands ont à leur tête Godefroi de Bouillon et son frère Baudouin. Les Normands de Sicile sont sous les ordres de Bohémond et de son neveu Tancrède ; les Provençaux suivent Raymond de Saint-Gilles, comte de Toulouse. Enfin de grands seigneurs comme Robert de Normandie, le comte de Flandre, le comte de Blois, qui n'ont ni les moyens ni le désir d'entretenir une véritable armée, suivis de leurs seuls gens, sont venus combattre comme on va à la chasse. Ils sont bien décidés à s'en retourner à leurs affaires dès que Jérusalem sera prise. L'empereur Alexis Comnène doit faire face à un danger infiniment plus sérieux que les bandes d'illuminés de Pierre l'Ermite. Devant les richesses de Constantinople — et il est impossible de leur interdire l'entrée de la ville — les yeux de ces rudes guerriers brillent de convoitise. Aussi Alexis s'empresse-t-il de leur faire passer le Bosphore. Il accepte de leur fournir guides, vivres, armes et renforts, mais, en échange, exige d'eux un serment d'allégeance et la restitution des villes prises sur l'ennemi, jadis possession de Byzance. Jérusalem en fait partie, mais on évite de s'étendre sur le sujet.

Empruntant la route de la montagne, la côte étant trop bien gardée, les croisés prennent Nicée, la capitale seldjoukide qui menaçait Byzance et leur barrait la route. A contrecœur, fidèles à leur serment, ils se résignent à la rendre au *basileus*. Ils atteignent Dorylée où se livre la première grande bataille contre les Turcs. Les Seldjoukides, qui se croyaient invincibles, sont écrasés et doivent reconnaître la valeur et la bravoure de leurs adversaires. Un émir avouera : « Quiconque s'est renseigné sur les Francs a vu en eux des bêtes qui ont la supériorité du courage et de l'ardeur au combat, mais aucune autre. » En quoi il se trompait. Les croisés devaient se révéler aussi subtils diplomates que rudes guerriers, sachant jouer des rivalités qui empoisonnaient le monde musulman.

Pendant les deux siècles que durera le royaume franc, les croisés auront à combattre les Turcs et ce seront eux, commandés par un Kurde, qui les vaincront.

A l'origine, les Turcs étaient de piètres musulmans ; ils n'en seront que plus fanatiques. En fait de religion, ils s'adonnaient à un chamanisme teinté de bouddhisme ou de nestorianisme chrétien. Ils se convertiront à l'islam pour légitimer leurs conquêtes aux yeux des populations qui professent la même foi.

Avec la ferveur des nouveaux convertis, ils se prennent pour les premiers compagnons de Mahomet, prêchent la guerre sainte bien oubliée des Arabes et des Persans civilisés du Xe siècle. « L'Islam qui, sous les Arabes et sous les Iraniens, était un merveilleux élément de progrès devint, avec les Turcs, un instrument d'oppression. Ce grand véhicule de civilisation se transforma en un des poids morts les plus lourds que traîne encore l'humanité » (René Grousset).

Jérusalem oubliée !

Les deux victoires de Nicée et de Dorylée permettront à l'Empire byzantin de survivre trois siècles. L'un des buts de la croisade était atteint. Restait à prendre Jérusalem, mais sa conquête n'excitait plus l'ardeur des seigneurs croisés. A Héraclée, ils se scindent en deux armées, les moins nombreux sous les ordres de Baudouin, frère de Godefroi, et deTancrède, l'autre suivant Godefroi de Bouillon.

Baudouin et Tancrède suivent la côte et sont bien accueillis par la population arménienne. Les villes ouvrent leurs portes et Baudouin décide de se tailler un fief dans ces terres restées chrétiennes. Il s'allie au roi arménien d'Edesse, Thoros, qui l'adopte, puis, poussant le peuple à la révolte, il le fait assassiner. Nouveau maître du royaume, il choisit de ne pas aller plus loin. Tancrède rejoint le gros de l'armée, furieux de s'être laissé duper par plus rusé que lui.

Baudouin et Tancrède se révéleront les deux plus fortes personnalités de la croisade. Vaillants guerriers, d'une audace folle, ils sont sans scrupules et la libération de Jérusalem passe après leurs propres intérêts. Par leur cynisme, leur courage, leur sens politique, ils préfigurent les grands condottieres de la Renaissance dont Machiavel fera ses modèles.

Les croisés arrivent sous les murs d'Antioche, la plus noble, la plus ancienne ville de Syrie, récemment arrachée par les Turcs aux Byzantins. Elle est défendue par de puissantes murailles et une garnison de Turcomans envoyée de Bagdad. Après sept mois d'un siège difficile, alors que les croisés désespèrent de prendre la ville, un moine découvre dans une église voisine la lance qui aurait transpercé le flanc du Christ. Devant un tel miracle, l'armée retrouve sa confiance et le siège reprend avec une nouvelle ardeur, mais sans plus de résultats. Bohémond, l'oncle de Tancrède, en bon Normand de Sicile frotté à l'Orient croit moins aux miracles qu'aux vertus de l'or. Il entre en contact avec un Arménien converti à l'islam et responsable de la défense de l'un des quartiers de la ville. En échange d'une forte récompense, l'Arménien ouvre la porte dont il avait la garde et les Normands s'y engouffrent. Estimant que la conquête d'Antioche doit autant à sa propre habileté qu'à l'intervention divine, Bohémond décide de se l'approprier. Il s'y installe et, comme Baudouin à Edesse, achève là sa croisade.

Tandis que les grands barons ne songent qu'à se tailler des fiefs et que la croisade se « laïcise », le petit peuple et les chevaliers « sans avoir » se soulèvent, leur rappelant qu'ils ne sont rien sans eux et que le but de la croisade reste Jérusalem. La leçon porte ses fruits et Raymond de Saint-Gilles, à la tête d'une armée réduite à douze cents chevaliers et douze mille hommes à pied, pénètre en Palestine. Les croisés étaient cent cinquante mille au départ, mais beaucoup se sont perdus en route, d'autres se sont installés dans des villes conquises ou sont rentrés chez eux.

Longeant la côte, ils entrent en territoire fatimide, passent devant Beyrouth, Sidon et Tyr sans perdre de temps à les assiéger. Le 3 juin 1099, ils atteignent Ramlah dont la garnison s'est enfuie. Une délégation de chrétiens de rite grec et syriaque, venue de Bethléem, les rejoint à Emmaüs pour leur apprendre que le gouverneur égyptien, doutant de leur fidélité, les a chassés de Jérusalem après avoir confisqué leurs biens. En effet, profitant de la déconfiture des Turcs, les Fatimides du Caire ont repris la Ville sainte. N'y restent plus que musulmans et juifs qui, aux dires des chrétiens, se livrent aux pires exactions, souillant les Lieux saints et brûlant les églises.

Sans hésiter, Tancrède, avec une poignée de chevaliers, galope en pleine nuit vers Bethléem et, quand le soleil se lève, son oriflamme flotte sur le dôme de l'église de la Nativité. Par ce coup d'audace, il installe ses soudards aux portes de Jérusalem et se remplit les poches ; l'église croule sous l'or et l'argent, cadeaux légués depuis des siècles par les empereurs de Byzance et que les musulmans avaient respectés.

Eblouissement et ferveur au mont des Oliviers

Du haut du mont des Oliviers, les croisés peuvent enfin contempler Jérusalem, les coupoles dorées de ses églises, ses mosquées innombrables coiffées de minarets, ses murailles hérissées de tours. Ils confondent les mosquées d'Omar et d'Al Aqsa avec le Temple construit par Salomon, s'étonnent que le Saint Sépulcre soit enfoui au milieu de maisons aux toits plats que domine une mosquée. Comparée à Antioche, la Ville sainte fait pâle figure. Mais les croisés ont tant souffert, tant combattu, tant espéré que le miracle se produit : une autre Jérusalem s'offre à leurs yeux, celle de leurs rêves. Agenouillés dans leurs armures, appuyés sur leurs lances, ils prient, pleurent et chantent des cantiques ; les plus mécréants retrouvent la foi de leur enfance bercée par les récits de la Bible et des Evangiles tandis que, venu du désert, le vent fait claquer leurs oriflammes.

Par son étendue, par ses remparts reconstruits sur le tracé byzantin, Jérusalem n'est guère différente de la Vieille Ville actuelle. Même grossie des réfugiés fuyant les Francs, elle compte moins de vingt mille habitants.

« A l'annonce de l'arrivée des croisés, nous dit *L'Histoire anonyme*, le gouverneur égyptien, Iftikar al Dowla, avait fait obstruer les puits, empoisonner les sources, couper les canalisations, cacher le bétail dans les cavernes. Les murailles étaient en bon état et la garnison, composée d'Arabes et de Soudanais, nombreuse et aguerrie. »

A court d'eau et de vivres, les croisés ne sauraient espérer conduire un siège en règle. Sans attendre, ils donnent l'assaut avec une telle furie qu'ils emportent le premier mur, mais ne peuvent s'emparer de la muraille principale, car, comptant sur leur seul courage et l'aide de Dieu, ils n'ont rien préparé, pas même des échelles.

Ils doivent se résoudre à construire des machines

de siège. Encore faut-il du bois et les charpentiers font défaut ! Dieu ou le hasard leur vient en aide. Une escadre de six bateaux génois et quatre anglais a relâché à Jaffa. On tire les bateaux sur la plage, on les met en pièces et les matelots, bons charpentiers, emportent le bois nécessaire à la fabrication des tours mobiles qui sont aussitôt dressées contre les murailles. Après une journée de jeûne, précédée du clergé en aube blanche, l'armée, pieds nus, bannières déployées, au son des trompettes, fait le tour des remparts, espérant peut-être qu'ils s'effondreront comme à Jéricho. Les croisés ne récoltent que lazzis et insultes ; les défenseurs ont même dressé des croix qu'ils brûlent et souillent d'excréments. Fous de rage, les Flamands de Godefroi de Bouillon et les Normands de Tancrède s'attaquent au point faible de Jérusalem, la muraille nord, depuis des siècles mal défendue par ses fossés. Les Provençaux investissent, au sud, la porte de Sion. Le premier assaut est un échec. Le lendemain, 15 juillet, alors qu'ils se préparaient à abandonner le siège devant l'ampleur des pertes, les croisés voient apparaître dans le ciel un chevalier étincelant brandissant son bouclier. Ils reconnaissent saint Georges venu les soutenir. Réconfortés par cette vision, Godefroi et les siens avancent une tour contre la muraille et l'escaladent.

Le quartier qu'ils ont investi est habité par les juifs de Jérusalem qui ont vaillamment combattu aux côtés des musulmans. Quand ces derniers se replient vers le Haram-el-Sherif pour y soutenir une dernière résistance, n'attendant plus qu'une aide du ciel, les juifs se réfugient dans leurs synagogues que les croisés investissent et incendient. Ceux qui échappent aux flammes tentent de se sauver par les rues étroites de leur quartier. Mais ils sont rejoints et sauvagement massacrés.

Tancrède, le premier à parvenir au Haram, s'empare de la mosquée d'Al Aqsa et des trésors qu'elle contient, des coupes d'or et de grandes lampes d'argent dont il charge un chariot qu'il envoie dans son camp. Sa bannière flotte désormais sur « le Temple de Salomon » et l'église de la Nativité. Ce mécréant devenu le héros de la croisade cherchera en vain à sauver les musulmans réfugiés sur les toits. Etait-il séduit par leur courage, ou espérait-il en tirer profit en les vendant comme esclaves ? On l'ignore. D'autres Francs, à sa grande fureur, les extermineront. Raymond de Saint-Gilles, retardé dans son avance par la résistance de la citadelle, obtient du gouverneur égyptien qu'il lui rende la place. En échange, lui et ses hommes auront la vie sauve. Raymond tiendra sa promesse et les musulmans l'estimeront dès lors « comme le moins mauvais des infidèles ». Peu s'en fallut qu'Ascalon se rendît à lui.

Après les pillages et le sang répandu, les cantiques

« Pendant deux jours, les croisés se livrèrent au pillage et firent un massacre sans exemple depuis l'immense hécatombe des juifs par les Romains mille ans plus tôt. Il semble bien qu'au lendemain de la victoire il ne resta pas un seul musulman ou juif vivant, à l'exception des défenseurs de la citadelle de David que Raymond avait libérés et fait conduire à Ascalon. La ville, nous dit encore Guillaume de Tyr, présentait en spectacle un tel carnage d'ennemis, une telle profusion de sang que les vainqueurs eux-mêmes ne pouvaient qu'être frappés d'horreur et de dégoût. »

Les croisés lavent leurs vêtements ensanglantés, leurs épées et leurs armures, puis, fort dévotement et chantant des cantiques, s'en vont en procession au Saint Sépulcre.

Soucieux avant tout de conserver leurs fiefs, ni

Bohémond de Sicile, ni Baudouin de Boulogne, frère de Godefroi, n'ont participé à la prise de Jérusalem.

Le siège avait duré quarante jours ; le pillage se poursuivit deux journées entières. Les chrétiens de Jérusalem qui avaient espéré recouvrer leurs biens en furent chassés par leurs nouveaux maîtres, ce qui n'arrangea pas leurs relations. On a accusé les croisés d'avoir massacré cinquante mille, voire soixante mille juifs et musulmans. Ces chiffres n'ont aucun sens. La ville ne comptait pas vingt mille habitants ; la garnison de la citadelle avait échappé au massacre et un certain nombre de juifs de Jérusalem, vendus comme esclaves, furent rachetés par leurs coreligionnaires de la diaspora.

Plus qu'un crime, ce massacre fut une faute politique : les croisés s'aliénaient ainsi les Fatimides qui ne souhaitaient que s'entendre avec eux contre les Turcs. « Avant la prise de Jérusalem, nous apprend Guillaume de Tyr, les gens de Tripoli et de Beyrouth avaient promis d'ouvrir leurs portes si la Ville sainte tombait au pouvoir des Francs. Au lendemain des journées de juillet, ils se gardèrent bien de tenir leur promesse. Le massacre de Jérusalem peut ainsi avoir retardé de plusieurs années la soumission complète du littoral. Il faudra toute l'habileté des rois francs du XIIe siècle pour faire oublier la faute de 1099 et asseoir la colonisation franque sur une politique raisonnée et un rapprochement indigène. »

L'Ardennais contre le Provençal

Au cours des assemblées houleuses où les croisés s'affrontaient chaque fois qu'il était question de Jérusalem, le légat du pape Adhémar de Monteil ne manquait jamais de rappeler que la ville relevait du Saint-Siège et que le clergé devait en assurer la gestion. Mais Adhémar est mort et les barons estiment les clercs incapables de défendre la ville contre les attaques dont elle sera l'objet. Pour survivre, elle doit devenir la capitale militaire d'un Etat franc, entourée d'émirats musulmans vassaux, et pas seulement un reliquaire et un lieu de pèlerinage.

Un roi s'impose. Raymond de Saint-Gilles est tout désigné, mais il gêne. Trop riche, trop puissant, inféodé au pape, il souhaite, ce qui est la sagesse, une politique d'alliance avec Byzance et la création d'un vaste royaume chrétien dont Jérusalem serait la Ville sainte et Constantinople la capitale. Les croisés, désireux de se fixer sur place, ne peuvent accepter la suzeraineté du *basileus*. On lui préfère Godefroi de Bouillon dont on sait le manque d'ambition. Il en donne la preuve en prenant modestement le titre d'Avoué du Saint Sépulcre, refusant de porter une couronne d'or là où le Christ avait été ceint d'une couronne d'épines. Tancrède, qui connaissait son absence de caractère, s'institue son lieutenant. Il a en tête l'audacieux projet, l'heure venue, de donner Jérusalem à son oncle Bohémond, déjà seigneur d'Antioche, et d'en hériter plus tard.

Le royaume de Jérusalem, pour l'instant, se limite à la ville elle-même et à Bethléem. La majorité des croisés, n'étant plus liés par leur serment de libérer les Lieux saints, sont rentrés chez eux et il ne reste à Godefroi et Tancrède que trois cents hommes à cheval et deux mille à pied. Avec quatre-vingts chevaliers, Tancrède conquiert la Galilée pour le compte de Godefroi, mais aussi le sien, car il n'oublie pas de s'en nommer duc. Il occupe Tibériade qu'il fortifie, chasse les pillards bédouins, restaure l'église de Nazareth, tandis que Godefroi, avec les compagnons qui lui restent, élargit son domaine à Hébron, Ramlah, Lydda, et lui donne comme port Jaffa, où il établit une solide garnison. Les émirs d'Ascalon, de Césarée et d'Acre, abandonnés par l'Egypte, se reconnaissent ses tributaires.

Désertée par sa population, Jérusalem se trouve dans un état pitoyable avec ses murailles effondrées, ses mosquées et ses églises incendiées, ses entrepôts éventrés, ses marchés déserts. Quand Bohémond, duc d'Antioche, et Baudouin, seigneur d'Edesse, se décident enfin à la visiter, ils sont rassurés. Jamais l'Avoué du Saint Sépulcre régnant sur ce tas de ruines ne se permettra d'exiger leur allégeance. Ils étaient accompagnés par Daimbert, archevêque de Pise, nommé légat par le pape. Fort de l'appui de la flotte pisane ancrée à Jaffa, disposant d'importantes ressources, Daimbert prend en main les destinées de la Ville sainte. Le siège étant vacant, il se proclame patriarche. Il tient aussitôt à rappeler que la ville appartient au Christ-Roi et exige que Godefroi vienne à genoux lui demander l'investiture. Godefroi se soumet. Jérusalem court le risque de redevenir une fois de plus un petit Etat théocratique aux mains d'un clergé plus soucieux de ses querelles internes, de ses dissensions théologiques, de ses préséances et de ses prébendes que de le défendre par les armes.

Daimbert a du caractère, de l'ambition, Godefroi manque des deux. Le grand guerrier qui entra le premier à Jérusalem et planta la croix sur ses remparts abandonne au patriarche, les uns après les autres, tous les pouvoirs que lui ont confiés ses pairs quand ils l'ont élu. Par testament, il accepte, s'il n'a pas d'héritier, de laisser Jérusalem au prélat et, comme gage de sa bonne volonté, il lui cède la citadelle, la Tour de David, clé de la ville. Godefroi meurt le 18 juillet de cette même année. Mais les chevaliers et barons de son entourage refusent de se soumettre à l'évêque et font appel à Baudouin pour qu'il accoure recueillir l'héritage de son frère. Daimbert compte trouver un allié en Tancrède qui hait Baudouin depuis qu'il s'est emparé d'Edesse à son détriment et qui a pour lui tous les Normands de Sicile.

Le hasard va servir Baudouin et desservir Daimbert. En se portant à l'aide d'un de ses vassaux arméniens, Bohémond est fait prisonnier par les Turcs qui le garderont trois ans et Tancrède, nommé régent de la principauté, doit rejoindre Antioche.

Baudouin, successeur de David, de Salomon et d'Hérode

A Jaffa, Baudouin est accueilli en roi. Daimbert refuse de le recevoir à Jérusalem, mais, déjà, une partie des clercs a pris position en sa faveur, entraînée par l'un d'eux, Arnoul Malecorne, qui a tous les vices : débauché, simoniaque, mais au moins une qualité, sa fidélité à Baudouin et à l'idée monarchique qu'il incarne. Quant aux chevaliers, ils tiennent toujours la citadelle. Baudouin obligera Daimbert à le sacrer roi le jour de Noël en l'église de la Vierge, à Bethléem. Mais il ne pourra obtenir de l'orgueilleux prélat que ce fût à Jérusalem, au Saint Sépulcre.

Par tous les moyens, Daimbert s'efforcera de rétablir son pouvoir sur la Ville sainte et de faire de Jérusalem un fief de l'Eglise, administré par son représentant, restaurant ce système théocratique qui au temps des Juges et des rois-prêtres lui causa tant de malheurs.

Daimbert, nous raconte Albert d'Aix, l'un des chroniqueurs des croisades, était aussi ladre qu'aimant la bonne chère. Baudouin avait grand besoin d'argent pour payer ses chevaliers qui risquaient de retourner chez eux et Daimbert qui tenait la caisse ne voulait rien savoir. Apprenant que le patriarche faisait bombance dans son palais en compagnie du légat du pape, Baudouin en força la porte accompagné de ses barons et lui tint ce langage :

« Vous passez votre temps en banquets, nous à

exposer notre vie nuit et jour pour la défense de la Chrétienté. Vous dévorez pour vos plaisirs les offrandes des fidèles sans vous soucier de la détresse de nos soldats. Mais je vous jure, vous cesserez de vous remplir le ventre du tribut de la Chrétienté si vous ne payez sur-le-champ la solde des troupes. »

Daimbert s'exécuta la rage au cœur et dut verser six cents besants d'or. Plus tard, Baudouin Ier mettra la main sur le fabuleux trésor du patriarche, vingt mille besants d'or, qu'il distribuera à ses troupes. L'ayant convaincu de malversations, de simonie, il le chassera du patriarcat où il nommera Malecorne, son âme damnée, qui ne valait guère mieux mais au moins lui était attaché.

Baudouin Ier sera, après David, Salomon et Hérode, l'un des grands rois de Jérusalem. Comme eux, il ne recule pas devant le crime pour réaliser ses desseins. C'est un rude guerrier d'une taille au-dessus de la moyenne et d'une force peu commune, une énergique et mâle figure, la barbe et les cheveux bruns, la peau très blanche. « On le voit à Jérusalem, nous dit Foucher de Chartres, son chapelain, vêtu d'un burnous tissé d'or, la barbe longue, marchant avec une escorte fastueuse et faisant porter devant lui un grand bouclier doré sur lequel figurait un aigle. Il se laissait adorer à l'orientale et prenait ses repas, les jambes croisées, sur un tapis. »

Baudouin a compris que, pour maintenir son royaume, îlot perdu au milieu de la mer musulmane, il a besoin de l'aide de tous les chrétiens d'Orient. Lui-même a épousé Arda, une princesse arménienne, ce qui ne l'empêche pas, comme les grands rois juifs qui l'ont précédé, d'aimer toutes les femmes, surtout celles des autres.

Quand il ceint la couronne, Jérusalem est une ville déserte. Les Arabes chrétiens ont été massacrés par les musulmans et les juifs, les musulmans et les juifs par les croisés. Lorsqu'ils sont rassemblés pour une procession, les habitants peuvent à peine « emplir une des mestres rues ». Les pèlerins latins, chevaliers ou bourgeois, une fois visités les Lieux saints, rentrent chez eux. Jérusalem est incapable de se défendre seule quand l'armée, et c'est souvent le cas, part en expédition. Pour tenir ses remparts, il ne reste plus que des vieillards, des femmes, des enfants et quelques sergents d'armes. Alors que Baudouin bataillait du côté de Tibériade, la ville faillit être prise par un détachement de cavaliers égyptiens qui avaient guetté son départ.

Pour faire face au péril et repeupler sa capitale, Baudouin fait secrètement appel aux communautés arabes chrétiennes de Syrie et de Transjordanie, aux Arméniens et aux Malkhites vivant en terre musulmane et qui accourent, séduits par les avantages qui leur sont offerts. Les chrétiens syriens vont occuper l'ancien quartier juif qui gardera son nom, la Juiverie. Par de nombreuses unions, les sangs se mêlent. Le Normand épouse la Syrienne et l'Angevin l'Arménienne ou la Sarrasine.

Foucher de Chartres salue en termes enflammés cette naissance d'un peuple nouveau : « Occidentaux, nous voilà transformés en habitants de l'Orient ! L'Italien ou le Français d'hier est devenu, transplanté, un Galiléen ou un Palestinien. L'homme de Reims ou de Chartres s'est transformé en Tyrien ou en citoyen d'Antioche. Nous avons oublié nos lieux d'origine ; qui s'en souvient encore ? On n'en entend plus parler, ici, l'un possède déjà maison et domesticité avec autant d'assurance que si c'était par droit d'héritage immémorial dans le pays. L'autre a déjà pris pour femme, non pas une compatriote, mais une Syrienne, une Arménienne, parfois une Sarrasine baptisée et alors il habite avec toute une belle-famille indigène. Nous nous servons tour à tour des diverses langues du pays, l'indigène comme le colon est devenu polyglotte et la confiance rapproche les races les plus éloignées. La parole de l'Ecriture se vérifie : le lion et le bœuf mangeront au même râtelier » (Isaïe, LXV, 25). Le colon est maintenant devenu presque un indigène, l'immigré s'assimile à l'habitant.

Baudouin fut le premier chef des « poulains », ces Franco-Syriens, ces créoles établis en Orient sans désir de retour, comme aujourd'hui les sabras israéliens. Mais les « poulains », au contraire des sabras, mêlés à la population locale, sauront se faire accepter des chrétiens orientaux dont ils parlent souvent la langue, épousant leurs filles qui conviennent mieux à leur tempérament aventureux que les sages damoiselles des châteaux de France et d'Angleterre.

Avec l'aide d'une flotte génoise, Baudouin conquiert Césarée, épargnant seulement ce qui peut être vendu comme esclave ou dont on peut tirer rançon. Les vainqueurs se partagent le butin. Dans le lot des Génois figure un vase de couleur verte, à la forme étrange, le fameux Graal, dit-on, le vase d'émeraude dans lequel Joseph d'Arimathie aurait recueilli le sang du Christ. Les Génois, en dehors de ce trophée qui donna naissance à l'une des plus belles légendes du Moyen Age, rapportent du poivre dont ils ont découvert un stock et qui, par sa rareté, a une grande valeur marchande en Occident. Preuve que Césarée commerce avec toute l'Asie.

L'heure est venue pour Baudouin de mettre de l'ordre dans les affaires du royaume. Accusé de concussion, Daimbert est renvoyé en Italie et remplacé, au patriarcat, par Arnoul Malecorne, l'âme damnée du roi.

Assuré du soutien de l'Eglise, Baudouin répudie son épouse Arda, l'Arménienne, qui ne peut ni le servir ni lui donner d'héritier. Il l'oblige à prendre le voile au couvent de l'église de Madame Sainte-Anne, qu'il dote richement. Mais Arda n'a rien d'une femme soumise. Renonçant à ses vœux, elle prendra la clé des champs, et gagnera Constantinople où elle mènera joyeuse vie.

Sans attendre l'annulation de son mariage, Baudouin convole avec Adélaïde de Sicile, d'un âge avancé mais la plus riche héritière de son temps. En sus, elle lui apporte l'appui des Normands de Sicile et lui fournit l'occasion de museler Tancrède, qui l'inquiète par ses manœuvres à Antioche et ses complots dans Jérusalem. Le roi se retrouve bigame. Une situation qui ne le gêne guère, mais provoque une levée de boucliers parmi les clercs qu'il a malmenés et les barons toujours prêts à mettre le roi en difficulté. Malecorne se précipite à Rome avec de somptueux cadeaux, mais n'obtient rien du pape. Un accès de fièvre terrasse Baudouin qui craint de mourir excommunié, seule menace capable de l'amener à raison. Il répudie Adélaïde « qui fut moult iriée [irritée] et plora » et presse Arda de revenir, mais elle ne veut rien entendre.

A peine rétabli, Baudouin, oubliant ses bonnes résolutions, reprend sa joyeuse vie de célibataire. Mais par la désinvolture avec laquelle, après l'avoir dépouillée, il a répudié Adélaïde, il s'est mis à dos les Normands de Sicile, et Tancrède retrouve sa liberté d'action. Déjà maître d'Antioche, il s'allie avec les Turcs dans le but de mettre la main sur le comté d'Edesse aux dépens de Baudouin du Bourg, cousin du roi et qui le tient de lui.

Le projet, s'il réussit, ferait de cette tête chaude le plus puissant seigneur du royaume franc et risquerait de donner aux autres grands vassaux l'envie de l'imiter en s'alliant, comme lui, avec l'Infidèle.

Baudouin écrit à l'enfant terrible des croisades et le ton de la lettre est d'un roi s'adressant à l'un de ses vassaux :

« Mon cher frère Tancrède, tes prétentions vont contre la justice. Tu prétends à la souveraineté sur Edesse sous prétexte que, du temps des musulmans, Edesse dépendait d'Antioche. Mais nos institutions n'ont rien à voir avec le droit musulman. Au cours de la croisade, il a été entendu que quiconque enlèverait une terre aux musulmans en resterait le maître reconnu. Que viennent donc faire ici les anciennes juridictions musulmanes ? De plus, couronnement de cette œuvre, un roi a été institué pour être le chef, le guide et le défenseur des pays chrétiens, pour la conservation comme pour l'accroissement de la terre. C'est en vertu de ce pouvoir que nous t'adjurons, par la crainte de Dieu et parlant au nom de toute cette Chrétienté, de te réconcilier avec le comte d'Edesse. Car, si tu persistes dans l'alliance turque, tu seras rejeté du faisceau de la Chrétienté. Et en ce cas, nous et tous les autres, sommes prêts à tout contre toi. »

La rage au cœur, Tancrède devra s'incliner de peur d'être mis au ban des croisés. L'absence de renforts entraînerait sa perte. En effet, les chevaliers, épuisés par d'incessants combats, meurent jeunes, souvent célibataires. Il est difficile de retenir ceux qui viennent en pèlerinage, même par des promesses illusoires de terres qu'on ne peut leur donner. Accepteraient-ils d'y croire qu'ils refuseraient de servir un seigneur qui passe pour mécréant et qui, pour agrandir son fief, pactise avec l'infidèle contre son roi.

La glorieuse bataille de Ramlah
consacre la supériorité militaire des Francs

Au printemps de 1101, les Fatimides du Caire envoient une puissante armée reconquérir Jérusalem. Le combat se déroulera dans la plaine de Ramlah où deux cent soixante cavaliers francs et neuf cents hommes à pied, aux dires du chroniqueur Albert d'Aix, affronteront deux cent mille musulmans. Même si ce dernier chiffre doit être considérablement réduit, la disproportion entre les deux armées reste considérable. Pour relever le courage des Francs à l'image des juifs avec l'Arche, Baudouin se fait précéder de la Vraie Croix. Elle a été miraculeusement retrouvée dans une cave de Jérusalem où l'avaient cachée des chrétiens syriens qui répugnaient à la rendre aux Latins. D'abord submergés, les Francs, grâce aux charges folles de leur cavalerie, mettent en déroute l'armée musulmane et s'emparent d'un immense butin, mais ils échouent devant Ascalon où se sont réfugiés les fuyards. Baudouin aura moins de chance quand, grisé par sa victoire de Ramlah, il attaquera avec une poignée de chevaliers une seconde armée musulmane et subira un sévère échec. Sauvé par un corsaire anglais, il échappera à ses poursuivants et regagnera Jérusalem au moment où, le croyant mort, la ville sans défense se disposait à se rendre. Il comprend le danger d'une telle situation et cherche à y parer en s'appuyant sur les milices bourgeoises. Il regroupe ses forces et inflige une nouvelle défaite aux Egyptiens qui s'étaient crus trop vite vainqueurs. Seul le manque de cavalerie l'empêcha de les exterminer.

En 1103, il échoue devant Acre, faute d'être soutenu par une flotte, mais l'année suivante, aidé des Génois, il s'en empare. Puis, il prend la riche plaine de la Bekaa dont il partage les revenus avec l'atabek turc de Damas, son adversaire ou son allié selon les circonstances. Bientôt tombent les dernières forte-resses musulmanes de la côte : Sidon, puis Bey-routh. De son côté, Bertrand, fils de Raymond de Saint-Gilles, avec ses Provençaux, emporte Tripoli, mais se reconnaît vassal du roi à qui il a dû demander de l'aide. L'émir arabe d'Ascalon paie tribut aux Francs. Le royaume de Jérusalem a conquis des frontières sûres entre les Fatimides d'Egypte et les Abbassides de Bagdad. L'heure est venue pour Baudouin de jouer les arbitres entre les deux grands Empires musulmans et de se lancer dans de nouvelles conquêtes.

Profitant de la démoralisation de ses adversaires et grâce à son réseau d'espions chrétiens et musulmans, peu s'en faut qu'il ne s'empare d'Ascalon par traîtrise. Malgré l'appui d'une flotte byzantine, et des intelligences dans la place, il échoue devant Tyr. Rêvant de l'Egypte comme tous les grands conquérants — il en a l'étoffe, mais non les moyens —, il se lance dans la conquête du sud de la Transjordanie. Il souhaite contrôler les routes par où passent les pèlerins se rendant à La Mecque et les riches caravanes venant de l'Extrême Asie. A l'automne 1115, avec deux cents chevaliers et quatre cents sergents à pied, il pousse jusqu'à Shabwak, reconstruit le formidable château de Montréal où il installe la population chrétienne qui l'accompagne. L'année suivante, il part de Montréal et, dans le plus grand secret, suivi de soixante chevaliers, avec pour toute nourriture des sacs de châtaignes portées à dos d'âne, il atteint Aqaba, sur la mer Rouge, et l'occupe. Puis, il lance un rezzou sur l'Egypte, et sa petite armée guidée par les Bédouins arrive devant Farama dont la garnison s'enfuit. Il continue jusqu'au bras le plus oriental du delta du Nil et contemple avec émerveillement le grand fleuve. Au moment de s'emparer de l'île de Tinée, il tombe gravement malade et meurt à côté d'El Arish. L'armée doit faire demi-tour.

Bardowil, roi de légende

Au début de notre siècle, on montrait encore un tumulus de pierres, à l'emplacement où, disait-on, était mort Bardowil, le Franc, et chaque nomade ne manquait pas, quand il passait, d'ajouter un caillou.

« Baudouin avait régné dix-neuf ans. Véritable fondateur du royaume de Jérusalem, il fit de ses fonctions purement électives et honorifiques une royauté véritable, qui revêtit bientôt tous les caractères de droit divin. Son domaine, borné d'abord à la banlieue de Jérusalem, il le doubla en quelques années, lui permit de respirer en lui donnant une façade maritime, lui assura le concours des marines italiennes intéressées à sa défense par d'adroites concessions commerciales. Il sut se ménager de précieuses alliances parmi les émirs turcs de Syrie et prit sur le monde islamique un avantage décisif en occupant la presqu'île du Sinaï qui sépare l'Asie Antérieure de l'Egypte. La plante délicate transportée de France en terre syrienne aurait pu s'étioler rapidement. Il l'adapta au milieu et l'acclimata. Il inaugura cette admirable politique indigène que devaient suivre tous les rois ses successeurs. Godefroi de Bouillon n'avait été qu'un croisé et l'était resté jusqu'à son dernier soupir. Baudouin fut le premier des Francs-Syriens, de ces créoles établis en Orient sans espoir de retour » (R. Grousset, *Histoire de l'Asie*).

L'or des Arméniens

Baudouin Ier n'avait pas laissé d'enfant. Il avait hérité du trône sinon du titre de son frère aîné Godefroi de Bouillon et il semblait normal à toute la chevalerie franque que ce fût le troisième frère de la lignée des seigneurs ardennais qui lui succédât, en l'occurrence Eustache de Boulogne. Mais Eustache était en France, il n'avait pas participé à la croisade et il était inconnu de tous. Le temps de le prévenir et qu'il arrivât, le royaume aux structures encore fragiles risquait de succomber aux rivalités des grands féodaux comme Tancrède qui avaient très mal accepté le principe de la royauté. Et que les Barbaresques en profitent.

Or par un heureux hasard — mais était-ce bien un hasard ? — le jour même des obsèques de Baudouin Ier, dont le corps avait été ramené d'El Arish, où il était mort, à Jérusalem pour y être enterré, venait d'arriver en pèlerinage Baudouin du Bourg, seigneur d'Edesse, nommé à la tête de cette principauté par son homonyme et cousin, ce même roi Baudouin. Il appartenait comme lui à la puissante famille des comtes ardennais et il avait fait preuve à Edesse d'autant de ruse que de vaillance. Enfin il arrivait les poches pleines de l'or qu'il avait soutiré à son beau-père, le prince arménien Gabriel de Mélitène dont il avait épousé la fille Morfia.

Le patriarche Malecorne, héritier de la pensée politique de son maître Baudouin Ier, se prononça en sa faveur et, l'or arménien aidant, Baudouin du Bourg fut élu roi à l'unanimité sous le titre de Baudouin II. Eustache de Boulogne à qui aurait dû revenir le trône, averti de cette élection, fit savoir qu'il renonçait en faveur de son cousin à toute prétention sur le royaume de Jérusalem.

Baudouin II

Baudouin II n'a que peu de points communs avec son prédécesseur. Soldat courageux, il n'est pas un conquérant, mais dans le combat il garde la tête froide là où Baudouin Ier se laissait emporter par sa fougue. Appliqué, prudent et sobre, il manque de grands projets et se contente de gérer son héritage. Modestement vêtu, il fuit le luxe, la pompe. On le compare à Louis XI par sa piété, son sens politique et sa ladrerie. Il sait que les grands féodaux comme Tancrède ne sont pas différents des émirs turcs et sarrasins et que, si les uns sont impatients de secouer le joug du calife ou du sultan, les autres sont poussés par les mêmes ambitions contre leur roi. L'ennemi d'hier, peu importe sa religion, peut devenir l'ami de demain. Fin politique, Baudouin impose ses vues aux Assises de Jérusalem, sorte de parlement qui n'a pour l'instant qu'un rôle consultatif, mais rêve d'accroître ses pouvoirs aux dépens de la royauté.

Ses ennuis lui viendront surtout des filles, les « belles poulaines », que lui a données la princesse arménienne Morfia : Mélisende, Alix, Hodierne. Elles ont toutes trois la beauté du diable, le tempérament, la culture, le courage et le goût de l'intrigue et du pouvoir des grandes impératrices byzantines. Seule Yvette, la dernière, est une sainte fille ; elle deviendra nonne et mère abbesse du couvent de Béthanie.

A peine sacré roi, Baudouin II doit faire face à la révolte du comte de Tripoli qui lui refuse l'hommage. Il n'hésite pas à le soumettre par les armes, de crainte que d'autres princes ne soient tentés de l'imiter. Par un certain nombre de mesures, il renforce, face aux barons, le pouvoir monarchique créé par Baudouin Ier et recherche l'appui de la bourgeoisie latine et syrienne.

Entre bourgeois francs et orientaux se sont tissés des liens solides grâce aux unions qu'ils contractent. S'y ajoutent des intérêts communs dans le commerce, dans la gestion de la ville. Si les bourgeois francs sont toujours régis par les lois et coutumes de

France, les Arméniens et les Syriens restent soumis aux règlements communaux datant de Byzance. A l'inverse des Syriens, les Arméniens finiront par accepter l'organisation féodale des Francs et la noblesse, les rites de chevalerie. Ils rejoindront l'Eglise de Rome.

Baudouin Ier avait repeuplé Jérusalem. En concédant de larges franchises à tous les bourgeois latins ou syriens, commerçants, pèlerins et voyageurs, en autorisant la libre entrée des marchandises venant des pays voisins, son successeur transforme la capitale du royaume en une ville libre qui devient un des grands marchés de l'Orient. Sans pouvoir rivaliser, cependant, avec les ports de la côte où Pisans, Génois et Vénitiens ont leurs *bailes*, leurs quartiers, leurs tribunaux et monopolisent le grand commerce maritime.

Naissance des grands Ordres militaires

Sous son règne naîtront les deux grands Ordres militaires et religieux : les Hospitaliers et les Templiers.

Les clercs et les chevaliers de l'Hospital, à l'origine, ne prétendent que soigner les malades et secourir les pauvres. Ils disposent du plus grand hôpital de l'époque, près du Saint Sépulcre. Les routes empruntées par les pèlerins sont dangereuses, comme entre Jaffa, le port où ils débarquent, et la Ville sainte. Les Hospitaliers, pour les garantir, sont amenés à s'armer et s'organiser militairement.

L'Ordre du Temple est guerrier dès ses origines et, sous l'impulsion de son fondateur, Hugues de Payns, ses chevaliers, en manteaux blancs marqués de la grande croix rouge, remplissent la même mission que les Hospitaliers. Ces derniers ayant occupé l'espace resté libre près du Saint Sépulcre, les Templiers s'installent sur le parvis du Temple, une situation qui convient mieux à la haute estime en laquelle ils se tiennent. A côté de l'ancienne mosquée Al Aqsa, devenue église et, jusqu'à 1118, résidence royale, ils construisent palais, magasins et un arsenal. Ils restaurent les sous-sols de l'esplanade, les fameuses écuries de Salomon, qui datent d'Hérode. Mais ils sont obligés, pour permettre le passage de leur cavalerie, de pratiquer un certain nombre d'ouvertures et d'édifier un puissant mur dont on a gardé le souvenir, mais retrouvé peu de traces.

Templiers et Hospitaliers fourniront à la royauté l'armée permanente qui lui faisait défaut. Ils lui rendront d'inappréciables services avant de se retourner contre elle.

Après la sécurité des routes, on leur abandonnera celle des frontières où ils dresseront leurs orgueilleux châteaux forts. Mais, avec la décadence de la monarchie, leur rôle deviendra néfaste. Ils veulent la guerre sainte à outrance, car elle justifie leur existence, et ils refusent tout compromis, même avantageux, avec les Infidèles. Ils sont soldats et les meilleurs, ils sont moines et des plus fervents ; ils servent deux maîtres, le roi et le pape, quand ils ne sacrifient pas le pape ou le roi à la grandeur de leur Ordre ; et ne se soucient guère du patriarche. Ils ont accumulé en Occident d'immenses richesses et dépendent de leurs seules commanderies pour recruter chevaliers et sergents.

Le règne de Baudouin II fut marqué par une série de victoires et de défaites : défaites, comme l'écrasement des Normands de Roger d'Antioche dont la ville ne fut sauvée que par la détermination des milices composées de clercs et de bourgeois ; victoire à Danith où les croisés viendront à bout de vingt mille Turcomans en laissant cependant sur le terrain cent chevaliers et sept cents hommes à pied. De telles victoires coûtent cher, car les Turcs disposent de réserves innombrables en hommes et en chevaux arrivant par vagues des steppes. Les croisés, en revanche, doivent se contenter d'un recrutement de fortune : chevaliers isolés venus en pèlerinage ou simples pèlerins décidés à se fixer en Terre sainte pour des raisons diverses.

On a tendance à faire des croisés de sombres brutes. Ils étaient à l'image de leur temps, ni meilleurs ni pires que leurs adversaires. Les deux camps se valaient. Si les croisés pillaient et ravageaient les villes conquises, les Turcs se vengeaient de ceux qui leur avaient résisté. L'atabek d'Alep, après sa défaite de Danith, égorgera tous les prisonniers qu'il détenait. Une véritable boucherie exécutée de sang-froid à laquelle n'échappèrent ni les femmes ni les enfants. Pourtant, des traits de noblesse, de générosité, éclairent parfois ce siècle de fer.

Prisonnier, le roi franc enrôle ses geôliers dans son armée

En l'année 1123, le roi Baudouin II de Jérusalem, régent d'Edesse en même temps que d'Antioche, est le souverain incontesté du royaume franc. Au moment où l'institution monarchique s'impose, elle va subir sa plus dure épreuve et la surmonter.

Tombé dans une embuscade, Baudouin est fait prisonnier par l'atabek turc Balak qui l'emprisonne à Alep où il le gardera trois ans. Jérusalem n'a plus de roi, Edesse et Antioche n'ont plus de prince. Les Assises du royaume se réunissent à Saint-Jean d'Acre sous la présidence du patriarche. Barons, chevaliers et prélats confient la régence au connétable Guillaume de Bures. Il saura si bien se distinguer qu'avec l'aide des Vénitiens et en l'absence du roi, il prendra Tyr, depuis si longtemps convoitée.

Les Egyptiens, persuadés que toutes les troupes franques sont engagées dans ce siège, tentent de reprendre Jérusalem. Les bourgeois, groupés en milices, sortent des remparts et, rangés en bataille, tels des soldats de métier, mettent en fuite leurs agresseurs. Une famille de marchands pisans, les Ibelin, accédera aux plus hautes charges, épousant filles de rois et descendantes des Comnènes. La société féodale est loin d'être aussi figée qu'en Occident.

La reddition de Tyr n'a provoqué ni massacres ni pillages. Les musulmans ont pu partir librement en emportant leurs biens ou rester s'ils en manifestaient l'envie. On apprend à s'estimer.

Balak, l'atabek qui gardait Baudouin prisonnier, est mortellement blessé par une flèche tirée de son camp, peut-être par un Ismaélien, les Assassins menant une politique qui les amène parfois à s'entendre avec les croisés. Son fils s'empresse de libérer le roi franc contre une rançon de quatre-vingt mille dinars... et le couvre de cadeaux. Il lui rend même son cheval. Preuve de son habileté, Baudouin se retrouve peu après à la tête d'une coalition d'émirs, de sultans et de Francs désireux de chasser les Turcomans d'Alep.

Le roi de France décide du trône de Jérusalem

Dès son retour de captivité, se pose le problème de ses filles, les belles et remuantes « poulaines » qu'il a eues de Morfia, l'Arménienne. Une occasion inespérée s'était présentée de marier Alix, la cadette, au jeune Bohémond II venu de Sicile recueillir l'héritage de son père, le comté d'Antioche. Il a dix-huit ans, il est beau et, par sa mère, neveu du roi de France Philippe Ier. Alix sait le grec et le latin, parle arabe et, aussi belle qu'ambitieuse, n'ignore rien des secrets de la politique orientale. De son côté, le jeune prince vole de succès en succès et fait preuve sur tous les champs de bataille d'une bravoure extrême. Ils sont jeunes, beaux, ils sont fous et séduisent. On voit déjà Bohémond régnant sur Jérusalem secondé par Alix, son double oriental qui a su s'imposer à Antioche où elle règne quand il est en expédition. Pour un peu, elle le rejoindrait sur le champ de bataille et participerait au combat. Mais Baudouin trouve Bohémond trop jeune, trop téméraire. Il n'est pas du clan des Ardennais, mais des Normands de Sicile, à demi victorieux. Enfin, l'ambition de sa fille l'inquiète. Voyant l'âge venir et la mort approcher, il envoie son connétable Guillaume de Bures prier le roi de France de lui choisir un successeur, preuve des liens étroits qu'entretenaient la France et le royaume de Jérusalem. Le roi propose Foulques, comte d'Anjou, un veuf de quarante-cinq ans, aussi bon guerrier que diplomate avisé. Foulques aborde à Saint-Jean d'Acre et, peu après, épouse Mélisende, sœur aînée d'Alix et héritière du royaume. Sur le plan politique et militaire, Foulques se révèle un excellent choix. Baudouin ne peut que se féliciter d'avoir un second fils aussi fidèle et valeureux au moment où ses ennemis se trouvent dans une situation difficile.

Damas, en effet, est en pleine révolution ; les Assassins, sous les ordres d'un certain Barzan, font régner la terreur. Ils proposent aux Francs, en échange de Tyr, d'ouvrir les portes de la ville un vendredi, jour de prière des musulmans. Peu s'en faut que le complot ne réussisse. De Baudouin II à Saint Louis, tous les souverains chrétiens rechercheront l'alliance ismaélienne.

Mais la chance de Baudouin ne dure guère. En face des Francs, l'atabek turc Zengi fonde la première monarchie musulmane syrienne en devenant maître de Mossoul et d'Alep, tandis qu'en Cilicie le jeune et trop valeureux Bohémond II d'Antioche est tué dans une escarmouche. Sa tête momifiée montée sur un socle d'argent sera envoyée au calife de Bagdad. Selon le droit féodal, le roi Baudouin devrait exercer la régence au nom de Constance, fille d'Alix et de Bohémond. Alix ne veut rien entendre et, se référant aux coutumes byzantines, s'appuyant sur la population arménienne et chrétienne d'Orient, réclame pour elle le pouvoir au détriment de sa fille. Elle envoie un messager à l'atabek Zengi lui proposant, s'il lui laisse Antioche, de se reconnaître comme sa vassale. Baudouin, son père, accourt. Elle lui ferme au nez les portes de la ville et il doit en forcer l'entrée. Les barons francs se rallient au roi et Alix est exilée à Lattaquié dont elle fera un nid d'intrigues. Le droit féodal des Francs l'a emporté sur les sentiments d'une population toujours gagnée à Byzance et à ses coutumes.

La dynastie des Angevins
succède à celle des Ardennais,
un Plantagenêt à un comte de Boulogne

Baudouin II meurt à Jérusalem le 21 août 1131, après avoir régné treize ans. La couronne passe à son beau-fils, Foulques d'Anjou, et à son épouse, Mélisende, sœur d'Alix. Alix, Mélisende et Hodierne, les belles « poulaines », vont provoquer dans le royaume de Jérusalem bien des drames. Elles seront à l'origine de la dégénérescence du pouvoir royal en face des barons.

Après avoir été cananéenne, juive, romaine, byzantine, musulmane, Jérusalem se retrouve au XIIe siècle cité médiévale d'Occident transplantée en Orient, avec son organisation sociale et religieuse, ses rites de chevalerie, sa conception des rapports entre nobles et roturiers, entre clercs et laïcs. Malgré deux siècles d'occupation musulmane, elle a gardé vivaces ses racines byzantines si bien que, pendant les quatre-vingt-huit ans où les croisés l'occuperont, malgré une foi commune, deux cités coexisteront sans jamais se fondre et souvent s'opposeront. D'un côté, les Francs que rapprochent une même origine européenne, une même langue, le français, et une même appartenance au catholicisme romain, qu'ils aient participé à la croisade, soient venus plus tard, ou qu'ils soient « poulains », nés dans le royaume de mariages mixtes. De l'autre, une société orientale qui parle grec, où l'on se déclare Romain par référence à l'Empire des Césars dont Byzance se veut l'héritière, mais où l'on refuse l'autorité du pape de Rome et celle de l'empereur germanique, usurpateurs de titres auxquels ils n'ont pas droit.

La coexistence n'est pas toujours heureuse. Le Franc vainqueur le fait sentir durement au chrétien d'Orient qui refuse d'être assimilé au musulman vaincu.

« Avec la conquête franque, la population chrétienne indigène semble avoir bénéficié d'une bienveillance particulière de la part des vainqueurs. En effet, elle avait accueilli les croisés comme des sauveurs envoyés pour l'affranchir du joug musulman. Mais à peine quelques années plus tard, il devint clair que les croisés n'avaient pas l'intention de lui accorder un statut privilégié par rapport à celui du reste de la population indigène. Des heurts survinrent, d'abord sur le plan religieux. Les croisés fondèrent une hiérarchie ecclésiastique latine à laquelle les communautés indigènes furent tenues de se soumettre. La hiérarchie grecque, qui s'était maintenue sans interruption depuis la conversion de l'Empire, c'est-à-dire depuis le IVe siècle, se voyait écartée, tandis que ses églises étaient saisies par les Latins. Le seul fait qu'il y eût contrainte religieuse et humiliation des prêtres indigènes engendra une réaction qu'il est permis de considérer comme une opposition quasi nationale. Les résultats ne tardèrent pas à se faire sentir. En l'espace de trois générations, la population chrétienne indigène devint, à son corps défendant, l'alliée des musulmans, et en vint même à considérer les conquêtes de Nur-al-Din, au nord, et de Saladin, au sud, comme un premier pas vers leur affranchissement du joug religieux des Francs... »

Poulains d'Orient contre chevaliers d'Occident

Tout ne va pas pour le mieux entre croisés débarqués de fraîche date et « poulains ». Les croisés jugent que leur mise, leur comportement, rappellent fâcheusement ceux des Infidèles turcs et arabes. Ils portent cheveux longs parfumés, se laissent pousser la barbe, ceignent leur casque du *keffieh* arabe quand ils n'adoptent pas le turban. Au lieu de s'entraîner aux jeux virils de la guerre, de transpirer stoïquement sous des armures trop lourdes, les « poulains » arborent de longs vêtements flottants en soie, aux manches ornées de galons d'or et, scandale, vont jusqu'à prendre trois bains par semaine et se faire masser par des eunuques.

Le vêtement des femmes paraît encore plus choquant. Il se compose de tuniques légères, longues et traînantes, qui laissent deviner les formes sous la fine transparence d'un tissu venu des pays barbaresques. Passant d'un excès à l'autre, certaines portent le voile comme des musulmanes et, à leur image, vivent enfermées dans un harem et ne se rendent aux offices que sous escorte. Se trouve-t-on à Bagdad, Damas ou Jérusalem ? demandent les nouveaux venus. Ne manque plus que le chant du muezzin pour remplacer la sonnerie des cloches.

Les « poulains » leur font observer combien il est absurde de se vêtir, de s'équiper, de s'armer sous des cieux torrides comme sur les bords du Rhin. Une cotte de mailles forgée à Damas est plus légère, plus résistante aux flèches que les armures et les harnachements d'Occident. Pour la rapidité, rien ne vaut un cheval turcoman. Bref, pour survivre, il convient de s'adapter au pays, au climat, aux mœurs. Mépriser les règles de la politique locale où le mensonge est tactique autant que politesse, ignorer la langue de l'allié ou de l'ennemi, l'arabe et le grec, refuser pour professeur le meilleur qui soit : l'épouse ou la maîtresse choisie sur place et baptisée pour la circonstance, c'est se conduire en envahisseur borné et fanatique.

Chaque communauté, syrienne, arménienne, grecque, a son quartier avec ses églises, ses prêtres, ses tribunaux, sa propre police. A l'inverse, les Francs n'en ont pas. Il leur manque un ancrage ; ils donnent souvent l'impression de se trouver en garnison, dans l'attente de la relève qui viendra avec chaque nouvelle croisade. Les chrétiens orientaux, fins et subtils, en sont conscients, si bien qu'après une période d'euphorie, ils hésitent de plus en plus à s'engager aux côtés de ces gens de passage, et les musulmans, qui les ménagent, jouent habilement de cet état d'esprit.

La majorité de la population franque est concentrée dans les villes en état de siège permanent. La route la plus fréquentée entre Jaffa et Jérusalem est souvent coupée. On ne se rend d'une ville à l'autre que sous bonne escorte ; les terres qui les entourent, soumises à des razzias fréquentes, sont placées sous la garde de milices pas toujours très sûres qu'en cas de danger viennent renforcer chevaliers et sergents accourant de la forteresse voisine.

Les Francs sont cent vingt mille dans tout le royaume, vingt mille nobles, cent mille manants et bourgeois. Vingt mille vivent à Jérusalem, trente mille à Tyr, quarante mille à Acre, le reste se répartissant dans cinquante autres localités fortifiées ou simples places fortes tenues par une poignée de chevaliers appuyés par des Turcopoles, auxiliaires recrutés sur place. La population des campagnes, en majorité musulmane, serait de cinq cent mille habitants. Les villages sont administrés par un *raïs*, un intendant qui dépend du seigneur franc comme il dépendait auparavant d'un atabek ou d'un émir. La situation du paysan n'est ni meilleure ni pire qu'avant la conquête.

Le roi d'Arménie Thoros II, venu en pèlerinage à Jérusalem, avait mis en garde le roi franc Amaury : « Dans toutes les villes de votre terre, lui dit-il, habitent des Sarrasins qui savent tout passage et tout secret. Si une armée sarrasine venait à pénétrer sur vos terres, elle profiterait de l'aide et des conseils des vilains de votre terre, de leur ravitaillement et de leurs propres personnes. »

Thoros lui propose de lui envoyer trente mille Arméniens chrétiens avec leurs familles et leurs troupeaux qui remplaceraient avantageusement des musulmans n'attendant que le moment de se révolter. Le projet n'eut pas de suite.

Pas de juifs à Jérusalem, à l'exception d'une dizaine de familles de teinturiers qui sont autorisés, par privilège royal, à habiter près de la citadelle. Officiellement, pas de musulmans. Mais ils sont nombreux à venir sur les marchés proposer les produits de leurs terres. Sans eux, la vie serait impossible et les dîmes qu'ils versent sont d'un précieux rapport.

CHAPITRE XII

JÉRUSALEM AU TEMPS DES « REINES POULAINES »

On appelait, nous dit Guillaume de Tyr, Poulains ou Poulaines les fils et les filles nés en Terre sainte de mariages mixtes entre Francs, Arméniennes, chrétiennes de Syrie et de Palestine. Aux yeux des croisés nouvellement débarqués, ces Francs-créoles, ces Poulains passaient pour des Orientaux à demi musulmans, qui avaient oublié les valeurs de la chevalerie chrétienne et occidentale. Pour les Poulains et les Poulaines, les croisés n'étaient que des fanatiques, de grossiers personnages qui ne comprenaient rien aux mœurs et aux habitudes locales ; ils ne connaissaient pas la langue et tentaient maladroitement d'imposer un mode de vie et des lois qui ne convenaient ni au pays ni à ses habitants, héritiers d'une très ancienne culture.

La loi salique n'avait pas cours dans le royaume franc de Jérusalem et les héritières du trône étaient le plus souvent issues de mariages mixtes. C'étaient elles qui transmettaient la couronne à leurs époux en y restant associées et, à l'occasion, en devenant régentes. Comme elles avaient le goût du pouvoir, elles s'efforçaient d'y rester le plus possible.

On accusa les reines « poulaines » d'avoir perdu le royaume de Jérusalem par leurs intrigues, leurs amours, leurs alliances. Mais ne serait-ce pas pour avoir rêvé d'un autre royaume où l'Orient et l'Occident se seraient confondus ?

Les quatre villes de Jérusalem

Jérusalem est alors divisée en quatre quartiers qui sont eux-mêmes des villes. Le quartier syrien, dont les habitants ont été importés de Transjordanie, occupe l'ancienne Juiverie, centre de négoce avec ses souks, ses rues étroites où l'on se perd, ses portes cloutées ouvrant sur des cours et des entrepôts où s'entassent les marchandises venues de tout l'Orient.

A l'ouest, le quartier du Patriarcat, qui englobe le Saint Sépulcre, la résidence du Patriarche — véritable palais —, les couvents, les hôtelleries pour pèlerins ainsi que les hôpitaux et asiles construits par les Hospitaliers. Des monastères grecs orthodoxes leur disputent le terrain. Constitué en véritable seigneurie indépendante, le quartier relève, pour son administration, sa justice, ses ressources, du seul patriarche. Celui-ci n'est plus aussi puissant qu'au temps de Godefroi de Bouillon, mais c'est encore lui qui couronne le roi. Glanant la majeure partie des dons des pèlerins, il est plus riche que le souverain qui doit souvent faire appel à lui quand les caisses de l'Etat sont vides. Le patriarche n'a de comptes à rendre qu'au pape, qui est à Rome, et à Dieu qui se trouve plus loin encore.

Il ne reste rien de l'église du Saint Sépulcre construite par Constantin et détruite par les fanatiques du Caire au temps du calife Hakim. Restaurée au XIe siècle, grâce aux subsides des Byzantins, les croisés la trouvèrent trop modeste et édifièrent la basilique actuelle assez bien conservée malgré les destructions et transformations qu'elle a connues. A côté, un monastère grec qui daterait du IVe siècle, le Bain des Patriarches, qu'alimente un aqueduc datant des Romains et quelques belles habitations privées dont on a retrouvé la trace et qui servaient de résidences à des prélats ou des princes de passage.

A l'ouest, la citadelle, le palais royal et ses jardins. La citadelle a été considérablement renforcée et agrandie depuis sa prise par les Provençaux. On l'a dotée de fossés profonds et d'un donjon avec chambres hautes. On ne sait pas grand-chose du palais. Il devait comporter, comme toutes les constructions de l'époque, une grande salle voûtée entourée de galeries où le roi donnait des fêtes et réunissait barons et chevaliers quand se tenait la Haute Cour.

Les habitations des Arméniens se serrent autour de la très belle église Saint-Jacques, construite dans le style croisé, mélange de forteresse et de cathédrale, le bâtiment de l'époque qui reste le mieux préservé. Aujourd'hui encore, les Arméniens continuent d'occuper cette partie de la ville. En poursuivant vers l'est, on trouve le petit quartier des Teutons. L'église Sainte-Marie et les bâtiments qui l'entouraient furent fondés par de riches pèlerins allemands à l'usage de leurs compatriotes ignorant le français et perdus dans la ville.

L'esplanade du Rocher, qui domine Jérusalem de ses puissantes murailles, n'a subi que peu de modifications, seulement des changements de nom, la mosquée d'Omar devenant le Templum Domini et Al Aqsa, le Templum Salomonis. Depuis que le roi l'a abandonnée après que le palais royal eut été construit, Al Aqsa est devenue le siège de l'Ordre du Temple qui lui doit son nom. Un certain nombre de sanctuaires de dimensions modestes ont été élevés sur l'esplanade comme le Dôme de la Chaîne, le très beau cloître des chanoines de Saint-Augustin et le Dôme de l'Ascension qui servait de baptistère au

Templum Domini. Tous ces bâtiments ont été rasés en 1187 lors de la prise de la ville par Saladin.

Le quartier le plus animé reste celui des marchés. On doit le Grand souk à la reine Mélisende et aux dons de riches marchands. Il se compose de trois galeries voûtées, trois rues parallèles communiquant entre elles par des passages latéraux que de larges tentures abritent du soleil. L'une de ces galeries est le Marché aux herbes, l'autre, la Rue couverte et la troisième la Rue Malcuisinat où sont installés les restaurants qui ne semblent pas avoir eu bonne réputation. On y trouve fruits, légumes, viandes et toutes les épices dont les Francs raffolent. Hors de prix en Occident, elles ne coûtent rien ici. Les échoppes des changeurs latins ou syriens, celles des orfèvres, offrent un choix de bijoux d'un admirable travail qui ont fait la réputation de Jérusalem à l'égal de ses miniatures.

Une foule nombreuse, bourdonnante, s'agglutine autour des étals. Toutes les races se mêlent : Espagnols, Portugais, Français, Anglais, Italiens, Arméniens, Syriens et ces Sarrasins qui inquiétaient tellement le roi Thoros. Rejoignant ses quartiers, moine soldat qui ne connaît que la guerre et la prière, inquiétant, passe un Templier sur son cheval magnifique que l'Ordre a payé une fortune, un vaste manteau blanc marqué de la croix rouge cachant la cotte de mailles qui, à la manière des Turcs, lui enveloppe le corps. Ennemis intraitables des Sarrasins, les Templiers n'ont pas hésité à s'approprier ce qu'ils avaient de meilleur, leurs armes et leurs chevaux. Partout ont poussé des églises remplaçant les humbles bâtiments qui avaient survécu aux incendies et aux destructions. Quand elles n'ont qu'une nef et une abside, elles servent de chapelles ou d'oratoires aux Ordres religieux. Elles ont deux nefs quand ce sont des églises paroissiales. A la différence des grands sanctuaires comme le Saint Sépulcre, Saint-Jacques des Arméniens, Sainte-Marie du mont Sion, la plupart ont aujourd'hui disparu, transformées en mosquées, en remises, et seule l'amorce d'un arc en ogive rappelle leur ancienne fonction.

Jérusalem est envahie par un flot incessant, coloré, de pèlerins arborant le bâton et la coquille, de moines syriens barbus à la longue chevelure, de franciscains pieds nus, crâne rasé, de marchands, de marins profitant d'une escale pour visiter la Ville sainte, de chevaliers sans terres en quête d'aventure, de sergents d'armes à la recherche d'un maître : un mélange de saints, de nonnes, de filous qui suivent des processions en chantant des cantiques.

Côte à côte vivent chevaliers et bourgeois. Les chevaliers sont pauvres, toujours bataillant, enviant le statut des Ordres militaires si richement pourvus. Beaucoup les rejoindront. Les bourgeois s'enrichissent, souhaitant la paix qui, seule, profite aux bonnes affaires, mais n'hésitent jamais, formés en « communiers », à défendre leur ville et, quand le roi fait appel à eux, à l'accompagner jusque dans les expéditions les plus lointaines. De plus en plus, ils participent aux affaires du royaume et leurs délégués sont présents aux séances de la Haute Cour où ils donnent de la voix.

Les villes-forteresses du royaume franc

L'organisation du royaume franc tient beaucoup à sa situation particulière, avec ses villes-forteresses que l'ennemi assiège en permanence.

Le roi est le chef de guerre : il bataille à la tête de ses troupes ; seul, il peut appeler le ban et l'arrière-ban du royaume au combat. Il récompense et punit, il distribue les terres. Même devenues héréditaires, ces terres changent souvent de maîtres, car on meurt jeune en Terre sainte. Les combats sont acharnés et les chevaliers, venus en célibataires, n'ont guère le temps de créer une famille, à peine le loisir d'encaisser les maigres redevances auxquelles ils ont droit.

La Maison du roi se limite aux cinq grandes charges du royaume. D'abord le sénéchal, sorte de vice-roi qui remplace le souverain quand il est en campagne ou prisonnier. Il siège à sa place à la Haute Cour, il est responsable des troupes, de leur entretien, et gère les revenus du royaume. Vient ensuite le connétable, qui commande l'armée. Il est l'homme fort dans un régime où l'on vit à cheval, l'épée au côté. Après lui, le maréchal a la charge des troupes auxiliaires, des mercenaires, des Turcopoles, de l'entretien du matériel, de la monte et des charrois qui suivent les armées. Le chambellan est responsable de la « Secrète » qui gère les revenus de la couronne. Ils sont relativement importants, le domaine royal comprenant Jérusalem, Acre, Tyr, la Judée jusqu'à la mer Morte, la Samarie et toute la région de Naplouse. Le chancelier, enfin, veille sur les dossiers et les archives tenus par des clercs qui écrivent en latin.

A l'origine, la Haute Cour n'a qu'un rôle consultatif. A mesure que le pouvoir du roi s'affaiblit, elle se mêle de politique, conseillant, puis décidant de la paix, de la guerre et des impôts à lever.

Les chevaliers à besants

A côté des barons qui tirent leurs revenus de leurs terres — ils sont peu nombreux —, les chevaliers, venus trop tard, doivent être pris en charge par le pouvoir royal dont ils constituent la force principale. Le roi leur verse un revenu pour une terre, des villages qui n'existent pas. Ce sont les fiefs à besants, des fiefs fictifs qui permettent à son bénéficiaire d'entretenir une monture, un valet d'armes, de se nourrir, de se loger. Ils coûtent au roi six cents besants par an. Mercenaires de fait, les chevaliers à besants errent dans Jérusalem, les poches vides, attendant de repartir en campagne pour souvent n'en pas revenir, trop pauvres pour payer la rançon, donc voués à la mort ou à l'esclavage. Mais ils portent la Croix par-dessus leurs cottes de mailles, ce qui les rassure au moins sur leurs fins dernières, et rêvent dans cette cité magique d'un fabuleux butin qui leur permettra, pendant quelques mois, de mener la grande vie et, s'ils se sont particulièrement distingués, de se retrouver châtelains sur les bords de l'Oronte. Ils peuvent aussi s'enrichir par un mariage avec une fille de bourgeois franc ou syrien — leurs enfants seront chevaliers — ou séduire la fille d'un prince, comme Renaud de Châtillon, ou d'un roi comme Guy de Lusignan.

Les Francs roturiers viennent de toute l'Europe, en majorité de Catalogne, de Provence et d'Italie, mais ils ont adopté le français, langue de la noblesse. Ils sont administrés par la Cour des bourgeois composée de douze membres nommés à Jérusalem par le roi et que préside son représentant, le vicomte. La Cour est responsable de l'administration municipale, de la police, des marchés. Elle contrôle la vie économique de la cité, juge des contrats de vente, d'achat, d'échange, d'héritage. Ses jugements sont souverains et basés sur le droit romain qui a cours dans le midi de la France, alors que le droit coutumier l'emporte à la Haute Cour.

La Cour des bourgeois n'a compétence que pour les Francs ; les bourgeois syriens ou grecs dépendent de la Cour de la Fonde, qui juge selon le droit byzantin. A l'inverse du droit franc, le plaignant doit produire des témoins appartenant à la communauté de l'accusé. La Cour de la Fonde est composée de jurés syriens et un Franc la préside, portant le titre de bailli.

Les barons et les chevaliers qui composent la petite cour de Jérusalem chassent au faucon, au guépard apprivoisé, se livrent aux jeux équestres du *djérid*, sorte de tournoi dont les règles ont été empruntées aux Arabes. Quand ils ne guerroient pas, ils se réunissent pour les fêtes et les banquets dans la grande salle du palais ornée de panoplies, de trophées, d'étendards. Dans cette salle vouée aux rires, aux vantardises et aux beuveries, où se produisent baladins et poètes, va se jouer un drame qui démontrera la fragilité des liens unissant les nouveaux venus aux « Orientaux » nés en Terre sainte et la faiblesse du pouvoir face aux belles et intrigantes princesses, plus levantines que franques, à qui le royaume est promis.

Le trop beau cousin de la reine

Le roi Foulques Ier vient de rentrer d'une expédition victorieuse contre son grand ennemi, l'atabek turc Zengi. L'atabek a décidé de jeter les Francs dehors et de proclamer la guerre sainte, le *Djihad*. Mais l'émir de Damas, que le comportement brutal du Turc et ses ambitions à peine déguisées inquiétaient, a préféré s'allier au Franc. Assuré de la paix au nord, Foulques n'a plus rien à craindre au sud, où les Egyptiens sont en proie à la guerre civile. Il offre un somptueux repas auquel assistent les prélats et les grands du royaume. A ses côtés, dans l'éclatante beauté de ses vingt ans, son épouse, la reine Mélisende. Elle plaisante avec son voisin et cousin Hugues du Puiset, seigneur de Jaffa, l'un des plus beaux chevaliers de son temps, son ami d'enfance. Il n'est guère plus âgé qu'elle et le mariage de la jeune reine ne semble pas avoir changé grand-chose à leur ancienne complicité.

A quarante-cinq ans, Foulques est un vieillard, en un temps où l'on se marie à seize ans, où l'on commande des armées à dix-huit, et où l'on meurt à trente. Il est petit, laid, rouquin, mais c'est un rude combattant et un excellent diplomate. Pourvu de fiefs immenses, il a légué le Maine et l'Anjou à son fils, Geoffroi Plantagenêt, en le mariant avec Mathilde, unique héritière du royaume anglo-normand qui lui reviendra. Le roi Richard II d'Angleterre sera son petit-fils et Richard Cœur de Lion son arrière-petit-fils. Veuf, très pieux, estimant avoir rempli sa tâche au royaume de France, il est venu en pèlerinage à Jérusalem et a décidé de recommencer une nouvelle existence en Terre sainte, faisant la preuve, sous le regard de Dieu, de ses qualités que l'âge n'a point entamées. Poussé par le roi de France, pas mécontent d'éloigner un si puissant vassal, il a accepté de succéder à Baudouin II qui lui a donné sa fille Mélisende en mariage. Foulques est tombé follement amoureux de son épouse et l'intimité qu'elle affecte avec son trop beau cousin lui est vite devenue intolérable. Il porte au jeune comte une haine implacable. Mais Hugues du Puiset a pour lui le parti des « poulains » qui ne voient dans ce roi importé qu'un étranger et un soldat grognon. Mélisende, avec son tempérament de feu et son peu de souci des convenances, était déjà la tendre amie de Hugues avant son mariage et, semble-t-il, l'était restée, son union n'étant à ses yeux qu'un arrangement politique. Hugues n'avait-il pas épousé pour les mêmes raisons Emelote, qui lui avait apporté une riche dot et deux beaux-fils qui avaient son âge ?

Soudain, au milieu du repas, se dresse l'un d'eux, Gontran, seigneur de Césarée. Il n'a jamais accepté le remariage de sa mère, qui lèse ses intérêts, et il hait le jeune comte autant que le roi avec qui il a partie liée. Gontran accuse Hugues d'avoir projeté la mort de son seigneur. On voit mal Hugues assassiner Foulques pour épouser Mélisende et devenir roi. Ils jouaient encore Roméo et Juliette et n'en étaient pas à Macbeth. Hugues nie, Gontran persiste dans ses accusations et le somme d'accepter le jugement de Dieu, au cours d'un duel qui en décidera. Une date est fixée pour la rencontre et Hugues regagne son fief de Jaffa pour s'y préparer. L'honneur de la reine est en jeu. Si son champion perd, elle sera considérée comme coupable d'adultère.

Le jour convenu, Hugues se dérobe. Cet acte de lâcheté lui aliène ses partisans et la Haute Cour le déclare « pour défaut, selon les us de France, coupable de félonie ». Il prend peur et se réfugie à Ascalon, se plaçant sous la protection des Egyptiens. Les troupes royales investissent Jaffa ; il ne se trouve personne pour défendre les terres du félon.

Félonie ou témoignage d'amour ?

On s'explique mal la dérobade d'Hugues du Puiset qui, par ailleurs, a fait ses preuves au combat, et Gontran n'est pas un adversaire qu'il puisse redouter. Les contemporains ont vu dans sa fuite honteuse le plus beau témoignage d'amour qu'il pouvait donner à sa Dame : il a appris, par elle ou ses amis, que la rencontre ne serait pas loyale, qu'un piège lui serait tendu par le roi, fou de jalousie, qui entraînerait sa perte et le déshonneur de la reine. De leur côté, le patriarche de Jérusalem, qui n'ignore rien du complot, et les amis d'Hugues qui lui sont restés fidèles interviennent auprès du roi pour qu'il lui accorde sa grâce, en dépit de son escapade à Ascalon. Foulques comprend qu'il risque une véritable guerre civile s'il se met à dos le clan des « poulains » au moment où l'ennemi menace. Il est entendu qu'Hugues du Puiset s'exilera du royaume pendant trois ans et qu'ensuite il pourra revenir « à la grâce du roi, en sa terre, sans honte et sans reproche des choses qui étaient passées ».

Avant de prendre le bateau pour l'Italie, Hugues commet la folie de se risquer à Jérusalem, afin de revoir Mélisende. Un gentilhomme breton le découvre, jouant aux dés dans le souk des pelletiers, attendant peut-être un message de la reine. Le Breton se jette sur lui, le perce de plusieurs coups d'épée et le laisse pour mort. Tous voient dans cet attentat la main du roi qui a mal accepté la grâce qu'on lui avait extorquée. Nobles et bourgeois prennent le parti d'Hugues et de la reine contre le roi étranger venu de France. Selon Guillaume de Tyr, le roi n'a pas trempé dans l'attentat, la reine serait innocente, le chevalier breton aurait agi de son propre chef. Mais Guillaume de Tyr est syrien et, bien qu'il ait fait ses études à Paris, il a, pour Mélisende, toutes les faiblesses. Pour un peu, il ferait une sainte de cette joyeuse luronne.

Sur l'ordre de Foulques, qui tient à se disculper, on réunit sur-le-champ la Haute Cour afin de juger le meurtrier. Le Breton est condamné à avoir les membres tranchés. Le supplice sera public et, pour qu'il puisse parler jusqu'à son dernier souffle, on ne lui a pas arraché la langue. Un prêtre penché sur lui l'adjure, s'il veut sauver son âme, de dénoncer l'instigateur du meurtre. Il ne cesse de répéter que personne ne l'a sollicité, qu'il a seulement voulu obtenir la faveur de son roi et punir Hugues du Puiset de s'être enfui chez les Infidèles.

La loyauté du roi fut reconnue, il retrouva la faveur de son peuple et des barons qui avaient douté de lui. Mais la reine resta inflexible : le chevalier breton, en avouant avoir agi de son propre chef, n'avait-il pas donné au roi une preuve de loyauté ? Le doute, à ses yeux, subsistait.

Hugues, exilé en Sicile auprès du roi Roger II, mourut subitement alors qu'il se préparait à regagner la Terre sainte et retrouver Mélisende. Inconsolable de la perte de son bien-aimé, elle ne pardonna jamais aux ennemis et au roi lui-même de l'avoir réduit à mourir loin de son pays, ses biens confisqués. Les conseillers du roi qui avaient trempé dans l'affaire, redoutant son tempérament violent, évitèrent dès lors de se présenter devant elle, et le roi lui-même craignit un temps pour sa vie.

Foulques fit l'impossible pour se faire pardonner et Mélisende en profita pour prendre sur lui un tel ascendant qu'elle exerça désormais le pouvoir quand son époux était en guerre. Pour le conserver, elle n'hésitera pas, plus tard, comme sa sœur Alix, à entraîner le royaume à sa perte.

Foulques mourut à cinquante-sept ans, donnant à Mélisende une ultime preuve d'amour. Alors qu'il chevauchait à ses côtés dans la plaine d'Acre, désireux d'étonner sa reine et de lui prouver qu'il avait gardé adresse et vigueur, il voulut transpercer de son épée un lièvre que ses chiens venaient de lever. Le cheval fit un écart, le roi fut jeté à terre et se brisa le crâne. Il laissait deux jeunes fils, Baudouin, âgé de treize ans, et Amaury, sept ans. Baudouin fut proclamé roi sous le titre de Baudouin III et Mélisende régente. A partir de ce moment, nous dit Foucher d'Angoulême, alors patriarche de Jérusalem, elle devint « la bonne dame, merveilleusement sage et de mûre conduite ». La régence de « la bonne dame », qu'elle s'efforcera de prolonger le plus longtemps possible, se soldera par la perte d'Edesse. N'ayant plus de roi pour leur imposer sa volonté, refusant celle de Mélisende — la quenouille ne pouvant remplacer le sceptre —, le prince d'Antioche et le seigneur d'Edesse retournèrent à leurs sanglantes querelles au lieu de s'unir contre le péril turc qui menaçait.

Zengi prit Edesse et fort habilement sut se concilier la population chrétienne orientale, en ne mettant à mort que les Francs. Les Arméniens et les Syriens se révolteront cependant à plusieurs reprises et finiront par être massacrés. Zengi sera assassiné par son eunuque qu'il avait surpris à boire son vin. Nur-al-Din lui succédera. Sous la régence de Mélisende sera donc rompue l'alliance franco-damascène sur laquelle les rois de Jérusalem avaient fondé leur politique d'équilibre entre Turcs et Fatimides.

Mélisende aura au moins le mérite d'embellir Jérusalem, « sa ville », et d'achever la restauration du Saint Sépulcre. Son horizon, en politique, ne dépassait guère les murailles de la Ville sainte.

La croisade des rois

La chute d'Edesse, par le retentissement qu'elle eut en Occident, allait provoquer la deuxième croisade, appelée la croisade des rois qui, sous l'influence de saint Bernard, avaient pris la Croix.

Elle débute mal, malgré la qualité des troupes engagées et le prestige de ses chefs. Sans attendre le roi de France avec qui il ne s'entend pas, Conrad, empereur d'Allemagne, s'enfonce en Asie Mineure par le chemin déjà emprunté par la première croisade. Assailli par l'armée turque à Dorylée sans pouvoir livrer bataille ni engager sa lourde cavalerie, trahi par ses guides grecs, sa retraite tourne à la débâcle. Il doit se replier sur Nicée avec les débris de son armée où il est rejoint par Louis VII. Humilié de se retrouver à la remorque du roi de France, prétextant une maladie, il va se rétablir à Constantinople où il rencontre Manuel Comnène. Pour ce noble descendant de Constantin, Conrad, prétendu empereur de Rome, n'est qu'un usurpateur. Il n'a que mépris et haine pour les Français et leur conception égalitaire de la chevalerie. Il n'ignore pas qu'il existe parmi eux un parti qui conseille au roi de s'emparer de Constantinople et d'unifier ainsi tout le royaume franc d'Orient. Le *basileus* choisit son camp : il n'hésite pas à s'allier secrètement avec les Turcs contre les Français et à nouer des liens d'amitié avec l'Allemagne. Conrad et les siens seront transportés en Palestine par une flotte byzantine.

Trahis par les Byzantins, les Français vont éprouver de lourdes pertes et Louis VII devra se résoudre à gagner la Palestine par voie de mer. Faute de bâtiments, pourtant promis, il ne pourra embarquer que ses chevaliers et ses sergents d'armes, abandonnant les blessés et les pèlerins qui seront massacrés. Il gagne Antioche où Raymond de Poitiers tente de l'entraîner dans la reconquête d'Edesse, but de croisade. Le roi de France dispose encore d'une bonne et solide armée, débarrassée, grâce aux Turcs, des éléments susceptibles de l'alourdir. Mais Louis VII se fait prier : il n'a pris la Croix, dit-il, que pour défendre Jérusalem. Une considération plus passionnelle que politique va le conforter dans sa décision. Sa belle et volage épouse, Aliénor d'Aquitaine, qui l'a accompagné, s'est éprise de Raymond de Poitiers, seigneur d'Antioche, et demande le divorce. Le roi quitte la ville au plus vite, entraînant de force Aliénor récalcitrante. Espère-t-il qu'un pèlerinage au tombeau du Christ rappellera son épouse à ses devoirs ?

Le roi de France retrouve à Jérusalem l'empereur Conrad, remis de ses fatigues, mais dont l'armée est réduite à une simple escorte. Les deux souverains remâchent leur amertume : Conrad souffre dans son orgueil de soldat, Louis dans son amour-propre de mari bafoué.

Mélisende règne par sa beauté, son allure, son faste. Pour fêter le cinquantenaire de la prise de Jérusalem par les croisés et la fin de la restauration du Saint Sépulcre qu'elle a dirigée d'une main de fer, elle offre de somptueuses fêtes où son fils fait pâle figure. Malgré son jeune âge, Baudouin III a pourtant fait la preuve de sa valeur sur les champs de bataille, mais sa mère, de crainte que le pouvoir ne lui échappe, le tient étroitement sous sa coupe. Messes solennelles, processions carillonnées, défilés militaires au son des trompettes : le bon peuple se sent rassuré devant l'étalage de la puissance de l'Occident dont Jérusalem est devenue, au moins pour quelques jours, le centre politique et religieux.

La fête terminée, les grandes Assises de Jérusalem se tiennent à Acre dans une ambiance pénible. La deuxième croisade s'est soldée par une défaite, aucun des objectifs qu'elle se proposait n'ayant été atteint. Cette très noble assemblée de rois, de princes et de prélats ne s'entendra que pour prendre une décision catastrophique : attaquer Damas, l'allié traditionnel des Francs, au lieu d'Alep, capitale des Zengides turcs et de Nur-al-Din.

Le siège de Damas échouera piteusement, chacun y mettant le maximum de mauvaise volonté. Le 8 septembre 1148, Conrad repart pour l'Allemagne et, à Pâques 1149, Louis VII regagne la France. Militairement, la croisade est un échec. Le prestige de l'Eglise et du pape va s'en ressentir.

La deuxième croisade a révélé les profondes dissensions qui opposaient Francs d'Occident et « poulains ». « Plutôt les Turcs que ces Levantins », disaient les croisés, « Qu'ils repartent dans leurs tanières », aurait répondu un seigneur de Tripoli, une ville où le prince lui-même ne cachait pas son attirance pour les mœurs orientales.

Cet état d'esprit, remarque Guillaume de Tyr, aura des conséquences très graves, car, dégoûtés des Francs de Syrie, les Occidentaux, pendant quarante ans, vont se désintéresser des croisades, ce qui provoquera finalement la chute de Jérusalem, des autres colonies franques et la victoire finale de l'Islam.

Baudouin III a atteint sa majorité, mais n'en demeure pas moins sous la tutelle tyrannique de sa mère qui veut bien le laisser batailler, mais non régner. Le patriarcat et le haut clergé appuient Mélisende, gagnés par ses démonstrations de piété et ses multiples dotations accordées aux églises et couvents. Les chrétiens orientaux la considèrent comme l'une des leurs.

Intrigues, crimes et trahisons des trop belles poulaines

Les barons, las de voir tomber le royaume entre les mains des « quenouilles », exigent un roi qui règne et combatte à la fois. Sur leurs conseils, Baudouin III se fera sacrer seul, refusant à sa mère d'être couronnée à ses côtés et de continuer à exercer le pouvoir. Mélisende s'enferme dans Jérusalem où elle compte de nombreux partisans et son fils doit donner l'assaut à la citadelle où l'intraitable reine est réfugiée.

Les filles de la reine Morfia continuent à semer le désordre dans le royaume et Baudouin III n'en a pas fini avec les belles poulaines de son sang.

A Tripoli, le comte Raymond II est assassiné par des Ismaéliens et le bruit court qu'Hodierne, son épouse, ne serait pas étrangère au crime : un contrat qu'elle aurait passé avec le Vieux de la Montagne. Sœur de Mélisende et d'Alix, elle a apporté à Raymond le comté d'Antioche. Mais il n'a pas hésité à la tenir enfermée comme une fille de harem, tant il redoute ses intrigues où politique et amour se mêlent. Débarrassée du gêneur, son fils n'ayant que douze ans, elle espère exercer une longue régence. Prévenu par les démêlés qu'il a eus avec sa propre mère et n'ignorant pas qu'Hodierne est aussi avide de pouvoir qu'elle, au nom de la coutume des Francs, Baudouin III s'intitule lui-même régent. Hodierne doit s'incliner pour ne pas être bannie et perdre toute chance de régner un jour.

Après sa tante, Baudouin se trouve aux prises avec Constance, fille d'Alix. Son mari, Raymond de Poitiers, a connu une mort glorieuse sur le champ de bataille. Sa veuve n'a que vingt ans et pas d'héritier. En digne fille d'Alix qui la conseille, elle a des accointances avec tout ce que l'Orient compte d'églises ou de sectes maniant la calomnie, le poignard et le poison. Baudouin décide de la marier au plus vite, mais elle refuse tous les partis qu'il lui présente, serait-il le beau-frère de l'empereur de Byzance, alliance qui aurait sauvé Antioche. Elle s'obstine dans ses refus jusqu'au jour où elle s'éprend du plus beau, du plus fougueux chevalier récemment débarqué, Renaud de Châtillon, sans nom ni fortune.

Renaud le diable

Selon René Grousset, Baudouin III, dans sa hâte de marier sa nièce et de donner un défenseur à Antioche, ne s'est pas suffisamment renseigné sur le personnage. « Le romanesque mariage de 1153 donnait le gouvernement d'Antioche à un splendide guerrier doué d'une audace magnifique, un véritable héros d'épopée, mais aussi à un dangereux aventurier. Dénué de tout esprit politique comme de tout scrupule, ignorant le plus élémentaire droit des gens comme le respect des traités, il devait jouer le sort de la principauté d'Antioche d'abord, du royaume de Jérusalem plus tard, sur de simples coups de dés qui n'étaient, au surplus, que des coups de brigandage. Dans la société franque de la seconde moitié du XIIe siècle, société assagie, fixée et assimilée au milieu, conservatrice, vivant sur la défensive et vouant tous ses efforts au maintien du statu quo et de l'équilibre en face d'un Islam réorganisé, Renaud de Châtillon deviendra vite un péril. Péril mortel même : ce guerrier prestigieux, moitié paladin, moitié bandit, fait pour commander un rezzou ou une grande compagnie plutôt qu'une baronnie organisée, suicidera la Syrie franque. »

Renaud de Châtillon fait fouetter jusqu'au sang le patriarche d'Antioche qui lui résiste. Il commettra bien d'autres sacrilèges quand il s'emparera de l'île de Chypre : il brûlera les églises et massacrera la garnison byzantine, se conduisant en capitaine d'écorcheurs.

Baudouin III renoue avec Damas, sauve la ville d'une attaque de Nur-al-Din tandis qu'un petit clan turc, voulant profiter de la situation, tente de s'emparer de Jérusalem. Les Turcs seront mis en déroute par les milices bourgeoises qui constituent toute la garnison.

En Egypte, l'Empire fatimide est en pleine décomposition. On s'entre-tue, on s'empoisonne, on se trahit à la cour du calife. Baudouin met à profit la situation pour s'emparer d'Ascalon et du littoral palestinien. Mais Nur-al-Din s'est enfin rendu maître de Damas et son Empire s'étend à toute la Syrie intérieure. Guillaume de Tyr écrit : « Cet événement fut fatal aux chrétiens en ce qu'il substitua un adversaire formidable à un homme sans puissance que sa faiblesse avait mis sous notre dépendance. »

Baudouin en est réduit à demander l'aide des Byzantins et il épouse la nièce de Manuel Comnène, Theodora, dont les auteurs du temps vantaient, à treize ans déjà, l'extraordinaire beauté. Il en tombe amoureux. Profitant des bonnes dispositions de son gendre, Manuel Comnène exige de Renaud de Châtillon qu'il vienne à genoux, tête et pieds nus, implorer sa clémence. Puis il entre solennellement à Antioche, en seigneur et maître.

Baudouin III souhaitait conclure un pacte avec les Byzantins et les Arméniens pour constituer une fédération d'Etats chrétiens qui s'étendrait de la mer Noire jusqu'au Nil. Mais satisfait, refusant de s'engager plus loin, Manuel Comnène signe la paix avec Nur-al-Din. Renaud de Châtillon sera fait prisonnier au cours d'une des razzias sauvages dont il était coutumier ; il le restera seize ans. Cette longue captivité sera un bienfait pour le royaume de Jérusalem et sa libération une catastrophe.

Baudouin III mourut à Beyrouth le 10 février 1162. Il avait trente-trois ans.

Le rêve fou d'un gros roi bègue

Son frère Amaury Ier lui succédera, ce qui nous vaut de Guillaume de Tyr un portrait pittoresque. « A vingt-sept ans, quand il monte sur le trône, il est de taille moyenne et fort gros, si gros que les mamelles lui pendaient jusque vers la ceinture comme à une femme... Il était affligé d'un léger bégaiement. Irréprochable juriste, il était en campagne plus aguerri qu'un simple sergent, ne souffrant ni du chaud ni du froid. Son esprit de décision ne se démentait devant aucun péril. »

Quel surprenant personnage ! Pieux et débauché, esprit curieux, né en Syrie, il s'intéresse à tout ce qui se trame en terre d'Islam et ne manque jamais d'interroger longuement ceux qui en viennent. Ses contemporains musulmans ne cachent pas leur admiration. « Depuis que les Francs avaient paru en Syrie pour la première fois, écrit l'un d'eux, ils n'avaient jamais eu de roi qui égalât celui-ci en courage, en ruse et en habileté. »

Simple comte d'Ascalon, il rêvait déjà de la conquête du Caire. Contenus au nord-ouest par le grand royaume turc des Zengides, il estime que les Francs n'ont d'autre issue que de s'étendre vers le sud et l'Egypte. Devenu roi, il juge l'entreprise possible : les deux vizirs rivaux Shawar et Dirgham sont disposés à s'allier avec le diable pour garder le pouvoir, le calife fatimide ne représente plus rien et la population égyptienne, toujours selon Guillaume de Tyr, incite à l'invasion par son apathie. D'immenses richesses sont à prendre.

Le projet est fou. Pour conserver l'Egypte, il faudrait la coloniser et les Francs, dans tout le royaume, ne sont que cent mille, les Egyptiens des millions. L'aide massive de l'Europe serait nécessaire ou un accord avec les Byzantins. Mais pareille alliance n'est pas sans risque, car le *basileus* exige que l'ensemble du royaume franc se reconnaisse son vassal.

Laissant Jérusalem à la garde des bourgeois, Amaury lance une première expédition, atteint Birbeis sur la route du Caire, sans rencontrer de résistance. Il peut écrire au roi Louis VII : « Si tu nous accordes ton aide comme tu en as l'habitude, l'Egypte pourra, avec l'aide du Seigneur, être marquée facilement du signe de la croix. » Mais le roi de France a d'autres soucis en tête ; il est aux prises avec les Plantagenêt, descendants du roi de Jérusalem, Foulques d'Anjou. Rien ne sort non plus des interminables discussions avec Constantinople où l'empereur souffle tantôt le chaud, tantôt le froid.

Nur-al-Din envoie une armée en Egypte sous les ordres de son meilleur général, l'émir kurde Shirkuh, qu'accompagne son jeune neveu Salah-ed-Din, Saladin. Amaury s'allie avec Shawar et vient assiéger Birbeis. La place va tomber quand Nur-al-Din envahit la principauté d'Antioche. Amaury doit se retirer. Mais il revient, bat les Turcs, chasse Shirkuh et Saladin qui s'en retournent à Damas. L'Egypte devient protectorat franc ; des chevaliers gardent les portes du Caire. Amaury a sauvé l'Empire fatimide et la foi chiite face aux Turcs sunnites. Il apparaît en cet été 1167 comme l'arbitre de l'Orient.

Pour consolider ses conquêtes et resserrer ses liens avec Byzance, il épouse en secondes noces

Marie Comnène, nièce de l'empereur, Manuel, et se met d'accord avec le *basileus* pour se partager l'Egypte.

La Haute Cour, sous l'influence de chevaliers fraîchement débarqués qui rêvent d'en découdre, des Templiers et des Hospitaliers toujours prêts à contrecarrer le roi, des barons enfin qui se défient de Byzance, oblige Amaury à lancer une troisième expédition en Egypte, sans attendre les armées byzantines comme il avait été convenu. C'était compromettre la seule chance de réussite et se brouiller avec le *basileus*. Mais déjà le roi ne pouvait plus rien contre l'obstination de ses vassaux et l'arrogance des Ordres militaires. Le cœur lourd, sachant qu'il court au désastre, il prend la tête de l'expédition. Birbeis est prise, la population massacrée, malgré Amaury. Le Caire redoutant un sort semblable, au lieu d'ouvrir ses portes, résiste courageusement et fait appel à Shirkuh, accueilli comme un sauveur. Amaury est réduit à une pénible et peu glorieuse retraite. Son allié Shawas est exécuté et, Shirkuh étant mort peu après, Saladin devient maître de l'Egypte. Il a trente et un ans et nourrit de grandes ambitions. Il fortifie son pouvoir en abolissant le califat fatimide et en rétablissant le sunnisme orthodoxe. Il peut prêcher le *Djihad*, la guerre sainte, et être entendu de tout l'Orient musulman.

Amaury meurt à Jérusalem, le 11 juillet 1174, d'une mauvaise fièvre contractée au siège de Panéas.

R. Grousset écrit : « Le prince cultivé sous l'inspiration duquel Guillaume de Tyr a écrit sa grande histoire des croisades, le capitaine qui avait mis en fuite Nur-al-Din à Buqaia et fait capituler Saladin dans Alexandrie, le politique qui avait scellé l'alliance franco-byzantine et failli conquérir l'Egypte, rêve auquel il n'avait nullement renoncé, disparaissait à trente-huit ans, en pleine force, en pleine action, à la veille des plus vastes entreprises. La mort de ce grand roi, à un tel moment, était un désastre dont l'Etat de Syrie ne devait pas se relever ! »

Il laisse un fils de treize ans, Baudouin IV, atteint bientôt de la lèpre, et une fille, Sibylle, qui sera la pire des reines « poulaines ». Le règne de Baudouin IV, qui durera treize ans, ne sera qu'une longue agonie dont profiteront les barons, agonie qui préfigure celle de Jérusalem.

CHAPITRE XIII

AGONIE D'UN ROI
ET MORT D'UNE VILLE

« Le règne du malheureux jeune homme, Baudouin IV, de 1174 à 1185 — avènement à treize ans, décès à vingt-quatre — ne devait être qu'une longue agonie. Mais une agonie à cheval, face à l'ennemi, toute raidie dans le sentiment de la dignité royale, du devoir chrétien et des responsabilités de la couronne en ces heures tragiques où au drame du roi répondait le drame du royaume. Et quand le mal empirera, quand le lépreux ne pourra plus monter en selle, il se fera encore porter en litière sur le champ de bataille, et l'apparition de ce moribond, sur cette civière, fera reculer Saladin...

« ... A la place de l'autorité royale et de son action salvatrice, on vit renaître l'anarchie féodale, l'insubordination des grands barons et des ordres militaires poursuivant leurs intérêts particuliers. Ce fut la fin de l'Etat franc comme personne morale, précédant de peu d'années sa disparition comme entité territoriale. »

René Grousset, *Histoire des Croisades*

Un lépreux, roi de Jérusalem

Quand Baudouin IV, fils d'Amaury et d'Agnès de Courtenay, monte sur le trône en 1173, il n'a que treize ans et il est déjà d'une santé fragile. S'il n'a pas la laideur et la vitalité de son père, ni sa connaissance des hommes, musulmans et chrétiens, en revanche il a hérité de lui ses grands projets, son courage et un sens aigu de son devoir de roi. Il est beau, il a cette séduction que l'on prête aux adolescents que la mort guette ; il exerce sur ceux qui l'entourent une sorte de fascination quand il devrait exciter l'horreur. Sa maladie vient de se déclarer, c'est la lèpre, que l'on confond à l'époque avec une malédiction du ciel.

En quelques années, la situation du royaume de Jérusalem s'est dangereusement détériorée à la suite des intrigues des belles reines et princesses poulaines, de leurs incartades amoureuses et de l'arrogance des grands barons qui profitent des faiblesses du pouvoir royal. Ils n'hésitent pas à assassiner le sénéchal Milon de Plancy, d'humble origine, mais choisi par le roi Amaury pour son dévouement à la couronne, et le remplacent par l'un des leurs, Raymond III, comte de Tripoli, ce qui n'est pas un mauvais choix. Longtemps captif, il a eu le loisir d'apprendre l'arabe. Il le parle et l'écrit, et il a noué des liens d'amitié avec de nombreux émirs. Saladin l'apprécie à ce point qu'on l'accusera de trahison à son profit. Mais Raymond ne peut mener de véritable politique ; il dépend trop de ceux qui l'ont nommé. Quant aux Ordres militaires, ils font passer leurs intérêts avant ceux du royaume ; ils n'obéissent à personne et mènent leur guerre comme ils l'entendent. Sans espoir de descendance, le roi doit résoudre le délicat problème de sa succession. Il marie sa sœur Sibylle, héritière de la couronne, à Guillaume de Montferrat surnommé Guillaume Longue Epée, qui a toutes les qualités d'un roi, mais hélas meurt peu après.

L'Islam ne cesse de progresser. Le roi Amaury, au fait de tous les secrets de l'Orient, s'était allié au grand Maître Sinan, le Vieux de la Montagne dont les affidés, les Assassins, terrorisaient l'Orient. Partout dans les cours ou les bazars, ils jouaient du poignard et Saladin lui-même, après avoir échappé par miracle à un attentat, n'avait plus osé les combattre. Sinan pouvait s'entendre avec un homme comme Amaury, mais, lui mort, il n'a que faire d'un allié encombrant et d'un Etat moribond comme son roi. Il s'en désintéresse.

Jérusalem n'est plus en mesure de résister à une attaque surprise, encore moins à un siège. Tandis que le roi et ses chevaliers sont assiégés dans Ascalon, Saladin lance un raid sur la Ville sainte. A l'apparition des forces musulmanes, privés des milices qui ont tenté de rejoindre le roi, les chrétiens évacuent la Ville basse et se réfugient dans la citadelle. Les remparts sont en mauvais état et si l'on s'est soucié de construire couvents et églises, on a négligé la défense de la ville malgré les impôts levés à cet effet.

Montgiscard, l'impossible victoire

Le roi lépreux sauvera Jérusalem, livrant bataille dans la plaine de Montgiscard ; ce sera une des plus belles victoires de la Chrétienté. Il peut à peine se tenir en selle ; il ne dispose que des chevaliers et sergents qui ont pu rompre l'encerclement d'Ascalon. En face d'eux, l'armée turque « qui était comme une mer ». Baudouin fait apporter la Vraie Croix et demande à ses Francs de jurer sur elle de ne pas s'enfuir. Puis ils se confessent les uns aux autres et se donnent mutuellement l'absolution. Derrière leur roi, ils chargent avec une telle furie que les Turcs croient avoir en face d'eux des *efrits*, des démons issus de l'enfer ; ils se débandent et s'enfuient. Saladin manqua y laisser la vie.

Hélas ! Cette belle victoire n'eut pas de suite. Une escadre égyptienne, à la faveur de la nuit, a réussi à pénétrer dans le port d'Acre.

En 1180, Saladin et Baudouin signent une trêve ; Saladin doit régler la succession du vieil atabek d'Alep, Nur-al-Din, qu'il compte bien s'approprier et Baudouin décider du remariage de sa sœur Sibylle, l'héritière du royaume devenue veuve.

Sibylle est une tête folle. Courtisée par les plus beaux partis de son temps, sans se soucier de la raison d'Etat ni des qualités du prétendant dont dépendra le sort du royaume, elle se comporte en coquette, se jouant d'eux. Son choix se fixe enfin sur Guy de Lusignan, un cadet de petite origine, sans argent, sans liens avec la noblesse franque de Syrie. Ce n'est qu'un joli garçon un peu niais. Baudouin fait l'impossible pour l'écarter, mais Sibylle s'en est amourachée au point de l'afficher comme son amant et, de très mauvais cœur, le roi doit accepter le mariage.

« Désigné par un caprice de femme et par la lassitude d'un roi moribond, à la suite d'une bonne fortune que rien ne laissait prévoir, discuté dès le début, Lusignan n'avait pas une personnalité suffisante pour faire accepter une telle élévation. De caractère naïf, indécis et faible, il ne sut jamais s'imposer à la turbulente aristocratie franque » (R. Grousset).

Les malheurs du roi lépreux ne s'arrêtent pas là. A Antioche, le prince Bohémond le Bègue s'affiche avec une certaine Sibylle, qui n'a rien de commun avec la future reine de Jérusalem. Elle l'espionne au profit de Saladin, entretient avec lui une correspondance suivie et le renseigne sur le mouvement des troupes franques. Le prince et le patriarche sont en lutte ouverte.

Le diable est ressorti de sa boîte

Pis encore ! Renaud de Châtillon, libéré après une captivité de seize ans, refait son apparition. Si son poil grisonne, il n'a guère changé ; il est resté un seigneur-brigand qui n'accepte aucun maître. Son fief d'Antioche perdu, il s'installe sur les terres d'Outre-Jourdain et occupe les kraks de Moab et de Montréal qui contrôlent les caravanes de pèlerins se rendant à La Mecque et de riches marchands venus de l'Orient. Il caresse un rêve insensé, s'emparer de Médine, de La Mecque et de toutes leurs richesses.

En 1181, sans se soucier de la trêve signée entre Baudouin et Saladin, estimant qu'il ne doit rien au roi, il s'enfonce au cœur de l'Arabie et razzie une caravane de pèlerins. Baudouin, qui a donné sa parole, l'adjure de restituer les fruits de son pillage. Renaud ne veut rien entendre et le roi lépreux doit avouer son impuissance au sultan qui en déduit, devant la faiblesse de l'institution monarchique, que le royaume latin est à prendre. Saladin, après avoir réglé au mieux ses affaires, saisit ce prétexte pour reprendre les combats. Il subit un certain nombre d'échecs devant Beyrouth et Mossoul, mais qu'importe ! Il a à sa disposition suffisamment de troupes fraîches venues de Syrie, d'Egypte et d'Irak pour contraindre les Francs, qui ne disposent d'aucune réserve, à un combat incessant où ils s'usent.

L'Occident oublie Jérusalem et les Byzantins ne veulent plus en entendre parler.

« La tenue des troupes franques, écrit Josuah Prawers, impose le respect. Dans les dernières années précédant la ruine de leur Etat, ces troupes surent non seulement se défendre, mais encore attaquer et pénétrer profondément à l'intérieur du territoire musulman. Il ne manqua à ces forces qu'une tête énergique capable d'imposer une direction ferme. L'explication selon laquelle la supériorité de la puissance musulmane avant la bataille de Hattin était si forte qu'elle aurait voué à l'échec tout plan politique ou militaire croisé est dépourvue de fondement. Une longue série de victoires franques et de défaites musulmanes prouve le contraire. C'est la direction politique qui fit défaut. Le pouvoir central passa si fréquemment de mains en mains qu'il ne fut pas possible d'établir un plan d'action... »

Alep tombe comme un fruit mûr entre les mains de Saladin tandis que le roi franc se meurt et doit confier la régence à Guy de Lusignan qui se comporte en capitaine malheureux et en politique médiocre.

De son côté, Renaud de Châtillon a entrepris de s'assurer la maîtrise de la mer Rouge. Il fait construire à Ascalon une série de navires démontables qui, portés à dos de chameau, seront mis à l'eau à Aqaba. Renaud et les siens se transforment en pirates, écument les ports de la côte nubienne, capturent les caravanes, lancent des rezzous qui les amènent à moins d'une journée de Médine. La Mecque est menacée ainsi que tout le commerce avec l'océan Indien.

Après Jérusalem, les deux Villes saintes de l'Islam qui abritent le tombeau de Mahomet et la Kaaba, la Pierre Noire, risquent de tomber aux mains des Infidèles. Un vent de panique souffle sur l'Islam. Doc-

teurs et soufis annoncent la fin du monde et le Jugement dernier.

Saladin rassemble une puissante flotte égyptienne
qui détruit les frêles embarcations des Francs. Ils
sont réduits à chercher asile dans le désert où leurs
« alliés » bédouins les trahissent comme ils les
avaient servis. Les survivants sont ramenés au Caire
où Saladin donne l'ordre de les exécuter afin que nul
survivant ne puisse enseigner aux Francs la route du
Hedjaz.

L'expédition des corsaires francs en mer Rouge a
fait de Renaud de Châtillon l'ennemi personnel de
Saladin. Désormais, une haine inexpiable opposera
les deux hommes. Les dernières années du royaume
de Jérusalem seront occupées par l'implacable duel
qu'ils se livreront pour le plus grand malheur des
Francs.

Plus grave encore est la faillite de Guy de Lusignan
à qui Baudouin IV avait confié le commandement de
l'armée et qui n'a pas été capable d'interdire à
Renaud de Châtillon de s'attaquer à ce que l'Islam
avait de plus cher, ses Lieux saints. Il est apparu
comme une marionnette dont les barons tirent les
ficelles.

Baudouin comprend qu'il doit à tout prix l'empêcher de régner sur Jérusalem. Il fera sacrer roi un
enfant de quatre ans, son petit-fils, né du premier
mariage de Sibylle, qui portera le nom de Baudouin V pendant les quelques mois qui lui resteront
à vivre. Il nomme régent Raymond III de Tripoli et
meurt le 16 mars 1185, âgé de vingt-quatre ans.

Un niais et un démon à la tête du royaume

Baudouin a combattu jusqu'à son dernier souffle,
ranimant le courage de ses chevaliers, donnant par-

tout la preuve de l'énergie que recelait sa frêle apparence, montrant la haute idée qu'il se faisait de son rôle. Il a fait l'impossible pour sauver Jérusalem du désastre qu'il prévoyait, mais il n'a pu se débarrasser de Lusignan, ce niais, ni de Renaud de Châtillon, ce diable. En ces temps troublés, le patriarche aurait dû jouer un rôle décisif. Mais Héraclius est un homme dissolu. Plus familier des femmes que des Saintes Ecritures, il leur doit sa carrière. Il a été l'amant d'Agnès de Courtenay, mère de Sibylle, et ne fera rien pour la contrarier. Guillaume de Tyr, à qui revenait le patriarcat, veut en référer au pape. Mais au cours de son voyage en Italie, Héraclius le fait empoisonner, interrompant ainsi les chroniques que le savant prélat nous donnait des croisades et compromettant une intervention de l'Eglise qui aurait été salutaire.

Dans une dernière tentative, Raymond III, régent pendant la brève existence de Baudouin V, tente de s'opposer au couronnement de Sibylle qui entraînerait, selon la loi franque, celui de son mari, Guy de Lusignan. Il dispose de l'appui des barons ; c'est un bon soldat, un négociateur habile. Il aurait pu empêcher la chute de Jérusalem et éviter le désastre de Hattin. Mais contre lui se dressent le patriarche Héraclius, dont Sibylle et sa mère ont les faveurs, le Maître du Temple, Ridefort, que Raymond avait frustré d'un riche mariage avant qu'il n'entre dans les ordres, et Renaud de Châtillon qui souhaite un roi faible pour n'en faire qu'à sa tête.

Tandis que Raymond III réunit la Haute Cour des barons à Naplouse, qui l'éliront comme roi, Lusignan en rassemble une autre à Jérusalem et se fait couronner avec Sibylle. L'inspirateur de la manœuvre est Renaud de Châtillon. Furieux, Raymond III regagne Tripoli, son fief, et reprend contact avec Saladin comme nous l'apprend le chroniqueur musulman, Ibn-al-Athir.

« Le sultan promet au comte de le secourir, de l'appuyer dans tout ce qu'il voudrait et de l'établir souverain absolu sur tous les Francs. La discorde s'introduisit donc parmi les chrétiens. Ce fut une des principales causes qui amenèrent la reconquête de leur pays et la reprise de Jérusalem par les musulmans. »

Une terrible famine s'abat sur la Syrie-Palestine, causant d'innombrables morts. Les Francs signent avec Saladin une nouvelle trêve de quatre ans. Saladin en a besoin autant qu'eux, mais il ne manque pas, dans les lettres dont il inonde le monde chrétien et musulman, de faire étalage de sa générosité et de sa grandeur d'âme. Le Kurde n'a jamais été le grand soldat qu'on a prétendu, mais en revanche il s'est révélé un excellent diplomate, sachant user de tous les moyens, les plus grossiers comme les plus subtils, pour se faire connaître, ne manquant jamais d'utiliser à son profit les fautes de ses adversaires. Renaud de Châtillon lui fournira l'occasion de rompre la trêve en faisant main basse sur une caravane de retour de La Mecque. Saladin en appelle à Guy de Lusignan pour qu'il exige du « Maudit » la restitution des prisonniers et des biens dont il s'est emparé. Renaud rappelle durement au roi qu'il lui doit sa couronne et le prie de se mêler de ses affaires. Le roi ne peut que s'excuser et Saladin reprend la guerre à un moment où les Francs se trouvent en mauvaise position et avec le bon droit pour lui.

En deux ans d'affrontements, de 1182 à 1183, le royaume franc est ruiné. Le roi et les autres princes en sont réduits à une telle pauvreté qu'ils ne peuvent plus assurer le paiement de leurs dettes.

Les Byzantins ne sont plus en mesure de les aider. Manuel Comnène a subi un véritable désastre à Myrio Ephalon. Il n'a plus d'armée et sa dynastie est remplacée par celle des Anges qui n'éprouvent aucune sympathie pour les Latins et leur préfèrent les Turcs.

La Haute Cour doit lever un impôt exceptionnel frappant indistinctement prêtres, seigneurs et bourgeois, qui permettra d'équiper, en deux ans, une armée de sept cents chevaliers et quinze mille hommes à pied. Au printemps 1187, Saladin décide de son côté de mobiliser toutes ses forces et proclame le *Djihad*, la guerre sainte. Les émirs répondent à son appel, en fournissant d'importants contingents.

« En fin de compte, ce sont les Francs eux-mêmes qui forcèrent Saladin. Ce fut leur volonté de se mesurer à la grande concentration des troupes de l'Islam, dans des conditions qui se trouvèrent favorables à celles-ci ; elles étaient assurées de la supériorité que leur donnait une plus grande souplesse de manœuvre qui permit à Saladin de livrer bataille au royaume latin jusqu'à son anéantissement. Ce furent les erreurs tactiques des Francs lors de la campagne de Hattin qui lui valurent la victoire » (Josuah Prawers).

Le trop « subtil » Raymond de Tripoli

Devant la gravité de la situation, Raymond III de Tripoli accepte de se réconcilier avec le roi, mais sans rompre certains accords passés avec le sultan. Tandis qu'on célèbre l'union retrouvée, on apprend que les Sarrasins viennent de lancer un raid en Galilée sans causer grand mal, car la population, prévenue, s'est réfugiée dans les châteaux forts.

Raymond III avait, semble-t-il, autorisé ce raid à condition que les musulmans repassent le Jourdain avant la nuit. Le jeu du prince de Tripoli, frustré de la couronne, n'est pas clair. Accusant son vieux rival de trahison, le Maître du Temple, Gérard de Ridefort, à la tête de cent trente cavaliers, en majorité des Templiers, attaque les dix-sept mille Turcs qui se disposaient, comme convenu, à retourner chez eux. Seul Ridefort échappera au massacre.

L'armée de Saladin attaque Tibériade. La Ville basse est emportée ; seule résiste la citadelle où s'est réfugiée Echive, comtesse de Tripoli, femme de Raymond III, qu'elle fait aussitôt prévenir.

Le grand Maître du Temple et Renaud de Châtillon adjurent le roi de courir sus à Saladin contre l'avis de Raymond III qui conseille d'attendre. Saladin en effet ne saurait longtemps garder sous ses bannières des troupes aussi nombreuses et d'origines aussi diverses. Elles vont se répandre dans le pays et perdront de leur mordant et de leur discipline. Mais, accusé de complicité avec l'ennemi, Raymond III est forcé de s'incliner devant cette malheureuse décision.

Le ban et l'arrière-ban de l'armée franque se rassemblent à Séphorie. Châteaux et villes se vident de leurs défenseurs. Héraclius a envoyé la Vraie Croix de Jérusalem. Lui-même ne s'est pas dérangé, ne voulant pas quitter sa jeune maîtresse. Les Francs alignent sept cents cavaliers et douze mille hommes à pied, Saladin cinquante mille hommes dont douze mille cavaliers et quinze mille sergents d'armes.

Le désastre des cornes de Hattin

A l'aube du vendredi 3 juillet, l'armée franque quitte Séphorie pour Tibériade. Saladin se porte à la rencontre des Francs qui avancent lentement par une chaleur éprouvante, criblés de flèches, manquant d'eau. Ils parcourent dix-huit kilomètres, à peine la moitié de la distance séparant Séphorie de Tibériade, ayant perdu une partie de leurs chevaux alors que les musulmans sont parfaitement approvisionnés : adossés au lac de Tibériade, ils ne manquent pas d'eau.

A l'aube du 4 juillet, l'armée franque poursuit sa

pénible progression vers un plateau semé de basaltes noirs situé entre les monts de Nimerim et les Cornes de Hattin. Les troupes de Saladin lancent une première attaque sur les Templiers qui constituent l'arrière-garde.

Sans succès, l'armée croisée tente de prendre position au pied des Cornes. « Le vent poussait sur le camp des croisés la flamme et la fumée des incendies allumés dans les champs par les musulmans. Au feu du ciel s'ajoutait le feu des hommes. »

« Sur ces hommes bardés de fer, dit encore le chroniqueur musulman des Deux Jardins, la canicule répandait ses flammes. Les charges de cavalerie se succédaient parmi les vapeurs flottantes, les tortures de la soif, l'incendie de l'atmosphère et l'anxiété des cœurs. Ces chiens tiraient leurs langues desséchées et hurlaient sous les coups. Ils espéraient arriver à l'eau, mais ils avaient devant eux l'enfer avec ses flammes. »

Les sergents à pied, les plus éprouvés, sont les premiers à se rendre. Les chevaliers, encerclés avec leur roi sur la colline de Hattin, se lancent dans des charges folles. Un moment, leur vaillance désespérée manque de changer le sort de la bataille et ils arrivent jusqu'à la tente de Saladin. Mais ils ne sont plus que cent cinquante sur les sept cents partis au combat. La défaite est consommée.

Raymond III et Balian d'Ibelin s'ouvrent un couloir au milieu des troupes musulmanes et parviennent à s'échapper.

Selon le continuateur de l'*Histoire des Croisades* : « Il est impossible de voir en cela une trahison. Par sa charge furieuse Raymond III avait seulement sauvé du désastre général et de l'inévitable captivité une partie de l'armée, les éléments mêmes qui conservèrent aux Francs Tyr et Tripoli et commencèrent par la suite la reconquête du reste du littoral. »

La fin d'un orgueilleux soudard

Guy de Lusignan, Renaud de Châtillon et Gérard de Ridefort sont conduits sous la tente de Saladin. Le roi franc, épuisé par la soif, manque de s'évanouir. Saladin le fait asseoir près de lui et lui tend un gobelet d'eau de rose rafraîchie à la neige du mont Hermon, signe qu'il lui accorde la vie sauve. Guy passe le gobelet à Renaud de Châtillon. Son geste provoque la fureur de Saladin. Il reproche au roi de lui avoir donné à boire sans son autorisation et estime qu'il n'est pas tenu, par son geste, de l'épargner. Il reproche à Renaud ses traîtrises, ses manquements de parole. Renaud répond insolemment que tous les rois agissent ainsi et, comme Saladin lui demande ce qu'il adviendrait de lui s'il le tenait en son pouvoir, l'orgueilleux seigneur répond : « Si Dieu me l'accordait, je te couperais la tête. » Alors Saladin tire son sabre, lui tranche l'épaule ; ses gardes l'achèvent.

S'il se montra clément avec le reste des Francs, le Kurde fit exécuter tous les Templiers et Hospitaliers, et, puisqu'ils étaient moines et soldats, il chargea de cette besogne de saints personnages de l'Islam.

« Il y avait dans l'armée musulmane un groupe de volontaires, gens de mœurs pieuses et austères, dévots, soufis, hommes de loi et initiés à l'ascétisme et à l'instruction mystique. Chacun d'eux demanda la faveur d'exécuter un prisonnier, dégaina son sabre et retroussa ses manches. Le sabre des uns tailla et trancha à merveille, on les remercia ; le sabre des autres resta réfractaire et émoussé, on les excusa ; d'autres furent ridicules, on les remplaça. »

Seuls deux chevaliers demeurent à Jérusalem pour défendre la ville, et la Vraie Croix est aux mains des Infidèles.

La clémence bien comprise de Saladin

Les Francs avaient cessé d'exister en tant que puissance militaire. Sur les quelque treize mille guerriers qui avaient combattu à Hattin, un millier environ échappèrent au massacre ; le reste, laissé sans sépulture, continua de pourrir dans ses armures rouillées pendant un an au pied des Cornes de Hattin.

« Les villes, châteaux forts, fortins, nous dit Josuah Prawers, étaient vides de garnisons ; toutes avaient été envoyées au carnage. Il semble que seuls les vieillards, les femmes et les enfants étaient restés dans les agglomérations. Même les places fortes dont les garnisons n'avaient pas été exterminées n'étaient plus en mesure de se défendre. »

Très habilement, Saladin se fit ouvrir les portes des villes et des châteaux en offrant aux vaincus le choix de partir en emportant leurs biens ou de rester. Seuls les chrétiens orientaux demeurèrent en place, acceptant le statut de protégés, de *dhimmis*, qu'ils connaissaient déjà.

« Lorsque des Francs se reprirent, il était trop tard. Pour récupérer les territoires si facilement tombés aux mains de Saladin, une entreprise gigantesque fut nécessaire qui absorba les forces vives de l'Europe chrétienne durant des années. »

Le lendemain de Hattin, Tibériade capitule, puis Nazareth, Naplouse et Acre où il n'y a plus un seul chevalier. L'église de Sainte-Marie est transformée en mosquée. Sidon se rend. Beyrouth ne résiste que huit jours, et ses habitants, avec ce qu'ils peuvent emporter, gagnent Tyr. Saladin rêve d'entrer à Jérusalem, comme jadis le calife Omar, sans avoir à tirer l'épée. Mais Ascalon lui barre le passage. Il fait venir de Damas où ils sont détenus Guy de Lusignan et le grand Maître des Templiers qu'il a épargnés, puis propose aux bourgeois d'Ascalon de les échanger contre la reddition de la ville. Ils refusent avec hauteur et ce n'est que lorsque les balistes ébranlent les murailles qu'ils capitulent. Le 20 septembre 1187, après avoir rasé les églises du mont des Oliviers, de Gethsémani et de Sainte-Marie de Sion, Saladin, avec toutes ses forces, investit Jérusalem.

Balian II, sire d'Ibelin, a échappé au désastre en compagnie de Raymond III. Muni d'un sauf-conduit de Saladin, il a pu se rendre à Jérusalem où se trouvent son épouse et ses enfants.

Le patriarche et les habitants, affolés, le supplient de prendre le commandement de la ville. Avec l'afflux des réfugiés, elle est passée de vingt mille habitants à soixante-dix mille et, sans espoir d'être secourue, risque la famine. Il accepte, à condition d'avoir tous pouvoirs et d'être reconnu comme seigneur de la ville, c'est-à-dire roi de Jérusalem bien que Sibylle soit toujours là. Mais elle participe à ce point au discrédit de son époux qu'elle n'est même pas consultée.

Ibelin n'a pas d'armée. Il en crée une, adoubant chevaliers tous les fils de nobles à partir de l'âge de quinze ans, tous les bourgeois d'une certaine condition et leurs enfants. Une nouvelle noblesse vient de naître qui sauvera l'honneur des Francs. Une bien curieuse armée d'enfants flottant dans des armures trop larges et de bons bourgeois à l'étroit dans des cottes de mailles qui n'avaient pas été faites pour eux. Mais ils sont décidés à combattre et ils le feront si bien qu'ils étonneront le monde.

Saladin ne veut pas d'un siège qui détruirait une ville que vénèrent autant les musulmans que les chrétiens. Aussi propose-t-il aux habitants de Jérusalem une capitulation honorable. Non seulement ils refusent, mais ils surprennent l'avant-garde ennemie, la mettent en déroute et tuent l'émir qui la commandait.

Tous les fidèles de Mahomet, tous les chrétiens d'Orient ont désormais le regard tourné vers Jérusalem. On ne se bat pas seulement pour une ville ou un royaume. C'est Allah qui se mesure au Christ. Le *Djihad* déclenché par Saladin a pour objectif ultime, avec la prise de la Ville sainte, la fin du pouvoir chrétien sur tout le pays. Les assiégés sont possédés de la même ardeur religieuse. Eux aussi défendent plus qu'une ville, leur Dieu qui ne saurait les abandonner et qu'ils ne peuvent trahir.

Saladin se résout au siège et tente une attaque au nord-ouest, entre l'ancienne porte Saint-Etienne et la citadelle, la tour de David. Repoussé, il met en action ses machines de guerre. Selon des sources musulmanes : « Il se livra les combats les plus acharnés qu'aucun homme ait jamais vus. Chaque combattant des deux armées regardait la lutte comme un acte religieux et une obligation indispensable. Résignés partout à la conquête musulmane, les Francs firent preuve d'un mordant qui se manifestait ici par d'incessantes contre-attaques. Ils faisaient chaque jour une sortie en groupe ou bien isolément. Tous les assauts des musulmans échouèrent avec de lourdes pertes contre les ouvrages de défense qu'Ibelin avait remis en état et que garnissait la population tout entière. »

Saladin dispose d'une telle supériorité en hommes et, grâce à ses machines de guerre, d'une telle puissance de frappe que la chute de la ville est inévitable. Chevaliers et bourgeois décident de tenter une sortie en masse. Le patriarche Héraclius, qui tremble pour sa vie autant que pour ses biens, les en dissuade. Selon le patriarche, les chrétiens orientaux qui composent la plus grande partie de la population et qui haïssent les Latins envisageraient de passer du côté de Saladin.

Dans une entrevue avec le sultan, Balian d'Ibelin

lui offre de capituler en échange de la libre sortie des défenseurs. Saladin refuse. On l'a obligé à combattre et il exige une reddition sans conditions sinon, il prendra la ville d'assaut et la population subira le sort des musulmans exterminés par Godefroi de Bouillon. Le chroniqueur musulman Ibn-al-Athir nous rapporte le discours que prononça Balian et qui rappelle celui que, quelques siècles plus tôt, Eléazar avait tenu aux derniers défenseurs de Massada.

« Quand nous verrons que la mort est inévitable, nous tuerons nos fils et nos femmes, nous brûlerons nos richesses et nos meubles, nous ne vous laisserons pas un dinar ou un dirham à piller, ni un homme ou une femme à réduire en captivité. Quand nous aurons terminé cette œuvre de destruction, nous renverserons la Qubbat-al-Sakhra et le Masjid-al-Aqsa et les autres lieux de l'islamisme. Après quoi, nous massacrerons les cinq mille prisonniers musulmans que nous possédons et nous égorgerons jusqu'au dernier toutes nos bêtes de somme et tous nos animaux. Enfin, nous sortirons tous à votre rencontre. Après il ne sera pas tué un seul d'entre nous qui n'ait auparavant tué plusieurs des vôtres. Nous mourrons couverts de gloire ou nous vaincrons. »

Saladin connaît Ibelin, l'apprécie et sait qu'il tiendra parole. Il convient avec lui que la population de Jérusalem pourra se racheter à raison de dix besants par homme, cinq pour les femmes et un pour les enfants. Saladin avait réclamé des rançons plus élevées, mais Balian lui avait fait valoir combien la population était misérable. Saladin offre alors de libérer toute la population pour cent mille besants. Balian ne peut obtenir cette somme des Ordres militaires et du patriarche ; il réunit seulement trente mille besants qui permettront de libérer sept mille pauvres.

Les seize mille chrétiens incapables de se racheter sont abandonnés comme esclaves par la faute des

Templiers et des Hospitaliers. Il fallut que les bourgeois menacent le grand Maître de l'Hôpital de livrer ses trésors à Saladin pour qu'il entrouvre sa bourse. Les captifs chrétiens seront si nombreux que, sur les marchés de Syrie, l'un d'eux sera échangé contre une paire de sandales.

Le 2 octobre, les troupes de Saladin occupent la citadelle et ses tours. Une fois versés les trente mille besants, les sept mille pauvres peuvent sortir. Héraclius, honteux, rachète la liberté de sept cents d'entre eux et le frère de Saladin accorde la libération à mille autres. Les chrétiens orientaux sont autorisés à rester à condition de payer la capitation ; ils achèteront aux Francs, à bas prix, les biens qu'ils ne peuvent emporter. Quatre prêtres latins pourront résider au Saint Sépulcre.

Héraclius avait entassé dans des chariots orfèvrerie, tapis, vases d'or et les plus riches ornements des sanctuaires. Le sultan préfère fermer les yeux sur ce pillage de biens qui, par le droit des vainqueurs, lui appartenaient. Des fanatiques lui ont demandé de raser les sanctuaires chrétiens et de détruire le Saint Sépulcre. Omar ne l'avait pas fait, leur dit-il ; pourquoi agirait-il différemment ? En dehors du souci qu'il avait de son personnage, Saladin estimait qu'en maintenant le culte au Saint Sépulcre et en quelques autres lieux, des pèlerins chrétiens viendraient nombreux et enrichiraient son trésor.

Allah fut le plus grand

« Au cours d'une grande cérémonie, nous raconte Ibn-al-Athir, la grande croix dorée que les Francs avaient élevée en haut du dôme de la Qubbat-al-Sakhra fut abattue devant toute l'armée de Saladin et aussi devant la population franque qui partait pour l'exil. Quand la croix tomba, toute l'assistance, tant les Francs que les musulmans, poussa un grand cri. Les musulmans criaient : "Allah est grand", les Francs poussaient un cri de douleur. Ce fut une clameur si grande que la terre en fut ébranlée. On anéantit toutes les traces de christianisme qu'on trouva dans le Masjid-al-Aqsa et dans la Sakhra et on purifia la Sakhra avec de l'eau de rose. Quant à l'église du Saint Sépulcre, on la ferma ; on ne l'ouvrit que plus tard, après avoir fixé la somme qu'auraient à payer les pèlerins francs. »

Les exilés de la ville, rassemblés dans un camp aux portes de Jérusalem, partirent en trois convois placés sous les ordres des Templiers, des Hospitaliers et de Balian d'Ibelin.

Ils furent mal accueillis. Un des convois arrivant en terre chrétienne au Liban fut entièrement dépouillé par un seigneur-brigand. Tripoli leur ferma ses portes. Ils finirent par trouver asile dans la principauté d'Antioche.

« L'expulsion des Latins hors de la Ville sainte, nous dit Grousset, profita au moins à l'élément grec et à l'élément juif. Les Grecs se hâtèrent de réclamer la situation prépondérante dont ils avaient bénéficié avant l'arrivée de la première croisade. L'empereur Isaac l'Ange envoya en ce sens à Saladin une ambassade de félicitations demandant que le Saint Sépulcre et toutes les autres églises chrétiennes de la ville fussent remises à des prêtres grecs nommés par son gouvernement et qu'il y eût contre les Francs une alliance entre les deux Empires. »

Depuis juillet 1099, les Byzantins faisaient secrètement des vœux pour la défaite des Latins. Plutôt l'Islam que Rome à Jérusalem, disaient-ils.

Comme les Grecs orthodoxes, les juifs furent bénéficiaires du désastre franc. Le poète juif espagnol Jehuda-al-Harizi nous dit que la conquête de Jérusalem par les musulmans fut suivie d'une véritable immigration juive facilitée par Saladin. « Le sage et vaillant chef d'Ismaël [Saladin], écrit-il à la suite d'une visite qu'il fit en 1216-1217, après avoir pris Jérusalem fit proclamer par toute la contrée qu'il recevrait et accueillerait toute la race d'Ephraïm, de quelque part qu'elle vînt. Aussi de tous les coins du monde, nous sommes venus y fixer notre séjour et nous y demeurerons heureux, à l'ombre de la paix. »

Au début de l'an 1190, il ne subsistait du royaume de Jérusalem que Tyr, défendue par le marquis de Montferrat, du comté de Tripoli et de la principauté d'Antioche que leurs capitales encerclées, auxquelles il faut ajouter la citadelle de Tortose et le Krak des Chevaliers. A l'exception d'un court intermède, Jérusalem était vouée pour neuf siècles à l'Islam.

L'empereur Barberousse se noie, Richard Cœur de Lion et Philippe Auguste prennent la Croix

La défaite de Hattin et la prise de Jérusalem ébranlèrent la Chrétienté. Le pape Urbain III, malade, en mourut. L'empereur Frédéric Barberousse sera le premier à prendre la Croix.

Une partie de l'armée impériale emprunte le Danube tandis que le gros des troupes longe la terre. Inquiet, le *basileus* Isaac II s'allie avec Saladin et en échange réclame Jérusalem. Il espère ainsi en finir avec les croisades qui ravagent son territoire sous prétexte de récupérer la Ville sainte. Pour se concilier le sultan, Isaac ira jusqu'à rétablir le culte musulman à Constantinople.

L'armée allemande descend vers le sud, passe le Taurus après s'être frayé un passage en terre byzantine. Elle est aux portes de la Terre sainte et rien n'est en mesure de lui résister lorsque l'empereur se noie le 10 juin 1190 dans le Calcédanos.

La croisade se termine avec la disparition de son chef tandis que de leur côté les débris de l'armée croisée tentent en vain de prendre Acre. Désormais, Guy de Lusignan et Sibylle, tenus pour responsables de la perte de Jérusalem, sont tenus à l'écart de toutes les décisions, de toutes les expéditions. Ils paient durement leur légèreté et, comme des mendiants, se cherchent un riche protecteur qui leur donnerait asile.

Philippe Auguste et Richard Cœur de Lion, qui vient de succéder à son père Richard II, prennent la Croix à Vézelay. Ils sont en guerre et se haïssent. Cette croisade donnera naissance à l'épopée de Richard, un roi d'Angleterre qui ignore l'anglais, ne mit les pieds que six mois dans son royaume et qui étonnera et séduira toute la chevalerie d'Occident par ses actes de courage, ses aventures et son peu de raison.

Le bateau transportant Jeanne Plantagenêt, sa sœur, et Bérangère de Navarre, sa fiancée, est drossé par la tempête sur la côte de Chypre et capturé par Isaac Comnène. Richard débarque à Limassol, prend Chypre, l'annexe par droit de conquête et épouse Bérengère.

Il cingle vers la Terre sainte, coule au passage un navire musulman et débarque avec toute son armée devant Acre toujours assiégée. « Les eaux de la mer avaient conclu alliance avec les fils de l'Enfer contre l'Islam », disent les chroniqueurs musulmans.

Philippe Auguste le rejoint et la ville capitule malgré tous les efforts de Saladin. Les deux rois ne s'entendent que pour marier la jeune sœur de Sibylle à Conrad de Montferrat qui a sauvé Tyr. A la mort de Lusignan, toujours roi en titre, Conrad héritera de la couronne.

L'armée franque part à la reconquête de Jérusalem en traînant les pieds. L'armée de Saladin, qui à Arsulf tente de s'y opposer, est écrasée sous les charges folles de Richard et de ses paladins. Jaffa est atteint. Au lieu de profiter du désarroi des troupes turques, les croisés s'y arrêtent, ce qui permet au sultan, en toute hâte, de réparer les fortifications de Jérusalem, d'élargir l'enceinte qui englobe le mont Sion et les églises. Partout ailleurs il pratique la tactique de la terre brûlée, incendiant les récoltes et détruisant des villes comme Ascalon et la forteresse de Latrun.

A Jaffa on s'ennuie, à Acre, où l'on a fait le plein de filles de peu de vertu, on s'amuse et Richard, qui a toujours préféré la guerre à d'autres plaisirs, doit aller en personne récupérer ses déserteurs.

Jérusalem est à portée des croisés. Mais les Templiers, les Hospitaliers et les « poulains » s'y opposent. A quoi bon prendre une ville, disent-ils, si on ne peut la défendre et la peupler ? Autre danger : si les croisés ont la possibilité de se rendre à Jérusalem pour y faire leurs dévotions, ils ne penseront plus qu'à rentrer chez eux et ne se soucieront pas de la reconquête des territoires perdus.

Richard et Saladin : naissance d'un mythe

Richard entretient d'excellentes relations avec Malik al-Adil, frère de Saladin, gouverneur de Jérusalem. Il souhaite obtenir de lui un accord rapide, car la croisade commence à lui peser.

Le texte de la lettre qu'il lui écrit pour qu'il la transmette à son frère et la réponse que lui fait Saladin fixent pour des siècles les positions des croisés, puis de ceux qui leur succéderont, les Israéliens, face aux musulmans.

Lettre de Richard Cœur de Lion : « Les nôtres et les vôtres sont morts, le pays est en ruine et l'affaire nous a complètement échappé, à nous tous. Ne crois-tu pas que cela suffit ? En ce qui nous concerne, il n'y a que trois sujets de discorde : Jérusalem, la Vraie Croix et le territoire. S'agissant de Jérusalem, c'est notre lieu de culte et nous n'accepterons jamais d'y renoncer même si nous devions nous battre jusqu'au dernier. Quant à la Croix, elle ne représente pour vous qu'un bout de bois alors que, pour nous, sa valeur est inestimable. Que le sultan nous la donne et qu'on mette fin à cette lutte épuisante. »

Réponse de Saladin : « La Ville sainte est autant à nous qu'à vous ; elle est même plus importante pour nous, car c'est vers elle que notre Prophète a accompli son miraculeux voyage nocturne et c'est là que notre communauté sera réunie le jour du Jugement dernier. Il est donc exclu que nous l'abandonnions. Jamais les musulmans ne l'admettraient. Pour ce qui est du territoire, il a toujours été le nôtre, et votre occupation n'est que passagère. Vous avez pu vous installer en raison de la faiblesse des musulmans qui alors le peuplaient, mais tant qu'il y aura la guerre, nous ne vous permettrons pas de jouir de vos possessions. Quant à la Croix, elle représente un grand atout entre nos mains, et nous ne nous en séparerons que si nous obtenons, en contrepartie, une concession importante en faveur de l'Islam. »

Richard Cœur de Lion croit trouver une solution pour le moins originale. Il propose à Malik al-Adil un traité de paix aux termes duquel Jeanne, sa sœur, l'épousera ; le couple recevra la région côtière et résidera à Jérusalem. Les membres du clergé latin officieront au Saint Sépulcre, le Haram-el-Sherif étant réservé au culte musulman. Jeanne fait savoir qu'elle ne convolera jamais avec un musulman. Richard proposera, ce qui lui semble ne poser aucun problème, que Malik se convertisse au christianisme. Malik ne veut rien entendre.

Richard en est là de ses beaux projets quand il

apprend que son frère Jean sans Terre vient de s'emparer de son royaume. Laissant trois cents chevaliers et deux mille fantassins, il s'embarque pour l'Angleterre.

Alors qu'on se disposait à couronner enfin Conrad de Montferrat, il est assassiné par deux Ismaéliens, deux *fidawis* du Vieux de la Montagne. Saladin et Richard furent accusés d'avoir organisé ce meurtre qui les servait l'un et l'autre. On choisit pour le remplacer Henri de Champagne, neveu à la fois de Richard et de Philippe Auguste. Il eut le bon goût ou la prudence de ne jamais porter le titre de roi de Jérusalem. Quant à Lusignan, dont on ne sait plus que faire, Richard l'installe dans l'île de Chypre qu'il avait déjà vendue aux Templiers.

Saladin meurt épuisé à Damas le 2 mars 1193 dans sa cinquante-cinquième année. Ses trois fils et ses frères se partagent son Empire, se trahissent, s'assassinent. Le vainqueur sera le frère cadet de Saladin, Malik al-Adil, à qui Richard Cœur de Lion avait proposé de devenir son beau-frère.

Malgré les moyens considérables dont elle a disposé, la troisième croisade a été un échec. La quatrième croisade, qui visait à s'emparer de l'Egypte, n'obtient pas de meilleurs résultats. Jérusalem reste toujours à prendre. Jean de Brienne, successeur de Henri de Champagne, roi de Jérusalem sans capitale, donne en mariage sa fille Isabelle à l'empereur d'Allemagne, Frédéric II de Hohenstaufen, roi de Sicile. Il renonce en sa faveur ou en faveur de l'héritier qui naîtra (le futur Conrad IV) à tous ses droits sur le royaume de Jérusalem.

Le pape Grégoire IX, qui a manigancé cette union, espère ainsi décider Frédéric à prendre la tête de la future croisade. On l'attend en Terre sainte au printemps de 1221 ; il n'arrivera que huit ans plus tard.

A la mort de Malik al-Adil, l'Empire ayyubide est à nouveau déchiré entre ses fils. Malik al-Kamel, qui a obtenu l'Egypte, en lutte avec ses frères, cherche des alliés même hors de l'Islam et il envoie l'émir Fakhreddin auprès de l'empereur Frédéric. Divine surprise, cet étrange empereur, élevé en Sicile, parle, écrit l'arabe, a toutes les faiblesses pour l'Orient civilisé. Il est mauvais chrétien, en conflit avec le pape, s'entoure d'Arabes et sa garde est musulmane. Enfin, on peut entendre à Palerme le chant du muezzin.

Fakhreddin est séduit. L'empereur et le sultan entretiennent par son entremise des relations de plus en plus étroites. Aussi peu religieux l'un que l'autre, ils disputent d'Aristote et des philosophes grecs. Le sultan est las comme Frédéric de ces guerres religieuses et lui offre de régler « amicalement et raisonnablement » le problème de Jérusalem quand il viendra en Orient. Il compte aussi sur son aide pour se débarrasser de son frère.

On rassemble des fonds et des hommes ; les ports sont engorgés. Mais l'empereur ne bouge pas, occupé à ses secrètes transactions avec le sultan d'Egypte. Le pape s'impatiente ; la Terre sainte attend toujours l'empereur, régent de Jérusalem au nom de son fils qui en est roi.

Furieux, le pape, en novembre 1227, excommunie l'empereur et c'est en excommunié que Frédéric II prend enfin la mer. On l'attend avec une armée ; il arrive suivi d'une centaine de chevaliers tandis que le bruit de ses contacts avec le « Barbaresque » commence à se répandre. Ses envoyés auraient rencontré ceux du sultan près de Haïfa.

A Acre, l'hiver approchant, la tension ne cesse de monter parmi les troupes livrées à l'inactivité. Pour tout compliquer, deux franciscains, envoyés spécialement par le pape, viennent placarder la bulle d'excommunication de l'empereur.

Les ordres militaires Templiers et Hospitaliers ne sont plus tenus de lui obéir, mais les chevaliers teutoniques lui restent fidèles.

Frédéric II, l'excommunié à Jérusalem

Le 11 février 1229, Frédéric publie les clauses de l'accord qu'il a passé avec le sultan. En échange d'un traité d'alliance de dix ans, le sultan remet à l'empereur Jérusalem dont il pourra faire ce que bon lui semble, reconstruire ses fortifications et repeupler la ville quasiment déserte. Est exclu de l'accord le Haram-el-Sherif avec la mosquée d'Al Aqsa et la mosquée d'Omar. Des gardes musulmans en détiendront les clefs et les muezzins pourront y faire entendre l'appel à la prière. L'accès n'en est pas interdit aux chrétiens à condition de s'y bien comporter et d'enlever leurs chaussures avant de pénétrer dans les sanctuaires. Bethléem redevient chrétienne. Sidon et toute la zone chrétienne, de Beyrouth à Jaffa, passent sous le contrôle des Francs ainsi que Nazareth et la route qui permet de s'y rendre à partir d'Acre. Enfin, tous les prisonniers sont rendus. Frédéric II envoie une lettre à tous les souverains occidentaux pour se vanter des résultats obtenus.

« Il [l'empereur] unit le cœur des peuples. Car en quelques jours, alors que depuis si longtemps de nombreux princes et des grands de ce monde n'avaient pu en voir la fin, cette affaire s'est miraculeusement terminée et sans forces nombreuses ni terreur... » (Lettre à Henri III d'Angleterre).

Le patriarche Gérolde refuse de rencontrer l'empereur excommunié et proclame : « Puisque les musulmans conservent toujours la mosquée d'Omar et qu'il leur est permis aussi de faire entendre les lois de leur religion, puisque la cité de Jérusalem n'a pas été intégralement rendue au culte chrétien, nous avons résolu de nous abstenir de purifier les églises et d'y célébrer la messe. »

L'empereur fait savoir au sultan son intention de se rendre dans la Ville sainte. Si tout l'Islam s'est ému du traité dont, heureusement, il ne connaît pas toutes les clauses, les habitants musulmans de Jérusalem se révoltent quand la garnison leur donne l'ordre de quitter la ville. Les imams appellent sans succès à la révolte. Le cadi les fait bâtonner.

Frédéric II et son cortège pénètrent dans Jérusalem déserte ; les murailles sont en ruine, la tour de David et le palais des rois de Jérusalem ne valent pas mieux. Si le patriarche et la majorité des prélats ont refusé de l'accompagner, en revanche tous les pèlerins l'ont suivi. Ils vont enfin pouvoir prier au Saint Sépulcre, faire leur pèlerinage dans la Ville sainte et rentrer chez eux auréolés d'une gloire qui ne leur aura coûté que les fatigues du voyage. Toutes les églises sont fermées à l'exception du Saint Sépulcre et quand chevaliers et pèlerins y pénètrent saisis par l'émotion, du Haram-el-Sherif monte l'appel à la prière du muezzin. Ce qui est d'un effet déplorable.

L'ordre pourtant avait été donné par le sultan que, tant que l'empereur se trouverait à Jérusalem, les muezzins devraient se taire. Bien au contraire, ils firent entendre la sourate sacrilège aux yeux des chrétiens.

« O vous qui avez reçu les Ecritures, ne dépassez pas la mesure juste dans votre religion. Le Messie Jésus n'est que le fils de Marie, l'envoyé de Dieu et non son fils, qu'il déposa en Marie. Croyez donc en Dieu et en son envoyé, mais ne dites pas qu'il y a une Trinité ; abstenez-vous-en, cela vous sera plus avantageux. Dieu est unique, Dieu ne saurait avoir un fils, cela est indigne de lui... »

Seul l'empereur n'est pas surpris. Ses serviteurs, ses gardes venus avec lui de Sicile et qui sont musulmans, se tournent vers La Mecque et s'agenouillent pour prier. L'empereur, vêtu des habits royaux, pénètre alors dans le sanctuaire, dépose sur l'autel sa couronne d'or, l'y laisse un instant, la reprend et la replace sur sa tête, puis ressort, estimant en avoir assez fait. Aucune cloche ne sonnera ; aucune messe ne sera célébrée, et le seul office autorisé se déroulera hors les murs.

Furieux, l'empereur décide de quitter la Ville sainte : « En grand péril laissa Frédéric les chrétiens en la sainte cité de Jérusalem, car elle était toute déclose et sans fermeture. »

De retour à Acre, il réunit hors de la ville croisés et pèlerins auxquels il ordonne de quitter les lieux.

« Alors, les arbalétriers impériaux occupèrent les portes de la ville et les soldats prirent position à tous les points stratégiques. On occupa les toits des hautes églises qui dominaient les environs et des détachements armés s'emparèrent de l'accès du quartier fortifié du Temple, énorme forteresse dans l'angle sud-ouest de la ville, près du port, au voisinage du quartier pisan à l'est, génois au nord, tous deux alliés de Frédéric... D'autres détachements isolèrent le quartier du patriarche. »

De son côté, le patriarche Gérolde, disposant d'un trésor légué par Philippe Auguste, s'efforce de recruter une armée. On se bat dans les rues d'Acre. Au mois d'avril, les bateaux partis de Sicile arrivent et, le 1er mai 1229, l'empereur s'embarque sur la galère royale, près de la rue de la Boucherie, insulté par les tripiers, les vieilles femmes et les mendiants.

« Que jamais il ne revienne ! » décrète le patriarche. Frédéric II n'est jamais revenu, pour le malheur de Jérusalem.

Jérusalem restera chrétienne dix ans. Le pape Grégoire IX, qui s'est réconcilié avec l'empereur, a levé l'interdit et le culte est à nouveau célébré. Mais on ne se soucie pas de relever les fortifications de la ville à l'exception de la citadelle, sorte de château fort doté d'un donjon et tenu par les Impériaux. La Ville sainte a perdu son intérêt politique aux dépens d'Acre où se trouve le siège du patriarcat, des grands Ordres militaires et de la Haute Cour.

On ignore tout de la population chrétienne qui s'y réinstalle ; quelques milliers d'hommes et de femmes dans le quartier du Patriarche, près du Saint Sépulcre et de la citadelle, le Haram-el-Sherif restant aux mains des musulmans.

Quand Jérusalem sera attaquée, les habitants se réfugieront dans la citadelle où ils résisteront trois semaines. Puis ils s'enfuiront, gagnant les villes de la côte pour en revenir quand la paix sera rétablie. Les malheurs de Jérusalem ne sont pas terminés.

Les Ayyubides de Syrie, descendants de Saladin, s'allient aux Francs qui en échange réclament le Haram-el-Sherif, l'esplanade du Temple laissés aux musulmans. Ceux-ci l'évacuent de très mauvais gré. L'historien Ibn Wasil qui passe par Jérusalem est horrifié. Les prêtres chrétiens disent la messe dans la mosquée d'Omar et se servent de burettes de vin en ce lieu sacré. A Al Aqsa où les Templiers ont récupéré leurs anciens locaux, ils font sonner les cloches et parlent de fortifier la ville.

Devant le danger qui le menace, le sultan d'Egypte en est réduit à faire appel aux Khwarizmiens, des Turcs chassés de leur pays par les Mongols et qui vivent depuis en bandes, se louant au plus offrant. Ce sont d'abominables pillards, redoutés pour leur sauvagerie, leur cruauté, mais appréciés pour leur courage.

Les Khwarizmiens ravagent les environs de

Damas, puis lancent un raid sur Jérusalem. La ville, à part la citadelle, n'est toujours pas fortifiée. Le 11 juillet 1244, le dernier gouverneur chrétien, le *baile* impérial, est tué au cours d'une tentative de sortie. Selon le récit du Maître des Hospitaliers, les sept mille habitants escortés de quelques chevaliers traversent une zone peuplée de musulmans qui les attaquent. Voyant flotter les bannières sur Jérusalem et croyant que la ville a été reprise, ils rebroussent chemin.

En réalité, les Khwarizmiens ont découvert les bannières et les ont eux-mêmes hissées sur la citadelle. Les chrétiens seront massacrés, les prêtres qui n'ont pas voulu abandonner le Saint Sépulcre décapités sur les marches du sanctuaire. Les églises seront détruites, le Saint Sépulcre saccagé, les tombes des rois francs violées et leurs ossements dispersés.

Les Khwarizmiens laissent derrière eux Jérusalem désertée, pour rejoindre à Gaza l'armée du sultan d'Egypte qui se dispose à écraser les croisés et leurs alliés damascènes.

Quand Jérusalem tombera sous la coupe des Mamelouks d'Egypte, après avoir subi un raid mongol, elle n'aura plus que deux mille habitants dont trois cents chrétiens.

Les Mamelouks dans la Ville sainte

L'occupation des Mamelouks durera de 1250 à 1517. Juifs et chrétiens sont soumis à des mesures vexatoires. Ils sont obligés de porter des vêtements jaunes pour les juifs, bleus pour les chrétiens et de payer un lourd tribut. Ils ne peuvent monter que sur des mulets ou des ânes et les maisons qu'ils construisent ne doivent pas dépasser celles des fidèles du Prophète.

Beaucoup de chrétiens s'enfuient et un pèlerin déclare n'avoir trouvé dans tout Jérusalem que deux moines. Il y a moins de huit mille juifs dans toute la Palestine, une poignée à Jérusalem. Les Mamelouks auront cependant le mérite d'orner la ville de riches constructions, surtout des médersas, institutions religieuses vouées à l'étude et dotées de revenus propres. Leurs façades en retrait de la rue sont constituées de pierres de différentes couleurs alternées, noir et blanc, rouge et blanc, et de « stalactites » qui se combinent harmonieusement avec le décor en remplissant les voûtes des porches.

On peut encore admirer quelques-unes de ces médersas dans la grande rue qui traverse la Vieille Ville de la porte de Jaffa au mont du Temple : la Tashtomurieyyeh, à mi-chemin, et, à l'entrée du Haram-el-Sherif, la Tankiziyyeh. Entre elles, la ravissante petite tombe d'une princesse turque, le Turbeh de Turkan Khatoum et la fontaine se trouvant sur l'esplanade, près de la porte de la Chaîne.

Soliman le Magnifique, amoureux de Jérusalem

De 1517 à 1917, les Ottomans occuperont Jérusalem. Soliman le Magnifique, en 1540, fera construire sur les anciennes fortifications un mur neuf et restaurera les portes. Une construction que l'on prête au fameux architecte militaire Sinan, mais dont on ne voit pas très bien l'intérêt. Une défense de la ville ? A quoi bon, puisque la paix ottomane régnait. Plutôt un décor, un écrin qui enserrerait Jérusalem pour mieux la faire valoir.

Ces murailles que l'on voit encore aujourd'hui ont gardé fière allure. Elles ont ce mérite d'avoir défendu l'ancienne Jérusalem contre l'invasion des buildings, des autoroutes, des centres commerciaux qui, aujourd'hui, à l'est comme à l'ouest, l'encerclent comme pour mieux l'étouffer.

On doit encore à Soliman, qui semble avoir porté à Jérusalem un amour particulier, la restauration de la façade du Dôme du Rocher, improprement appelée mosquée d'Omar. La merveilleuse mosaïque qui revêtait les murs extérieurs depuis le VIe siècle, date de sa construction, avait été réduite en poussière. Il la remplaça par des carreaux de faïence polychromes sans toucher à l'intérieur demeuré en bon état.

La ville est devenue exclusivement musulmane ; elle n'est plus qu'une dépendance du pachalik de Damas. A la fin du XVIIIe siècle, musulmans, chrétiens et juifs réunis (dont mille deux cents juifs originaires d'Espagne, du Maroc, d'Egypte) ne sont plus que onze mille, tous miséreux, spoliés par les Turcs, vivant d'aumônes et de la vente de bondieuseries.

Hormis les prêtres et les pèlerins, ne s'y intéressent que les voyageurs romantiques, errant parmi les ruines, fumant le narguilé et maudissant la mauvaise tenue des lieux. Jérusalem devient prétexte à exercices littéraires. Certains ne sont pas sans mérite.

CHAPITRE XIV

GENS DE LETTRES A JÉRUSALEM

« Jérusalem était une ville horriblement sale, considérée comme sainte par toutes les religions sémites. Les chrétiens et les mahométans venaient en pèlerinage aux reliques de son passé ; quelques juifs voyaient en elle l'avenir politique de leur race. Ces puissances unies du passé et du futur étaient si fortes que la ville n'avait presque pas de présent. Ses habitants, à quelques rares exceptions près, étaient aussi dépourvus de caractère que des valets d'hôtel, et vivaient de l'afflux de visiteurs. L'idéal d'un nationalisme arabe leur était bien étranger ; pourtant le spectacle familier des dissentiments chrétiens avait conduit les diverses classes de Jérusalem à nous mépriser tous. »

Colonel T.E. Lawrence, *Les Sept Piliers de la sagesse*

Marco Polo y vint en quête d'huile sainte
pour un khan mongol...

L'un des plus illustres pèlerins de Jérusalem sera le Vénitien Marco Polo, en 1287, alors que la ville était aux mains des musulmans. Encore ne faisait-il ce pèlerinage que pour le compte du grand Khan Khoubilaï qui, curieux des choses de la religion, lui avait demandé de lui rapporter un peu d'huile sainte que vendaient les gardiens du Saint Sépulcre. Marco Polo ne semble pas avoir gardé une impression particulière de la cité, ni de son voyage entre Jérusalem et Acre où il a débarqué et où il est revenu sans encombre. On ignore s'il fut mêlé au projet de certains rois croisés comme Saint Louis ou comme les Templiers qui souhaitaient s'allier aux Mongols contre l'Islam. En bon Vénitien, estimait-il que si les chevaliers francs avaient eu le mérite d'ouvrir au commerce les routes d'Orient, leur temps était révolu et qu'ils devaient laisser la place aux marchands ?

Les pèlerins sont nombreux, mais n'ont pas toujours bonne cote. Pour Thomas More, ami d'Erasme, la plupart d'entre eux ne font le voyage que par curiosité, par goût du tourisme dirait-on aujourd'hui, et non par piété ; ils recherchent de bons compagnons avec qui boire et converser le long de la route.

Et le moine Fabri en quête d'un bon chrétien

Le moine dominicain Félix Fabri vint à deux reprises à Jérusalem, en 1480 et 1483, et il nous donne une liste exhaustive des différents groupements religieux et humains qui l'habitent :

— Les Sarrasins, « qui sont des musulmans souillés par la lie des hérésies, pires que des idolâtres, plus dégoûtants que des juifs... Depuis leurs minarets, ils crient et hurlent nuit et jour selon les ordonnances de leur croyance maudite... Ils pratiquent la sodomie ».

— Les Grecs, « parmi lesquels, dans les anciens temps, on comptait des hommes de très grande érudition, mais qui sont devenus de monstrueux hérétiques et schismatiques... Ils croient à présent que le Saint-Esprit ne procède pas du Fils... Pire encore, ils disent que la fornication simple n'est pas un péché ».

— Les Syriens, « qui en réalité ne sont pas des chrétiens mais des enfants du diable, des menteurs, pour qui le vol n'est rien... Ils sont efféminés et absolument incompétents pour la guerre ».

— Les Jacobites, « qui vivent dans la méchanceté et circoncisent leurs enfants ».

— Les Nestoriens, « qui se sont laissés aller aux erreurs les plus grossières en ce qui concerne la mère de Dieu et son Fils ».

— Les Arméniens, « qui sont plongés dans diverses erreurs... Ils mangent de la viande le vendredi... et partagent l'erreur des Jacobites à propos du Christ ».

— Les Grégoriens, « qui ne sont chrétiens que de nom et sont infectés par presque toutes les erreurs des Grecs ».

— Les Maronites, « qui sont hérétiques et dénient au Christ une volonté et une énergie distinctes ».

— Les Bédouins, « qui sont les pires de tous et vénèrent le soleil ».

— Les Turcomans, « qui sont des vagabonds sauvages ».

— Les Mamelouks, « qui sont haïssables parce qu'ils sont des chrétiens renégats ».

— Les Juifs, « qui, parmi tous ceux-là, sont tenus pour maudits du fait que la misère et le mépris mérités qu'ils endurent engourdissent énormément leur compréhension de la vraie foi ».

Selon le Père Fabri, personne ne se souciait du régime politique imposé à Jérusalem. On savait seulement qu'il était turc et qu'il fallait en supporter les pénibles conséquences : taxes à tous les péages sur les routes, calculées selon l'humeur des gardiens, taxes aux portes de la ville, droit d'entrée à chaque visite au Saint Sépulcre. Pour ne pas offusquer les délicates oreilles musulmanes, les pèlerins n'osent, en pénétrant dans les Lieux saints, entonner le *Te Deum*. Ils ne font que le murmurer. Mais ils se rattrapent dans le Saint Sépulcre où ils sont pris d'une folle excitation, gémissent, soupirent et sanglotent, où « les femmes hurlent comme si elles allaient accoucher ».

Si notre dominicain juge les églises et couvents chrétiens sales et mal entretenus, en revanche il ne tarit pas d'éloges sur les mosquées et autres Lieux saints musulmans. Il est tout particulièrement impressionné par le Haram-el-Sherif, le Dôme du Rocher, et Al Aqsa qu'il n'a pu voir que de loin, l'accès étant interdit aux juifs et aux chrétiens.

Après Alexandre, Bonaparte

Pas plus qu'Alexandre, Bonaparte ne viendra à Jérusalem. On comprend Alexandre : la ville ne présentait à ses yeux aucun intérêt ; il était pressé de conquérir l'Egypte, et le Dieu d'Israël ne lui disait rien qui vaille. On ignore en revanche les raisons de Bonaparte après ses multiples déclarations. N'a-t-il pas écrit : « On allait traverser la Terre sainte. Les soldats se livrèrent à toutes sortes de conjectures. Tous se faisaient une fête d'aller à Jérusalem. Cette fameuse Sion parlait à toutes les imaginations et réveillait toute espèce de sentiments. Les chrétiens leur avaient montré dans le désert un puits où la Vierge, venant de la Syrie, s'était reposée avec l'enfant Jésus. Les généraux avaient comme drog-mans, intendants ou secrétaires un grand nombre de catholiques syriens qui parlaient un peu la langue franque ou un jargon d'italien : ils expliquaient aux soldats toutes les traditions de leurs légendes char-gées de superstitions. »

Alors qu'il séjourne à Khan-Younès, Bonaparte envisage de délivrer Jérusalem.

« Jérusalem était sur la droite de la route ; on espérait y recruter bon nombre de chrétiens et y trouver pour l'armée des ressources importantes... Toute l'armée se faisait une fête d'entrer dans cette Jérusalem si renommée ; quelques vieux soldats qui avaient été élevés dans les séminaires chantaient les cantiques et les complaintes de Jérémie que l'on entend pendant la semaine sainte dans les églises d'Europe. »

Bonaparte s'installe à Ramlah, à six heures de route et, dans la petite cellule blanchie à la chaux du couvent des Récollets, se fait lire les passages de la Bible qui ont trait à la Ville sainte.

Le lendemain, 2 mars 1799, il envoie en reconnais-sance une petite unité de cavalerie légère comman-dée par Eugène de Beauharnais, son beau-fils et aide de camp. Beauharnais n'est plus qu'à deux heures de Jérusalem ; il vient d'escalader une colline d'où il peut admirer, à la jumelle, la Ville sainte, ses mina-rets, ses remparts et la coupole d'or du Dôme du Rocher. Il s'en approche quand une estafette le rat-trape pour lui transmettre l'ordre de Bonaparte :

abandonner la reconnaissance et rentrer au plus vite à Ramlah.

Beauharnais sera le seul officier français qui aura vu Jérusalem. Bonaparte vient de remettre à plus tard sa conquête pour gagner Jaffa et le littoral.

Comme Bourienne s'étonne de sa décision, il s'attire cette réponse : « Jérusalem n'est point dans ma ligne d'opération ; je ne veux pas avoir affaire à des montagnards dans des chemins difficiles. Et puis, de l'autre côté du Mont, je serai assailli par une nombreuse cavalerie. Je n'ambitionne pas le sort de Cassius. »

Bonaparte voulait certainement évoquer Cestius Gallus dont il connaissait, à travers Flavius Josèphe, la débâcle dans des défilés proches de Lydda.

Faux prétexte : il ne risquait rien de la cavalerie turque. Le terrain n'était pas occupé entre Ramlah et Jérusalem comme l'avait prouvé la reconnaissance d'Eugène de Beauharnais.

Napoléon évoquera plus tard, dans ses écrits de Sainte-Hélène, la nécessité où il était de s'emparer d'abord de Jaffa. Mais une fois Jaffa prise, pourquoi se diriger vers Saint-Jean d'Acre ? On n'a jamais très bien compris ses raisons. Une délégation de chrétiens l'aurait supplié d'éviter Jérusalem pour épargner à leurs coreligionnaires et à leurs familles d'être massacrés par le gouverneur turc si l'on s'en prenait à la ville. Curieusement, celui-ci s'engageait à la rendre aux Français une fois Acre pris.

Bonaparte comptait s'emparer d'Acre en deux semaines. Il n'en fut rien.

Selon une autre hypothèse (*Bonaparte en Terre sainte*, Jacques Derogy, Carmel), « Bonaparte aurait tout simplement voulu éviter le risque d'une explosion émotive qui aurait pu ravager les rangs d'une armée déconfessionnalisée, au contact de l'ambiance mystique qui imprègne la Ville sainte ».

Bonaparte, en bon Corse, était superstitieux, mais pas à ce point. Il semblerait qu'à l'instar d'Alexandre, il n'ait prêté aucun intérêt à ces vestiges en ruine d'une gloire passée, sans valeur stratégique, qui n'auraient fait que l'encombrer pour la suite des opérations qu'il avait prévues et qui devaient aboutir à la prise de Constantinople.

Quant à recréer, comme on lui en a prêté l'intention, un Etat juif, c'était renier sa politique d'intégration totale des juifs à la nation française.

Chateaubriand, quatre jours à Jérusalem

L'un des plus illustres pèlerins « littéraires » sera Chateaubriand. Il a besoin pour couronner sa grande œuvre *Les Martyrs* d'avoir mis les pieds, au moins une fois, dans la Ville sainte. Il n'y restera que quatre jours, délai qu'il estime suffisant pour s'en faire une idée. Mais, en diplomate avisé, il saura se renseigner et nous donner de précieuses indications sur le régime que subissait Jérusalem en 1806.

« Jérusalem est attachée, on ne sait pourquoi, au pachalik de Damas. Il serait plus simple qu'elle dépendît d'Acre, qui se trouve dans le voisinage. Les Francs et les pères latins se mettraient sous la protection des consuls qui résident dans les ports de Syrie ; les Grecs et les Turcs pourraient faire entendre leur voix. Mais c'est précisément ce qu'on cherche à éviter. On veut un esclavage muet, et non pas d'insolents opprimés qui oseraient dire qu'on les écrase.

« Jérusalem est donc livrée à un gouverneur presque indépendant : il peut faire impunément le mal qu'il lui plaît, sauf à en rendre compte ensuite au pacha. Le pacha est lui-même le plus grand fléau des habitants de Jérusalem. On redoute son arrivée comme celle d'un chef ennemi. On ferme les boutiques ; on se cache dans des souterrains ; on feint d'être mourant sur sa natte, ou l'on fuit dans la montagne...

« Après avoir épuisé Jérusalem, le pacha se retire. Mais, afin de ne pas payer les gardes de la ville, et pour augmenter l'escorte de la caravane de La Mecque, il emmène avec lui les soldats. Le gouverneur reste seul avec une douzaine de sbires, qui ne peuvent suffire à la police intérieure, encore moins à celle du pays. L'année qui précéda celle de son départ, il fut obligé de se cacher lui-même dans sa maison pour échapper à des bandes de voleurs qui passaient par-dessus les murs de Jérusalem pour piller la ville.

« Les maisons de Jérusalem sont de lourdes masses carrées, fort basses, sans cheminées et sans fenêtres ; elles se terminent en terrasses aplaties ou en dômes, et elles ressemblent à des prisons ou à des sépulcres. Tout serait à l'œil d'un niveau égal, si les clochers des églises, les minarets des mosquées, les cimes de quelques cyprès et les buissons de nopals ne rompaient l'uniformité du plan. A la vue de ces maisons de pierre renfermées dans un paysage de pierres, on se demande si ce ne sont pas là les monuments confus d'un cimetière au milieu d'un désert.

« Entrez dans la ville, rien ne vous consolera de la tristesse extérieure : vous vous égarez dans de petites rues non pavées, qui montent et descendent sur un sol inégal et vous marchez dans des flots de poussière, ou parmi les cailloux roulants. Des toiles jetées d'une maison à l'autre augmentent l'obscurité de ce labyrinthe ; des bazars voûtés et infects achèvent d'ôter la lumière à la ville désolée ; quelques chétives boutiques n'étalent aux yeux que la misère ; et souvent ces boutiques même sont fermées, dans la crainte du passage d'un cadi. Personne dans les rues, personne aux portes de la ville ; quelquefois seulement un paysan se glisse dans l'ombre, cachant sous ses habits les fruits de son labeur, dans la crainte d'être dépouillé par le soldat ; dans un coin à l'écart, le boucher arabe égorge quelque bête suspendue par les pieds à un mur en ruine : à l'air hagard et féroce de cet homme, à ses bras ensanglantés, vous croiriez qu'il vient plutôt de tuer son semblable, que d'immoler un agneau. Pour tout bruit dans la cité déicide, on entend par intervalles le galop de la cavale du désert : c'est le janissaire qui apporte la tête du Bédouin, ou qui va piller le fellah.

Juifs et chrétiens, misérables et magnifiques

« Parmi les ruines de Jérusalem, deux espèces de peuples indépendants trouvent dans leur foi de quoi surmonter tant d'horreurs et de misères. Là vivent des religieux chrétiens que rien ne peut forcer à abandonner le tombeau de Jésus-Christ, ni spoliation, ni mauvais traitements, ni menaces de la mort. Leurs cantiques retentissent nuit et jour autour du Saint Sépulcre. Dépouillés le matin par un gouvernement turc, le soir les retrouve au pied du Calvaire, priant au lieu où Jésus-Christ souffrit pour le salut des hommes. Leur front est serein, leur bouche est riante. Ils reçoivent l'étranger avec joie. Sans forces et sans soldats, ils protègent des villages entiers contre l'iniquité.

« ... Jetez les yeux entre la montagne de Sion et le Temple ; voyez cet autre petit peuple qui vit séparé du reste des habitants de la cité. Objet particulier de tous les mépris, il baisse la tête sans se plaindre ; il souffre toutes les avanies sans demander justice ; il se laisse accabler de coups sans soupirer ; on lui demande sa tête : il la présente au cimeterre. Si quelque membre de cette société proscrite vient à mourir, son compagnon ira, pendant la nuit, l'enterrer furtivement dans la vallée de Josaphat, à l'ombre du Temple de Salomon. Pénétrez dans la demeure de ce peuple, vous le trouverez dans une affreuse misère, faisant lire un livre mystérieux à des enfants qui, à leur tour, le feront lire à leurs enfants. Ce qu'il faisait il y a cinq mille ans, ce peuple le fait encore. Il a assisté dix-sept fois à la ruine de Jérusalem, et rien ne peut le décourager ; rien ne peut l'empêcher de tourner ses regards vers Sion. Quand on voit les juifs dispersés sur la terre, selon la parole de Dieu, on est surpris sans doute : mais, pour être frappé d'un étonnement surnaturel, il faut les retrouver à Jérusalem ; il faut voir ces légitimes maîtres de la Judée esclaves et étrangers dans leur propre pays ; il faut les voir attendant, sous toutes les oppressions, un roi qui doit les délivrer. Ecrasés par la Croix qui les condamne, et qui est plantée sur leurs têtes, cachés près du Temple dont il ne reste pas pierre sur pierre, ils demeurent dans leur déplorable aveuglement. Les Perses, les Grecs, les Romains ont disparu de la terre ; et un petit peuple, dont l'origine précéda celle de ces grands peuples, existe encore sans mélange dans les décombres de sa patrie. Si quelque chose, parmi les nations, porte le caractère du miracle, nous pensons que ce caractère est ici » (A. de Chateaubriand, *Itinéraire de Paris à Jérusalem*).

Un pèlerinage pour une belle phrase

Selon Sainte-Beuve qui ne se départ pas en cette occasion de sa perfidie habituelle, le vicomte est venu « chercher des images », « trouver la plus belle phrase et la plus splendide sur la ruine et le cataclysme du vieux monde ». Julien, le domestique de Chateaubriand, en termes plus succincts, sans effets de manchettes, rétablit une vérité avec laquelle son maître prend quelques libertés. C'est ainsi qu'il nous apprendra qu'ils ne sont restés que quatre jours à Jérusalem et non six, comme l'affirme le vicomte.

Il expédie Jérusalem en quelques lignes : « Nous sommes arrivés le lundi 6 à minuit à Jérusalem, très fatigués, ainsi que nos chevaux, depuis cinq heures du matin que nous étions partis de la mer Morte. Le lendemain, nous avons été voir le Saint Sépulcre, qui est dans une très belle église ; il y a un côté pour les pères du couvent, un pour les Grecs et un pour les Turcs. L'on n'y entre que les jours de grande fête, ou par permission du père gardien pour les étrangers. Le Calvaire est dans la même enceinte, sur une hauteur, près de l'église, comme il y en a beaucoup d'autres, sur lesquelles nous avons monté, où l'on ne voit de très loin que des terres en friche et pour tout bois des broussailles et des arbustes rongés par les animaux. La vallée de Josaphat se trouve en dehors, au pied du mur de Jérusalem, qui est comme un fossé de remparts. Le couvent est très grand et très bien bâti, ayant de belles cours et de belles terrasses...

« Nous sommes repartis le vendredi 10 pour retourner à Jaffa, où nous sommes arrivés le samedi 11. J'ai été avec notre interprète voir les défenses de la ville, qui étaient restées tout en ruine, telles que les Français les avaient mises lorsqu'ils y sont entrés, il y avait environ cinq ans, car ils ont peine à rétablir et encore plus à construire. »

La peste à Jérusalem,
une vision d'horreur pour Lamartine

Quand Lamartine vient à Jérusalem, il ne cherche pas à conclure par ce voyage une œuvre littéraire, mais à tromper son ennui. Il vient de perdre son siège de député, il en est très affecté et estime qu'aucune ville ne se prête mieux à la méditation. Voyageant à grands frais, il affrète un brick de deux cent cinquante tonneaux avec un équipage de quinze hommes. L'accompagnent sa femme, sa fille Lucie, des amis, des domestiques. Il ne fera qu'un bref séjour dans la Ville sainte ravagée par la peste où il arrivera le 20 octobre 1833. Il reviendra de ce pèlerinage imprégné de messianisme et donnera dès lors dans les modes du temps et les utopies de style saint-simonien.

« Ce ne pouvait être, écrit-il, que Jérusalem. C'était elle ! Elle se détachait en jaune sombre et mat, sur le fond bleu du firmament et sur le fond noir du mont des Oliviers. Nous arrêtâmes nos chevaux pour la contempler dans cette mystérieuse et éblouissante apparition.

« La porte de Bethléem, dominée par deux tours couronnées de créneaux gothiques, mais déserte et silencieuse comme ces vieilles portes de châteaux abandonnés, était ouverte devant nous. Nous restâmes quelques minutes immobiles à la contempler ; nous brûlions du désir de la franchir, mais la peste était à son plus haut période d'intensité dans Jérusalem ; on ne nous avait reçus au couvent de Saint-Jean-Baptiste du Désert que sous la promesse la plus formelle de ne pas entrer dans la ville.

« Nous fûmes assis tout le jour en face des portes principales de Jérusalem ; nous fîmes le tour des murs, en passant devant toutes les autres portes de la ville. Personne n'entrait, personne ne sortait ; le mendiant même n'était pas assis contre les bornes, la sentinelle ne se montrait pas sur le seuil ; nous ne vîmes rien, nous n'entendîmes rien ; le même vide, le même silence à l'entrée d'une ville de trente mille âmes, pendant les douze heures du jour, que si nous eussions passé devant les portes mortes de Pompéi ou d'Herculanum ! Nous ne vîmes que quatre convois funèbres sortir en silence de la porte de Damas, et s'acheminer le long des murs vers les cimetières turcs ; et de la porte de Sion, lorsque nous y passâmes, qu'un pauvre chrétien mort de la peste le matin, et que quatre fossoyeurs emportaient au cimetière des Grecs. Ils passèrent près de nous, étendirent le corps du pestiféré sur la terre, enveloppé de ses habits, et se mirent à creuser en silence son dernier lit, sous les pieds de nos chevaux. La terre autour de la ville était fraîchement remuée par de semblables sépultures que la peste multipliait chaque jour ; et le seul bruit sensible, hors des murailles de Jérusalem, était la complainte monotone des femmes turques qui pleuraient leurs morts.

Seul avec Dieu dans le Saint Sépulcre

« Des lampes d'or et d'argent, alimentées éternellement, éclairent cette chapelle [le Saint Sépulcre] et des parfums y brûlent nuit et jour ; l'air qu'on y respire est tiède et embaumé. Nous y entrâmes un à un séparément, sans permettre à aucun des desservants du Temple d'y pénétrer avec nous, et séparés par un rideau de soie cramoisie du premier sanctuaire. Nous ne voulions pas qu'aucun pas, qu'aucun regard troublât la solennité du lieu, ni l'intimité des impressions qu'il pourrait inspirer à chacun selon sa pensée et selon la mesure et la nature de sa foi dans le grand événement que ce tombeau rappelle ; chacun de nous y resta environ un quart d'heure, et nul n'en sortit les yeux secs. Pour le chrétien ou pour le philosophe, pour le moraliste ou pour l'histoire, ce tombeau est la borne qui sépare deux mondes, le monde ancien et le monde nouveau ; c'est le point de départ d'une idée qui a renouvelé l'univers, d'une civilisation qui a tout transformé, d'une parole qui a retenti sur tout le globe : ce tombeau est le sépulcre du vieux monde et le berceau du nouveau.

« ... D'innombrables caravanes de pèlerins traversent chaque printemps les flots de la mer de Syrie, ou les déserts de l'Asie Mineure, pour venir s'agenouiller un instant dans la poussière de Jérusalem et emporter un morceau de cette terre ou de ce rocher dont leur foi religieuse a fait l'autel du genre humain régénéré. Le nom même de Jérusalem n'est pas prononcé par eux comme un nom vulgaire. Quelque chose de pieux et de tendre pénètre leur accent quand ils le nomment ; ils inclinent la tête à ce nom : on sent que ce mot est plein pour eux de souvenirs, de retentissements, de mystères. On comprend que Jérusalem est en quelque sorte la patrie commune de leurs âmes. Ils le prononcent comme on prononce dans l'exil le nom de la patrie.

« Un phénomène historique, inouï dans les fastes du monde, fut le mouvement qui entraîna les peuples et les rois de l'Occident vers ce rocher stérile de la Palestine pour reconquérir un tombeau : ce fut le plus grand effort matériel du christianisme ; il reprit Jérusalem, mais il ne put la garder. »

Flaubert ne voit dans la Ville sainte qu'un charnier entouré de murailles

Autre vision de Jérusalem, celle de Gustave Flaubert que son ami Maxime Du Camp a embarqué de force dans ce voyage en Orient. Flaubert écrit à Louis Bouilhet le 20 août 1850 :

« Vous ne croiriez pas, Monsieur, eh bien ! quand j'ai aperçu Jérusalem, ça m'a fait tout de même un drôle d'effet. J'ai arrêté mon cheval que j'avais lancé en avant des autres et j'ai regardé la Ville sainte, tout étonné de la voir. Ça m'a semblé très propre et les murailles en bien meilleur état que je ne m'y attendais. Puis j'ai pensé au Christ que j'ai vu monter sur le mont des Oliviers. Il avait une robe bleue, et la sueur perlait sur ses tempes. J'ai pensé aussi à son entrée à Jérusalem avec de grands cris, des palmes vertes, etc. A ma droite, derrière la Ville sainte, au fond, les montagnes blanches d'Hébron se déchiquetaient dans une transparence vaporeuse. Le ciel était pâle, il y avait quelques nuages. Quoiqu'il fît chaud, la lumière était arrangée de telle sorte qu'elle me semblait comme celle d'un jour d'hiver, tant c'était cru, blanc et dur. »

Son enthousiasme ne dure guère.

« Jérusalem est un charnier entouré de murailles. Tout y pourrit, les chiens morts dans les rues, les religions dans les églises [idée forte]. Il y a quantité de merdes et de ruines. Le juif polonais avec son bonnet de peau de renard glisse en silence le long des murs délabrés, à l'ombre desquels le soldat turc engourdi roule, tout en fumant, son chapelet musulman. Les Arméniens maudissent les Grecs, lesquels détestent les Latins, qui excommunient les Coptes. Tout cela est encore plus triste que grotesque. Ça peut bien être plus grotesque que triste. Tout dépend du point de vue. Mais n'anticipons pas sur les détails.

« La première chose que nous ayons remarquée dans les rues, c'est la boucherie. Au milieu des maisons se trouve par hasard une place. Sur cette place un trou, et dans ce trou du sang, des boyaux, de l'urine, un arsenal de tons chauds à l'usage des coloristes. Tout alentour ça pue à crever ; près de là deux bâtons croisés d'où pend un croc. Voilà l'endroit où l'on tue les animaux et où l'on débite la viande. Oui, Monsieur, il n'y a pas plus d'abattoirs que ça. Les journaux de l'endroit devraient bien un peu tancer nos édiles. Ensuite, nous avons été à la maison de Ponce Pilate convertie en caserne. C'est-à-dire qu'il y a une caserne à la place où l'on dit que fut la maison de Ponce Pilate. De là on voit la place du Temple où est maintenant la belle mosquée d'Omar. Nous t'en rapporterons un dessin.

Le Saint Sépulcre, lieu de toutes les malédictions

« Le Saint Sépulcre est l'agglomération de toutes les malédictions possibles. Dans un si petit espace il y a une église arménienne, une grecque, une latine, une copte. Tout cela s'injuriant, se maudissant du fond de l'âme, et empiétant sur le voisin à propos de chandeliers, de tapis et de tableaux, quels tableaux ! C'est le pacha turc qui a les clefs du Saint Sépulcre. Quand on veut le visiter, il faut aller chercher les clefs chez lui. Je trouve ça très fort. Du reste c'est par humanité. Si le Saint Sépulcre était livré aux chrétiens, ils s'y massacreraient infailliblement. On en a vu des exemples.

« *Tanta religio !* etc., comme dit le gentil Lucrèce. Comme art, il n'y a rien que d'archipitoyable dans toutes les églises et couvents d'ici. Ça rivalise avec la Bretagne, sauf quelques dorures, des œufs d'autruche enfilés en chapelet et des flambeaux d'argent chez les Grecs, lesquels ont au moins l'avantage d'avoir du luxe.

« A Bethléem, j'ai vu un Massacre des Innocents où le centurion romain est habillé comme Poniatowski, avec des bottes à la russe, une culotte collante et un béret à plume blanche. Les représentations des martyrs sont à faire prendre en amour leurs bourreaux, s'ils ne valaient les victimes. Et puis on est assailli de sainteté. J'en suis repu. Les chapelets, particulièrement, me sortent par les yeux. Nous en avons acheté sept ou huit douzaines. Et puis, et surtout, c'est que tout cela n'est pas vrai. Tout cela ment. Après ma première visite au Saint Sépulcre, je suis revenu à l'hôtel lassé, ennuyé jusque dans la moelle des os. J'ai pris un saint Matthieu et j'ai lu avec un épanouissement de cœur virginal le Discours sur la Montagne. Ça a calmé toutes les froides aigreurs qui m'étaient survenues là-bas. On a fait tout ce qu'on a pu pour rendre les saints lieux ridicules. C'est putain en diable : l'hypocrisie, la cupidité, la falsification et l'impudence, oui, mais de sainteté, va te faire foutre. J'en veux à ces drôles de n'avoir pas été ému ; et je ne demandais pas mieux que de l'être, tu me connais. J'ai pourtant une relique à moi et que je garderai. Vois l'histoire : c'est la seconde fois que j'ai été au Saint Sépulcre, j'étais dans le Sépulcre même, petite chapelle tout éclairée de lampes et pleine de fleurs fichées dans des pots de porcelaine tels que ceux qui décorent les cheminées des couturières. Il y a tant de lampes tassées les unes près des autres que c'est comme le plafond de la boutique d'un lampiste. Les murs sont de marbre. En face de vous grimace un Christ taillé en bas-relief, grandeur naturelle et épouvantable avec ses côtes peintes en rouge. Je regardais la pierre sainte ; le prêtre a ouvert une armoire, a pris une rose, me l'a donnée, m'a versé sur les mains de l'eau de fleur d'oranger, puis me l'a reprise, l'a posée sur la pierre du Sépulcre et s'est mis à dire une prière pour bénir la fleur. Je ne sais alors quelle amertume tendre m'est venue. J'ai pensé aux âmes dévotes qu'un pareil cadeau et dans un tel lieu eût délectées et combien c'était perdu pour moi. Je n'ai pas pleuré sur ma sécheresse ni rien regretté, mais j'ai éprouvé ce sentiment étrange que deux hommes comme nous éprouvent lorsqu'ils sont tout seuls au coin de leur feu et que, creusant de toutes les forces de leur âme ce vieux gouffre représenté par le mot amour, ils se figurent ce que ce serait... si c'était possible. Non, je n'ai été là ni voltairien, ni méphistophélique, ni sadiste. J'étais au contraire très simple. J'ai vu les capucins prendre la demi-tasse avec les janissaires, et les frères de Terre sainte faire une petite collation dans le jardin des Oliviers. On distribuait des petits verres dans un enclos à côté, où il y avait deux de ces messieurs avec trois demoiselles dont (entre parenthèses) on voyait les tétons.

« A Bethléem, la grotte de la Nativité vaut mieux, les lampes font un bel effet. Ça fait penser aux Rois Mages. Mais en revanche c'est un crâne pays, un pays rude et grandiose qui va de niveau avec la Bible. Montagnes, ciel, costumes, tout me semble énorme » (G. Flaubert, *Correspondance*).

Loti, l'un des grands reporters de l'histoire

Autre son de cloche avec Pierre Loti, grand voyageur, grand amateur de turqueries, excellent reporter quand il ne s'égare pas dans la mièvrerie. D'emblée, il nous déclare que son pèlerinage à Jérusalem est celui d'un homme sans foi. Il ne sait pas très bien ce qu'il vient y chercher, mais veut surtout éviter cette forme haïssable de tourisme que vient d'inventer l'agence Cook : « Hommes en casque de liège, grosses femmes en casquette de loutre, avec des voiles verts. Oh, leur tenue, leurs cris, leurs rires sur cette Terre sainte où nous arrivions si humblement pensifs, par le vieux chemin des prophètes !

« Une heure de route, dans les tourbillons de poussière alternant avec des tourbillons de pluie, sous des rafales qui déploient nos burnous comme des ailes et nous jettent au visage, en coup de fouet, la crinière de nos chevaux.

« Là-bas, il y a une grande ville qui commence d'apparaître, sur des montagnes pierreuses et tristes... C'est bien l'antique Jérusalem, comme sur les images des naïfs missels ; Jérusalem reconnaissable entre toutes les villes, avec ses farouches murailles et ses toits de pierre en petites coupoles ; Jérusalem sombre et haute, enfermée derrière ses créneaux, sous un ciel noir.

« Des gens de toutes les nationalités encombrent ces abords : Arabes, Turcs, Bédouins, mais surtout des figures du Nord que nous n'attendions pas, longues barbes claires sous des casquettes fourrées, pèlerins russes, pauvres moujiks vêtus de haillons.

« Et enfin, vers la ville aux grands murs qui nous surplombe de ses tours, de ses créneaux, de sa masse étrangement triste, nous montons au milieu de cette foule, par ce chemin glorieux des sièges et des batailles, où tant de croisés sans doute sont tombés pour leur foi...

« A pied, avec un Arabe quelconque pour guide, je m'échappe seul de l'hôtel, pour courir enfin au Saint Sépulcre... Presque au cœur de Jérusalem, par des petites rues étroites, tortueuses, entre des murs vieux comme les croisades, sans fenêtres et sans toits. Sur les pavés mouillés, sous le ciel encore obscur, circulent des costumes d'Orient, Turcs, Bédouins ou juifs, et des femmes drapées en fantômes, musulmanes sous des voiles sombres, chrétiennes sous des voiles blancs.

« ...La ville est restée sarrasine. Distraitement, je perçois que nous traversons un bazar oriental, où les échoppes sont occupées par des vendeurs à turban ; dans la pénombre des ruelles couvertes, passent à la file des chameaux lents et énormes qui nous obligent à entrer sous des porches. Maintenant il faut se ranger encore, pour un étrange et long défilé de femmes russes, toutes sexagénaires pour le moins, qui marchent vite, appuyées sur des bâtons ; vieilles robes fanées, vieux parapluies, vieilles touloupes de fourrure, figure de fatigue et de souffrance qu'encadrent des mouchoirs noirs ; ensemble noirâtre et triste au milieu de cet Orient coloré. Elles marchent vite, l'allure à la fois surexcitée et épuisée, bousculant tout sans voir, comme des somnambules, les yeux anesthésiés, grands ouverts dans un rêve céleste. Et des moujiks par centaines leur succèdent, ayant les mêmes regards d'extase ; tous âgés, sordides, longues barbes grises, longs cheveux gris échappés de bonnets à poil ; sur des poitrines beaucoup de médailles, indiquant d'anciens soldats... Pauvres pèlerins qui arrivent ici par milliers, cheminant à pied, couchant dehors sous la pluie et la neige, souffrant de faim et laissant des morts sur la route.

« La porte du Saint Sépulcre franchie, on est dans l'ombre séculaire d'une sorte de vestibule, découvrant des profondeurs magnifiques où brûlent d'innombrables lampes. Des gardiens turcs, armés comme pour un massacre, occupent militairement cette entrée ; assis en souverains sur un large divan, ils regardent passer les adorateurs de ce lieu, qui est toujours, à leur point de vue, l'opprobre de la Jérusalem musulmane...

« Un dédale de sanctuaires sombres, de toutes les époques, de tous les aspects, communiquant ensemble par des baies, des portiques, des colonnades superbes, ou bien par de petites portes sournoises, des soupiraux, des trous de caverne. Les uns, surélevés, comme de hautes tribunes où l'on aperçoit, dans des reculs imprécis, des groupes de femmes en longs voiles ; les autres souterrains où l'on coudoie des ombres, entre des parois de rochers demeurées intactes, suintantes et noires. Tout cela dans une demi-nuit, à part quelques grandes tombées de rayons qui accentuent encore les obscurités voisines ; tout cela étoilé à l'infini par les petites flammes des lampes d'argent et d'or qui descendent par milliers des voûtes. Et partout des foules, circulant confondues comme dans une Babel, ou bien stationnant à peu près groupées par nations autour des tabernacles d'or où l'on officie.

« Des psalmodies, des lamentations, des chants d'allégresse emplissant les hautes voûtes, ou bien vibrant dans des sonorités sépulcrales d'en dessous ; les mélopées nasillardes des Grecs, coupées par les hurlements des Coptes... Et dans toutes ces voix, une exaltation de larmes et de prières qui fond leurs dissonances et qui les unit ; l'ensemble finissant par devenir un je ne sais quoi d'inouï, qui monte de tout ce lieu comme la grande plainte des hommes et le suprême cri de leur détresse devant la mort.

« Tout en bas, la chapelle de Sainte-Hélène... Elle est silencieuse quand j'y arrive et elle est vide sous l'œil à demi mort de ces fantômes qui gardent l'escalier d'entrée. On croirait un temple barbare. Quatre piliers énormes, trapus, d'un byzantin primitif et lourdement puissant, soutiennent la coupole surbaissée d'où retombent des œufs d'autruche et mille pendeloques sauvages... Tout est dans un délabrement d'abandon, avec des suintements d'eau et de salpêtre.

Une vision d'Apocalypse

« Du fond du souterrain inférieur remontent tout à coup des prêtres d'Abyssinie, qui ont l'air d'être les anciens rois mages, sortant des entrailles de la terre : visages noirs sous de larges tiares dorées, en forme de turbans, longues robes de drap d'or, semées de fleurs imaginaires rouges et bleues. Vite, vite, avec cette sorte d'empressement exalté qui est ici partout, ils traversent les cryptes de Sainte-Hélène et remontent vers d'autres sanctuaires par le grand escalier en ruine, éclairés sur les premières marches aux lueurs tombées des meurtrières de la voûte, archaïquement splendides alors dans leurs robes dorées au milieu des gnomes accroupis au pied des murailles, puis, tout de suite disparus là-haut, dans des lointains d'ombres.

« ... Repris aujourd'hui par le charme de l'Islam, au soleil reparu, au printemps qui attiédit l'air...

Entrons dans la mosquée mystérieuse, si entourée d'espace désert et mort... Tout un passé gigantesque, écrasant pour nos mièvreries modernes, s'évoque devant cette roche noire, devant cette cime de montagne morte et momifiée, qui ne reçoit jamais la rosée du ciel, qui ne produit jamais une plante ni une mousse, mais qui est là comme étaient les Pharaons dans leurs sarcophages ; qui, après deux millénaires de tourmentes, s'abrite déjà depuis treize siècles sous l'étouffement de cette coupole d'or et de ces murailles merveilleuses, bâties pour elle seule...

« C'est vendredi soir, le moment traditionnel où, chaque semaine, les juifs vont pleurer, en un lieu spécial concédé par les Turcs, sur les ruines de ce Temple de Salomon, qui ne sera jamais rebâti.

« Après les terrains vides, nous atteignons maintenant d'étroites ruelles, jonchées d'immondices, et enfin une sorte d'enclos, rempli du remuement d'une foule étrange qui gémit ensemble à voix basse et cadencée. Le fond de cette place, entourée de sombres murs, est fermé, écrasé par une formidable construction salomonienne, un fragment de l'enceinte du Temple, tout en blocs monstrueux et pareils. Et des hommes en longues robes de velours, agités d'une sorte de dandinement général comme les ours des cages, nous apparaissent là vus de dos, faisant face à ce débris gigantesque, heurtant du front ces pierres et murmurant une sorte de mélopée tremblotante. L'un d'eux, qui doit être quelque chantre ou rabbin, semble mener confusément ce chœur lamentable. Mais on le suit peu ; chacun, tenant en main sa Bible hébraïque, exhale à sa guise ses propres plaintes.

« Les robes sont magnifiques : des velours noirs, des velours bleus, des velours violets ou cramoisis, doublés de pelleteries précieuses. Les calottes sont toutes en velours noir, bordées de fourrures à longs poils qui mettent dans l'ombre les nez en lame de couteau et les mauvais regards. Les visages, qui se détournent à demi pour nous examiner, sont presque tous d'une laideur spéciale, d'une laideur à donner le frisson : si minces, si effilés, si chafouins, avec de si petits yeux sournois et larmoyants, sous des retombées de paupières mortes !... Des teints blancs et roses de cire malsaine, et, sur toutes les oreilles, des tire-bouchons de cheveux, qui pendent comme les "anglaises" de 1830, complétant d'inquiétantes ressemblances de vieilles dames barbues.

« Mais il y a aussi quelques tout jeunes, quelques tout petits juifs, frais comme des bonbons de sucre peint, qui portent déjà deux papillotes comme les grands, et qui se dandinent et pleurent de même, une Bible à la main. En pénétrant dans ce cœur de la Juiverie, mon impression est surtout de saisissement, de malaise et presque d'effroi.

« Contre la muraille du Temple, contre le dernier débris de leur splendeur passée, ce sont les lamentations de Jérusalem qu'ils redisent tous, avec des voix qui chevrotent en cadence, au dandinement rapide des corps :

« — A cause du Temple qui est détruit, s'écrie le rabbin,

« — Nous sommes assis solitaires et nous pleurons ! répond la foule.

« — A cause de nos murs qui sont abattus,

« — Nous sommes assis solitaires et nous pleurons !

« — A cause de notre majesté qui est passée, à cause de nos grands hommes qui ont péri,

« — Nous sommes assis solitaires et nous pleurons !

« ...Si les crânes branlants et les barbes blanches
sont en majorité au pied du Mur des Pleurs, c'est
que, de tous les coins du monde où Israël est dis-
persé, ses fils reviennent ici quand ils sentent leur fin
proche, afin d'être enterrés dans la sainte vallée de
Josaphat. Et Jérusalem s'encombre de plus en plus
de vieillards accourus pour y mourir.

« Avant nous, déjà une bande d'enfants arabes
était là pour les tourmenter : des petits déguisés en
bêtes, en chiens, sous des sacs de toile bise, et venant
à quatre pattes, avec des rires fous, leur aboyer dans
les jambes. Ce soir, ils me font une pitié profonde
quand même, les vieux dos voûtés, les longs nez
pâles et les mauvais yeux...

« En soi, cela est unique, touchant et sublime :
après tant de malheurs inouïs, après tant de siècles
d'exil et de dispersion, l'attachement inébranlable de
ce peuple à une patrie perdue ! Pour un peu on
pleurerait avec eux.

« C'est l'époque de la grande animation de Jérusalem. De tous côtés, les foules accourent et les églises
se parent, pour la fête de Pâques qui sera bientôt.
Les rues étroites sont encombrées de gens de tous les
pays du monde. Il passe des cortèges de pèlerins
chantant des cantiques, des cortèges de petits
enfants grecs psalmodiant à voix nasillarde et
haute ; des processions se croisent avec des défilés
de mules aux harnais brodés de coquillages, dont
les innombrables clochettes sonnent comme des
carillons d'église ; et, conduits par des Bédouins sauvages, des chameaux entravent le tout, grandes bêtes
inoffensives et lentes, accrochant les devantures des
vendeurs de croix ou de chapelets avec leurs fardeaux trop larges. L'odeur des encens que l'on brûle
est partout dans l'air. Et le son grave, le son étrange
des trompettes turques perce la vague clameur
d'adoration qui s'échappe des chapelles, des cou-

vents et des rues, toujours plus grande aux approches de cette Pâques des Grecs, et qui sera, au Saint Sépulcre, une fête semi-barbare et que j'aime mieux fuir... Plutôt, je m'en irai là-bas chercher le souvenir du Christ, dans les petites villes de Galilée, ou sur les bords déserts de ce lac de Tibériade où il a passé la majeure partie de sa vie. Jérusalem est trop idolâtre pour ceux dont l'enfance a été illuminée par les purs Evangiles.

« Dans trois jours, je vais partir, et mon anxieux pèlerinage depuis si longtemps souhaité, remis d'année en année par une instinctive crainte, sera fini, tombé comme une goutte d'eau inutile dans l'immense gouffre des choses passées qui s'oublient. Et je n'aurai rien trouvé de ce que j'avais presque espéré, pour mes frères et pour moi-même, rien de ce que j'avais presque attendu avec une illogique confiance d'enfant... Rien !... Des traditions vaines, que la moindre étude vient démentir : dans les cultes, un faste séculaire, auquel les yeux seuls s'intéressent, comme aux coloris des choses orientales ; et des idolâtries — touchantes peut-être jusqu'aux larmes — mais puériles et inadmissibles !

« Samedi 14 avril — Eveillé au son coutumier des trompettes turques, je reprends conscience de la vie au milieu du tapage d'un hôtel quelconque, portes qui battent, discussions rauques en allemand ou en anglais, malles que l'on traîne lourdement dans des corridors encombrés. Et c'est ici la Ville sainte ! Et après-demain je la quitterai, pour n'y plus revenir, sans y avoir aperçu la lueur que j'avais souhaitée, sans y avoir trouvé même un instant de recueillement véritable... »

Le vieil homme malade que guettent
les vautours

L'Empire turc est devenu « le vieil homme malade » dont les grandes puissances guettent l'agonie pour s'en partager les dépouilles. Les Grecs se sont soulevés en 1821, amenant une intervention du tsar qui s'est institué le protecteur de l'orthodoxie. A leur tour, les Serbes se révoltent ; le pacha d'Egypte, Méhémet Ali, écrase l'armée ottomane et si on ne l'avait arrêté en Syrie, son fils Ibrahim Pacha aurait poursuivi ses conquêtes. Jérusalem, l'oubliée, devient un atout majeur dans la partie qui s'engage entre Russes, Britanniques, Prussiens et Français. Là où la foi avait échoué, la politique réussira à ressusciter une ville moribonde.

L'Angleterre installe un consulat en 1839, la France et la Prusse quatre ans plus tard et les Etats-Unis en 1844. La Russie, l'Autriche et l'Espagne leur emboîtent le pas. Bientôt les Turcs n'exercent plus aucun pouvoir. Jérusalem est devenue, de fait sinon de droit, une cité internationale dont les consuls se partagent l'administration.

En 1852, un firman du sultan — qui a toujours cours — décide quelles seront les parties communes qui appartiendront à tous les chrétiens et celles qui relèveront de telle ou telle confession. Les ambassades se succèdent à la Sublime Porte pour débattre de ce grave sujet qui marque l'influence de chaque pays dans la Ville sainte.

Le Sépulcre lui-même, la chapelle dite de l'Ange et la pierre de l'Onction seront parties communes. La partie septentrionale du Calvaire est attribuée aux Grecs ; la partie sud-ouest, avec la chapelle du Golgotha et l'autel du Crucifiement, aux Latins, tandis que les Arméniens obtiennent la chapelle de la Division des Vêtements et de l'Invention de la Croix. Une chapelle est attribuée aux Coptes, une autre aux

Syriens. Les lampes, dans les différents sanctuaires, sont soigneusement répertoriées et leur emplacement fixé de façon définitive. Sur trois cent soixante lampes, cent soixante-dix sont attribuées aux orthodoxes, quatre-vingt-quinze aux Latins, soixante-dix-sept aux Arméniens et dix-huit aux plus mal lotis, les Coptes. Malgré ces précautions, popes et moines, robustes franciscains et Éthiopiens barbus en viennent aux mains et se ruent les uns sur les autres, croix en avant et encensoirs au poing. Dans ces mini-guerres de religion où le burlesque se mêle à l'odieux, les coups de trique donnés par les gardiens turcs font parfois des morts avant que l'ordre ne soit rétabli.

Prétexte à la guerre de Crimée ?

Jérusalem est au centre d'une activité diplomatique intense où, derrière des querelles de couvents, se joue une partie serrée. Les Russes veulent mettre la main sur les détroits. Anglais et Français sont bien décidés à les en empêcher. Ce sera, en 1854, la cause de la guerre de Crimée qui, opposant les Russes aux Franco-Anglais, fera deux cent quarante mille morts. Jérusalem aura servi de prétexte.

Les statistiques de l'époque donnent à Jérusalem vingt-six mille habitants, dont seize pour cent de chrétiens, trente pour cent de juifs, cinquante-quatre pour cent de musulmans. Le frère Leven, franciscain, ne lui accorde que vingt-quatre mille habitants, dont treize mille musulmans, sept mille chrétiens et quatre mille juifs. Les Turcs s'en tiennent à dix-huit mille huit cent quarante-deux habitants, dont sept mille cinq cent soixante-cinq musulmans, cinq mille trois cent soixante-treize chrétiens, cinq mille neuf cent quatre juifs.

La Vieille Ville, enfermée derrière ses murailles, est toujours divisée en quartiers qui, par leur partition rigoureuse (un juif n'habite pas chez les Arméniens), sont devenus de véritables cités indépendantes et peuvent se transformer en citadelles ; les constructions des croisés s'y prêtent. Au sud, le quartier musulman avec le Haram-el-Sherif, au sud-ouest le quartier juif et ses synagogues, le quartier arménien autour du couvent de Saint-James et, au nord-ouest, le quartier chrétien autour du Saint Sépulcre.

Les « résidences tranquilles » de sir Moses Montefiore

Les juifs seront les premiers à s'installer hors les murs, grâce à un riche juif anglais, sir Moses Montefiore, qui construira à l'extérieur des murailles les « résidences tranquilles » (Mishkenot Shaamanion). Elles n'ont de tranquille que le nom. Le brigandage sévit et les Hiérosolymitains n'osent s'aventurer hors de leur ville. Jérusalem est ravitaillée par une caravane qui, deux fois par semaine, part de Jaffa sous bonne escorte. Sir Moses devra payer une guinée à chaque juif passant une nuit dans les « résidences ». Grâce à son exemple, sont construites des habitations sur la route de Jaffa qui formeront le vieux quartier de Nahlat Shiva (la Fondation des Sept). Une centaine de familles pieuses créent Mea Shearim (les Cent Portes), un entrelacs de ruelles, d'impasses, qui rappelle fâcheusement les ghettos d'où elles viennent. Elles y attendent l'arrivée du Messie en suivant strictement la Loi et en parlant yiddish, car l'hébreu est la langue du Seigneur et ne peut être employée que pour la prière. Elles l'attendent toujours.

Les imitant, chrétiens et musulmans s'installent à l'ouest. Jérusalem éclate.

En 1857, pour la première fois depuis le départ des croisés, une cloche sonne au monastère de la Sainte-Croix.

Jérusalem la chrétienne se hérisse de couvents et de chapelles. La reine d'Angleterre et le roi de Prusse y vont de leurs deniers pour construire la cathédrale Saint-Georges ; les Russes édifient Sainte-Madeleine et les Français la gigantesque hôtellerie de Notre-Dame de France.

Les juifs vont prier devant le Mur des Lamentations, les chrétiens au Saint Sépulcre, les musulmans dans leurs mosquées, les consuls arbitrant les interminables querelles qui dressent les communautés les unes contre les autres.

Le pasteur Thomas Cook invente le pèlerin-touriste

L'ouverture du canal de Suez, en 1869, amènera un flot de pèlerins. Le pasteur baptiste Thomas Cook en voit aussitôt l'intérêt. Pour ce bon protestant, Dieu et l'argent ont toujours fait bon ménage. Il créera les Eastern Tours pour touristes anglais à revenus moyens. Pour ne pas les dépayser, il les loge en dehors de Jérusalem, sous des tentes confortables où thé et pâtisseries leur sont servis à cinq heures sur des nappes d'un blanc éblouissant.

Un million de touristes vont visiter Jérusalem et mille six cents livres seront écrits sur le sujet. Parmi les visiteurs de marque, citons Herman Melville qui passe des heures devant le Saint Sépulcre sans oser y pénétrer et partage le café avec les gardes turcs.

Mark Twain, en 1867, ne voit qu'une imposture et conclut : « Jérusalem est le lieu d'élection de va-nu-pieds ignorants, dépravés, superstitieux, sales, pouilleux et voleurs, et jamais le Christ ne condescendrait à y revenir. »

Gogol, en panne d'inspiration — il réécrit une nouvelle fois *Les Ames mortes* —, croit la retrouver à Jérusalem. Il n'en est rien. La ville lui semble horrible, le Saint Sépulcre un mélange insoutenable d'or et de misère, le paysage environnant une étendue de pierres grises à l'infini. Il s'empresse de fuir.

Vingt mille pèlerins russes viennent à pied à Jérusalem pour les fêtes de Pâques, se nourrissant de pain moisi et de prières. En 1884, ils ramènent de Russie une cloche pesant douze mille livres que les femmes porteront de Jaffa à Jérusalem en chantant des cantiques et en se relayant toutes les cinq minutes. Il leur fallut des semaines d'efforts surhumains par des chemins défoncés.

Alexandre Howard, agent de Cook à Jaffa, nous donne le détail des aménagements que nécessite le pèlerinage de Rodolphe d'Autriche :

« Vingt-cinq tentes de grande classe, dont deux étaient doublées d'une riche soie tricolore verte, rouge et jaune pour représenter le drapeau autrichien, deux tentes pour les repas, une tente de réception pour Son Altesse, une tente pour le coucher et une tente pour la toilette de Son Altesse, avec un nécessaire de toilette, un miroir, des cruches, des cuvettes de la plus belle porcelaine, chaque tente munie des tapis persans les plus fins, deux élégants canapés recouverts de velours de soie et six fauteuils capitonnés ainsi que trente chaises dites pliantes à la mode de Paris et trente tabourets de camp, des chandeliers, des vases chinois, trois services différents pour le café (chinois, turc et en porcelaine de Sèvres), des narghilés, des chibouques et des cigarettes à volonté et une boîte à musique de grand prix qui peut jouer douze airs différents. »

En 1898, l'empereur Guillaume II manifeste le désir d'entrer à Jérusalem sur un étalon blanc. On s'empresse de pratiquer une brèche dans les murailles pour éviter qu'il ne franchisse une porte car, selon la tradition, elle marquerait la prise de possession de la ville.

Le Crédit Lyonnais ouvre une succursale à Jérusalem pour rivaliser avec l'Anglo-Palestine Bank. Depuis six ans déjà a été inauguré le chemin de fer Jaffa-Jérusalem.

En 1914, quatre-vingt mille juifs sont installés à Jérusalem, Haïfa, Jaffa et son faubourg, Tel-Aviv, leur création, ainsi que dans quarante colonies agricoles. Les émigrants cohabitent sans trop de problèmes avec les Arabes qui sont six cent mille et considèrent les juifs comme quantité négligeable. Les grands propriétaires, les *effendis*, qui vivent le plus souvent à Beyrouth, s'enrichissent en vendant les terres qu'ils ne cultivaient plus à l'Agence juive alimentée par les fonds anglais et américains.

Quand la guerre éclate, la Turquie de Méhémet V se range aux côtés de l'Allemagne. Un général allemand, Erich von Falkenhayn, installe son PC à Jérusalem et organise sa défense. Mais les Jeunes-Turcs au pouvoir ne s'embarrassent guère de l'Islam. Ils ne prêtent aucune valeur à la Ville sainte. Devant leur peu d'enthousiasme, Falkenhayn se retire derrière Naplouse. Il a au moins évité à Jérusalem une nouvelle destruction.

CHAPITRE XV

JÉRUSALEM CAPITALE DIVISÉE D'UN ÉTAT IMPROBABLE

« La renaissance d'Israël n'est pas un miracle, mais elle est tout de même, de quelque façon qu'on l'envisage, "un événement extrêmement improbable du point de vue statistique". Or il est inévitable qu'un événement improbable conduise à d'autres événements improbables... Il était fatal que la naissance du mouvement sioniste, ce mouton à cinq pattes, suscitât une série de réactions également aberrantes. »

Arthur Koestler, *Analyse d'un miracle*

La déclaration Balfour met aux prises juifs et Arabes

La situation des juifs de Palestine au cours de la guerre de 1914-1918 n'est pas simple : minorité dans l'Empire ottoman, ils devraient se ranger du côté allemand et turc. Mais l'oppression turque ainsi que l'aide française qui a permis le développement de leurs colonies agricoles les poussent vers les alliés. Enfin naît un espoir insensé. Au cas où le camp germanique perdrait la guerre, un Etat juif pourrait voir le jour, à condition que les juifs fournissent une aide importante aux Franco-Anglais afin de pouvoir, plus tard, invoquer un droit sur les territoires conquis, notamment en Palestine.

A part une fraction timorée de la population et les religieux étrangers à ce qui ne concerne pas leur foi, le futur peuple d'Israël bascule du côté franco-anglais.

Le gouvernement britannique, soucieux de ménager les susceptibilités arabes, n'accepte que la création d'un bataillon de service et d'intendance, le « Zion Mule Corps ».

Quelques jours avant que le général Allenby, le 11 novembre 1917, ne se présente devant Jérusalem à la tête des troupes britanniques et de contingents symboliques arabes et juifs, sera publiée la déclaration Balfour. Officiellement, elle récompense les travaux du chimiste juif russe, Chaïm Weizmann, qui a mis au point l'acétone synthétique et permis aux alliés de fabriquer des explosifs en grande quantité.

Selon son texte définitif : « Le gouvernement de Sa

Majesté envisage favorablement l'établissement en Palestine d'un foyer international pour le peuple juif, et emploiera tous ses efforts pour faciliter la réalisation de cet objectif, étant clairement entendu que rien ne sera fait qui pourrait porter préjudice aux droits civils et religieux des communautés non juives en Palestine, ainsi qu'aux droits et au statut politique dont les juifs pourraient jouir dans tout autre pays. »

Aucune allusion à Jérusalem.

Mais les Arabes, sous la conduite d'Abdallah et du colonel Lawrence, ont contribué eux aussi à la victoire et le sang versé vaut bien l'acétone. Aussi, sir Mac Mahon leur promet en récompense la création d'un royaume arabe dont la Palestine et Jérusalem seront partie intégrante. La déclaration Balfour et les promesses de Mac Mahon sont inconciliables. Aux Arabes et aux juifs on a offert la lune, mais elle ne se partage pas.

« La déclaration Balfour, selon A. Koestler, constitue un des documents politiques les plus improbables de tous les temps. C'est un document par lequel une première nation promettait solennellement à une deuxième nation le pays d'une troisième nation. Aucun plaidoyer ne saurait diminuer en rien l'originalité du procédé. Il est vrai que les Arabes vivaient en Palestine sous la domination turque ; mais ils y vivaient depuis des siècles, et il ne fait pas de doute que le pays était le leur, au sens généralement admis du mot. Il est vrai que les Arabes disposaient d'immenses territoires mal peuplés et que les juifs n'en avaient aucun ; que les Arabes étaient un peuple arriéré et les juifs un peuple avancé, et que ceux-ci prétendaient avoir reçu le pays en partage trois mille ans plus tôt de la main même de Dieu, qui ne le leur avait retiré que temporairement. Mais jamais auparavant dans l'histoire, des arguments de cette nature n'avaient amené une grande puissance à une initiative aussi extravagante. La déclaration Balfour fut sanctionnée par la Société des Nations qui chargea la Grande-Bretagne d'exécuter sa promesse en tant que puissance mandataire sous contrôle international. Autrement dit, la Société des Nations réquisitionnait la Palestine aux Arabes pour fournir aux juifs un logement et nommait l'Angleterre officier de cantonnement. Il est essentiel d'avoir présent à l'esprit le caractère extravagant de toute cette série d'événements parce qu'il constitue la clef de tout ce qui a suivi » (A. Koestler, *Analyse d'un miracle*).

Les accords de San Remo, en avril 1920, consacrent le triomphe de la thèse sioniste et la reconnaissance implicite d'un Etat juif en Palestine. Aucune allusion à Jérusalem que tous semblent considérer comme une bombe piégée. On l'invoque dans les prières, mais on l'oublie dans les couloirs feutrés de la Société des Nations.

Deux ans plus tard, la Grande-Bretagne reçoit de la Société des Nations mandat sur la Palestine. A elle de marier la carpe et le lapin, de s'accommoder de l'Agence juive et du Haut Comité arabe qui interdit désormais les ventes de terrains aux juifs.

La tension monte entre les deux communautés. Manifestations sanglantes en 1921 et 1922. La faute, disent les juifs, en revient aux *effendis*, ces grands propriétaires qui se voient menacés dans leurs privilèges et poussent les fellahs palestiniens à la révolte. Non, répliquent les Britanniques : « L'hostilité à l'égard des juifs est trop réelle, trop répandue et trop violente pour être considérée de cette façon superficielle. »

On assiste à une renaissance du nationalisme arabe. Il n'a rien de religieux puisque de nombreux chrétiens en sont les animateurs. Les nationalistes s'inquiètent de la présence chaque jour plus insistante des juifs en Palestine, les Ashkenazim, animateurs de l'Agence juive, amenant avec eux, de l'Europe de l'Est, une culture et un mode de vie étrangers à l'Orient méditerranéen. On les accepterait plus facilement sémites — on en a l'habitude —,

on les refuse Slaves occidentalisés. Mais les Askhe-
nazim sont les plus actifs et c'est eux qui tiennent le
haut du pavé.

Jérusalem éclate hors de ses murs

Jérusalem s'étend dans tous les sens ; elle est juive
à l'ouest, arabe, musulmane et chrétienne à l'est. Elle
a retrouvé son rang de capitale en devenant le centre
de l'administration de la Palestine.

De nouveaux quartiers se créent qui disposent de
l'eau courante, de l'électricité, desservis par des
lignes d'autobus, tandis que la Vieille Ville, la Sainte,
continue de mariner dans sa crasse et à distiller ses
poisons dans ces alambics que sont le Saint Sépulcre, le Mur des Lamentations et la mosquée d'Al
Aqsa.

Un grand rabbin et un grand mufti administrent
les deux communautés religieuses les plus importantes, les juifs, 57,7 % de la population, les musulmans, 21 %.

Le développement de la nouvelle Jérusalem est
compromis par des troubles, des émeutes. En 1928,
à propos de l'accès au Mur des Lamentations, juifs et
Arabes en viennent aux mains. Encouragés par le
grand Mufti, Hadj Amine el Husseini, de la puissante
famille des Husseini, les Arabes envahissent les nouveaux quartiers juifs de Jérusalem. Trop peu nombreuse, la police ne peut maîtriser l'émeute. Des centaines de morts, le centre commercial est pillé. Les
Anglais doivent ramener des renforts d'Egypte.
Conclusion des experts : l'immigration juive doit être
limitée, la Palestine ne pouvant nourrir plus d'habitants qu'elle n'en a.

Les persécutions nazies obligent les Britanniques
à ouvrir aux juifs un accès plus large à la « Terre

promise ». En 1932, neuf mille cinq cents sont admis. Ils seront trente mille en 1933, quarante-deux mille en 1934, soixante-deux mille en 1935, chiffres auxquels il faut ajouter l'immigration clandestine qu'on ne peut contrôler.

Les Arabes manifestent, l'armée britannique intervient. Des morts, encore des morts des deux côtés. Les grèves s'étendent à tout le pays ; les armes circulent librement car la Palestine n'a pas de frontières.

Juifs et Arabes ne pouvant plus vivre ensemble, on en vient, faute d'une autre solution, à l'idée d'un partage.

Une commission royale britannique dirigée par lord Peel ne peut que constater les efforts accomplis par les juifs dans tous les domaines : agriculture, santé, éducation, alors que les Arabes n'ont rien fait, comptant sur l'appui cent fois promis des autres nations musulmanes. Quant aux Arabes chrétiens, ils se fient trop à leurs protecteurs occidentaux dont ils fréquentent les écoles, qui leur assurent un niveau très supérieur à celui de leurs compatriotes d'autre confession et qui les incitent à émigrer.

Un observateur constate : « Chaque année qui passait faisait ressortir de manière plus aiguë le contraste entre cette communauté moderne, profondément démocratique et extrêmement organisée, et le monde arabe qui l'entourait, vivant toujours comme autrefois. Et nulle part peut-être ce contraste n'était aussi marqué que dans le domaine culturel. La production littéraire du Foyer national est absolument hors de proportion avec sa taille géographique. Bref, les réalisations culturelles de cette petite communauté de quatre cent mille personnes sont un des traits les plus remarquables du Foyer national. »

Le correspondant du *Times*, dans un reportage du 16 mai 1936, fait part de son étonnement : « Visiter la Palestine après quatorze années signifie visiter un pays neuf. Il y a des régions où le paysage même semble modifié. Des centaines d'acres de terrain montagneux autour de Jérusalem sont couvertes de maisons. Tel-Aviv, un faubourg de Jaffa, est devenu une ville de plus de cent mille habitants, pourvue de cliniques, d'écoles, de cinémas. Haïfa, avec ses cités ouvrières, s'étend dans la direction de Saint-Jean d'Acre et jusque sur les pentes du Carmel. Les plantations d'orangers couvrent les plaines presque jusqu'à la frontière égyptienne. Tout a changé sauf l'attitude des Arabes... Kiryath Anavim, près de Jérusalem, est un bon exemple de la capacité des jeunes et énergiques pionniers. Cet endroit a été défavorablement jugé par les experts britanniques et juifs, qui ont prédit à la colonie une existence courte et malheureuse. Maintenant, les habitants paient rapidement leurs dettes, le bétail est excellent, et Jérusalem est ravitaillée en lait par eux. »

Partage de la Palestine

La Commission propose le partage de la Palestine en quatre cantons : l'un, arabe, comprendra la Samarie, le Néguev, la Transjordanie ; un canton, mixte, les régions de Tibériade, Safed, Houlé ; un troisième, juif, englobera la plaine d'Esdrelon, la plaine côtière au nord de Tel-Aviv et les vieilles colonies de Richon, Sion et de Rehovot. Le quatrième canton sera sous administration mandataire, avec Jérusalem, Bethléem et le port de Haïfa.

Chaque canton décidera des quotas d'immigration et d'achat des terres, la puissance mandataire se réservant les relations extérieures, la défense, les communications et la douane.

Le gouvernement britannique approuve le projet ; la Société des Nations le suit. En 1937, elle envoie une commission technique préparer le partage.

Ben Gourion et les sionistes consentent à ce plan

tandis que les Arabes le rejettent et relancent le terrorisme. Violente réaction des Britanniques qui dissolvent le Haut Comité arabe, envoient aux Seychelles ses dirigeants, pendent les terroristes et dynamitent leurs maisons. Artisans de leur malheur, ils permettent le développement de la Haganah (la défense), qui deviendra Tsahal, l'armée régulière de l'Etat juif, et ils ferment les yeux sur la constitution du groupe extrémiste l'Irgoun et de sa branche extrême, Stern. A la fin de l'année 1937, la cause palestinienne semble perdue. La population juive est passée de quatre-vingt-quatre mille âmes à quatre cent seize mille, les agglomérations de soixante dix-neuf à deux cent soixante et des milliers d'hectares ont été achetés. Pour protéger le Foyer juif, l'armée britannique n'a pas hésité à tuer mille deux cents Arabes.

En 1939, devant la menace de guerre qui se précise, la Grande-Bretagne change brutalement de politique et joue la carte arabe, vitale pour ses intérêts au Moyen-Orient. Le gouvernement de Mac Donald, pour rassurer les Arabes, publie un Livre blanc où il propose que, dans les dix ans à venir, juifs et Arabes participent progressivement au gouvernement de la Palestine et constituent un Etat indépendant judéo-arabe. Enfin, il tarit l'immigration juive, la limitant à soixante quinze mille personnes durant ce délai et réglemente, c'est-à-dire interdit, la vente de terres à l'Agence juive. Plus question d'un Foyer juif ; on lui enlève les moyens de s'étendre.

Les juifs s'efforceront d'oublier le Livre blanc et les torts qu'il leur cause devant le danger que représente pour eux le nazisme. Ils seront nombreux à s'engager dans l'armée britannique tandis que le grand Mufti de Jérusalem, Amine el Husseini, recrute des volontaires musulmans pour se battre aux côtés d'Hitler. Il le rejoint à Berlin, se faisant complaisamment photographier à ses côtés.

Dès 1941, on commence à connaître les atrocités nazies sans en mesurer l'étendue. Les sionistes abandonnent l'idée d'un Foyer national ; ils veulent un véritable Etat et rejoignent sur ce point les révisionnistes de l'Irgoun qui l'ont toujours réclamé. Les Etats généraux de l'Agence juive, groupant toutes les organisations sionistes, réunis à New York en mai 1942, se rallient à cette idée. La mort dans les camps de six millions de juifs, la Shoah, révolte le monde et apporte à la cause juive une sympathie mêlée de remords.

L'Angleterre joue la carte arabe

Après la guerre, les travaillistes arrivent au pouvoir en Angleterre. Bevin, le ministre des Affaires étrangères, joue à fond la carte arabe. Les juifs appellent à l'aide les Américains et trouvent un allié en Truman qui réclame cent mille visas d'immigration en Palestine pour les rescapés du génocide. Ils sont encore deux cent vingt-six mille répartis dans des camps. Obsédés par le maintien d'un équilibre entre les deux communautés, les Anglais refusent.

La Ligue arabe, création britannique, réclame de son côté l'arrêt de toute immigration et son agressivité est renforcée par l'arrivée au Caire d'Amine el Husseini, le grand Mufti échappé de Berlin en flammes, évadé de la prison où il avait été détenu en France. Partout il prêche la guerre sainte, prétendant que les juifs ne sont revenus en Palestine que pour reconstruire le troisième Temple à l'emplacement de la mosquée d'Omar.

Persuadés que les Anglais jouent double jeu et qu'après avoir évacué l'Egypte, la Syrie, le Liban, ils comptent transformer la Palestine en une base permanente, Haïfa remplaçant Alexandrie et le Néguev flanquant le canal de Suez, la Haganah, le groupe Stern et l'Irgoun réagissent devant cette menace par le terrorisme. Ils attaquent les réseaux radar, les camps militaires, les ponts, les ateliers du chemin de fer et enlèvent six officiers britanniques.

Les Anglais décrètent le couvre-feu, la loi martiale, procèdent à deux mille sept cents arrestations et lancent un mandat d'arrêt contre Ben Gourion auquel ils reprochent son double jeu. Dirigeant officiel du Yichouv, la communauté juive de Palestine, il est aussi chef de l'organisation terroriste clandestine. Ben Gourion a filé en France et dirige son mouvement de Paris, à partir de l'hôtel Royal Monceau où il rencontre Ho Chi Minh qui lui propose d'installer son gouvernement à Hanoi. Alors que je lui rendais visite à Sdé Boker, dans le kibboutz du Néguev où il s'était retiré, il me confirma cette étrange rencontre et non moins étrange proposition. Quant à Menahem Begin, chef de l'Irgoun, ennemi implacable des occupants anglais, il a pu se cacher dans un placard... pendant quatre jours.

L'attentat de King David décapite l'état-major britannique

En représailles, le 22 janvier 1946, l'Irgoun fait sauter une aile de l'hôtel King David où est installé l'état-major des forces militaires du mandat : cent dix morts, quarante-sept blessés, dont une majorité d'officiers britanniques. L'Agence juive condamne cette action, mais la Haganah, au courant du projet, n'avait rien fait pour l'empêcher. La confusion est extrême à New York, à Londres, au Caire et à Tel-Aviv.

Faute de mieux, on en revient au plan de partage et pour Jérusalem au fameux *corpus separatum* avec une modification : l'ONU, au lieu des Anglais, aurait la garde de la Ville sainte. Un gouverneur nommé par l'ONU, doté des pouvoirs législatifs, régnera sur Jérusalem, assisté par un conseil élu à la représentation proportionnelle. Mais la ville continuera à faire partie de l'Union économique palestinienne, ce qui signifie en clair qu'elle restera sous influence arabe. Le plan de partage est voté le 29 novembre 1947.

On imagine mal un fonctionnaire onusien régnant en place des grands souverains juifs ou francs sur la Ville sainte. Ses pouvoirs, mal définis, lui interdiraient toute initiative et il devrait sans cesse en référer au « palais de verre » de New York, ne serait-ce que pour l'achat d'une machine à écrire. Confronté à des problèmes insolubles, il se trouverait aux prises avec des factions qui, depuis des siècles, se disputent chaque pouce de terrain, chaque lampe éclairant le Saint Sépulcre. S'il jouit de l'appui du grand rabbin, il s'aliène le grand Mufti et le patriarche grec ou latin. En changeant de partenaire, il ne ferait que changer d'ennemi.

Un procurateur des Nations Unies

D'où viendrait ce nouveau « procurateur » ? Il ne pourrait appartenir à l'une des trois grandes religions qui font de la cité le symbole de leur foi. Athée, ce serait une insulte à tous les croyants. Où se situe le choix parmi des impératifs aussi catégoriques que contradictoires ? Un bouddhiste ne serait-il pas le bienvenu ?

En attendant qu'on fasse appel au dalaï-lama, Ben Gourion tonne : « On doit permettre aux juifs, dit-il, de mettre de l'ordre dans leur maison, sans que personne s'en mêle. Leur revendication de la Palestine est légitime. Ils ne peuvent pas admettre d'y renoncer parce que l'idée d'une patrie juive ne plaît pas à un pacha arabe. Les juifs ne veulent plus qu'un quelconque pacha égyptien ou qu'un cheikh bédouin ait son mot à dire dans le problème palestinien. »

C'était faire peu de cas des Palestiniens, des peuples voisins et du reste du monde. J.P. Alem, qui sous ce pseudonyme cache l'un des meilleurs spécialistes de la région, rappelle quelques vérités que, dans leur zèle, les sionistes semblent oublier : « La Palestine est une Terre sainte à la fois pour les juifs, les chrétiens et les musulmans ; dans le monde entier, des millions de chrétiens et de musulmans portent à la Palestine, en matière religieuse, le même intérêt que les juifs. La situation est à cet égard, en Palestine, délicate et difficile. Avec les meilleures intentions du monde on peut se demander si les juifs sont susceptibles d'apparaître aux chrétiens et aux musulmans comme les gardiens souhaitables des places saintes, ou de la Terre sainte en général. Il y a à cela une raison : les lieux les plus sacrés pour les chrétiens — ceux qui sont liés à la vie de Jésus — qui sont également sacrés pour les musulmans ne sont pas seulement pour les juifs des lieux profanes, mais encore des lieux d'exécration. Dans ces conditions, il est simplement impossible, pour les musulmans comme pour les chrétiens, que ces lieux soient entre les mains juives ou sous la garde des juifs. En fait, les musulmans, parce qu'ils vénèrent les Lieux saints des trois religions, en ont été tout naturellement des gardiens beaucoup plus satisfaisants que n'auraient pu l'être les juifs. Ce qui donne à penser que les partisans du programme sioniste extrême n'ont pas pleinement compris le sens précis d'une occupation complètement juive de la Palestine. Car un tel événement intensifierait, avec une fatale certitude, les sentiments antijuifs, non seulement en Palestine, mais dans toutes les parties du monde où la Palestine est considérée comme une Terre sainte. »

Ben Gourion accepte de mauvais cœur le plan de

partage proposé par l'ONU, y compris le statut particulier de Jérusalem qui est voté le 29 novembre 1947 par trente-trois voix contre trois et dix abstentions. Les Arabes le rejettent, mais ne proposent aucune autre solution, se bornant à appeler au *Djihad*, la guerre sainte.

Le gouvernement britannique manifeste sa mauvaise humeur en refusant de fixer une date pour l'évacuation de ses troupes. Ses représentants en Palestine refusent de collaborer au plan de partage et de transmettre progressivement leurs pouvoirs à une commission de cinq membres créée à cet effet. La Commission des Cinq ne pourra se réunir que le 9 janvier 1948 et ce sera à Lake Success.

Fureur chez les Arabes, folle joie à Jérusalem chez les juifs à l'annonce du partage. Une joie qui ne durera guère. Le 5 décembre, les bandes du Mufti attaquent et incendient, dans la Nouvelle Ville, le centre commercial. La Haganah ou l'Irgoun, on ne sait plus très bien, afin d'en chasser les habitants font sauter l'hôtel Semnomis et huit maisons du quartier Katamon.

Shaltiel le légionnaire contre Abd-el-Kader l'émir

Le responsable militaire juif de Jérusalem nommé par Ben Gourion, David Shaltiel, un ancien sous-officier de la Légion étrangère, s'efforce de mettre de l'ordre dans ses bandes. S'il y parvient avec la Haganah, il n'obtient que de piètres résultats avec le Palmach et ses commandos de choc ; il doit traiter d'égal à égal avec Irgoun et Stern. Il a élaboré un plan qui vise à chasser par la terreur et les bombes les Arabes installés dans Jérusalem hors les murs et d'occuper leurs maisons aussitôt qu'ils les abandonnent. Ce plan est appelé « Jébus » en souvenir de David s'emparant de la cité des Jébuséens.

En face de lui, se dresse Abd-el-Kader Husseini, neveu du Mufti et le meilleur chef de guerre arabe. Par tous les moyens, il s'efforce de maintenir ses compatriotes dans Qods, la Sainte de l'Islam. Mais les Arabes palestiniens ne disposent que d'un seul homme de la trempe d'Abd-el-Kader, les juifs, au contraire, n'en manquent pas. Peut-être même en possèdent-ils trop à en juger par les nombreuses rivalités qui les dressent les uns contre les autres.

L'armée et la police anglaises laissent juifs et Arabes aux prises, favorisant les Arabes. Plus sensibles à leur « exotisme », ils ne cachent pas la gêne, la défiance, sinon la haine qu'ils portent aux juifs pourtant plus proches d'eux. Ils leur interdisent de recevoir des armes et refusent aux douze mille hommes et femmes de la Haganah une existence légale. Pendant les mois qui vont suivre, Jérusalem, la Vieille Ville comme la Nouvelle, la juive comme l'arabe, sera au centre de tous les combats. Si les juifs perdent Jérusalem, leur lutte, aux yeux du monde, perdra de sa signification et la diaspora risque de s'en désintéresser. Si les Arabes palestiniens ne prennent pas Jérusalem, ils ne seront jamais une nation. Le roi de Jordanie, Abdallah, descendant des Hachémites qui ont régné sur La Mecque et Médine, veut Jérusalem, troisième Ville sainte de l'Islam, pour l'annexer à son royaume, une création artificielle, et lui conférer ce qui lui manque tant, une histoire et une réalité. Il compte sur l'aide des Anglais qui viennent de renforcer sa petite armée, la Légion arabe. Elle se monte désormais à vingt mille hommes, des Bédouins courageux, bien équipés, bien armés, commandés par un général anglais, Glubb Pacha, encadrés par des officiers britanniques. En même temps, Abdallah reçoit secrètement Golda Meir qui fait office de ministre des Affaires étrangères de l'Agence juive et qui, pour l'occasion, s'est déguisée en femme arabe.

En janvier 1948, le commandement britannique annonce qu'il mettra fin au mandat le 15 mars à minuit. Les troupes s'embarqueront sans laisser derrière elles ni police, ni administration, bien que cinq armées de la Ligue arabe se disposent à envahir la Palestine et qu'à Jérusalem on se batte de rue à rue, de maison à maison.

Une démission en forme de règlement de comptes

Une démission comme on en a peu vu dans l'histoire. Les Anglais, il est vrai, ont reçu de rudes coups. En représailles de tortures et d'exécutions de « terroristes » juifs, des membres de l'Irgoun n'ont pas hésité à enlever des officiers supérieurs anglais, à fouetter l'un d'eux et à pendre deux sergents.

Les juifs de la Vieille Ville se retrouvent dans une situation tragique, enfermés dans leur quartier, coupés de tout depuis que la ligne d'autobus qui, sous escorte anglaise, les reliait à la Nouvelle Ville ne fonctionne plus. Un quart de la population, profitant d'une offre d'évacuation des Britanniques, s'enfuit.

Ils ne sont plus que dix-sept cents religieux appartenant à diverses communautés juives orthodoxes, livrés à la prière et à l'étude, à l'ombre de la magnifique synagogue de la Hourva, la plus ancienne, la plus belle de Palestine et dont le dôme domine le quartier. Docteurs de la Loi, rabbins, étrangers aux désordres du monde, acceptant de la seule main de Dieu la création d'un royaume ou d'un Etat d'Israël, ils refusent le sionisme et ses chefs athées. Ils enseignent la Torah à leurs élèves à papillotes, au teint pâle, dans les *yeshivas*, les écoles qui jouxtent les lieux du culte. Pas facile d'en faire des soldats et Ben Gourion, ce mécréant, n'a rien d'un Messie.

On se croirait revenu au temps des zélotes et des sicaires quand Titus assiégeait Jérusalem. La Haganah et l'Irgoun, qui se tirent dessus à l'occasion, ne s'entendent que pour maintenir une présence juive dans la Vieille Ville. Après d'interminables palabres, les deux camps arrivent à un accord : cent cinquante membres de la Haganah et cinquante de l'Irgoun iront renforcer le quartier juif.

Les élèves rabbins des *yeshivas* n'acceptent de s'intégrer à la défense du ghetto qu'en échange d'une rémunération d'un shilling par jour et à condition de ne pas porter d'armes. Aux plus audacieux, on paie, à la pièce, les balles qu'ils se procurent dans le quartier arménien voisin où ils arrivent à se glisser. Les autres se contentent de surveiller les mouvements de l'ennemi qui occupe les autres quartiers de la ville et, la garde montée, l'argent encaissé, ils retournent réciter la Torah en se balançant d'avant en arrière.

Le téléphone est coupé. Seul moyen de transmission avec l'extérieur, un chien qui a l'habitude d'aller rôder dans la Nouvelle Ville. On dissimule les messages dans son collier. Les Arabes s'en aperçoivent et le tuent. Le grand rabbin Weingarten, président du Conseil local, supporte mal la présence des combattants juifs, la gêne qu'ils causent au bon déroulement du culte. Il livre aux Anglais Halperin, responsable de la Haganah, au nom de Dieu et pour retrouver son pouvoir sur ses coreligionnaires. La situation alimentaire et sanitaire devient détestable ; les commandos de l'Irgoun et de la Haganah, déjà aux prises avec les religieux qui ne pensent qu'à se rendre, ne reçoivent plus ni vivres, ni munitions. Mais pour l'opinion internationale, pour tous les juifs du monde, Ben Gourion et son représentant sur place, Shaltiel, doivent tenir à tout prix cette portion de la Jérusalem de la Bible, bien que livrée à des religieux qui leur sont hostiles.

Grâce à l'aide de deux déserteurs anglais, dans lesquels les juifs verront, à tort ou à raison, des agents de l'Intelligence service, les *feddayin* du Mufti font sauter tout un quartier de la Nouvelle Ville, près de la rue Ben Yéouda. Sous les immeubles effondrés : cinquante-quatre morts, des centaines de blessés. Une catastrophe !

Persuadés que les Anglais sont à l'origine de l'attentat, les tueurs de l'Irgoun tirent à vue sur tout soldat britannique qui se présente. Une dizaine sont tués avant que la ville leur soit interdite par ordre du haut commandement. Un premier contingent de l'Armée de libération arabe vient de franchir le Jourdain au pont Allenby avec son chef, Fawzi-el-Kaoukji. Libanais, il a fait de la guerre son métier ; il a été décoré de la Croix de fer par Hitler, ce qui ne l'empêche pas d'être un grand ennemi du Mufti qui partage pourtant ses amitiés nazies. Londres ferme les yeux.

Les hommes de main du Mufti réussiront à dynamiter l'immeuble-forteresse qui sert à la fois de QG à la Haganah et au mouvement sioniste mondial. Ils font pénétrer dans la cour une voiture piégée : treize morts, mais le « légionnaire » Shaltiel, par miracle, a échappé au sort qui lui était destiné. Puis les Arabes s'en prennent au vieux quartier des Résidences tranquilles, créé par Montefiore, et une autre voiture piégée volatilise trente bâtiments.

La situation des juifs devient tragique et la Haganah mobilise tous les hommes de dix-huit à quarante-cinq ans. La situation n'est pas meilleure pour les Arabes dont un grand nombre tentent de fuir la ville. Le Mufti, pour les en empêcher, fait interdire l'octroi de visas par les pays arabes voisins, mais les visas s'achètent.

Le blocus qu'a organisé Abd-el-Kader Husseini, le neveu du Mufti et son bras armé, se révèle efficace. Ses milices occupent les villages qui dominent la route de Jérusalem à Tel-Aviv. Leurs habitants accou-

rent à l'aide des miliciens et pillent les épaves abandonnées par les convois qui ont de plus en plus de
mal à passer. Une colonne de quarante camions est
détruite ; le ravitaillement n'arrive plus. Le responsable civil de Jérusalem, Dov Joseph, fait le compte
des réserves de vivres qui lui restent en ce lundi
29 mars 1948 : dix jours de viande séchée, cinq de
margarine, quatre de pâtes. Les quatre kibboutzim
de Kfar Etsion qui défendent l'entrée de Jérusalem
sont assiégés et une tentative pour les approvision-
ner tourne au désastre. Seule solution : détruire les
villages arabes et s'emparer de l'un d'eux, Castel, qui
contrôle les derniers kilomètres de la route.

Malgré la haine qu'il leur voue, Shaltiel doit
demander l'aide de l'Irgoun et de Stern qui exigent,
en paiement, armes et munitions. Castel sera pris et
Abd-el-Kader Husseini, au cours d'une contre-
attaque, sera tué. Après lui les Arabes de Palestine
n'auront plus de chef.

L'horrible drame de Deir Yassin

Sans prévenir la Haganah qui s'y serait opposée,
l'Irgoun et Stern, après ce succès, montent une opération contre Deir Yassin, un village paisible de quatre cents habitants, à la lisière occidentale de Jérusalem. Il est englobé dans le *corpus separatum* dont ils
ne veulent à aucun prix.

Les hommes sont absents ; pendant la journée, ils
travaillent à Jérusalem. Les miliciens de l'Irgoun et
de Stern massacrent de sang-froid deux cent
cinquante-quatre femmes, vieillards, enfants ; ils les
achèveront sous les yeux horrifiés du délégué de la
Croix-Rouge internationale qui est accouru. Puis ils
balanceront, pêle-mêle, les corps dans une carrière
voisine.

Un massacre qui rappelle le *hérem* des anciens Hébreux quand, envahissant la terre de Canaan, ils exterminaient les populations locales et dédiaient à Yahvé ce sanglant holocauste. Les temps ont changé et cet acte de barbarie remplit le monde d'horreur. L'Agence juive condamne le crime, Ben Gourion envoie une lettre de regrets au roi Abdallah, mais il ne fait rien pour enrayer l'exode que ce carnage a provoqué. Un crime a été commis, autant qu'il ne reste pas inutile.

Trois jours plus tard, dans Jérusalem, les *feddayin* anéantissent un convoi composé de médecins, d'infirmières, de blessés, qui, pour gagner l'hôpital du mont Scopus assiégé, avait dû passer par le quartier arabe de Sheikh Jerrah. Cinquante morts, trente disparus dont on ne retrouvera jamais la trace. Du mont Scopus, de la colline du Mauvais Conseil où est installé le QG britannique, Anglais et juifs ont pu assister à l'agonie du convoi, à l'égorgement des survivants, sans pouvoir ou vouloir intervenir.

Une affiche noire et verte fait son apparition sur les murs de la Jérusalem juive. Elle annonce l'élection d'un conseil municipal, ce qui signifie que l'Agence juive renonce à l'internationalisation de la ville, rejoignant ainsi les terroristes de l'Irgoun et les Arabes qui l'avaient toujours refusée.

Jérusalem connaîtra toutes les rigueurs d'un siège. La centrale électrique ne fonctionne que quelques heures par jour et l'eau a été coupée. Les Arabes ont fait sauter les canalisations qui alimentent la ville et ils tiennent la source Gihon. On doit recourir aux citernes qui, heureusement, ont été remplies.

Au fil des jours, la situation se détériore dans le quartier juif de la Vieille Ville envenimée par la cohabitation de plus en plus difficile entre religieux et soldats. Ne voit-on pas une femme en short commander un point d'appui ? Personne ne se soucie d'observer le repos du Sabbat.

Le ghetto de la Vieille Ville n'est que ruelles aux voûtes éventrées, fossés nauséabonds, synagogues et *yeshivas* enterrées sous les gravats d'où montent des chants religieux ponctués de rafales de mitraillettes, d'éclatements d'obus de mortier. La nuit se peuple d'ombres, de fantômes en houppelandes et bonnets ornés de fourrures qui rasent les murs et se rendent à de mystérieux conciliabules. Les savants rabbis se souviennent des conseils qu'avaient donnés les prophètes : ne vous mêlez pas des querelles des hommes ; restez tournés vers Yahvé.

Installé devant sa mitrailleuse qui allonge son mufle noir, un guetteur de la Haganah ou de l'Irgoun, rescapé des pogroms ou des camps de la mort, sent monter au fond de lui, bien qu'il soit athée, l'angoisse sacrée qui sourd de toutes ces pierres souillées par le sang des justes. De la synagogue lui parviennent des bribes d'un Psaume de David : « O Dieu, les nations sont venues dans ton héritage. Elles ont souillé ton saint Temple, réduit Jérusalem en ruines. Elles ont répandu le sang de tes serviteurs. »

La lune éclaire le ghetto de sa dure lumière ; les étoiles brillent au ciel et des larmes lui montent aux yeux.

La situation est désespérée. Les deux cents combattants disposent seulement de trois mitrailleuses, d'un mortier, de quelques mitraillettes et de vieux fusils tchèques, presque aussi lourds que ceux qui s'en servent. On crève de faim et l'eau des citernes est saumâtre.

Les Arabes sont installés dans une école de la Raoudah, à l'emplacement de l'ancienne citadelle d'Hérode. Ils ont des vivres en abondance ; ils ont des armes, mais plus de chef depuis la mort d'Abd-el-Kader Husseini qu'ils ont solennellement enterré, comme un émir ou un sultan, dans l'enceinte du

Haram-el-Sherif. Sa mort sert à la fois les juifs, qui n'ont plus en face d'eux que des bandes désorganisées, et le roi Abdallah qui depuis longtemps rêve de Jérusalem et sait désormais qu'il peut s'en emparer.

Le 12 mai, Abdallah lance deux escadrons d'auto-canons sur les kibboutzim de Kfar Etsion qui résistent toujours. La Légion les emporte après de durs combats. La porte de Jérusalem lui est ouverte.

Abdallah dévoile son jeu et, malgré la mise en garde de Golda Meir, « Faites attention, Majesté, ils vous tueront », le descendant de Mahomet à qui les Anglais ont fait la charité de quelques arpents de désert ne peut résister à la tentation d'être un roi à Jérusalem et d'y régner comme ses ancêtres à La Mecque.

Les événements se précipitent. Le 13 mai, les juifs apprennent que les Anglais se disposent à quitter Jérusalem dès le lendemain. Le 14 mai, à quatre heures de l'après-midi, Ben Gourion, dans une salle du musée de Tel-Aviv, proclame la naissance du nouvel Etat d'Israël. Son discours dure trente minutes. Il commence par un rappel de l'histoire :

« Le pays d'Israël est le berceau du peuple juif. C'est là que s'est formée son identité spirituelle, religieuse et nationale... En conséquence, nous, membres du Conseil national représentant le peuple juif de Palestine et le mouvement sioniste mondial, réunis en assemblée solennelle en vertu des droits naturels et historiques du peuple juif et de la résolution de l'Assemblée générale des Nations Unies, proclamons l'établissement de l'Etat juif de Palestine qui portera le nom d'Israël. »

Désormais les juifs de Palestine deviendront des Israéliens et les Arabes des Palestiniens. Aucune allusion à Jérusalem. Les Etats-Unis et l'URSS reconnaissent aussitôt le nouvel Etat tandis que des bombardiers égyptiens lancent leurs premières bombes sur Tel-Aviv. Folle explosion de joie dans la Ville sainte assiégée.

Le lendemain, cinq armées arabes franchissent les frontières de la Palestine. A elles se joignent les débris de l'Armée de libération palestinienne. Les forces sont à peu près égales de chaque côté, trente mille hommes, mais les Arabes disposent d'un armement supérieur.

La Haganah maîtresse de la Nouvelle Ville

Parfaitement renseignés, les hommes de la Haganah et de l'Irgoun suivent à la trace les Anglais qui évacuent leurs positions dans Jérusalem : ils les occupent aussitôt, précédant les Arabes qui croient toujours que l'évacuation n'aura lieu que le lendemain. Les juifs s'emparent de la zone britannique baptisée « Bevingrad », par dérision, en souvenir de Bevin qui aimait si peu les juifs ; elle comprend la grande poste, le central téléphonique, l'hôtel de police, la mairie, la prison, l'hôpital gouvernemental, l'hôtel King David, la caserne Allenby et la caserne El Alamein sur la colline du Mauvais Conseil. Ils sont maîtres des quartiers arabes de Sheikh Jerrah, rétablissant ainsi les communications avec le mont Scopus et l'Université. Ils s'infiltrent dans l'hôtellerie de Notre-Dame de France dont ils délogent les Arabes, mais se heurtent à une forte résistance au quartier de la colonie américaine et à la porte de Damas dont ils ne pourront s'emparer. Il ne reste plus qu'à conquérir la Vieille Ville, la vraie Jérusalem, la Ville sainte où les irréguliers arabes et leurs poseurs de bombes viennent de dynamiter une partie des positions encore tenues par une poignée de défenseurs juifs. Ils appellent Shaltiel au secours au moment où une délégation de rabbins est partie négocier leur reddition.

Les rabbins croyaient trouver en face d'eux les

troupes disciplinées de la Légion arabe, mais ne découvrent que les fous excités de Raoudah dont les promesses de vie sauve, ils le savent, ne valent rien. Ils retournent dans leurs synagogues qui continuent à s'effondrer dans les incendies et les explosions.

David Shaltiel, dont les troupes ont occupé la plus grande partie de la Nouvelle Ville, se préoccupe enfin de la Vieille Ville et de ses défenseurs submergés. Il décide de s'emparer de la porte de Jaffa, le plus mauvais endroit pour y concentrer une attaque car elle est défendue par les trois tours de la citadelle. Mais il a appris d'un archéologue qu'il existait, au pied du rempart, un souterrain fermé par une grille qui conduisait de l'autre côté des positions arabes. Son plan : faire avancer les trois automitrailleuses dont il dispose pour attirer sur elles le tir des défenseurs de la porte tandis que des sapeurs feront sauter la grille et qu'une unité de choc, empruntant le souterrain, tombera sur les arrières de l'ennemi.

Malgré les critiques dont le plan est l'objet, Shaltiel s'obstine, et il y croit si fort qu'il fait préparer le drapeau bleu et blanc frappé de l'étoile de David qui bientôt, croit-il, flottera sur le dôme de la mosquée d'Omar.

Les mystères d'une reddition

Une unité du Palmach opérera une diversion en attaquant la colline de Sion et la porte qui lui fait face ; elle sera placée sous le commandement d'Uzi Narkiss. Force permanente de six cents jeunes gens, divisés en commandos et équipés d'armes légères, tous volontaires, venant des kibboutzim, les Palmach n'ont pas cessé de combattre au prix de lourdes pertes. Sionistes convaincus, proches des marxistes, ils n'ont aucune sympathie pour Jérusalem, cité de Dieu et de tous les fanatismes, et sur ce point, ils sont proches de Ben Gourion et de Shaltiel, son délégué militaire.

De leur côté, les Arabes de Raoudah, apprenant que la majeure partie de la Nouvelle Ville est aux mains des juifs, font appel au roi Abdallah, dans les mêmes termes que les défenseurs du ghetto à Shaltiel. S'il n'intervient pas, ils sont perdus et n'ont plus qu'à se rendre.

Fort de sa victoire à Kfar Etsion, Abdallah n'attendait que ce signal. Il donne l'ordre à ses blindés de foncer sur Jérusalem. Glubb Pacha doit s'incliner devant une décision devenue inévitable.

Les trois automitrailleuses de Shaltiel suivies d'un autobus transportant sapeurs et troupes de choc progressent vers la porte de Jaffa. Les Arabes courent au rempart et bombardent les juifs de bâtons de dynamite, de cocktails Molotov, déclenchant une fusillade aussi violente que désordonnée. Une première automitrailleuse est immobilisée ; une seconde prend feu en même temps que l'autobus dont les occupants s'enfuient pour ne pas être grillés vifs. L'échec est total. En revanche les Palmach de Narkiss — ils ne sont plus que quarante — enlèvent à la grenade la colline de Sion où David est censé dormir et se retrouvent à quelques mètres de la porte. Narkiss veut poursuivre l'attaque et, par le quartier arménien, rétablir la jonction avec les assiégés. Mais ses hommes n'en peuvent plus et il se résigne à attendre les renforts que Shaltiel a promis. Narkiss et ses hommes ne se sont pas rendu compte qu'en face d'eux la porte de Sion, désertée par ses défenseurs après la prise de la colline, n'était plus tenue. Il suffisait de la pousser pour déboucher dans le quartier arménien et, de là, rejoindre les défenseurs du quartier juif. Un capitaine de la Légion arabe venu inspecter les défenses s'en aperçoit et garnit de ses Bédouins les créneaux qui dominent la porte.

Shaltiel rassemble ce qu'il peut trouver, quatre-vingts recrues qui, à peine débarquées des camps, ne savent ni se servir d'un fusil ni lancer une grenade, un pitoyable troupeau de civils épuisés arborant des casques américains d'artilleurs de la marine deux fois trop grands et qui leur donnent l'air grotesque d'arquebusiers.

La Légion arabe, qui tient Ramallah, Bethléem et Naplouse, vient d'installer ses canons sur le mont des Oliviers.

Les renforts qu'attend Narkiss arrivent enfin dans l'état que l'on connaît. Il aurait préféré s'en passer, mais lance quand même la moitié de ses commandos à l'assaut de la porte ; ils la font sauter et gagnent le quartier juif où ils sont acclamés. Les juifs se croient sauvés. Mais la situation s'aggrave rapidement et Narkiss, sans nouvelles de Shaltiel, ne pouvant compter sur les renforts qu'il a reçus, se jugeant incapable de s'opposer aux légionnaires qui viennent de pénétrer dans la Ville sainte, décide de replier son commando sur la Nouvelle Ville.

Narkiss rendra Shaltiel responsable de son échec pour lui avoir envoyé des renforts inutilisables et Shaltiel accusera Narkis de s'être replié sans autre souci que de sauver ses hommes, sans se préoccuper des catastrophiques conséquences morales de son abandon.

Narkiss, en bon sioniste, aurait-il estimé que le ghetto, cet amas de ruines, ne méritait pas un tel sacrifice, qu'il risquait seulement de rappeler au peuple juif un passé de soumission qu'il devait oublier ? Il devra attendre dix-neuf ans pour prendre sa revanche et conquérir la Vieille Ville de Jérusalem.

Dans les jours qui suivent, les légionnaires jordaniens réoccupent la porte de Sion, tiennent bientôt tous les remparts et pilonnent, à partir du mont des Oliviers, le réduit juif.

La synagogue de Nissak Beck, l'un des plus solides points d'appui des défenseurs, est prise.

Ben Gourion a préféré la paix à Jérusalem la Sainte

Les rabbins viennent supplier le chef de la Haganah, Moshe Russnack, de cesser un combat inutile. Cent cinquante blessés encombrent les caves qui servent d'hôpital. Il ne reste plus que trente-cinq soldats valides, ne disposant que d'une demi-heure de feu et ne tenant plus que trois vieilles synagogues, un pâté de maisons où s'entassent quinze cents civils et la Hourva dont le dôme domine les toits du quartier. Le commandant de la Légion, Abdullah Tell, souhaiterait l'épargner, mais devant la résistance des juifs qui s'y accrochent, il donne l'ordre de la faire sauter.

Le 28 mai, deux vieux rabbins émergent d'un monceau de ruines avec un drapeau blanc. Abdullah Tell convoque un représentant de la Haganah, un autre de la Croix-Rouge, un autre de l'ONU. Il leur dicte ses conditions. Elles sont honorables : tous les hommes valides seront faits prisonniers. Les femmes, les enfants, les vieillards seront rapatriés dans la Nouvelle Ville où les blessés seront évacués. Tell voudra ignorer les femmes-soldats qui ont vaillamment combattu. Les seules exécutions qu'il ordonne sont celles de pillards arabes.

Malgré de lourdes pertes, la Légion arabe ne peut prendre pied à Notre-Dame de France et Glubb Pacha renonce à poursuivre son offensive pour s'emparer de la Nouvelle Ville.

La ligne de partage entre zones arabe et juive fixée au cours de ces derniers combats n'allait plus varier pendant dix-neuf ans.

Selon son biographe, Michel Bar Zohar (Fayard éd.), « Ben Gourion n'a pas donné l'ordre de renouveler les attaques sur la Vieille Ville qu'il aurait pu prendre, par crainte de la susceptibilité du monde chrétien sur ce sujet : il préférait la perte des Lieux saints du judaïsme et la coupure de Jérusalem en deux au danger qu'Israël soit brutalement sommé de quitter la ville tout entière. En attendant, il s'installe discrètement dans la Nouvelle Ville, tout en multipliant les déclarations affirmant qu'Israël n'a pas l'intention de la rattacher à son territoire. Le premier pas a été l'extension de l'armée et du gouvernement d'Israël sur la ville par quelques formules bien équivoques ; le deuxième pas est l'abolition de la décision gouvernementale qui accepte l'internationalisation de Jérusalem. Son plan est d'installer peu à peu la capitale de son pays sur l'emplacement de l'ancienne capitale d'Israël. Tous ses actes sont prudents, réfléchis. Il sait bien qu'il marche sur une corde raide et que tout faux pas pourrait avoir des conséquences graves ».

Après une trêve qui sert les juifs et dessert les Arabes, les combats reprennent. Les juifs, qui ont reçu des armes et des renforts, alignent soixante-treize mille hommes contre quarante mille à l'ennemi. Ils l'emportent partout. Les Egyptiens se débandent et signent un armistice à Rhodes ; le Liban suit, puis la Jordanie, la Syrie. Israël, qui avait reçu en partage quatorze mille deux cents kilomètres carrés, en a conquis vingt mille sept cents dans le Néguev. Mais les Jordaniens conservent la Vieille Ville de Jérusalem et deux quartiers au nord-ouest. Les juifs, qui sont moins d'un million, ont eu six mille morts dont quatre mille militaires et deux mille civils. On ignore les chiffres exacts des pertes arabes, sensiblement plus élevées. Deux hommes devaient encore mourir pour Jérusalem et dans Jérusalem, le comte Folke Bernadotte, médiateur de l'ONU, et le roi Abdallah de Jordanie.

Bernadotte et Abdallah de Jordanie
sacrifiés aux dieux sanglants de Jérusalem

Le comte Bernadotte, nommé médiateur, succédant au Comité des Cinq de l'ONU, propose un plan qui reprend en partie les résolutions approuvées par le Conseil. Mais les modifications qu'il y apporte ayant trait à Jérusalem vont lui coûter la vie.

Il propose la création de deux Etats qui constitueraient une Union s'étendant à la Palestine et à la Transjordanie. Le Néguev, tout ou partie, serait attribué aux Arabes ; les juifs recevraient la Galilée. Un port franc serait institué à Haïfa comprenant la zone des raffineries et le terminal de l'oléoduc de l'Iraq Petroleum ; un aéroport international serait ouvert à Lydda. Bernadotte abandonnait l'idée d'une internationalisation de Jérusalem qui avait fait couler tant d'encre et dont on s'était rendu compte qu'elle était impossible. La Ville tout entière, l'ancienne et la nouvelle, serait remise aux Arabes, les juifs jouissant d'une certaine autonomie dans le cadre de la municipalité ; des mesures seraient prises pour la protection de tous les Lieux saints. Enfin, les réfugiés qui ont fui devant les forces juives, on en comptait cinq cent mille, pourront rentrer chez eux et retrouver leurs biens.

Les juifs ne pouvaient accepter un plan qui signifiait la fin de l'Etat d'Israël alors qu'il était à peine né. Le Néguev était la seule zone possible d'expansion ; le retour des réfugiés rendait inutiles toutes ses victoires dont l'essentiel avait consisté à chasser les Arabes de chez eux. Enfin, après tous les sacrifices qui avaient été consentis, abandonner aux Arabes Jérusalem et ses cent mille juifs équivalait à une trahison. Pour l'Irgoun et Stern, partisans du grand Israël de la Bible et qui disposaient à Jérusalem de l'appui de la population, c'était intolérable.

Bernadotte fut accusé de tous les péchés : on lui

prêta des intentions qu'il n'avait pas, d'être au service des lobbies pétroliers, d'avoir été manipulé par les Arabes, d'avoir été l'ami d'Hitler alors qu'en Allemagne, comme délégué de la Croix-Rouge, il s'était surtout préoccupé de sauver la vie des juifs. Bref, il fut désigné comme la bête à abattre. Les tueurs du groupe Stern s'en chargèrent.

Le 17 septembre 1948, en plein centre de la Jérusalem juive, il est abattu à coups de pistolet avec le colonel français Sérot qui l'accompagne. Ses assassins, des « sternistes », seront arrêtés, condamnés par un tribunal juif à cinq ans de prison pour association illégale, car Stern officiellement avait été dissous. Ils seront relevés aussitôt de leur condamnation et l'un d'eux, Friedman Yelin, pourra siéger comme député à la Knesset. Ralph Bunche, qui remplace Bernadotte, se montre plus compréhensif vis-à-vis des thèses sionistes et on s'empresse d'oublier les projets du comte suédois. Bernadotte avait commis l'erreur de croire que Jérusalem pouvait être traitée comme n'importe quelle ville du monde, oubliant qu'elle était unique et n'obéissait à aucune règle commune.

Le 20 juillet 1951, pour avoir trop désiré, trop aimé Jérusalem et, dans le dessein de s'emparer de la Vieille Ville aux dépens des Palestiniens, avoir entretenu des rapports secrets avec les juifs, le roi Abdallah est assassiné par un tueur du grand Mufti. Il venait de pénétrer dans la mosquée d'Al Aqsa pour assister à la grande prière du vendredi et s'était fait accompagner de son petit-fils Hussein qui fut éclaboussé de sang.

Hussein manifestera à l'égard de la Ville sainte de Jérusalem, où il ne se rendra qu'une seule fois, la même défiance que Ben Gourion qui, alors que la Vieille Ville était à prendre, aurait conseillé à Shaltiel, qui partageait sa méfiance, de différer l'envoi des renforts qu'Uzi Narkiss réclamait. Il est très difficile de connaître la vérité sur ce point.

Les armes se sont tues ; Ben Gourion doit maintenant livrer une dernière bataille, cette fois contre le monde entier : l'ONU, les Etats-Unis, la Grande-Bretagne, la France. Dans les derniers mois de 1949, l'Assemblée générale des Nations Unies décide une nouvelle fois de placer Jérusalem sous sa juridiction et de ressortir le *corpus separatum*, au moment même où Ben Gourion a décidé d'en faire sa capitale. Ben Gourion déclare : « Nous considérons comme notre devoir d'affirmer que la Jérusalem juive fait partie intégrante de l'Etat d'Israël, de même qu'elle est indissolublement liée à l'histoire, à la religion et à l'âme juives. »

Comme la menace se précise, que l'internationalisation risque de se traduire par des mesures sur lesquelles il sera difficile de revenir, le 13 décembre 1949, Ben Gourion proclame Jérusalem, la Juive, capitale éternelle d'Israël et y transfère toutes les administrations à l'exception du ministère de la Guerre qui, pour des raisons de sécurité, restera à Tel-Aviv. Une des plus belles pagailles de l'histoire d'Israël que ce déménagement en catastrophe ! Ben Gourion s'installe dans le vieux bâtiment de l'Agence juive tandis que les ambassades étrangères, refusant de reconnaître le fait accompli, restent à Tel-Aviv.

Jérusalem divisée

Quelle étrange capitale qui garde encore des allures de champ de bataille ! Hérissée de barbelés et de sacs de sable, avec ses guetteurs et ses ruines noircies par l'incendie que personne ne restaure, Jérusalem prend une allure sinistre, moitié ville assiégée, moitié camp de concentration. Les pèlerins ne peuvent passer de Nouvelle Ville en Vieille Ville que par la porte Mendelbaum et doivent présenter un certificat de baptême. Les synagogues du quartier juif ont été rasées et des familles arabes s'y sont installées. Plus un seul juif n'habite dans les murs.

Cette situation, particulièrement absurde, va durer dix-neuf ans, compliquée encore par l'existence de l'enclave israélienne du mont Scopus isolée en zone jordanienne.

« La ligne de partage, nous dit André Chouraqui (*Vivre pour Jérusalem*), suivait à peu près les positions occupées de part et d'autre par les armées jordanienne et israélienne au moment du cessez-le-feu. Comme pour les frontières d'Israël, le tracé en était dément. Entre ces deux mondes, on pouvait voir le *no man's land*, désolé, parsemé de ruines et de barbelés, théâtre de meurtres sporadiques... A Abu Torr, sur les terrasses de Notre-Dame de France qui dominaient le paysage, nous nous pressions pour contempler la Vieille Ville, ses coupoles, ses dômes, ses clochers, ses minarets. Quel étrange vertige : Jérusalem était présente et absente dans Jérusalem. Le rêve du retour s'écrasait contre le mur de béton et de barbelés qui séparait Jérusalem de Jérusalem... »

La coupure entre deux villes ne sera abolie qu'en une seule et brève occasion, pendant quelques heures lors de la visite du pape Paul VI qui, le 4 janvier 1964, était venu rappeler que la Chrétienté avait elle aussi des droits à Jérusalem.

Les Anglais se défendront d'être responsables de ce gâchis et le haut commissaire britannique, sir Alan Cunningham, en quittant son poste déclarera : « La fin du terrorisme juif aurait été une question d'heures, si les troupes avaient été autorisées à user de la toute-puissance de leurs armes contre toute la communauté juive. Mais de telles mesures n'ont jamais été envisagées par le gouvernement de Sa Majesté, non plus qu'elles n'ont été souhaitées et recommandées par l'armée... Aucune troupe au monde n'aurait conservé autant de contrôle en face de provocations constantes... »

Pendant les combats, les chrétiens, s'ils étaient arabes, avaient participé à la lutte contre les juifs ; s'ils appartenaient à des communautés étrangères, ils s'étaient réfugiés dans une neutralité bienveillante vis-à-vis des Palestiniens, leur fournissant vivres et asiles : elles préféraient, et ne le cachaient pas, que la garde du Saint Sépulcre soit confiée aux légionnaires à keffiehs d'Hussein de Jordanie plutôt qu'aux soldats débraillés de la Haganah.

Ce sentiment survivra à la réunification de Jérusalem. Si les religieux chrétiens ne portent pas les Israéliens dans leur cœur, les rabbins éprouvent les mêmes sentiments à leur égard et demandent que soient prises des mesures sévères contre les prêtres, moines ou pasteurs qui tenteraient de convertir des juifs au christianisme. Jérusalem n'incite jamais à la tolérance.

Le bluff de Nasser conduit à la guerre

En 1956, la nationalisation du canal de Suez provoque l'intervention franco-anglaise et entraîne la conquête du Sinaï par Israël. Une victoire militaire, une défaite diplomatique dont Nasser est sorti triomphant. Les Soviétiques s'installent, inondant l'Egypte d'un armement sophistiqué dont l'Armée rouge n'est même pas équipée.

En évacuant le Sinaï sous la pression internationale, les Israéliens avaient rappelé les trois *casus belli* qui pourraient les amener à intervenir à nouveau : la fermeture du détroit de Tiran et du golfe d'Aqaba, qui interdirait le ravitaillement d'Israël en pétrole par le port d'Eilat ; le retrait des casques bleus, un rideau d'observateurs de l'ONU qui séparait, de Gaza à Charm-el-Cheikh, Egyptiens et Israéliens ; enfin la présence d'une force interarabe installée à la frontière jordano-israélienne.

Au premier sommet arabe du Caire, en janvier 1964, a été créée l'OLP, l'Organisation de Libération de la Palestine qui a pris le contrôle des camps. Nasser lui donne comme secrétaire général un personnage burlesque et corrompu qu'il tient en main, Ahmed Choukeiri, dont l'éloquence enflamme le million de Palestiniens qui pourrit dans les camps depuis 1948.

En Syrie, la tendance dure du Baas a pris le pouvoir et encourage le Fatah, l'organisation terroriste palestinienne, à lancer des raids sur les installations israéliennes ; la Syrie cherche un affrontement où elle entraînerait les autres pays arabes.

Les incidents se multiplient et Nasser, malgré sa prudence, prisonnier de son personnage et de ses rêves, se voit entraîné dans le cycle infernal : terrorisme-répression. Les Soviétiques, tout en lui fournissant armes et conseillers sans se faire trop d'illusions sur la valeur de l'armée égyptienne, lui conseillent de bluffer, de s'assurer le maximum d'atouts, d'éviter à tout prix la guerre et de traiter en position de force.

Le 17 mai 1967, premier *casus belli* : Nasser exige l'évacuation des casques bleus. Le secrétaire général de l'ONU, le Birman U Thant, obtempère sans protester.

Le 22 mai 1967, encouragé par ce succès, Nasser annonce la fermeture du détroit de Tiran et du golfe d'Aqaba, interdisant le port d'Eilat aux navires israéliens et à tout bâtiment transportant du matériel stratégique : deuxième *casus belli*. Nasser laisse cependant entendre que l'on peut encore s'arranger.

Grisé, le joueur est entraîné à augmenter les mises. Le 31 mai 1967, troisième *casus belli* : le roi Hussein, pour sauver son trône, arrive au Caire et signe avec l'Egypte et l'Irak un pacte tripartite. Un commandement unifié est créé sous l'autorité du chef d'état-major de l'armée égyptienne, le maréchal Amer. Hussein ramène dans son avion le général égyptien Riad qui installe son QG à Ramallah. Un pont aérien est mis en place entre Amman et Le Caire pour transporter deux régiments de commandos spécialisés dans les raids en territoire ennemi.

Les Irakiens, de leur côté, envoient en Jordanie une brigade blindée, une division d'infanterie et deux escadrilles de Mig 21 basées à la frontière sur un terrain proche d'Amman. La guerre est désormais inévitable, mais personne ne veut prendre le risque de la déclarer. Nasser croit toujours pouvoir l'éviter.

Crise en Israël

Le chef du gouvernement israélien, Levi Eshkol, ne cesse de changer d'avis. Le ministre des Affaires étrangères, Abba Eban, s'efforce par tous les moyens de maintenir une paix impossible tandis que le chef d'état-major, le général Yitzhak Rabin, fait une dépression. Les Israéliens connaissent une véritable crise morale et, selon Yves Cuau (*Israël attaque*, Laffont éd.), « le ressort de ce petit peuple est cassé, l'offensive semble de plus en plus difficile et le "complexe d'Auschwitz" se développe dans la population ».

Pour rassurer Israël, il faudra la création d'un gouvernement d'unité nationale, la réconciliation de Ben Gourion et de Begin — qui ne s'étaient plus rencontrés depuis 1948, lorsque la Haganah avait tiré sur le bateau qui débarquait des armes et des volontaires de l'Irgoun — et la nomination au ministère de la Défense de Moshe Dayan, le vainqueur en 1956 de la campagne du Sinaï.

« Dayan possède tout ce qui manque à Rabin : une bonne dose de cynisme, un mépris total de l'adversaire arabe et un remarquable talent de comédien. Il entre en scène au moment le plus favorable pour son pays : les Arabes sont persuadés qu'Israël est un "tigre de papier". La plupart des grandes puissances commencent à penser qu'Israël est incapable de briser par la force l'étau qui l'enserre. Le tour de force réellement extraordinaire de Moshe Dayan va être de persuader le monde entier qu'Israël se prépare à une longue attente et qu'il cautionne cette attente, alors que la guerre, dès sa nomination, est inévitable, imminente » (Yves Cuau).

De Gaulle est le seul chef d'Etat qui ne se laissa pas abuser.

L'armée et la population civile ont l'impression de sortir du cauchemar.

Le lundi 5 juin, au matin, est déclenchée l'opération Focus. Quelques obus de mortier tombés sur un kibboutz ont fait croire aux journalistes qu'Israël avait été attaqué. En trois heures, la guerre sera gagnée par l'aviation israélienne équipée de matériel français qui écrase les aérodromes égyptiens, détruit sur leurs bases l'aviation de chasse et de bombardement.

L'anéantissement dans le Sinaï des chars égyptiens dépourvus de couverture aérienne, s'il donne lieu à de durs combats, permettra aux blindés israéliens d'atteindre en six jours le canal de Suez.

Hussein piégé par Nasser

Les Israéliens s'attendaient à une réaction du roi de Jordanie, mais pas à son intervention aux côtés de Nasser.

Peu avant qu'il ne soit nommé ministre de la Défense, Moshe Dayan avait donné ce conseil à Uzi Narkiss, l'ancien chef de l'unité du Palmach qui avait tenté de secourir les juifs de la Vieille Ville, et qui était devenu depuis général et responsable de la zone centre Israël et de Jérusalem : « En cas de coup dur dans ton secteur, ne bronche pas. Il est peu probable que les Jordaniens s'excitent sérieusement. Laisse-les faire leur baroud d'honneur. Ne demande pas de renforts et envoie le maximum de tes gars dans le Sinaï. »

Quelques jours plus tard, alors qu'il remplit ses fonctions de ministre, il lui répète : « N'embête pas l'état-major avec des demandes de renforts. »

Le premier coup de feu éclate à Jérusalem vers 10 heures 30. Puis des obus de mortier tombent sur le centre de la ville juive. Aussitôt Levi Eshkol, Premier ministre israélien, par l'intermédiaire du général norvégien Od Bull qui commande les observateurs de l'ONU, envoie un message au roi Hussein. Il lui demande de ne pas intervenir dans le conflit. En contrepartie, il lui donne l'assurance qu'Israël n'agira contre lui ni en Cisjordanie ni à Jérusalem. Mais s'il passe outre, l'Etat juif réagira avec la dernière violence et le roi devra en supporter les conséquences.

Les tirs continuent. De son PC installé sur la colline de Castel où l'on s'est tant battu en 1948, le général Narkiss, il me l'avouera, ne se tient plus de joie. Il va se laver du reproche qui pèse sur lui depuis 1948 et appelle au téléphone Teddy Kollek, le maire de la Jérusalem juive, pour lui annoncer : « Ces imbéciles, semble-t-il, tiennent absolument à faire de toi le maire de la Jérusalem réunifiée. » Car il a fallu tout l'entêtement, toute la loyauté de Hussein vis-à-vis de son pitoyable allié égyptien, son ignorance des derniers développements de la guerre aérienne, pour que les juifs s'emparent de la Vieille Ville, des Lieux saints et réalisent le rêve deux fois millénaire qui mettait fin officiellement à la diaspora.

A l'origine de cette tragique erreur qui va coûter au

roi Hussein une partie de son royaume, le compte rendu falsifié de la situation que lui transmet le maréchal Amer, commandant en chef des forces égyptiennes. Selon ce rapport, soixante-quinze pour cent des appareils israéliens venus bombarder les bases aériennes égyptiennes ont été abattus. La contre-attaque de l'aviation égyptienne se développe au-dessus d'Israël. Des bombardiers viennent d'écraser toutes les bases aériennes israéliennes et les forces terrestres ont pénétré dans Israël par le Néguev.

Fort de ce communiqué de victoire, Hussein rejette la proposition qui vient de lui être transmise et lance ses troupes dans la bataille de Jérusalem.

La Légion arabe est une armée solide, bien entraînée, mais malgré ses Bédouins, d'excellents guerriers, elle n'a plus les qualités qui tenaient à son commandement et à son encadrement britanniques. Hussein a dû en effet se séparer de Glubb Pacha et de ses officiers. La Légion se compose de neuf brigades, soit vingt mille hommes, dont deux brigades blindées équipées d'excellents chars Patton et Centurion. Narkiss ne dispose que de cinq mille hommes : la brigade de Jérusalem, composée en partie d'étudiants, la brigade blindée de Ben Ari, des réservistes auxquels viendront s'ajouter les mille cinq cents parachutistes du colonel Mordechaï Gur, dit Motta.

La dure conquête de la Vieille Ville

Le plan de Narkiss visait à isoler complètement la cité sainte avant de lui donner l'assaut. Il reprend le QG de l'ONU aux Jordaniens, contrôle Tsour Baher au sud et la route de Bethléem ; il ne lui reste qu'à s'emparer, au nord, de la colline des Munitions et de l'école de police afin d'interdire toute arrivée de renforts par Ramallah où se trouve le QG du roi et du général égyptien. La brigade blindée de Ben Ari gagne de vitesse les chars jordaniens et après un dur combat prend le contrôle, le mardi matin, de la route de Jéricho vers le Jourdain où sont massées les meilleures troupes d'Hussein. Il n'y a plus qu'à attendre que l'aviation israélienne termine sa besogne en Egypte pour les écraser.

Les parachutistes de Motta attendaient les Nord-Atlas qui devaient les larguer dans le Sinaï. Quand ils voient arriver à leur place de vieux autocars, ils sont déçus. Une déception qui se transforme en un fol enthousiasme quand le colonel leur apprend qu'on leur offre le plus beau combat qu'un soldat juif puisse souhaiter, prendre la ville de David et de Salomon, la Jérusalem d'or. Ils embarquent dans les cars en chantant.

On ne leur a pas caché que les combats seraient très durs et qu'ils devraient déloger les Bédouins de leurs positions au corps à corps afin de ne pas détruire la cité sainte. Ils gagnent Jérusalem la Juive sous un bombardement de mortiers et d'obus.

Le haut commandement a fixé l'heure de l'attaque au mardi matin 6 juin à 7 heures. Narkiss en décide autrement : elle débutera à 2 heures.

Comme je lui demandais les raisons qui l'avaient poussé à enfreindre les consignes de l'état-major, Narkiss m'a expliqué que ses soldats étaient entraînés à se battre la nuit, au contraire des Arabes qui en avaient peur, et qu'il aurait été stupide de ne pas profiter de cet avantage. Voici le récit que me fit le colonel Motta des combats qui aboutirent à la prise de Jérusalem :

« Sous une pluie de mortiers, je pars avec mes commandants pour reconnaître le terrain, car je crains que mes paras se perdent dans les méandres de la ville et je me fais affecter comme guide des soldats de la brigade de Jérusalem. La nuit tombe brusquement et c'est à la lueur des torches que je donne mes ordres aux officiers penchés sur les cartes.

« Deux bataillons se lanceront, l'un à l'assaut de l'école de police et de la colline des Munitions, l'autre du quartier musulman de Sheikh Jerrah. Je sais qu'il y aura de lourdes pertes. A 2 heures 20, les chars israéliens se mettent en marche sous un déluge d'obus. Les Jordaniens disposent de canons à longue portée, les "Long Tom". Les parachutistes partent à l'assaut des réseaux de barbelés qui séparent la ville en deux et se retrouvent sous le feu des mitrailleuses ennemies.

« Morts et blessés tombent pêle-mêle ; la lutte devient d'une âpreté extraordinaire et dépasse en acharnement tout ce que je pouvais imaginer. Mes hommes doivent affronter un ennemi solidement retranché en terrain accidenté, puis dans une zone bâtie où chaque maison, chaque toit, chaque cave peut devenir un noyau de résistance. Ils doivent ouvrir des brèches dans cinq réseaux de barbelés successifs et se frayer un chemin au milieu des mines qui les truffent. Des corps à corps furieux mettent aux prises dans la nuit parachutistes et Bédouins d'Hussein. Les paras réduisent à l'explosif les bunkers, mais sautent sur les mines qui n'ont pu être neutralisées, toutes les "poêles à frire", tous les détecteurs de mine ayant été envoyés dans le Sinaï.

« Les combats les plus durs se dérouleront au cours de l'attaque de la colline des Munitions, véritable verrou de Jérusalem. Tel officier a atteint son objectif avec en tout et pour tout quatre soldats restés valides sur les effectifs de sa compagnie, tel autre avec sept seulement sur ceux de sa section.

« L'école de police tenue par deux cents légionnaires jordaniens résistera à plusieurs assauts furieux. Ce n'est qu'à 4 heures du matin que nous en viendrons à bout, à la lueur des projecteurs installés au sommet d'un immeuble. Les Jordaniens ont eu cent six morts, tous les autres sont blessés. Ma brigade perdra cette nuit-là le quart de ses officiers.

« Pendant toute la journée de mardi, nous nettoyons les quartiers arabes que nous venons d'occuper. Mais, du haut des remparts de la Vieille Ville et du mont des Oliviers, la Légion continue à écraser nos positions sous le feu de son artillerie. Le mont des Oliviers est pris par deux escadrons de chars israéliens ainsi que la colline Augusta Victoria. Mais une contre-attaque des blindés jordaniens les en déloge.

« Le mercredi matin, le général Narkiss m'appelle : "Plus vite les opérations seront achevées, mieux ce sera pour Israël." En effet, le Conseil de Sécurité réuni à New York s'efforce d'obtenir une trêve.

« Après un bombardement d'aviation, les deux collines sont reprises. La Vieille Ville est encerclée. L'ordre de l'assaut est donné après qu'a été déclenché un violent tir d'artillerie sur les quartiers musulmans, entre la porte de Damas et la porte Saint-Etienne. Très bref, il durera à peine dix minutes. Il est 10 heures 12. La porte Saint-Etienne est en vue. Un battant est entrouvert. Un véhicule en flammes barre l'entrée. Je dis à mon chauffeur : "Fonce, vas-y, Ben Zur !"

« Ben Zur appuie sur le "champignon", dépasse le véhicule, défonce les battants qui volent en éclats, écrase les pierres qui bloquent la route. Encore quelques centaines de mètres nous séparent du mont Moriah et de l'esplanade de l'ancien Temple. Nous dévalons la rue, longeant à notre gauche la forteresse Antonia, qui marque le début de la Via Dolorosa. Nous virons à gauche pour trouver une porte qui donne enfin accès au Lieu sacré entre tous. Une motocyclette abandonnée en bouche l'entrée.

« Piégée ou pas piégée ? Ben Zur accélère, écrase la motocyclette et la porte s'ouvre.

« Les tirs ont cessé. Un parachutiste nommé Zemmour sera le premier à planter au sommet du Mur le drapeau israélien qu'il a ramené de son kibboutz. Un autre qui traîne une bouteille de vin dans sa musette en casse le goulot et la fait passer à ses camarades qui répètent l'un après l'autre en buvant : "A la vie. Cette année à Jérusalem." »

Le drapeau de David flotte
sur la mosquée d'Omar

« Des soldats jordaniens embusqués dans les maisons et derrière les murettes des terrasses tirent encore quand le grand rabbin Goren, essoufflé, barbu, pleurant de joie, se précipite vers le Mur et l'embrasse. Puis il joue du shofar, la corne de bélier, et entonne la prière reprise par les parachutistes dont peu sont pratiquants mais qui se souviennent de l'avoir apprise.

« Bénis sois-tu, Eternel, qui nous as fait vivre pour nous faire connaître un tel instant... »

Dayan, l'incroyant, le condottiere juif, glisse dans une anfractuosité du Mur, selon une coutume qui date de la destruction du Temple, un feuillet de papier où il a écrit ce souhait : « Que la paix règne sur Israël. » Puis en bête de spectacle, il se prête complaisamment aux flashes des photographes.

Dayan remonte ensuite vers le Haram-el-Sherif et fait amener le drapeau israélien qu'un autre parachutiste a hissé au sommet du dôme de la mosquée d'Omar, « afin de ne pas offenser la population musulmane ». Et il se déchausse avant de pénétrer dans la mosquée d'Al Aqsa.

Un officier jordanien se suicide en se jetant avec son véhicule contre un char israélien, pour l'honneur.

Deux cents parachutistes israéliens et plus d'un

millier de légionnaires jordaniens sont morts pour Jérusalem.

Malgré le service d'ordre qui s'efforce d'interdire la Vieille Ville où l'on tire encore et où brûlent les incendies, la foule, hommes, femmes, enfants, déborde les barrages.

« Les sombres religieux du Mea Shearim sont les plus déchaînés. Suant, les yeux fous, les tire-bouchons de leurs papillotes défrisés, les *dati* s'enfoncent dans les venelles, s'égarent dans les culs-de-sac et repartent inlassablement vers le Mur de l'Ouest, semblables à d'énormes chauves-souris avec les pans de leur lévite qui flottent derrière eux » (Yves Cuau).

Le bombardement d'artillerie du quartier musulman a causé de lourdes pertes parmi la population civile. Les premiers contacts entre Israël et les membres des communautés religieuses sont difficiles. Sœur Marie-Thérèse, la robe pleine de sang, au passage de filles israéliennes ivres de triomphe, le revolver au poing, arrache devant elles la couverture cachant les corps d'enfants à la tête éclatée. De quoi calmer leur enthousiasme.

*Une réunification « irrévocable,
irréversible, éternelle »*

Le 28 juin 1967, le Parlement israélien, la Knesset, proclame la réunification de Jérusalem, mais en se déclarant prêt à discuter les modalités d'aménagement des Lieux saints pour en faciliter l'accès à toutes les religions. Il affirme solennellement par la voix de son Premier ministre, Levi Eshkol, que cette réunification de la Vieille Ville et des quartiers arabes à l'est avec la ville juive est « irrévocable, irréversible, éternelle ». Et que la souveraineté d'Israël ne pourra en aucun cas faire l'objet de négociations.

J'avais retrouvé, ce soir-là, à l'American Colony, où soufflait un vent de fronde, un spécialiste désabusé du Moyen-Orient. Nos routes s'étaient souvent croisées en Iran, au Liban, en Egypte. Il buvait sec, pour mieux supporter, prétendait-il, la folie des hommes, particulièrement violente dans cette partie du monde.

« Les Israéliens ne savent pas ce qu'ils font, me dit-il. A se demander s'ils ont bien lu la Bible ? Rappelle-toi Ezéchiel : "Jérusalem, tu as fait de ta beauté une abomination, tu as offert ton corps à tous les passants... Je vais rassembler tous tes amants, tous ceux que tu as aimés comme ceux que tu as haïs... Ils te dépouilleront de tes habits, ils prendront tes bijoux, ils te laisseront nue, ils t'assommeront avec des pierres et te perceront de leurs glaives, ils brûleront tes maisons."

« Jérusalem n'est à personne, ni aux juifs, ni aux chrétiens, ni aux musulmans, sauf aux dieux auxquels, au cours des siècles, elle n'a cessé de se prostituer. On n'épouse pas une prostituée. On peut l'aimer, se ruiner pour elle, on ne lie pas éternellement son destin au sien. Car ce mot "éternellement", je l'ai bien entendu prononcer à la Knesset et il m'a effrayé. »

L'année suivante, le 2 mai, au cours d'une grande parade Tsahal, l'armée israélienne, célèbre ses noces avec Jérusalem, et ses soldats font le serment de mourir jusqu'au dernier plutôt que de la perdre.

La veille, les Israéliens étaient venus par milliers de tous les coins les plus reculés d'Israël : kibboutzim de Galilée et du Néguev, avec leurs chapeaux de toile sans bord, pêcheurs du lac de Tibériade, moshavim de Beer-Toviya qui élèvent des vaches danoises, ouvriers brûlés par le soleil qui travaillent aux usines de potasse de Sodome, pieds-noirs du Maroc, d'Algérie, de Tunisie, installés à Beersheba aux portes du désert et qui parlaient avec l'accent de Bab-el-Oued, de Bône ou de Tunis.

Quand la nuit tomba, des milliers de feux s'élevèrent dans les vallées et sur toutes les hauteurs entourant ou dominant Jérusalem. La nuit était claire et fraîche, d'un bleu à peine foncé.

Nous étions réunis autour de Teddy Kollek, sur la colline de Neve Sha'anan, en contrebas du musée national qu'il avait fait construire.

Trapu, solidement planté sur ses pieds, le col ouvert, en tenue de kibboutzim endimanché, premier maire de Jérusalem réunifiée, il contemplait « sa » ville. Comme la mariée était belle et dangereuse ! Si elle était la cité de David et de Salomon, du Temple et du Mur, elle était celle aussi du tombeau du Christ et de la mosquée d'Omar. Il savait que derrière ses murailles qu'illuminaient les projecteurs se tenaient soixante-dix mille Arabes chrétiens et musulmans qui refusaient la conquête et s'étaient enfermés derrière les rideaux baissés de leurs boutiques. Ils comparaient les Israéliens aux croisés qui étaient restés moins d'un siècle. Ils disaient qu'ils repartiraient comme les chevaliers de Godefroi de Bouillon, de Baudouin et du roi lépreux, mais plus vite car l'histoire s'accélérait et qu'il suffisait d'attendre.

« *Si je t'oublie, Jérusalem d'or...* »

Une femme à la voix grave entonna le très beau chant de la guerre des Six jours... « Si je t'oublie Jérusalem, Jérusalem d'or pur, que ton nom brûle mes lèvres comme un baiser de l'ange du feu, Jérusalem d'or, de cuivre et de lumière... »

Je suis remonté à pied, parmi les chants et les

danses, jusqu'à ce couvent anglican où j'avais trouvé à me loger.

J'étais ému par la joie de tout ce peuple qui priait depuis vingt siècles en redisant : « L'an prochain à Jérusalem » et qui pouvait enfin dire : « Cette année à Jérusalem ».

J'étais inquiet pour lui, pour cet engagement solennel qu'il avait pris de ne jamais rendre la Ville sainte.

Le lendemain, ce fut un très beau défilé de la porte de Jaffa jusqu'aux vertes collines de Romena. J'avais trouvé place sur l'estrade la plus éloignée des officiels, une estrade pour fonctionnaires du ministère des Affaires étrangères, officiers de l'armée et leurs familles, commerçants du bout du monde venus assister à la fête.

Cinq minutes avant le début du défilé, mes voisins se dressent sur leur banc, d'autres brandissent leurs appareils photo ou se bousculent. « Ben Gourion est là », me dit-on. Le vieux lion intraitable retiré dans son lointain kibboutz du Néguev venait d'arriver comme le dernier et le plus humble des invités, sans escorte, entouré seulement de trois ou quatre kibboutzim. Teddy Kollek vint le rejoindre. Moshe Dayan l'eût imité, s'il n'avait été cloué par son rôle officiel de ministre de la Défense à côté du chef du gouvernement Levi Eshkol qui avait fait l'impossible pour qu'il n'obtienne pas ce poste.

J'ai pu entrevoir un petit homme au visage carré, aux mèches blanches qui partaient dans tous les sens, un visage de prophète obstiné que le soleil du désert avait recuit.

Ben Gourion n'aimait pas Jérusalem la Sainte

Mon voisin, ambassadeur dans un pays d'Amérique latine, me dit : « Ben Gourion aurait dû être à la place d'honneur. Quel être impossible, mais sans lui Israël n'aurait jamais existé ni son armée. Il s'est relégué parmi les gens sans importance, refusant avec ostentation les honneurs, car il est de ces hommes qui ne peuvent supporter de ne plus être les premiers. On dit aussi qu'il n'aime pas Jérusalem, et qu'il n'est pas d'accord avec sa réunification. »

Au cours de ses accès de colère, ils étaient fréquents, Ben Gourion aurait lâché : « Jérusalem, la sainte, est un abcès qu'il faudrait crever en rasant ses murailles avant qu'elle ne contamine tout le pays. » On affecta de croire à une plaisanterie et Teddy Kollek, bien des années plus tard, m'affirmera qu'il n'avait jamais tenu ce genre de propos. Mais déjà il ne portait plus la tenue de kibboutzim, mais un élégant costume bleu et une cravate : devenu un homme politique, il n'était pas tenu à la même franchise.

Après le défilé, j'accompagnai mon diplomate jusqu'aux murailles ocre de la Vieille Ville.

« C'est une ville dangereuse que Jérusalem, me dit-il, en trottinant à côté de moi, une ville de fanatisme, de passion religieuse, de foi et d'intolérance, une ville trois fois sainte où les têtes les plus froides perdent vite leur contrôle.

« Je redoute que ces noces avec notre armée ne soient des noces de sang. Nous sommes quelques-uns au ministère des Affaires étrangères à avoir souhaité pour Jérusalem une sorte de statut international, faisant d'elle la grande capitale de la paix dans le monde.

« Comme vous le voyez, nous n'avons pas été écoutés. C'est vrai, il est difficile de refuser une telle mariée, si belle, quitte à se perdre. » Et il cita ce passage des Psaumes : « "Si je t'oublie, Jérusalem, que disparaisse ma main droite, que ma langue me colle au palais si je ne pense plus à toi..."

« Mais hélas, nous ne sommes point les seuls à avoir aimé et à aimer encore Jérusalem. »

Le peuple d'Israël ne partageait pas son pessimisme. A leurs yeux, la réunification de Jérusalem mettait fin à la malédiction ancestrale qui l'avait poursuivi. Car pour tous, même les incroyants, Jérusalem n'était pas seulement la nouvelle ville avec son admirable musée, son Parlement, la Knesset, ses jardins d'art de Biley Ross, plus discutables, ses HLM qui, avec le temps, ne sont plus que laids après avoir été atroces, mais la petite cité enclose de murailles crénelées qui contenait le Mur des Lamentations, tout ce qui restait du Temple de Salomon.

Je rendis visite à Ben Gourion dans le kibboutz du Néguev où il s'était retiré. Par une allée couverte de roses trémières d'un rouge vif, je gagnai la maison de bois qu'il habitait depuis qu'il était veuf.

Il me parla avec passion de « son » armée, me dit comment il s'y était pris pour la créer contre l'avis de tous ses généraux, comment elle avait existé avant même l'Etat. Quand j'évoquai Jérusalem, il changea de sujet et d'humeur.

Quand je revins un an et demi plus tard, on y jugeait le fou illuminé Rovan qui avait incendié un des Lieux saints de l'Islam, la mosquée d'Al Aqsa. Des grenades avaient éclaté sur la Via Dolorosa. Le Saint Sépulcre et la mosquée d'Omar étaient gardés par des parachutistes.

CHAPITRE XVI

LES FRONTIÈRES INVISIBLES

Demandez la paix pour Jérusalem !
Qu'ils soient tranquilles ceux qui t'aiment,
Que la paix soit dans tes murs,
La tranquillité dans tes palais !
A cause de mes frères et de mes amis,
Je veux dire : Paix pour toi !
A cause de la Maison de Yahvé, notre Dieu,
Je veux demander pour toi le bonheur.

Psaume 122

Le casse-tête hiérosolymite

Comment s'y retrouver dans le casse-tête que posait au monde l'annexion de Jérusalem pour les uns, sa réunification pour les autres ?

L'Assemblée des Nations Unies, par quatre-vingt-dix-neuf voix pour, une contre et vingt abstentions, avait voté une résolution demandant à Israël « de rapporter toutes les mesures déjà prises et de s'abstenir de toute action qui altérerait le statut de Jérusalem ».

Israël n'en avait pas tenu compte, comme les Jordaniens qui, vingt ans plus tôt, avaient annexé la Vieille Ville en même temps que la Cisjordanie. Mais le roi Hussein n'en avait pas fait sa capitale. Il en avait peur. Les pays membres des Nations Unies qui reconnaissaient l'Etat d'Israël avaient maintenu leurs représentations à Tel-Aviv, ne laissant à Jérusalem que des consuls généraux. Officiellement, ils étaient indépendants de leurs ambassades et n'étaient pas reconnus par le gouvernement israélien, ce qui posait des problèmes. Mais choisis le plus souvent parmi des diplomates de l'ancienne école, ils se complaisaient dans une ambiguïté qui leur permettait de faire étalage d'une culture historique souvent réelle et d'un goût de l'embrouille que la fréquentation des différentes communautés religieuses ne faisait que développer.

De leur côté, le pape et les représentants de toutes les Eglises chrétiennes avaient rejeté une réunification qui à leurs yeux n'était qu'une annexion, et ils avaient décidé de s'en tenir à la résolution de l'ONU, l'internationalisation de la ville sous son contrôle, qu'ils savaient pourtant irréalisable.

En avril 1972, à l'occasion de la fête du Mouloud, Sadate déclarait à la mosquée El Hussein au Caire : « Jérusalem nous appartient. Jérusalem appartient à toute la nation musulmane. Personne ne pourra jamais décider du destin de Jérusalem. Avec l'aide de Dieu, nous la reprendrons des mains de ceux dont le Prophète a dit : "Il est écrit qu'ils seront humiliés et misérables..." »

Pourtant, un jour il viendra à Jérusalem, au nom du bon sens, de la raison, de la paix et le paiera de sa vie, assassiné par des fanatiques qui n'avaient rien compris et qui, comme tous les fous de Dieu, ne le pouvaient pas.

Les docteurs de la Loi islamique — que ne l'avaient-ils proclamé plus tôt ! — s'étaient alors souvenus qu'au temps du Prophète on se tournait vers Jérusalem pour réciter la prière, la *qibla*. Pris d'un beau zèle, certains prétendirent que Jérusalem et non La Mecque serait, selon l'esprit et la tradition, la première Ville sainte de l'Islam, puisque ce fut sur le mont Moriah, recouvert par la coupole de la mosquée d'Omar, qu'Abraham accepta de sacrifier son fils Isaac.

Cette soumission totale de l'ancêtre mythique des Arabes à la volonté de son Dieu n'était-elle pas à la base de toute la doctrine de Mahomet ? Le lieu de ce sacrifice, Jérusalem, devenait dès lors le symbole même de l'Islam, alors que la Pierre Noire de La Mecque ne rappellerait que d'antiques superstitions.

Pour les Arabes musulmans ou chrétiens, Jérusalem était une Ville sainte qui appartenait à la nation arabe tout entière. Douze siècles d'occupation interrompue seulement par l'annexion de la ville en 1967 leur donnaient un droit absolu de propriété. Cette annexion baptisée réunification avait été faite contre la volonté unanime de ses quatre-vingt-dix mille habitants, car il n'y avait plus de juifs dans la Vieille Ville depuis 1948. Ils en avaient été chassés.

Pour les juristes internationaux, le seul droit légal des juifs à se trouver en Palestine découlait de la reconnaissance de l'Etat d'Israël, le 20 novembre 1947, par l'Assemblée générale des Nations Unies. Cette reconnaissance ne pouvait s'appliquer à Jérusalem, puisque cette même assemblée avait voté un statut international pour la Ville sainte, statut qu'elle n'avait pu appliquer, il est vrai. Seuls les juifs l'avaient accepté, mais non les Arabes. Les Jordaniens furent les premiers à le violer puisqu'ils annexèrent la Vieille Ville et ne parlèrent jamais de la rendre.

Beyrouth était devenue, après Septembre noir, la capitale sinon de la Palestine, du moins des Palestiniens qui s'y comportaient très mal, en conquérants, conduisant le Liban au désastre.

J'y rencontrai deux des leaders les plus extrémistes de la résistance palestinienne, tous deux chrétiens d'origine.

Nayeff Hawatmeh : « Le jour où se créera un Etat palestinien, il ne pourra avoir comme capitale que Jérusalem. Sinon cet Etat n'aurait aucun sens et ne pourrait se survivre. Jérusalem est la capitale historique de la Palestine. »

Georges Habache : « La construction d'une Palestine démocratique et fraternelle passe par la destruction de l'Etat théocratique d'Israël par les armes, puisqu'il n'y a pas d'autre solution. »

De son côté, le grand rabbin Goren m'avait affirmé :

« Jérusalem est comme la tête d'un corps qui serait l'Etat d'Israël. Si vous coupez la tête, le corps cesse de vivre. Israël sans Jérusalem, c'est un peuple et une nation décapités.

« Pour les juifs, Jérusalem n'a jamais cessé d'être une ville juive depuis que David en fit la capitale de son royaume. Elle l'est demeurée pendant tout le temps de la diaspora, même quand les communautés israélites furent réduites à quelques individus ou devinrent inexistantes.

« Au cours des siècles se sont constituées des sortes d'incrustations romaines, persanes, byzantines, franques, turques, sous forme de monuments, d'églises, de mosquées, de fortifications qui n'ont rien changé au caractère juif de la ville. Seules deux de ces implantations étrangères restèrent vivantes : les communautés chrétienne et musulmane.

« Pour les juifs dispersés aux quatre coins du monde, Jérusalem est restée pendant deux mille ans leur capitale religieuse. Ils n'ont cessé de proclamer : "L'an prochain à Jérusalem", d'envoyer au cours des siècles des colonies qui venaient s'y réinstaller, tantôt avec la tolérance des occupants du moment, tantôt contre leur volonté. Aujourd'hui où sa population en majorité est juive, le destin de Jérusalem doit être juif, sa vocation exclusivement juive. »

Les chrétiens locataires du Saint Sépulcre

Les chrétiens de toutes les communautés, ce fut la première fois de leur histoire, arrivèrent à s'entendre pour réfuter la thèse des juifs, selon laquelle ils ne seraient que « locataires » à Jérusalem, ayant construit leurs Lieux saints sur une terre juive. Au contraire, ils s'estimaient copropriétaires de la ville au même titre que les juifs et les musulmans, les trois religions ayant bâti leurs Lieux saints sur un terrain appartenant à Dieu seul.

Ils refusaient que la Ville sainte, Jérusalem dans les murs et ses trois collines, Sion, Moriah et le mont des Oliviers, soient nationalisées par les juifs. Mais ils leur reconnaissaient en revanche le droit absolu de faire leur capitale de la Nouvelle Ville, puisqu'ils l'avaient construite et qu'ils l'habitaient.

Un statut impossible

Je revins à Jérusalem en 1974, pour Pâques. J'avais l'intention d'écrire un article sur l'avenir de la Ville sainte et de définir quel serait le statut souhaitable pour tous : ville internationale sous contrôle de l'ONU, capitale du seul Etat juif, de deux Etats palestinien et juif ? Ou faudrait-il une nouvelle fois s'entre-tuer ? J'étais parti en quête de la quadrature du cercle.

Il m'avait suffi d'une promenade dans la Vieille Ville, dans ce mélange de souks et de sanctuaires, pour entrevoir les problèmes inextricables que cela posait. Les marchands de tous les temples, les mendiants et les prêtres de toutes les sectes faisaient la retape, s'y coudoyaient, s'y bousculaient, mais sans se voir. Le franciscain en robe de bure, pieds nus dans ses sandales, ignorait le rabbin au chapeau rond orné de fourrure d'où dépassaient des papillotes, tandis qu'un imam au turban immaculé, impassible, passait égrenant son chapelet d'ambre, en murmurant une prière, ou une malédiction.

Enfant, j'imaginais Jérusalem comme la Cité de Dieu, hérissée de couvents, d'églises, aux portes largement ouvertes pour accueillir des processions de pèlerins qui agitaient des palmes en chantant des cantiques. Plus tard, comme une forteresse bardée de tours et de murailles que se disputaient croisés et Sarrasins, Saladin et Richard Cœur de Lion. Après le combat, ils s'invitaient à dîner, où, un instant réconciliés, ils se racontaient des histoires de filles, de bagarres, de chasse et échangeaient leurs épées.

Je découvris une ville où musulmans, chrétiens et

juifs se surveillaient, comme s'ils n'attendaient que le moment de se sauter à la gorge. Jérusalem n'était plus qu'un mauvais lieu. On vous fouillait à l'entrée du Saint Sépulcre ou de la mosquée d'Omar pour vérifier si vous ne portiez pas de couteau.

Les pèlerins étaient parqués comme des moutons dans des hôtels mal chauffés, tondus par les guides, les chauffeurs de taxi, les marchands de chapelets, de lampes à huile et de fausses monnaies. Je me suis souvenu de cette réflexion d'un pèlerin espagnol : « Jérusalem aujourd'hui n'est plus qu'une *puta* qui se trémousse devant les touristes, puis rentre vite chez elle compter ses sous. »

Miracle à Jérusalem

J'avais rejoint mon gîte à pèlerins ; il avait le mérite de jouir d'une vue magnifique sur la ville écrasée sous des nuages lourds, dans une lumière blême de sépulcre.

L'abcès creva. Une brutale ondée de pluie et de neige fondue vint battre les maisons lépreuses, les remparts, les dômes et les coupoles, brouillant ce décor tout juste digne d'un mauvais péplum à l'italienne. Je haïssais Jérusalem.

J'allais boucler ma valise quand, soudain, se produisit le miracle. Une éclaircie laissa apparaître une traînée de bleu qui s'élargit. Le soleil balaya les remparts qui devinrent ocre ; les coupoles étincelèrent, les cyprès se détachèrent violemment sur le fond roux des collines. Je décommandai mon taxi.

Je me perds dans le dédale des galeries voûtées. Je découvre une petite place autour de la fontaine, où jouent quelques chèvres et des enfants. Pour une fois, ils ne me réclament pas de l'argent ou des cigarettes, ils me sourient comme pour me convier à partager leurs jeux : des cailloux qu'ils poussent dans des cases dessinées à la craie.

Un peu plus loin, trois hippies adossés contre un mur fument tranquillement du hasch dans des pipes en terre. Le chanvre a poussé dans un petit jardin près du rempart, sous l'œil candide des sœurs bénédictines.

Voici une minuscule chapelle où brûlent des cierges. Une femme y prie ; dans la pénombre on ne distingue que le voile blanc qui couvre ses cheveux.

Un vieux rabbin à barbe blanche dont les yeux brillent derrière des lunettes cerclées de fer me salue : « *Shalom* [paix]. Vous êtes perdu, je crois. Vous êtes à Bézétha, près de la porte d'Hérode. On a dit grand mal d'Hérode et qu'il fut un païen. C'est faux : il ne cessa jamais de croire au Dieu auquel s'étaient convertis ses ancêtres... La preuve, il construisit un Temple plus beau que celui de Salomon. »

Me voici à nouveau envoûté. « Nos pieds s'arrêtent à tes portes, Jérusalem. Jérusalem bâtie comme une ville où tout se tient ensemble... Qu'ils soient tranquilles ceux qui t'aiment. Que la paix soit dans tes murs, la tranquillité dans tes palais... » (Psaume 122).

Je n'ai jamais écrit mon article. J'avais au moins appris qu'il ne fallait pas venir à Jérusalem pour y chercher le repos ou la raison. On n'y trouve que l'inquiétude. C'est une ville qui fascine et révolte, qui rend fous les sages et exalte les pacifiques.

On ne peut longtemps oublier son passé sanglant, son présent difficile, son avenir incertain. Chaque pierre rappelle que, depuis le début des temps, toutes les passions et tous les fanatismes s'y sont affrontés, au nom de Dieu ou en prenant Dieu pour prétexte. Et qu'il en sera ainsi jusqu'au jour où, selon les Ecritures, les morts se lèveront pour le Jugement dernier dans l'étroite vallée de Josaphat que l'on appelle encore vallée du Cédron.

Où donc pouvait-il m'arriver sinon à Jérusalem

que des amis israéliens me reprochent, entre deux et trois heures du matin et après quelques bouteilles de whisky, les agissements et les écrits de saint Paul, à moi qui étais aussi agnostique qu'eux ? Avec stupéfaction, je me suis entendu défendre l'apôtre. Car il existe, mais seulement dans la Ville sainte, une certaine manière d'être incroyant et religieux à la fois.

Jérusalem, déjà, posait un problème insoluble à Kissinger, ce prodigieux baladin de la diplomatie américaine. Il l'avouait, redoutant que la ville se rallume, que s'effondre la paix fragile qu'il venait d'instaurer au Proche-Orient. Et, pour compliquer l'affaire, il était juif. On ne manqua pas de le lui rappeler jusqu'à installer dans une des vitrines de l'hôtel King David une sorte de Who's Who juif ouvert à la page mentionnant sa filiation.

Dix-sept ans plus tard, James Baker qui n'était pas juif mais bon protestant, imprégné de Bible, se trouvait aux prises avec les mêmes problèmes, tandis que j'en étais toujours à chercher un statut qui pourrait convenir à Jérusalem. La quadrature du cercle !

Le mont des Oliviers interdit

Me voici de retour. Il est midi. Sous le soleil décapant et la lumière crue de mai, je contemple Jérusalem de la « Haas Promenade », un belvédère que, nouvel Hérode, Teddy Kollek, son maire, vient de construire dans le style israélo-byzantin, moitié bunker, moitié basilique, qui est de mode aujourd'hui. Mais heureusement dans la magnifique pierre du pays, car, à Jérusalem, le béton fut interdit par une ordonnance datant du mandat. Au moins sur ce point, on peut être reconnaissant à la Couronne britannique d'avoir évité le pire.

Je ne reconnais plus la ville. Je n'y suis pas revenu

depuis des années, mais elle a si peu changé au cours des siècles que je ne pouvais m'attendre à une telle métamorphose. Une immense nécropole s'étend devant mes yeux, des tombes blanches à l'infini escaladant les collines, déboulant dans les vallées. Ce sont des buildings et des tours, mais le soleil les a si bien nivelés et aplatis qu'il les a réduits à des entassements de pierres.

Jérusalem, ville des cimetières, bâtie sur des tombes, entourée de tombes !

Dans le lointain, les murailles crénelées de la Vieille Ville apparaissent comme les limites d'une autre nécropole. La tache d'or du Dôme du Rocher, la mosquée d'Omar étincelle, tel un joyau fixé sur une tombe plus grande que les autres, le mont Moriah où la Bible place la naissance du monde.

Je m'étonne que l'ami israélien qui m'accompagne pour mes retrouvailles avec la Cité de Dieu ne m'ait pas conduit au mont des Oliviers. N'est-il pas l'un des sites les plus vénérés d'où l'on découvre la plus belle vue de Jérusalem ?

N'est-ce pas là que David, qui n'était encore qu'un proscrit, rêva d'en faire sa capitale, que dans un flamboiement d'armures et d'oriflammes, moitié pillards, moitié soldats du Christ, les croisés la découvrirent éblouis, que Saladin, le Kurde, au nom d'Allah y dressa les plans de sa reconquête ? Et que bien plus tard, Moshe Dayan, le juif sabra, dirigea l'assaut de ses parachutistes contre les murailles construites par un Turc, en se réclamant de la tradition de Yahvé auquel il ne croyait pas ?

« Parce qu'on ne se rend plus au mont des Oliviers, m'avoue mon compagnon, et qu'aucun taxi israélien n'acceptera de vous y conduire, de crainte d'être reçu à coups de pierres ou de voir sa voiture incendiée par un cocktail Molotov. Parce que, vingt-quatre ans après qu'a été réunifiée Jérusalem, la ville est à nouveau séparée par une frontière invisible qui existe surtout dans les têtes. Elle varie selon le tempérament de chacun et l'idée qu'il se fait de l'autre. L'autre, bien sûr, c'est l'Arabe, le Palestinien. Comme avant la guerre des Six Jours, le mont des Oliviers se retrouve dans la partie est, la partie arabe.

« D'un commun accord, juifs et Palestiniens, s'ils n'en éprouvent pas la nécessité, évitent de sortir de leur territoire respectif. Et c'est ainsi que nous avons ressuscité des frontières empruntant le tracé de la ligne verte, la ligne de cessez-le-feu de 1948. Car si pour nous, juifs, Jérusalem a toujours été la capitale de l'Etat d'Israël, les Palestiniens n'en veulent plus d'autre après avoir hésité entre Amman et Beyrouth. Ils en font un mythe sentimental, une revendication politique, une exigence religieuse, le symbole d'un nationalisme qui se renforce à mesure qu'ils se sentent lâchés ou mis à l'écart par les autres pays arabes.

« Depuis que sévit l'Intifada, deux peuples qui déjà se supportaient mal sont devenus ennemis. Dans les camps de réfugiés, m'a-t-on dit, au Liban, en Tunisie, en Syrie, les Palestiniens de la diaspora — encore un mot qu'ils nous ont pris — répètent à l'envi la même prière que nous, jadis : "L'an prochain à Jérusalem..." Il ne leur reste plus qu'à la réciter en hébreu, et l'identification sera complète pour peu qu'ils fassent de David le symbole de l'Intifada. Armé seulement de sa fronde, ne tua-t-il pas le géant Goliath ? Aujourd'hui Goliath, c'est Tsahal, notre armée qui s'en prend à des bergers lui lançant des pierres. Au cours des siècles, ceux qui se réclament de David ont toujours bénéficié de toutes les sympathies, même si elles n'étaient pas justifiées.

« Si, un jour, les islamistes ou les nationalistes arabes doivent s'inventer une nouvelle croisade pour réaliser une union impossible, ce sera pour conquérir Jérusalem, la seule Ville sainte de l'Islam qui à leurs yeux ait acquis une valeur politique, alors que La Mecque et Médine n'en ont pas. Beaucoup de sang coulera et le monde entier pourrait en être éclaboussé.

« Car jamais, nous autres juifs, nous ne renoncerons à Jérusalem, ni ne la partagerons. Tout, à la rigueur, peut se discuter, le Golan, les Territoires occupés, pas Jérusalem. »

Nouveau Lazare, Jérusalem ressuscite de ses cimetières quand la nuit vient

En fin de journée, je me rends seul au mont des Oliviers. J'ai seulement pris la précaution de louer un taxi palestinien. Un chameau s'ennuie sur la terrasse qui domine la ville, au-dessous de l'hôtel Intercontinental, une grande bâtisse aujourd'hui déserte que construisirent les Jordaniens pour y faire commerce de pèlerins. Mais les Jordaniens perdirent la ville et l'Intifada vida l'hôtel. Le chameau attend des touristes qui ne viendront plus, comme les trois gamins qui jouent au football avec une boîte de Coca-Cola ; après avoir essayé, sans conviction, de me fourguer leurs cartes postales, ils disparaissent.

A mesure que le soleil décline, les murailles crénelées de la Vieille Ville, les tours carrées qui en défendent les portes prennent des teintes dorées, révélant derrière elles un fouillis de coupoles, de minarets, de clochers. J'assiste, ébloui, au miracle de Jérusalem qui grâce à la lumière, à la même heure, chaque jour, nouveau Lazare, ressuscite de ses pierres et de ses cimetières.

Au premier plan, l'esplanade du Haram-el-Sherif, l'esplanade du Temple, avec la coupole sombre de la mosquée Al Aqsa qui fut aussi le siège des chevaliers du Temple. A droite, la coupole de la mosquée d'Omar, un temps basilique chrétienne. Elle étincelle sur son support octogonal orné de faïences bleues.

Au fond, tassé parmi d'autres bâtisses, le dôme discret du Saint Sépulcre que domine un minaret pour rappeler aux chrétiens qu'ils n'étaient que des *dhimmis*, tolérés en terre d'Islam à condition qu'ils paient tribut et se montrent discrets. Mais voilà qu'aujourd'hui les chrétiens, à tort ou à raison, se plaignent d'être considérés par les juifs comme de nouveaux *dhimmis*, des citoyens de seconde zone. Quant aux musulmans, passés de maîtres à sujets, leur situation leur paraît intolérable. Ils oublient qu'ils ont perdu trois guerres qu'ils avaient provoquées. Et que seule l'hypocrisie ambiante empêche d'évoquer le droit des vainqueurs.

Le Mur des Lamentations, tout ce qui reste du second Temple construit par Hérode selon les canons de l'architecture romaine, se trouve quelque part derrière Al Aqsa dont il constitue le soubassement. Sur quelques centaines de mètres carrés se bousculent les Lieux saints des trois grandes religions monothéistes comptant plus d'un milliard et demi de fidèles, et cela dans une ville qui ne mesure même pas dix hectares, dont on fait le tour à pied en deux heures. Une poudrière plus qu'un sanctuaire.

Des cloches tintent toutes proches à l'église du Tombeau de la Vierge, près du jardin de Gethsémani où le Christ se sentit abandonné de Dieu, au couvent du Carmel, à l'église russe de Sainte-Madeleine aux bulbes verts ornés de la croix orthodoxe, que construisirent les tsars et que Moscou, reconvertie à la foi de saint Basile, ne tardera plus à réclamer. Le chant du muezzin, amplifié par les haut-parleurs, répercuté de minaret en minaret, les étouffe. Qui a pu dire que Jérusalem était la capitale de la paix quand la prière, quatre fois par jour, y prend des allures de provocation et qu'elle a des relents de guerre sainte ?

Ce qui l'instant d'avant n'était qu'entassements de pierres, paysages lunaires écrasés par la lumière, redevient villes satellites hérissant les collines de l'est et de l'ouest jusqu'à Bethléem, jusqu'à Ramallah et

Jéricho. Elles semblent monter la garde autour de Jérusalem : elles l'enserrent. Pour mieux la protéger ou l'étouffer ? L'or des pierres vire au rouge, cette pierre de Bethléem que les maçons appellent *mizi ahmas*, incrustée des sables du désert. Comme si tout le sang répandu pour Jérusalem en baignait soudain ses murailles.

Jérusalem d'or et de sang !

A mesure que vient la nuit, monte autour de moi l'odeur particulière de la ville en cette saison, une senteur sèche, presque âcre, mélange de résine chaude, de feu de bois, de térébenthine et de cyprès, une odeur qui ne peut s'oublier et que je retrouve après tant d'années. Dans leurs froides citadelles d'Occident, les croisés chassés de Terre sainte devaient aussi s'en souvenir comme les exilés palestiniens des camps de réfugiés de Beyrouth.

Les premières étoiles s'allument dans le ciel, plus brillantes, me semble-t-il, que partout ailleurs. Jérusalem se trouve à huit cents mètres d'altitude, aux portes d'un désert. Ici le ciel et la terre, les dieux et les hommes sont trop proches, ce qui n'est bon ni pour les hommes ni pour les dieux.

Rencontre avec Hérode

Hérode m'attend. Il se nomme aujourd'hui Teddy Kollek et il vit ses derniers jours de maire de Jérusalem après y avoir régné vingt-cinq ans. Son amour de Jérusalem, ses talents de bâtisseur, son goût des belles pierres, sa conception d'une cité ouverte à toutes les religions, à toutes les influences, lui ont valu ce surnom.

Mais comme Hérode devait supporter les humeurs des empereurs de Rome, il a été souvent aux prises avec la Knesset qui n'approuvait pas ses initiatives, avec le gouvernement d'Israël qui n'était plus de son bord et lui mesurait les crédits, avec le conseil municipal où il n'était plus majoritaire. Enfin avec les juifs orthodoxes qui lui reprochaient son athéisme et de se conduire comme un *goy*. A l'époque d'Hérode, ils s'appelaient Pharisiens.

En 1983, au cours d'un des ses coups de colère contre les « Pharisiens », comme on lui apprenait qu'un incendie s'était déclaré à Mea Shearim, l'une de leurs citadelles, il lâcha : « Ça me serait bien égal que tout le quartier flambe et qu'il n'en reste rien. » Une réflexion digne de Ben Gourion. Ses propos lui vaudront d'être attiré dans un traquenard par les Hommes en noir, roué de coups, envoyé à l'hôpital et traité de nazi.

Teddy « le nazi » est né le 27 mai 1911, mille neuf cent quatre-vingt-quatre ans après Hérode, à Nagy-baszany, en Autriche-Hongrie.

« J'ai grandi à Vienne, me dira-t-il, et assisté à sa mort, victime des mêmes rivalités entre groupes ethniques, religieux, politiques qu'à Jérusalem aujourd'hui. En face de la maison où j'habitais, sur les murs, des affiches électorales en polonais, allemand, hongrois, tchèque où l'on s'insultait. J'ai vu monter le nazisme, fruit de ces affrontements. En 1935, juste avant l'Anschluss, j'ai émigré en Palestine. J'avais compris l'avertissement et c'est bien ce qui me rend furieux d'assister aux mêmes déchirements entre juifs et Arabes, entre sionistes et religieux, et chrétiens entre eux. »

Teddy Kollek appartient à la génération des sionistes venus de l'Europe de l'Est, fondateurs de kibboutzim, créateurs du tout-puissant Syndicat unique, l'Histadrout, dont le leader était Ben Gourion. Il lui restera toujours fidèle. Arrivé au même âge que lui, il aura les mêmes réflexes, s'insurgeant contre l'idée de vieillir, contre le temps qui passe et risque de remettre en question les cent projets qui se bousculent dans sa tête. Il manifeste de la hargne, de la colère contre une vieillesse qui menace son œuvre. C'est plutôt la folie des hommes qu'il devrait redouter, mais son optimisme l'en empêche.

« Je veux, me dit-il, que rien ne porte mon nom à Jérusalem, ni une rue, ni un bâtiment. Rien sauf une salle de bains au musée ; je n'ai pu y échapper. Pour mes soixante-dix ans, ma famille a tenu à planter soixante-dix arbres dans un parc, mais j'ai fait enlever la plaque qui portait mon nom. Si j'ai rédigé un testament, ce fut pour exiger que sur ma tombe on ne prononce aucun discours. »

Pourquoi cette rage à disparaître inconnu, lui qui est si sensible aux feux de la rampe, l'un des maires les plus médiatiques du monde ? Le même comportement orgueilleux et désespéré que Ben Gourion, le même refus de « décrocher » malgré la fatigue, la vieillesse, la maladie. « Mon passé, répète-t-il, je ne m'en souviens pas. Je ne m'intéresse qu'à ce que je vais entreprendre. »

Teddy Kollek, à peine arrivé en Palestine, participe à la fondation du kibboutz Ein Guev. Le voilà pêcheur au bord du lac de Tibériade, sans jamais éprouver la tentation de jouer les Messies et de marcher sur les eaux. Résolument laïque : la Bible, à ses yeux, n'est qu'un livre d'histoire, celle de son peuple.

Teddy Kollek me reçoit dans son petit bureau, à la mairie. Des souvenirs encombrent les étagères : coupes d'argent, diplômes d'honneur, chromos. En guise de presse-papiers, une pierre du mur de Berlin qu'il vient de rapporter. A Jérusalem, il existe aussi un mur que l'on devrait abattre, mais, vieux de deux mille ans, il est fait de haines, de rancœurs.

Teddy se carre dans son fauteuil comme un boxeur s'adosse aux cordes du ring avant de bondir et de cogner. Car pour lui, toute interview se résume à un match de boxe, mais le boxeur est à bout de forces. Je lui demande :

— Est-il exact que Ben Gourion, en bon sioniste athée, se défiait de Jérusalem et des passions qu'elle suscitait, qu'il n'aimait pas Jérusalem, qu'il lui préférait Tel-Aviv ?

Il bondit :

— Faux. La preuve, c'est lui qui décida d'en faire, en 1949, la capitale de l'Etat d'Israël bien que la ville fût coupée en deux et malgré l'opposition du monde entier. Jérusalem, estimait-il, était la seule ville qui fasse autour d'elle l'unité des juifs. Il disait : « Elle est leur passé, elle a été longtemps leur espérance. Y renoncer équivaudrait à un suicide. »

— Mais la Vieille Ville ne faisait pas encore partie d'Israël. C'est elle qu'il haïssait.

— Partisan convaincu de la réunification, il estimait, après notre victoire, en 1967, que nous pouvions accepter, en échange de la paix, de rendre nos conquêtes : le Golan, la Cisjordanie, Gaza, à l'exception de Jérusalem.

— Ne vous a-t-il pas poussé, un an avant la guerre, à devenir maire de Jérusalem pour exorciser ses passions religieuses ?

— Vous leur accordez trop d'importance. Personnellement, je les redoute moins que les passions nationalistes.

— J'ai rencontré des rabbins intégristes qui exigeaient qu'on débarrasse Jérusalem de tout ce qui n'était pas exclusivement juif.

— Il y a des fous partout et Jérusalem, par le climat qui y règne, par son passé, suscite plus de folie qu'ailleurs.

— Qu'avez-vous fait pour réconcilier les deux communautés ?

— Tout ce que j'ai pu et sans beaucoup de moyens puisque j'ai dû quêter à l'extérieur. Grâce à la Fondation qui n'a rien à voir avec le gouvernement, nous avons créé un Centre culturel pour les Arabes, un véritable établissement qui ne se limite pas à être une bibliothèque, mais un lieu de rencontre. Il nous faut du temps pour nous entendre et nous comprendre, une génération au moins. Si ce n'est pas la nôtre, ce sera la suivante. Et j'ai grand espoir en elle.

— Pour le moment, les échanges culturels se limitent à des jets de pierres et à l'instauration du couvre-feu.

— Nous traversons, il est vrai, une période difficile, mais pas autant qu'on le prétend. Bien sûr, au moindre incident, CNN et toutes les télévisions se précipitent et le montent en épingle. Mais elles sont absentes quand tout est calme, tranquille, comme c'est souvent le cas. Savez-vous que, sur les cinq mille employés de la mairie, le tiers est arabe et continue à travailler avec nous ?

— Mais les conseillers municipaux arabes grâce auxquels vous déteniez la majorité au conseil municipal ont tous donné leur démission.

La grande peur des Arabes palestiniens

— Par peur de représailles, par peur d'être égorgés. Ils sont d'abord venus aux séances sans y participer, puis ils ne sont plus venus. La haine entre juifs et Arabes n'est pas aussi violente que vous le croyez. Un exemple : un vieux juif de soixante-quinze ans, alors qu'il se rendait à la prière au Mur, a été poignardé par un fanatique devant l'échoppe d'un cordonnier palestinien. Celui-ci l'a soigné, transporté à l'hôpital, lui sauvant la vie.

— Mais il a refusé qu'on publie son nom, sa photo dans les journaux quand vous l'avez reçu pour le féliciter.

— La peur encore, mais elle ne durera pas. Dans les jardins, dans les deux cent cinquante espaces verts que j'ai créés à Jérusalem et qu'on m'a reprochés (j'aurais dû, paraît-il, construire des écoles ou des hôpitaux dans ces jardins), se promènent côte à côte, pique-niquent juifs et Arabes. Ils ne se parlent pas encore, chacun se tient dans son coin. Mais les enfants jouent ensemble, apprennent à se connaître. Il faut du temps. Des communautés s'affrontent partout : les Pakistanais en Angleterre, les Maghrébins en France, les Turcs à Berlin. Mais dès qu'il s'agit de Jérusalem, le monde entier s'enflamme. N'a-t-on pas dit que Jérusalem serait un nouveau Belfast, un nouveau Beyrouth ? Ce n'est pas le cas. Malgré quelques incidents, la vie continue. On joue *Faust* de Gounod devant des milliers de spectateurs.

— Y avait-il des Arabes parmi eux ?

— Non, ni des juifs orthodoxes. Mais grâce à la Fondation, nous avons créé un théâtre palestinien qui est devenu un centre très vivant, un véritable conservatoire.

— Et un nid pour les activistes de l'OLP.

— Malgré cela, nous devons multiplier les lieux de rencontre d'où naîtra une certaine forme de cohabitation et de compréhension, changer par exemple le caractère de Jérusalem, ville austère, par des rues piétonnes, animées, comme Ben Yéouda.

— Les Palestiniens ne s'y risquent guère.

— Les juifs au moins s'y rendent alors qu'avant, ils restaient enfermés dans leurs quartiers. Les habitants de Jérusalem doivent vivre en paix, en conservant leurs habitudes et leur culture propre. Pourquoi, par exemple, les chrétiens ne peuvent-ils vendre du porc dans la ville arabe où ils sont nombreux ? Les musulmans les en empêchent.

— Le pourraient-ils dans la ville juive sans avoir tous les rabbins à leurs trousses ? Quelles sont, selon vous, les concessions qui pourraient être faites aux Arabes et qui permettraient de mettre fin à ce climat empoisonné ?

— L'exterritorialité, pas seulement des Lieux saints mais des écoles, des mosquées où la police n'aurait pas le droit de perquisitionner à tout bout de champ, sans garanties. Qu'on publie enfin des lois donnant des garanties aux Arabes et qu'on ne s'en tienne pas seulement à des règlements datant du mandat anglais. Le monde nous regarde et nous nous conduisons de bien étrange façon : un comportement sur lequel on nous juge. Je ne vois pas le gouvernement actuel faisant la moindre concession. Mais les gouvernements changent.

— Si vous aviez un souhait à faire pour vos quatre-vingts ans, pour vos vingt-cinq ans de maire de Jérusalem, quel serait-il ?

— Que dans cinq ans, dix ans peut-être, juifs et Arabes fassent de la réunification de Jérusalem une fête. Bien sûr, ce ne sera pas facile. Savez-vous ce que l'on raconte ? Que Dieu a comblé le monde de mille beautés et que Jérusalem à elle seule a eu droit aux neuf dixièmes de la beauté du monde, que Dieu a répandu sur l'univers le malheur et la souffrance et que Jérusalem a eu droit aux neuf dixièmes du malheur et de la souffrance du monde.

Teddy Kollek pousse un soupir. Il n'est pas facile d'être maire d'une ville où chacun se méfie de l'autre et l'espionne, où le monde a les yeux fixés sur vous, où le passé pèse d'un poids si lourd. Le vieux lutteur est fatigué, bien qu'il s'efforce de ne pas le montrer. Il est désespéré par le climat qui règne dans « sa » ville, la montée du fanatisme religieux chez les uns et les autres, le refus de tout dialogue.

Pauvre Hérode !

Malgré ce qu'il a fait pour les Palestiniens de Jérusalem, allant jusqu'à ériger un monument à leurs morts de la guerre, il ne peut plus se risquer dans la ville arabe comme il en avait l'habitude. Il n'y a plus mis les pieds depuis un an, depuis qu'il en a été chassé à coups de pierres comme un vulgaire touriste juif ou chrétien. Dans les années qui suivirent la réunification, il y était acclamé, puis il ne fut plus que toléré ; aujourd'hui il est rejeté. Pauvre Hérode !

Teddy Kollek a quitté la mairie ; ce sont les religieux qui l'ont chassé. Les travaillistes, ses amis, sont revenus au pouvoir. Un grand espoir est né avec la rencontre, sous l'égide des Etats-Unis, de Rabin et d'Arafat, la naissance d'un mini-Etat palestinien à Gaza et à Jéricho. L'accouchement se révèle difficile, tous les démons ne sont pas encore exorcisés. A-t-on fini enfin de mourir pour Jérusalem ?

A Jérusalem, on en revient toujours à la Bible et c'est en citant l'un des Psaumes attribués à David que je voudrais terminer :

> *Demandez la paix pour Jérusalem !*
> *Qu'ils soient tranquilles ceux qui t'aiment !*
> *Que la paix soit dans tes murs,*
> *La tranquillité dans tes palais !*
> *A cause de mes frères et de mes amis,*
> *Je veux dire « Paix pour toi ».*

Jérusalem — Paris — Saint-Cézaire

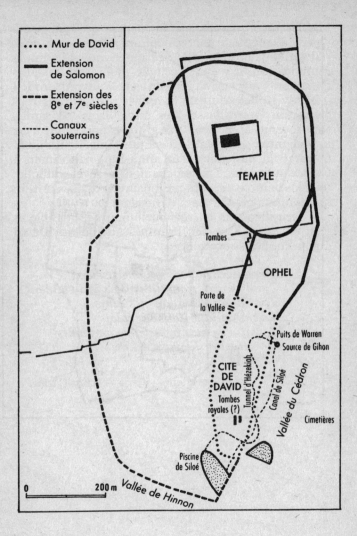

Légende:
- ..... Mur de David
- —— Extension de Salomon
- ‑‑‑ Extension des 8ᵉ et 7ᵉ siècles
- ···· Canaux souterrains

TEMPLE

Tombes

OPHEL

Porte de la Vallée

Puits de Warren
Source de Gihon

CITÉ DE DAVID

Tunnel d'Hézekiah

Canal de Siloé

Tombes royales (?)

Vallée du Cédron

Cimetières

Piscine de Siloé

0   200 m   Vallée de Hinnon

JÉRUSALEM AU TEMPS DE DAVID

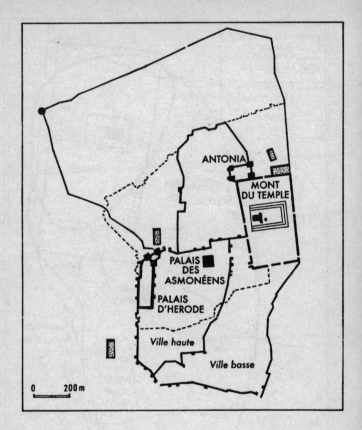

ANTONIA

MONT
DU TEMPLE

PALAIS
DES
ASMONÉENS

PALAIS
D'HÉRODE

Ville haute

Ville basse

0   200 m

JÉRUSALEM AU TEMPS D'HÉRODE

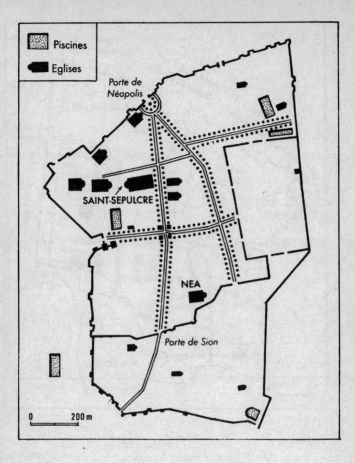

Piscines

Eglises

Porte de
Néapolis

SAINT-SEPULCRE

NEA

Porte de Sion

0   200 m

PLAN DE LA VILLE BYZANTINE

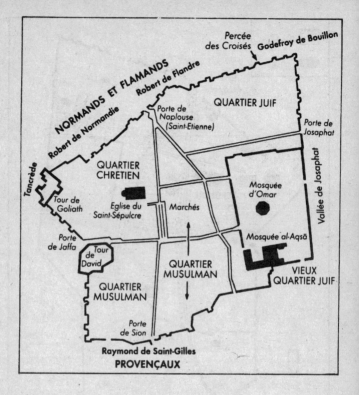

ATTAQUE DE JÉRUSALEM PAR LES CROISÉS

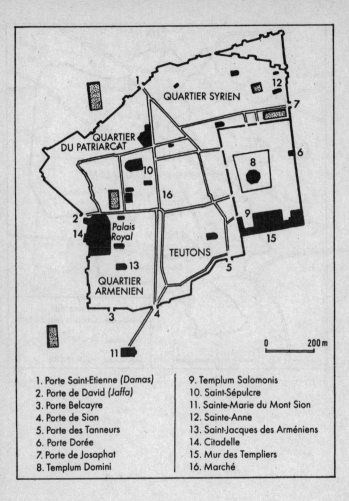

1. Porte Saint-Etienne *(Damas)*
2. Porte de David *(Jaffa)*
3. Porte Belcayre
4. Porte de Sion
5. Porte des Tanneurs
6. Porte Dorée
7. Porte de Josaphat
8. Templum Domini
9. Templum Salomonis
10. Saint-Sépulcre
11. Sainte-Marie du Mont Sion
12. Sainte-Anne
13. Saint-Jacques des Arméniens
14. Citadelle
15. Mur des Templiers
16. Marché

LA JÉRUSALEM DES CROISÉS

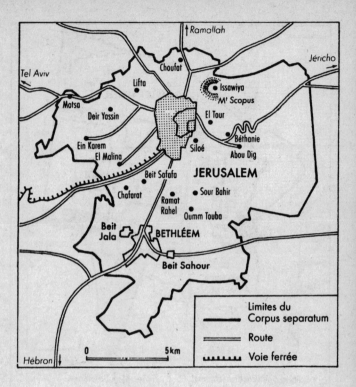

PROJET ONU DE VILLE INTERNATIONALE (1948)

L'ÉTAT D'ISRAËL LE PREMIER JOUR

Table

Du même auteur

Presses de la Cité

LES CENTURIONS
LES MERCENAIRES
LES PRÉTORIENS
LES TAMBOURS DE BRONZE
LES CHIMÈRES NOIRES
LE MAL JAUNE
SAUVETERRE
LES BALADINS DE LA MARGERIDE
TOUT HOMME EST UNE GUERRE CIVILE, TOME I
LES LIBERTADORS, TOME II
LE PARAVENT JAPONAIS
LES GUÉRILLEROS
VOYAGE AU BOUT DE LA GUERRE
TOUT L'OR DU DIABLE
L'ADIEU À SAÏGON
FIU-TAHITI, LA PIROGUE ET LA BOMBE
LA FABULEUSE AVENTURE DU PEUPLE DE L'OPIUM
LE COMMANDANT DU NORD
MARCO POLO
UN MILLION DE DOLLARS LE VIET
DIEU, L'OR ET LE SANG
LIBAN — 8 JOURS POUR MOURIR
L'OMBRE DE LA GUERRE — TOME I, LE JOUEUR DE FLÛTE —
   TOME II, LA SALTIMBANQUE

Editions G. P.

LE DRAGON, LE MAÎTRE DU CIEL ET SES SEPT FILLES

Flammarion

ENQUÊTE SUR UN CRUCIFIÉ
LES ROIS MENDIANTS

LES NAUFRAGÉS DU SOLEIL
LE CHEVAL DE FEU
LE BARON CÉLESTE

Gallimard

SAHARA AN I
LA GRANDE AVENTURE DE LACQ

Le Mercure de France

LE PROTECTEUR *(théâtre)*
L'OR DE BAAL

Albin Michel

CLEFS POUR L'AFRIQUE
LETTRES OUVERTES AUX BONNES FEMMES

Edition Spéciale

LES MURAILLES D'ISRAËL

La Pensée Moderne

LES DIEUX MEURENT EN ALGÉRIE *(album)*
LES CENTURIONS DU ROI DAVID *(album)*
LE MAROC INTERDIT

Editions de Fallois

LE ROI NOIR

Editions Laffont

TRIPLE JEU

Composition réalisée par JOUVE

IMPRIMÉ EN FRANCE PAR BRODARD ET TAUPIN
Usine de La Flèche (Sarthe)
LIBRAIRIE GÉNÉRALE FRANÇAISE - 43, quai de Grenelle - 75015 Paris.

ISBN : 2-253 - 14092 - 9 ◈ 31/4092/8